Marie-Hélène Morsel, Claude Richou
et Christiane Descotes-Genon

L'EXERCISIER

B1-B2

4e édition

Grenoble

**La collection GRAMMAIRE
est dirigée par Isabelle Gruca**

L'exercisier. Livre de l'élève, 4ᵉ édition. M.-H. Morsel, C. Richou et C. Descotes-Genon, 2018

L'exercisier. Corrigés des exercices, 4ᵉ édition. M.-H. Morsel, C. Richou et C. Descotes-Genon, 2018

La grammaire des premiers temps B1-B2. Livre de l'élève. Nouvelle édition, CD MP3 inclus. D. Abry et M.-L. Chalaron, 2015

La grammaire des premiers temps B1-B2. Corrigés des exercices. D. Abry et M.-L. Chalaron, 2015

La grammaire des premiers temps A1-A2. Livre de l'élève. Nouvelle édition, CD MP3 inclus. D. Abry et M.-L. Chalaron, 2014

La grammaire des premiers temps A1-A2. Corrigés et transcriptions. D. Abry et M.-L. Chalaron, 2014

La grammaire des tout premiers temps. 2ᵉ édition, CD MP3 inclus. M.-L. Chalaron et R. Rœsch, 2013

L'expression française écrite et orale. Livre de l'élève. C. Abbadie, B. Chovelon et M.-H. Morsel, 2003

L'expression française écrite et orale. Corrigés des exercices. C. Abbadie, B. Chovelon et M.-H. Morsel, 2003

Expression et style. Livre de l'élève, corrigés inclus. M. Barthe et B. Chovelon, 2015

Présent, passé, futur. D. Abry, M.-L. Chalaron et J. Van Eibergen, 1997

**Pour les autres collections, consultez le catalogue
sur notre site internet www.pug.fr**

Conception graphique de la couverture : Corinne Tourrasse
Création de maquette intérieure : Catherine Revil
Mise en page : Soft Office
Coordination éditoriale : Rose Mognard

Achevé d'imprimer en février 2018
sur les presses de la Nouvelle Imprimerie Laballery – 58500 Clamecy
Dépôt légal : mars 2018 – N° d'impression : 712415
Imprimé en France
La Nouvelle imprimerie Laballery est titulaire de la marque Imprim'Vert®

© Presses universitaires de Grenoble, mars 2018
15, rue de l'Abbé-Vincent – 38600 Fontaine
Tél. +33 (0)4 76 29 43 09 – Fax +33 (0)4 76 44 64 31
pug@pug.fr / www.pug.fr

ISBN 978-2-7061-2982-7

Avant-propos

Public

L'Exercisier s'adresse en priorité à des apprenants de Français langue étrangère adolescents et adultes.

Il pourrait être également utilisé dans les collèges en France.

Contenus

1. Langue enseignée

Nous avons intentionnellement utilisé :

– une langue contemporaine couvrant plusieurs registres : de l'oral un peu familier à un écrit assez soutenu.
– un lexique fourni couvrant des champs lexicaux variés de manière à donner aux apprenants, même faibles, les outils nécessaires pour s'exprimer autrement qu'en français simplifié, surtout dans les exercices les plus difficiles.

2. Documents authentiques

Au fil des chapitres apparaissent des documents authentiques variés : entrefilets, articles, publicités, photos, dessins, bandes dessinées, sondages, statistiques empruntés à la presse contemporaine.

3. Notions à retenir

Dans chaque chapitre, se trouve au moins une partie ⚙ L'ESSENTIEL SUR... qui permet de visualiser d'une façon synthétique le problème grammatical abordé. Il est précédé d'une introduction théorique. Des 🖑 BOÎTE À OUTILS synthétisent l'essentiel de certains points particuliers.

C'est à l'enseignant de déterminer comment il les utilise : partiellement ou totalement en fonction du niveau, en introduction ou en synthèse finale.

4. ⊕ Activité de repérage 1

Des activités de repérage, présentes dans la plupart des chapitres permettent une pédagogie de découverte et de conceptualisation.

5. Exercices

Chaque exercice est précédé d'un descriptif des contenus grammaticaux pour faciliter l'emploi du livre. Un deuxième titre (allusif, jeu de mots, expression de la langue contemporaine, etc.) signale que l'exercice propose aussi un champ lexical.

6. Citations

Des citations (littérature d'hier ou d'aujourd'hui, philosophie, sciences, célébrités de France ou d'ailleurs, sagesses populaires, humanistes, etc.) accompagnent le contenu de chaque chapitre et ouvrent à des prolongements divers.

Niveaux

Cet ouvrage, destiné principalement aux étudiants du niveau B1 et B2 du cadre européen commun de référence (CECR) ou ayant déjà suivi 200 à 250 heures de cours, permet d'introduire et de travailler toutes les notions grammaticales de base de ce très large niveau intermédiaire.

C'est aussi un ouvrage de révisions pour les apprenants plus avancés : B2 pour certaines notions à retenir et les exercices les plus créatifs.

Les indications qui accompagnent chaque exercice permettent de sélectionner ce qui convient le mieux aux apprenants et à leurs objectifs et, éventuellement, dans les groupes peu homogènes, de faire un enseignement plus individualisé.

Nous avons signalé, pour chaque exercice, le niveau correspondant du CECR mais également par un système d'étoiles indiquant la graduation du niveau.

En fin d'ouvrage, un index des exercices permet de repérer rapidement, pour chaque point de grammaire, la difficulté des exercices.

Conseils d'utilisation

L'ordre de présentation classique des chapitres dans le livre a été choisi pour des raisons de commodité analytique mais n'est pas une progression à suivre à la lettre.

Chaque chapitre comporte des exercices de plusieurs niveaux et, donc, l'enseignant aura à déterminer sa propre progression en fonction des besoins et des objectifs de sa classe et de son type de pédagogie.

Si tous les exercices ont une présentation écrite, leur utilisation peut être beaucoup plus variée : les exercices de type structural peuvent se faire oralement en classe ou en laboratoire, comme par écrit ; d'autres exercices se prêtent très bien à une pédagogie interactive, livres fermés (simulations, situations) ; et d'autres pourront déboucher sur des discussions, des jeux de rôle, voire des débats dans la classe et leurs prolongements écrits. Un certain nombre d'exercices sont plus intéressants en travail de groupe.

Livre de corrigés

Ce livre n'est pas un guide pédagogique. Il donne le corrigé de tous les exercices directifs et des propositions indicatives pour ceux qui font appel à la créativité et pour lesquels plusieurs réponses sont possibles ; ce sera dans ce cas à l'enseignant d'apprécier.

Pour les enseignants, il simplifie le travail de préparation.

Pour les apprenants, il offre une possibilité d'auto-apprentissage.

L'exercisier, ou « arbre à exercices »

Ce néologisme créé par les auteurs sur le modèle des arbres fruitiers est une métaphore qui évoque aussi bien la conception et la croissance de l'ouvrage que le déploiement de l'apprentissage chez ses utilisateurs, grâce à la consommation personnalisée de ses nombreux fruits.

NB : Malgré le soin que nous apportons à la correction de nos livres, il peut subsister des erreurs. N'hésitez pas à nous les signaler. Nous vous en saurons gré.

À l'oral comme à l'écrit, la pensée doit être structurée. Une succession de mots sans interruption n'aurait pas de sens. À l'oral, ce sont les diverses intonations qui organisent le sens. À l'écrit, c'est la phrase, délimitée au début par une majuscule et à la fin, le plus souvent, par un point. Les signes de ponctuation sont donc importants. La phrase peut ne contenir qu'un verbe ou un nom. Si elle comporte plusieurs verbes, ces unités syntaxiques seront organisées selon des relations de subordination, de coordination ou de juxtaposition.

● Rappel de quelques notions

Quand nous parlons, quand nous écrivons, nous nous exprimons à l'aide de phrases. À l'oral, la phrase est marquée par une certaine intonation ; à l'écrit, elle est limitée bien souvent par une majuscule et un signe de ponctuation plus ou moins fort.
On distingue :
– des **phrases verbales** (construites autour d'un verbe conjugué ou à l'infinitif).

Exemples : L'automobiliste s'est arrêté au feu rouge.
Pourquoi s'arrêter ?

– des **phrases nominales** (construites autour d'un autre mot : nom, adjectif, etc.).

Exemples : Quel temps !
Arrivée du président.

Si la phrase verbale ne comporte qu'un verbe conjugué, elle forme une **phrase simple**. Si la phrase comporte plusieurs verbes introduits par des pronoms relatifs, interrogatifs ou des conjonctions de subordination, elle forme une **phrase complexe**.

Exemples : Elle s'est couchée immédiatement (phrase simple).
Elle s'est couchée parce qu'elle était fatiguée (phrase complexe).

Selon la nature du message que l'on veut communiquer, une phrase est obligatoirement :
– **déclarative :** Marianne est en retard.
– **interrogative :** Quelle heure est-il ?
Avez-vous bien compris ?
– **impérative ou à valeur impérative :** Mets la table.
Qu'il sorte.
– **exclamative :** Comme vous êtes élégante !
Que tu es gentil !
Ces quatre modalités ne peuvent pas se combiner entre elles. Par contre, on peut y associer des formes facultatives combinables entre elles :
– la **forme négative** : Marianne n'est pas en retard.
– la **forme passive** : Son fils a été renversé par une moto ?
– la **forme emphatique** : C'est son fils qui a eu un accident.

« Circule, virgule, ou je t'apostrophe. » Expression populaire

● Signes de ponctuation

Pour noter les pauses, les variations d'intonation d'un énoncé, pour rendre plus explicites les articulations logiques du message, nous utilisons des signes graphiques : la ponctuation.

Signe de ponctuation		Signification	
Point	.	Indique la fin d'une phrase déclarative.	Les spectateurs avaient tous regagné leurs places. Le rideau se leva.
Point-virgule	;	Indique une pause moyenne entre deux unités distinctes d'un même énoncé.	La salle s'était vite remplie ; les ouvreuses n'arrivaient pas à placer tous les spectateurs.
Point d'interrogation	?	Indique la fin d'une phrase interrogative.	Pourquoi est-ce que tu ne m'as pas prévenu ?
Point d'exclamation	!	S'emploie après une interjection ou après une phrase exclamative.	Hélas ! Que de temps perdu !
Virgule	,	Sépare les parties semblables d'une énumération, des groupes de mots apposés ou juxtaposés. On ne met pas, sauf cas particulier, de virgule devant « et », « ou » et « ni ».	Paris, capitale de la France. Le 12 mai prochain, s'ouvrira le Salon du meuble. Des coqs, des poules, des canards et des oies s'agitaient dans la cour.
Deux points	:	Précèdent une citation, une énumération, une explication.	Il a répondu : « Je suis entièrement d'accord avec vous. »
Guillemets	« »	Encadrent le texte littéral d'une citation.	Vous commenterez ce vers de Shakespeare : « Être ou ne pas être, voilà la question. »
Points de suspension	...	À la fin d'une phrase ou d'un membre de phrase indiquent que, pour diverses raisons, la phrase est inachevée.	Au printemps, vous plantez toutes sortes de bulbes : narcisses, jonquilles, jacinthes, crocus...
Tiret(s)	–	Indique le début d'un dialogue, le changement d'interlocuteur.	– Avez-vous bien dormi ? – Parfaitement bien, merci.
	– –	Deux tirets, encadrant un groupe de mots, remplacent deux virgules ou deux parenthèses.	Grenoble – capitale des Alpes – attire de nombreux touristes.
Parenthèses	( )	Servent à isoler, dans une phrase, des mots qui ne sont pas indispensables au sens général.	Admirer (Syn. s'extasier devant).
Crochets	[ ]		
Astérisque	*	Indique un renvoi, souvent un appel de note en bas de page.	Ils visitèrent ensuite la tour Eiffel*, puis le Panthéon. *construite en 1889
Apostrophe	'	S'emploie dans certains mots pour remplacer la voyelle finale a, e, i devant un mot commençant par une voyelle ou un h muet.	J'espère qu'elle viendra s'il fait beau

Ponctuation et phrases

B1.1
★

1. Ponctuation et phrases

Rétablissez la ponctuation et les majuscules dans les phrases suivantes.

1. tu es sûre qu'il a été prévenu du changement de logiciel – **2.** philippe pierre et sa femme avaient pris une grande décision ils allaient faire du sport n'importe quel sport qui puisse être pratiqué dans la région – **3.** les ouvriers qui étaient tous présents à la manifestation ont décidé d'entamer la grève – **4.** il m'a demandé pourquoi n'as-tu pas pris la parole – **5.** quelle idée d'avoir ramené un chien ici – **6.** il a voulu savoir pourquoi moi j'étais silencieux – **7.** le complément d'objet direct cod étant placé avant le verbe le participe passé s'accorde – **8.** mon voisin m'a assuré encore faudrait il vérifier d'où il a tiré cette information que le périphérique était fermé – **9.** une profusion de fruits pêches pommes poires abricots fraises était disposée sur la table – **10.** nous sommes arrivés à bon port mais quelle circulation

B1.1
★

2. Ponctuation et texte

Rétablissez la ponctuation et les majuscules du texte suivant.

sautera sautera pas

les amateurs de benji saut en élastique vont pouvoir retrouver les sensations fortes qu'ils recherchent une réglementation établie par le ministre de l'Intérieur le ministre de la jeunesse et des sports et l'équipe grenobloise vertige aventure vient d'être définie autorisant la reprise des sauts au pont de ponsonnas près de la mure 103 mètres de vide par ailleurs ce site accueillera prochainement le premier centre permanent de benji en europe contact vertige aventure 04 76 47 42 80

B2.1
★★★

3. Ponctuation et texte

Rétablissez la ponctuation et les majuscules de la critique de film suivante.

pluie d'enfer

la petite ville de huntingburg est inondée et évacuée jim et sa bande de malfaiteurs en profitent pour braquer un fourgon de transports de fonds mais tom le convoyeur est décidé à mouiller sa chemise pour sauver le fric

que d'eau que d'eau le décor vrai personnage est assez impressionnant pensez toute une bourgade les pieds dans la flotte avec son cimetière son église son bureau de police l'obscurité épaisse l'action se déroule le temps d'une nuit ajoute au climat d'angoisse

l'intrigue est limitée les surprises sont moins éclaboussantes qu'on le voudrait mais bon pour un spectateur bien au chaud les pieds douillettement calés dans ses charentaises il n'y a finalement rien de meilleur

Tout le ciné

B1.1
★

4. Ordre des mots dans la phrase

Remettez les éléments des phrases suivantes dans l'ordre.

1. des fleurs / tous / l' / apporté / institutrice / Les enfants / à / ont / .

2. a posé / son / en / la – table / revenant / panier / Elle / sur / .

3. sa / excuses / collègue / ses / a / n' / présenter / à / Il / voulu / pas / .

4. moi / se / Elle / avec / le / trouvait / car / dans / .

5. bicyclette / lui / son / emprunté / et / Je / parapluie / sa / ai / .

6. mon / couleur / n' / Elle / manteau / aime / la / pas / de / .

7. handicapés / sont / aux / Ces / personnes / places / réservées / âgées / aux / et / .

8. la / renvoyé / Paul / le / a / par / classe / directeur / été / de / .

9. hollandaise / hier / La / remis / secrétaire / certificat / l' / a / étudiante / le / à / .

10. film / vous / déjà / ce / Êtes / voir / allés / ?

B1.1
★

5. Ordre des mots dans la phrase

Composez des phrases en choisissant un ou plusieurs mots dans chaque liste proposée.

Liste A : le / ce / je / tu / nous / la / ces / mon / les / votre / cette / sa / les / elle / des
Liste B : François / lettre / grand-mère / étudiants / groupe de skieurs / boulanger / facteur / policiers / bouquet de tulipes
Liste C : n'a jamais porté / a oublié de mettre / a apporté / s'est heureusement aperçu / a été emporté / est / surveillent / ont tous été reçus / est retournée / n'est pas arrivée
Liste D : de son erreur / ravissant / un paquet recommandé / dans son village natal / le sel et le poivre / les gares / de lunettes / par une avalanche / à temps / à l'examen

B1.1
★

6. Ordre des mots dans la phrase

Étoffez les phrases suivantes avec des adjectifs, des adverbes et d'autres compléments placés au début ou après le verbe.

<u>Exemple :</u> Enzo est arrivé en retard. → **Ce matin**, le **petit** Enzo est **encore** arrivé en retard **à l'école**.

1. Le chien garde le troupeau. → ....

2. Le train est arrivé. → ....

3. Sébastien fume la pipe. → ....

4. Je vais offrir une tablette à Mélie. → ....

5. Le documentaire passe au Gaumont. → ....

6. Il a planté des tomates. → ....

7. Cette dame, c'est ma tante. → ....

8. Au garage, un vendeur lui a montré une voiture. → ....

9. Son voisin lui a apporté un livre. → ....

10. Nous habitions dans une villa. → ....

B1.1 ★

7. Ordre des phrases dans un article de presse

Remettez dans l'ordre les phrases de cet article.

1. Un attentat s'était produit dans des circonstances semblables, vendredi à Valence, contre un colonel de l'armée de terre.

6. alors qu'il sortait de son domicile.

2. Les deux individus ont ensuite pris la fuite sur une moto de forte cylindrée.

3. **ESPAGNE : UN POLICIER TUÉ DANS UN ATTENTAT.**

4. Un jeune homme et une jeune femme ont ouvert le feu sur le policier, José Sucino Ibanez, trente et un ans.

5. Un inspecteur de police a été tué, lundi matin 18 décembre dans un attentat commis à Prat-de-Llobregat, en Catalogne, a annoncé la police.

 Classez les phrases dans le bon ordre :

[...] — [...] — [...] — [...] — [...] — [...]

B2.1 ★★★

8. Ordre des phrases dans un article de presse

Remettez dans l'ordre les phrases de cet article.

1. Bob Robert avait demandé, en entrant à l'hôpital, s'il y avait des gens plus célèbres que lui en traitement dans les différents services. Réponse : non.

2. C'est du moins ce qu'elle dira aux enquêteurs. De très nombreuses négligences du personnel soignant sont alors constatées. Pas de preuves formelles, affaire classée.

3. En principe, l'opération de la vésicule biliaire qu'il venait de subir n'aurait pas dû entraîner de conséquences fatales.

4. Le 22 février 1987, un certain Bob Robert, cinquante-huit ans, mourait dans un hôpital de New York.

5. Il faut insister : rien d'extraordinaire, une simple opération de routine. Le patient n'avait pas non plus la maladie que vous savez. Bob Robert n'était autre qu'Andy Warhol.

6. Mais l'infirmière de nuit, Mme Min Chou, au lieu de surveiller le patient, est restée toute la nuit dans sa chambre à lire la Bible.

 Classez les phrases dans le bon ordre :

[...] — [...] — [...] — [...] — [...] — [...]

! **REMARQUE :** On trouvera les exercices sur l'interrogation, la négation ou le passif dans les leçons traitant ce point grammatical.

La construction des verbes

2

L'ESSENTIEL SUR...

Le verbe étant considéré comme le noyau de la phrase, il est nécessaire d'en connaître la construction. Il peut être suivi d'un complément d'objet direct ou indirect (verbe transitif). Il peut ne pas admettre de complément (intransitif). Il peut enfin changer de sens selon la préposition qui le suit. Seuls les verbes transitifs directs ont la capacité de se mettre au passif.

● Rappel de quelques notions

Si le verbe admet un complément d'objet (direct ou indirect), il est transitif.

a **Un complément d'objet direct (COD) peut être placé directement après ou avant le verbe ; il peut être un nom, un pronom, un infinitif.**

→ Le verbe est transitif direct.

Exemples : Elle aime les roses.

Elle les aime.

Elle aime nager.

b **Un complément d'objet indirect (COI) est précédé d'une préposition (« à », « de ») si c'est un nom, un infinitif, ou un pronom.**

→ Le verbe est transitif indirect.

Exemples : Il songe **à** son avenir.

Il songe **à** partir.

Il songe **à** elle.

Si c'est un pronom, il peut parfois être placé avant le verbe sans préposition.

Exemple : Il **lui** parle.

! **REMARQUES :**

● Les verbes transitifs directs peuvent cependant être employés sans COD.

Exemples : Elle mange sa soupe.

Elle mange.

● **Certains verbes du sens de donner (attribuer, prêter, proposer, retirer, refuser, emprunter...) et dire (ordonner, permettre, souhaiter, interdire...) peuvent se construire avec un COD et un COI.**

Exemples : Pierre prête sa voiture à son fils.

J'ai annoncé la nouvelle à mon frère.

> « Il m'est arrivé de prêter l'oreille à un sourd. Il n'entendait pas mieux. »
> Raymond Devos, écrivain humoriste

● Verbes intransitifs

Si le verbe n'admet pas de complément d'objet, il est intransitif.

Exemple : Le train part.

[!] ATTENTION : Ne pas confondre un COD et un complément circonstanciel construit sans préposition.

Exemple : Elle rentre la voiture (COD).
          Elle rentre le soir (complément de temps).

Dans ces deux constructions, le verbe est à la voix active.

[!] REMARQUES :

● **Les verbes admettant un COD – et seulement ceux-ci – peuvent se mettre à la voix passive.**

Exemple : Le policier arrête le voleur.
          Le voleur est arrêté par le policier.

Le complément d'objet du verbe actif devient le sujet du verbe passif.
Le sujet du verbe actif devient le complément d'agent (précédé de « par » ou « de ») du verbe passif.

Exceptions : les verbes « présenter », « comporter » et « comprendre » au sens figuré ne se mettent pas au passif.

● **Certains verbes peuvent être précédés d'un pronom personnel reprenant le sujet : on les appelle verbes pronominaux. On dit qu'ils sont à la tournure pronominale.**

Exemple : se lever.

Ils peuvent de la même façon avoir une construction transitive directe, transitive indirecte ou intransitive.

Exemple : Transitive directe : Il se lave les cheveux.
          Transitive indirecte : Il s'adresse à son voisin.
          Intransitive : Il s'enfuit.

Les verbes pronominaux n'ont pas de conjugaison passive, mais ils peuvent avoir un sens passif.

Exemple : Cette expression ne s'emploie plus = Cette expression n'est plus employée.

« Lors du choc amoureux, on tombe amoureux… et on se relève attaché. »
Boris Cyrulnik, psychiatre

« Voilà que je me démène
Me passionne pour des riens [...]
Mon cœur s'emballe et puis s'affole
Ma raison s'envole
Et je pars comme lorsque j'avais vingt ans »
Extraits de la chanson de *Voilà que ça recommence* de Charles Aznavour

Identification de la construction

◉ **Activité de repérage 1 – Identification de la construction verbale**

Dites si le verbe des phrases suivantes a une construction transitive directe, indirecte ou intransitive.

	Construction transitive directe	Construction transitive indirecte	Construction intransitive
1. Il parle plusieurs langues.			
2. Elle travaille à Radio France.			
3. Il n'a jamais accepté ce changement.			
4. Avez-vous parlé au directeur ?			
5. Ils ont réussi leurs examens.			
6. Nous espérons vous revoir bientôt.			
7. Ils sont tous descendus de bonne heure.			
8. Elle s'attend à être renvoyée.			
9. Il a réussi à se faire respecter.			
10. Elle est arrivée cette nuit.			

B1.1

★

9. Construction de phrase

Construisez des phrases complètes en associant un élément de la colonne de gauche à un autre de la colonne de droite. Faites attention à ce que la phrase soit cohérente et correcte grammaticalement.

1. Il continue ●　　●　**a.** les chaises, il pleut.

2. Ils sont revenus ●　　●　**b.** d'une chambre sans douche.

3. Rentrez ●　　●　**c.** à se remarier.

4. Cela dépendra ●　　●　**d.** à pleuvoir.

5. Pour une nuit, ils se contenteront ●　　●　**e.** à le convaincre ?

6. Depuis quelque temps, elle songeait ●　　●　**f.** plus tôt que prévu.

7. Nous envisageons ●　　●　**g.** l'heure du départ.

8. Avez-vous réussi ●　　●　**h.** de rester un jour de plus.

9. Ils ont convaincu leur ami ●　　●　**i.** de passer notre retraite à Paris.

10. Elles attendent ●　　●　**j.** de l'heure du départ.

10. Repérage et expression – Phrases complètes ou incomplètes ?

Parmi les phrases ci-dessous, terminez celles qui sont incomplètes en ajoutant le complément qui les rendra correctes. En déduire la règle.

1. Il est revenu à Strasbourg ....

2. Elle a rencontré à Lille ....

3. Nous apportons à notre amie ....

4. Ils pensent souvent à leurs enfants ....

5. Adressez-vous à cet employé ....

6. J'ai annoncé à ma tante ....

7. Elle prête à son frère ....

8. L'artisan fabrique ....

9. Il parle à tout le monde ....

10. J'ai proposé à ma collègue ....

Construction de phrases

---

11. Construction de phrases avec des verbes intransitifs

Racontez ce que vous faites pendant une journée en n'utilisant que des verbes intransitifs ou construits intransitivement (10 verbes).

12. Construction de phrases avec verbes transitifs directs

Dites ce que font la fleuriste, l'agent de police, la secrétaire en n'utilisant que des verbes transitifs directs (10 verbes pour chacun).

13. Construction de phrases avec verbes transitifs indirects

Madame Dupont, votre voisine qui est si bavarde, était très occupée hier ; Dites ce qu'elle a fait, en n'employant que des verbes transitifs indirects (10 verbes).

14. Phrases avec verbes au passif

Mettez les phrases suivantes au passif quand cela est possible en respectant le temps du verbe.

1. Le médecin reçoit le malade.

→ ....

2. Une épaisse couche de neige recouvrait le village.

→ ....

3. Mélanie prête sa tablette à ton père.

→ ....

4. Elle habite Paris.

→ ....

5. Les ouvriers occupaient l'usine.

→ ....

6. Des étudiants ont habité cet appartement.

→ ....

7. Les touristes montent dans le car.

→ ....

8. Le propriétaire et le locataire signeront le bail.

→ ....

9. Je repars la semaine prochaine.

→ ....

10. Un joli motif décore l'assiette.

→ ....

B1.1
★

15. Construction de phrases

Terminez les phrases suivantes.

1. Elle aime beaucoup ....

2. Il pense à ....

3. Nous avons besoin de ....

4. Maintenant nous habitons ....

5. Êtes-vous prêts à ....

6. La directrice s'oppose à ....

7. Ils ont profité de ....

8. Depuis une heure, ils attendent ....

9. Véronique a reçu ....

10. Nous tenons vraiment à ......

B1.2
★★

16. Changement de construction du verbe

La présence d'une préposition peut changer le sens d'un verbe ; terminez les phrases suivantes en rajoutant ou non une préposition aux verbes.

1. Pour aller à Paris, il vous faudra ....

2. Nous ne voulons pas partir, nous tenons ....

3. Ses cheveux roux, elle les tient ....

4. Sur ce célèbre tableau de Vinci, la Sainte Vierge tient ....

5. Elle est arrivée cinq minutes en retard et a manqué ....

6. Vous êtes trop sévère avec lui et souvent vous manquez ....

7. Après les hors-d'œuvre, le garçon a servi ....

8. Calmez-vous, cela ne sert à rien ....

9. Cet outil sert ....

10. Pour transporter la terre, il se sert ....

tenir

manquer

servir

B1.1
★

17. Verbes avec ou sans complément

Les verbes suivants sont souvent utilisés sans complément dans un dialogue comme question, réponse ou commentaire. Trouvez des situations d'emploi pour chacun d'entre eux.

je n'ai pas percuté

tu entends

j'ai compris

non

je vois

il mange

je prends

il a oublié

j'adhère

il encaisse

à toi de couper

« Si ma femme doit être veuve un jour, j'aimerais mieux que ce soit de mon vivant. »
Raymond Devos, écrivain humoriste

B1.1

★

18. Verbes pronominaux

Racontez cette bande dessinée en vous aidant des verbes pronominaux suivants.

se réveiller   se diriger   se rappeler   se pencher   se demander   s'asseoir

se relever   se déshabiller   s'effrayer   se décider   s'enfermer   s'écrier

s'évanouir   s'apercevoir   se méfier   se douter

Sempé, *Sauve qui peut* © Éditions Denoël 1964

18

★

19. Verbes pronominaux

Complétez le texte en utilisant les verbes pronominaux de la liste ci-dessous.

> se démocratiser   se diversifier   se photographier   se filmer   se mettre en scène
>
> s'intéresser   s'avérer   s'efforcer   s'appuyer

Conférence-débat : « L'adolescence hyper-moderne à l'ère de la production d'images »

Écrire un tweet, un post, faire un selfie ; pour de nombreux adolescents, ces pratiques sont leur quotidien. Les usages des technologies numériques .... et .... rapidement. En ...., ... et en .... sur de nombreux écrans, les jeunes intensifient l'expérience d'un nouveau rapport au monde, à autrui, au temps et à l'espace, ce qui n'est pas sans déboussoler nombre d'adultes... À l'heure où le numérique est omniprésent, les questions fusent. Il est aujourd'hui nécessaire de .... à leurs pratiques numériques qui, souvent, ... motivées par une recherche de reconnaissance. Mais que disent les adolescents de ces pratiques ? Quelles sont leurs motivations ? Au cours de notre intervention nous .... d'explorer ce sujet en nous .... sur la parole des jeunes.

L'ESSENTIEL SUR...

L'article est un déterminant qui précède les noms communs et qui en porte la marque du genre et du nombre. Il existe trois sortes d'articles : **définis** précédant un nom défini par le contexte ou unique en son genre ; **indéfinis** précédant un nom pas encore connu ni identifié ; **partitifs** précédant des noms qui ne peuvent se compter, dont on ne considère qu'une partie indéterminée ou désignant une chose abstraite.

● Les différents articles

	Article défini		Article indéfini	Article partitif
	simple	*contracté*		
Masc. sing.	le, l' *le garçon,* *le haricot* *l'homme, l'arbre*	au, du *Il parle **au** docteur.* *Il a besoin **du** stylo.*	un *un fauteuil,* *un arbre,* *un homme*	du, de l' *du beurre* *de l'ail*
Fém. sing.	la, l' *la fille, la haine* *l'absence,* *l'horloge*		une *une table,* *une armoire*	de la, de l' *de la farine* *de l'huile,* *de l'essence*
Masc. plur.	les *les garçons,* *les arbres,* *les hommes,* *les haricots*	aux, des *Il parle* ***aux** garçons.* *Il a besoin* ***des** crayons.*	des, de, d' *des lits,* *des animaux* *des petits lits* *d'affreux oiseaux*	des, de *des épinards* *de beaux épinards*
Fém. plur.	*les filles,* *les horloges*	*Il parle **aux** filles.*	*des chaises* *d'affreuses chaises* *de belles armoires*	

● L'article défini (le, la l', les)

1. Forme

- **Simple** : devant une voyelle ou un h muet, « le » et « la » deviennent « l' ».
- **Contractée** avec les prépositions « à » et « de », « le », « les » deviennent « au », « aux », « du », « des ».

! **N.B. :** « à l' », « de l' », « à la » et « de la » ne changent pas de forme.

2. Emploi

- **L'article défini introduit un nom connu ou supposé connu de tout le monde :**
  - **un nom unique en son genre**, ainsi que tous les noms géographiques, les langues, les peuples, les saisons, la plupart des fêtes, les noms de famille, les titres.

    Exemples : **le** Soleil, **la** Lune, **l'**eau.

  - **un nom connu par l'habitude**,

    Exemple : Je vais à **la** pharmacie.

  - **un nom déterminé par le contexte**,

    Exemples : **Le** chien qui court est à ma voisine. **Le** chien de ma voisine est un lévrier.

- **L'article défini introduit :**
  - **au singulier, un nom à valeur générale**,

    Exemple : **Le** chien est un animal fidèle (la plupart des chiens...).

  - **au pluriel, un nom désignant l'ensemble des éléments de cette catégorie**.

    Exemple : **Les** chats appartiennent à la famille des félidés.

- **L'article défini est obligatoire devant les superlatifs de supériorité ou d'infériorité et des termes apparentés comme premier, dernier, seul, unique.**

Exemple : Il habite dans **le** plus grand appartement de l'immeuble et il en est **le** seul occupant.

● L'article indéfini (un, une, des, de, d')

1. Forme

- **Lorsque « des » précède un adjectif commençant par une consonne ou un h aspiré, « des » devient « de ».**

Exemple : Elle portait toujours **de** beaux bijoux.

- **Lorsque « des » précède un adjectif commençant par une voyelle ou un h muet, « des » devient « d' ».**

Exemple : **D'**horribles insectes avaient envahi la région.

2. Emploi

- **L'article indéfini introduit un nom qui n'est pas supposé connu, dont on parle pour la première fois.**

Exemples : **Un** camion a débouché à cet instant à vive allure. **Le / ce** véhicule...

   Un terrible attentat a eu lieu dans le musée d'art antique. (Dans ce cas, l'adjectif ne détermine pas le nom mais le caractérise.)

- **Il introduit aussi, mais au singulier uniquement, un nom ayant une valeur générale.**

Exemple : **Un** instituteur doit être très patient (tous les instituteurs...).

● L'article partitif (du, de la, de l', des)

1. Forme

« de l' » : si le mot qui suit commence par une voyelle ou un h muet.

« des » : au pluriel l'article partitif se confond souvent avec l'article indéfini, mais on peut faire la différence.

<u>Exemple :</u> **des** livres (article indéfini, qu'on peut compter),
      des épinards (article partitif, catégorie non quantifiable).

2. Emploi

● **Il introduit un nom qui appartient à la catégorie non comptable et dont on ne considère qu'une partie, qu'une quantité indéterminée.**

<u>Exemple :</u> Voulez-vous **du** thé ou **de la** tisane ?

● Il est utilisé le plus souvent :
  – dans les recettes de cuisine : **du** sel, **de la** levure,
  – dans la description des comportements : avoir **du** courage, **de la** patience,
  – dans les activités sportives, musicales, intellectuelles : faire **du** ski, jouer **de la** guitare,
  – dans les indications météorologiques : il fait **du** vent.

> **[!] REMARQUES**

● Attention à l'article « des » qui peut être article défini contracté, indéfini ou partitif.
● Lorsque les articles « un », « une », « de la », « des » sont précédés d'un adverbe de quantité (sauf : bien, encore, la plupart) ou d'un adverbe négatif, ils sont supprimés et remplacés par la préposition « de ».

<u>Exemple :</u> Vous avez **du** temps libre ? Non j'ai malheureusement peu **de** temps libre.

● Omission de l'article défini, indéfini et partitif

On n'utilise pas d'article dans les cas suivants :
● **devant les noms propres.**

<u>Exemples :</u> Serge viendra dîner ce soir.
      Bruxelles est le siège du gouvernement européen.

● **devant les noms de rues, de places.**

<u>Exemple :</u> Pendant que j'habitais place Vaucanson, il habitait rue Thiers.

● **après les prépositions « à » ou « de ».**

<u>Exemples :</u> la salle de bains, un train de voyageurs, une tasse à thé, une corbeille à pain,
      rempli d'espoir, couvert de fleurs.

● **parfois après quelques autres prépositions : après, avant, avec, en, par, sans, sous, sur.**

<u>Exemples :</u> après/avant-guerre, avec plaisir, en train, par avion, sans chapeau,
      sous pression, sur rail...

● **avec quelques locutions verbales idiomatiques** formées avec les verbes « avoir », « faire » ou « prendre » : avoir envie, avoir faim, avoir besoin... ; faire peur, faire partie, faire feu... ; prendre part, prendre connaissance, prendre forme...

- **pour certains types d'écrits :** devant les énumérations, les petites annonces, les titres de journaux, les panneaux d'affichage, les mots analysés dans un dictionnaire.

Exemples : Pommes, poires, pêches, prunes, fraises : elle ne savait que choisir tant
ces fruits étaient beaux.
Jeune femme cherche nourrice diplômée pour garder bébé le matin.
Retour inattendu du froid ; stationnement interdit.
Fleur : nom féminin, production colorée, parfois odorante de certains végétaux.

- **pour indiquer la profession, la fonction.**

Exemples : Il est avocat. Il a été élu délégué du personnel.

 ATTENTION : mais si le nom est déterminé, l'article défini ou indéfini est utilisé.

Exemples : C'est **un** avocat réputé.
C'est **l'**avocat de ma mère.
C'est **l'**avocat qui m'a défendu.

Articles et formes de la phrase

⊕ Activité de repérage 2

Dans ce texte, repérez les articles et donnez leur nature.

À la menthe la fraîcheur, à la rose le capiteux et à la lavande… la propreté du linge et des carrelages. Originaire du bassin méditerranéen et à son aise dans les pays de l'Est, elle régnait dans les bains romains.

Dérivant du latin « lavandaria » la lavande n'a plus guère de lien avec le parfum des produits d'entretien. Si vous n'avez pas encore goûté aux glaces au basilic, à la carotte ou aux petits pois, vous avez peut-être savouré de la glace à la lavande. Mais cette fleur a encore du mal à passer à la casserole.

Pour éviter qu'un plat n'évoque la lessive, mieux vaut mêler à de la lavande quelques fleurs de thym sur du fromage de chèvre.

Un chef cuisinier a eu l'idée de poser sur une mousse au chocolat, une tige de lavande flambée. De toute façon, l'huile essentielle de lavande sera toujours de la plus grande utilité dans la cuisine en cas de brûlures ou de coupures.

« Il n'y a pas la Parisienne mais des Parisiennes : vive la diversité ! »
Laura Smet, actrice, contre le stéréotype de LA Parisienne

20. Articles et phrases à la forme affirmative

Mettez les phrases suivantes à la forme affirmative.

1. Elle n'aime pas les fleurs artificielles.
→ ....

2. Je ne veux pas de sucre avec les fraises.
→ ....

3. Ils n'ont pas de chance.
→ ....

4. Je n'ai pas besoin de vacances.
→ ....

5. Il ne reste plus de pain.
→ ....

6. Vous ne ferez pas le ménage ni la vaisselle.
→ ....

7. Ils n'ont pas changé de train.
→ ....

8. Elle n'avait pas ajouté de documents visuels à son devoir.
→ ....

9. Il n'a pas fait les réservations pour sa famille et il n'aura pas de places.
→ ....

10. Puisque vous n'avez pas besoin d'aide, je ne vous donnerai pas de coup de main.
→ ....

21. Articles et phrases à la forme négative

Mettez les phrases suivantes à la forme négative.

1. Elle a une grande voiture pour transporter son matériel.
→ ....

2. Ils ont enfin le haut débit.
→ ....

3. Ils boivent de l'eau et du cidre.
→ ....

4. Ajoute du sel.
→ ....

5. Nous lui avons déjà emprunté de l'argent.
→ ....

6. Il travaille toujours à l'usine.
→ ....

7. Il faisait des efforts pour se faire comprendre.
→ ....

8. Il prend toujours un taxi quand il va à la gare.
→ ....

9. Mets un bonnet et des gants.
→ ....

10. Enlevez la poubelle du trottoir.
→ ....

22. Articles et expression de la quantité

Ajoutez aux mots en gras une des expressions de quantité de la liste suivante et faites les modifications nécessaires.

trop de   assez de   ne... pas de   plus de   beaucoup de   un peu de
suffisamment de   encore   la plupart de   peu de

1. Il faudra rajouter de **la cannelle** à votre gâteau. – **2. Les gens** s'abstiennent maintenant de voter. – **3.** Il te reste **du temps** pour finir ton devoir. – **4.** J'ai **des dollars** ; je peux t'en prêter pour ton voyage. – **5.** Il y a **du monde**, la séance peut commencer. – **6. Des nuages** sont arrivés et l'orage n'a pas tardé à éclater. – **7. Des élèves** n'ont pas réussi au baccalauréat. – **8.** Le directeur a demandé **de la persévérance** à ses employés pour venir à bout de ce travail. – **9. Des actes** criminels restent impunis. – **10.** Il a **une voiture** pour aller travailler.

23. Le pluriel des articles

Mettez au pluriel tous les éléments de la phrase quand cela vous paraît possible.

Exemple : Tu as répondu à la question avec une rapidité incroyable.
→ **Vous** avez répondu **aux** questions avec **une** rapidité incroyable.

1. Le passant a remarqué une voiture dont la roue était crevée. → ....
2. J'ai besoin du dictionnaire pour faire la traduction. → ....
3. Il y avait une place libre. → ....
4. Le chant de l'oiseau m'a réveillé. → ....
5. Pour son anniversaire, elle a envie d'un DVD et d'une plante verte. → ....
6. C'est la petite fille qui veut une belle poupée. → ....
7. Il est arrivé à la gare en même temps que moi. → ....
8. Gare-toi à l'endroit qui t'est réservé. → ....
9. L'étudiant a mal à la tête. → ....
10. La patte du cheval était couverte de boue. → ....

Choix de l'article

24. Articles définis, indéfinis, partitifs – Les mal logés

On n'utilise pas les mêmes déterminants pour parler de ces différents éléments de confort des logements. Pourquoi, à votre avis ?

Exemple : avoir **l'**électricité – **l'**eau chaude – **la** radio – **la** stéréo.
un ordinateur – **une** chaîne hi-fi – **des** balcons – **un** téléphone portable.
du soleil – **du** marbre – **de l'**espace – **de la** place.

a Trouvez les articles qui manquent dans les questions suivantes.

1. Vous avez ...... chauffage central ? – **2.** Vos voisins ont-ils ...... enfants ? – **3.** Font-ils ...... bruit ?
4. Est-ce que vos fenêtres ont ...... volets ? – **5.** Y a-t-il ...... moquette au sol ou ...... plancher ?
6. Vous avez ...... connexion Internet ? – **7.** Y a-t-il ...... commerçants dans la proximité ?
8. Avez-vous ...... lave-vaisselle ? – **9.** Avez-vous déjà ...... fibre ? – **10.** J'espère que vous avez
...... chambre pour chaque enfant ?

b Imaginez les réponses, qui seront toujours négatives, de Mme Bouvard aux questions ci-dessus.

Exemple : Vous n'avez pas de chambre pour chaque enfant ?
Mais ma pauvre amie, ce n'est pas une vie, ça !

> « Dans la France d'aujourd'hui, il y a une incapacité collective
> à aborder les vraies difficultés. »
> Michel Lussault

c À vous maintenant. Madame Bouvard et Madame Girard discutent du confort de leurs appartements. Il y a des problèmes.

Exemple :
Mme Girard : – Il y a un ascenseur ?
Mme Bouvard : – Non, il n'y a pas d'ascenseur, mais nous habitons au second et ce n'est pas trop gênant. Et chez vous ?
Mme Girard : – Il n'y a pas d'ascenseur non plus. Mais nous, on est au sixième !

25. Choix de l'article
★★

Ajoutez les articles qui manquent.

Un crime en 1896, l'affaire de la rue de Créqui

Dans ...... nuit ...... 28 au 29 décembre, ... veuve Orcel, propriétaire d'...... café rue Créqui à Grenoble, est assassinée. ...... vol est apparemment ...... mobile ...... crime, car ...... chambre de ...... dame a été fouillée, et ...... importante somme d'argent a disparu. ...... commissaire de police ouvre ...... enquête, et soupçonne ...... ouvrier tanneur, Auguste G., qui fréquentait ...... café. ...... juge d'instruction pense qu'il s'agit plutôt d'...... crime de ...... jalousie, que ...... nommé Sauvage aurait commis. On arrête ...... deux hommes, on les interroge et on procède à ...... perquisition à leur domicile. Chez tous ...... deux, on retrouve ...... chemise avec ...... taches de sang. ...... voisins disent avoir entendu ...... bruit d'...... bataille et ...... cris de ...... victime, mais ils n'ont vu aucun ...... suspects. Auguste G., comme Sauvage, clame qu'il n'est pas ...... coupable et tous deux fournissent ...... alibi pour ...... nuit ...... meurtre. Le juge, dans ...... impossibilité de trouver ...... vérité, se décide à relâcher ...... suspects. Par ...... suite, ni ...... police, ni ...... juge ne seront capables de mener à bien leur enquête et de trouver ...... ou ...... coupables, et ...... crime restera impuni.

René Bourgeois, *Chroniques d'une fin de siècle en Dauphiné*, PUG

---

26. Le, la, les, un, une, des – Au lit

a Complétez ce texte, quand c'est nécessaire, par les articles qui manquent.

Léa est malade au lit et, pour se distraire, demande à sa mère de lui raconter ce qu'elle voit par la fenêtre.

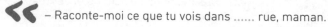

– Raconte-moi ce que tu vois dans ...... rue, maman.

– Je vois ...... homme qui se promène avec ...... petit chien noir. Tu sais, c'est ...... monsieur qui habite près de ...... école de ...... musique. Il va à ...... boucherie, mais il laisse ...... chien dehors.

– Mais pourquoi ?

– Tu sais bien que ...... animaux ne sont pas acceptés dans ...... magasins d'alimentation et ce boucher est ...... commerçant très maniaque, qui n'admet pas ...... moindre saleté dans sa boutique.

– Moi je trouve que c'est ...... sale type. Il ne faut plus aller chez lui.

– Allons, allons, calme-toi. ...... monsieur ressort ...... magasin et il donne ...... chien ...... tranche de ...... saucisson. Tu vois que ...... boucher n'est pas si méchant que ça.

– Et qu'est-ce qu'il fait ...... type maintenant ?

– Rien, il semble attendre quelqu'un. Ah ! ...... dame traverse ...... rue dans sa direction, elle l'embrasse, elle lui prend ...... bras. Ils s'en vont vers ...... parc.

– Et ...... chien ?

– Il trotte derrière eux. C'est ...... très gentil chien !

b Dans quels cas aurait-on pu mettre un adjectif possessif ou démonstratif à la place de l'article ?

27. Les articles et les parties du corps

Ajoutez l'article qui manque : article défini ou adjectif possessif ?

1. Va te laver ...... mains.

2. Tu te paies ...... tête !

3. Regarde-moi dans ...... yeux.

4. Un charmant jeune homme a offert ...... bras à la vieille dame pour l'aider à traverser.

5. Elle s'est cassé ...... jambe.

6. Le coiffeur lui a coupé ...... cheveux.

7. Elle tenait dans ...... bras un enfant tout blond.

8. Il a ...... jambe dans le plâtre.

9. Il a beaucoup maigri et ...... jambes ne le portent plus.

10. Vous devez utiliser tous les soirs cette crème pour hydrater ...... peau.

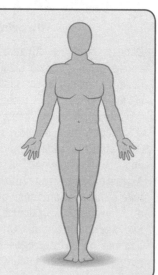

B1.1
★

28. Articles partitifs, définis ou indéfinis ?

Complétez les phrases avec l'article correct. Examinez les phrases obtenues. Expliquez l'emploi de l'article.

1. Prenez 200 g de beurre et 3 œufs ; mélangez ...... beurre et ...... œufs jusqu'à ce que vous obteniez ...... mélange blanc et mousseux. – **2.** En gagnant ...... gros lot, il a eu ...... chance de sa vie. – **3.** En ce moment, il fait ...... temps bizarre : le matin, il y a ...... soleil et l'après-midi ça se couvre ; ...... vent se lève et il y a ...... orages. – **4.** Tu as vraiment ...... courage d'entreprendre de tels travaux ! Oh ! ce n'est pas ...... courage qui me manque, c'est ...... argent ! – **5.** Il fait ...... ski et ...... escalade mais, par-dessus tout, il aime ...... randonnées. – **6.** Elle voulait qu'il fasse ...... violon mais il a préféré ...... piano. – **7.** Il a ...... persévérance et ...... goût mais il manque d'ambition. – **8.** En première partie, elle jouera ...... Mozart et ...... Schubert. – **9.** Que boirez-vous avec ...... choucroute, ... vin blanc ou ...... bière ? – **10.** Pendant que nous ramassions ...... champignons, ils coupaient ...... bois.

Articles et prépositions

B1.2
★★

29. Prépositions et articles définis ou indéfinis

Rajoutez un article quand cela vous semble nécessaire.

1. Il a envoyé son paquet par ...... avion. – **2.** La porte était fermée par ...... verrou. – **3.** Par ...... bonheur, ils n'ont pas été blessés. – **4.** C'est par ...... plus grand des hasards que nous l'avons rencontré. – **5.** L'été, elle se lève avec ...... jour. – **6.** Essayez de lui répondre avec ...... courtoisie. – **7.** Cette douleur passera avec ...... temps. – **8.** C'est une maison sans ...... confort. **9.** Le loyer ...... studio s'élève à 450 euros sans ...... charges. – **10.** Je voudrais un livre pour ...... enfants. – **11.** Pour ...... fois, je serai absent. – **12.** Ne partez pas sans ...... vêtement chaud. **13.** Le magasin est fermé pour ...... travaux. – **14.** Vous pouvez payer avec ...... carte bleue mais plus par ...... chèque.

B1.1
★

30. Choix de l'article dans une recette de cuisine

Sur le modèle de l'exercice précédent, rédigez la recette d'un plat caractéristique de votre pays.

B1.2
★★

31. À / de + article : forme contractée ou non ?

Complétez les phrases avec la forme qui convient.

1. Il a été chargé ...... compte rendu de la séance. – **2.** Il s'est rendu ...... gare pour prendre son billet. – **3.** Ils ont peur ...... froid et se sont habillés chaudement. – **4.** Vous souvenez-vous ...... années qui ont suivi la guerre ? – **5.** Elle a renoncé ...... cigarettes devant les conseils de toute sa famille. – **6.** Elle joue ...... trombone. Comment, elle si menue, peut-elle jouer ...... instrument aussi gros ? – **7.** Il est inscrit ...... chômage depuis trois mois. – **8.** La maison était protégée ...... vent par une haie de cyprès. – **9.** Il lui parlait ...... voix douce. – **10.** Il est bien malade, il a ...... maladie ...... Alzheimer.

32. Choix de l'article dans une recette de cuisine

> ### LE GRATIN DAUPHINOIS
>
> Ingrédients :
> - pommes de terre
>   (un kilo et demi)
> - crème fraîche (un pot :
>   250 grammes)
> - lait (un demi-litre)
> - beurre (50 grammes
>   d'une plaquette de 250 g)
> - ail (3 gousses)
> - épices (sel, poivre, noix de muscade) 
>
> Ustensile : plat à gratin.   Cuisson : 40 minutes, thermostat 7.

a Continuez l'énumération de Madame Sibellas qui indique à sa fille Anaïs tout ce qui est nécessaire pour faire le gratin.

« Il te faut **des** pommes de terre ...... ».

b Continuez à présent l'énumération d'Anaïs qui va à l'épicerie et qui demande les quantités précises des ingrédients.

« Je voudrais un kilo et demi ...... pommes de terre... ».

c Rédigez la lettre qu'Anaïs écrit à son amie américaine Rosemary (qu'elle vouvoie) pour lui donner la recette du gratin dauphinois.

33. Article ? Pas d'article ? – Chacun ses goûts !

Sur le modèle ci-dessous (verbe + nom), continuez à décrire les goûts de Sylvie et d'Éric en utilisant les verbes de la liste suivante.

Un couple peu banal : ils s'aimaient, ils se sont mariés et, pourtant, ils n'aiment jamais les mêmes choses. Sylvie aime le ski et Éric, lui, déteste la neige.

apprécier

être fou de

être allergique à

aimer

s'intéresser à

avoir besoin de

goûter

préférer

détester

adorer

être fan de

Activité	Sylvie	Éric
Musique		
Couleurs		
Nourriture		
Sport		
Vêtements		
Mobilier		
Vacances		
Nombre d'enfants		
Littérature		
Voyages		
Climat		
Amis		

B1.2
★

34. Partitifs et définis – Yoko n'a vraiment pas de chance !

Entrées

Salade niçoise – Jambon beurre – Terrine du chef –
Crudités – Harengs marinés – Saucisson

Viandes

Entrecôte – Escalope viennoise – Bœuf bourguignon –
Grillades d'agneau – Steak tartare – Gigot de mouton

Poissons

Truite au bleu – Dorade – Sole – Pavé de saumon –
Dos de cabillaud – Maquereau

Légumes

Haricots verts – Endives braisées – Cœurs de céleris –
Jardinière – Frites – Petits pois

Desserts

Îles flottantes – Tarte tatin – Fraises –
Flan – Charlotte – Sorbets

a Partitifs et définis

Thomas a invité Yoko, une amie japonaise, dans une brasserie. Ils consultent la carte ci-contre, font leur choix et commandent au garçon. Malheureusement, Yoko n'a pas de chance, ses plats préférés ne sont pas disponibles. Faites le dialogue avec le garçon.

b Articles définis

Après le repas, en sortant du restaurant, ils rencontrent un ami commun qui les interroge sur la qualité de la nourriture. Autant Thomas a été ravi de son choix, autant Yoko a été déçue, voire scandalisée. Imaginez le dialogue.

<u>Exemples</u> : Thomas : « Le steak était très tendre. »
Yoko : « Les petits pois étaient immangeables. »

35. Les articles et les noms de pays

Faut-il un article avant les noms de pays ? Précisez lequel en remplissant les phrases ci-dessous.

1. Vous connaissez ...... Finlande ? – **2.** ...... Danemark n'est pas loin de ...... Belgique. **3.** Elle revient ...... Portugal. – **4.** Nous retournons ...... Brésil. – **5.** Il parle ...... Mexique comme s'il y avait vécu toute sa vie. – **6.** Il ne connaît pas encore ...... Israël. – **7.** ...... Corse et ...... Baléares sont des îles très fréquentées par les touristes. – **8.** Elle se souvient de ...... Chine d'avant Mao. – **9.** Ils partent pour ...... Thaïlande. – **10.** Cette sculpture provient ...... Congo.

Omission de l'article

36. Article ? Pas d'article ?

Complétez ou pas les phrases suivantes, suivant qu'il faut ou non un article.

1. Je l'ai rencontrée par ...... hasard, vraiment par ...... plus grand des hasards. – **2.** Si tu vas faire du ski sans ...... doudoune, tu vas prendre ...... froid ; tu vas attraper ...... rhume ou même ...... grippe. – **3.** Il l'avait prise par ...... main. – **4.** Il est venu en ...... bateau, mais il repartira en ...... avion pour gagner ...... temps. – **5.** Il s'est appuyé contre ...... mur pour ne pas perdre ...... équilibre. – **6.** Sur ...... coup, je n'ai pas compris ce qu'il avait derrière ...... tête. – **7.** Tu ne dois pas perdre ...... courage et te remettre ...... travail sans tarder. – **8.** En ...... Auvergne, ... nombreux lacs sont ...... cratères d'...... anciens volcans. – **9.** Il avait ...... faim, ... faim de ...... loup. – **10.** Il a glissé et a descendu ...... pente sur ...... dos.

Les possessifs
et les démonstratifs

 L'ESSENTIEL SUR...

Les adjectifs et les pronoms **possessifs** expriment la possession. Les adjectifs précèdent le nom qu'ils accompagnent et s'accordent en genre et en nombre avec lui.

Les pronoms remplacent un nom déjà cité et en prennent le genre et le nombre.

Les adjectifs **démonstratifs** s'accordent en genre et en nombre avec le nom qu'ils précèdent. Ils montrent la personne, la chose ou l'idée dont on parle.

Les pronoms désignent un nom ou une idée (pronom neutre) dont on a parlé.

● Adjectifs et pronoms possessifs

		Les adjectifs		Les pronoms
		Un objet possédé		
Un possesseur	M	mon ton (votre)* son	livre ami	le mien le tien (le vôtre)* le sien
	F	mon ton (votre) son	amie histoire	la mienne la tienne (la vôtre) la sienne
		ma ta (votre) sa	sœur haie	la mienne la tienne (la vôtre) la sienne
		Plusieurs objets possédés		
	M	mes tes (vos) ses	livres amis	les miens les tiens (les vôtres) les siens
	F	mes tes (vos) ses	amies histoires sœurs haies	les miennes les tiennes (les vôtres) les siennes

* votre, vos (le, la, les vôtres), s'il y a un seul possesseur, est la forme utilisée lorsqu'on vouvoie une personne.

> « Le monde entier envie notre province, son calme, sa beauté, ses clochers ! »
> Bernard Koltes

Plusieurs possesseurs		Un objet possédé			
	M	**notre**	livre ami	**le**	**nôtre**
		votre	amie		**vôtre**
	F	**leur**	histoire sœur	**la**	**leur**
		Plusieurs objets possédés			
	M	**nos**	livres amis		**les nôtres**
		vos			**les vôtres**
	F	**leurs**	amies histoires		**les leurs**

● Autres façons d'exprimer la possession

1. Avec les expressions « c'est » ou « ce sont »

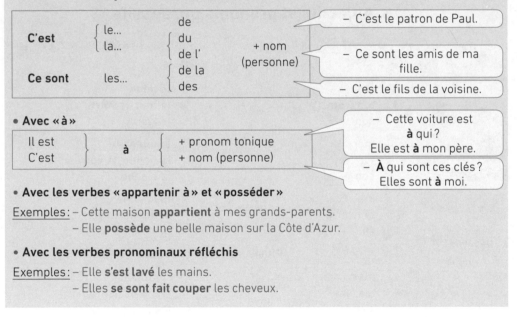

C'est { le... { de
             { la... { du
                        de l'
                                 + nom
                                 (personne)
Ce sont les...   { de la
                        des

– C'est le patron de Paul.

– Ce sont les amis de ma fille.

– C'est le fils de la voisine.

● Avec « à »

| Il est }
C'est } | **à** | + pronom tonique
+ nom (personne) |

– Cette voiture est **à** qui ?
Elle est **à** mon père.

– **À** qui sont ces clés ?
Elles sont **à** moi.

● Avec les verbes « appartenir à » et « posséder »

Exemples : – Cette maison **appartient** à mes grands-parents.
– Elle **possède** une belle maison sur la Côte d'Azur.

● Avec les verbes pronominaux réfléchis

Exemples : – Elle **s'est lavé** les mains.
– Elles **se sont fait couper** les cheveux.

« Peuple, réveille-toi, romps tes chaînes, remonte à ta grandeur première ! »
Phrase scandée à l'enterrement de Voltaire

« L'être humain perçoit sa personne, ses pensées et ses sentiments comme distincts
du reste – une sorte d'illusion d'optique de sa conscience. »
Albert Einstein

Activité de repérage 3

Dans le texte suivant, repérez les adjectifs possessifs. Entourez-les.

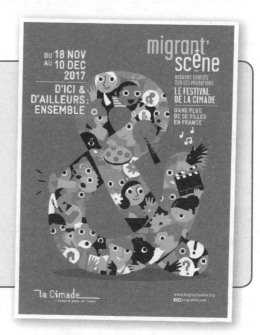

Ton thé est indien, ta télévision est japonaise, tes pâtes sont italiennes, ton couscous est algérien. Ta démocratie est grecque. Ton café est équitable, ta montre est suisse, ta chemise est chinoise, ta radio est coréenne, tes vacances sont espagnoles, tunisiennes ou marocaines. Tes chiffres sont arabes, ton écriture est latine.

Et… tu reproches à ton voisin d'être un étranger !

B1.1

★

37. Adjectifs possessifs – Le cambriolage

Lisez les informations ci-dessous qui concernent un cambriolage qui a été commis chez Madame et Monsieur de la Motte. Puis complétez les dialogues.

Ce qui a été volé à Madame : colliers de perles, manteau de vison, garde-robe, argenterie, vaisselle, bague de fiançailles en diamant.

Ce qui a été volé à Monsieur : jumelles, blouson de cuir, moto, iPad, skis, carabine.

Ce qui a été volé au couple : tableau de maître, voiture, disques de collection, téléviseur, chaîne hi-fi, appareils ménagers.

Ce qui a été volé aux enfants : bicyclettes, iPod, train électrique, console de jeux, poney, planche à voile.

a Chacun déclare ce qu'on lui a volé.

MONSIEUR : – On m'a pris …………

MADAME : – Ils m'ont volé …………

LES ENFANTS : – Ils nous ont pris …………

b Au bureau, Monsieur de la Motte parle avec un collègue.

LE COLLÈGUE : – Qu'est-ce qu'on a volé à ta femme ?

MONSIEUR : – ....

LE COLLÈGUE : – Et à tes enfants ?

MONSIEUR : – ....

c Monsieur et Madame de la Motte sont chez l'assureur pour faire leur déclaration de vol.

L'ASSUREUR : – Alors, qu'est-ce qu'on a volé ?

LE COUPLE : ....

B1.1
★

38. Adjectifs possessifs – Tous ensemble à Noël

Complétez les phrases avec les possessifs nécessaires.

1. Papa et .... nouvelle épouse, ...
rhumatismes, ... cure à Balaruc,
.... conversations proches de zéro.

2. Maman, ... déprime chronique et
.... régime sans gluten, ... nouveau
compagnon et .... nouveau chien.

3. .... sœur, ... cher beau-frère et
.... Rolex, ... trois gosses insupportables, ... Land-Rover et ....
vulgarité.

4. Moi, ... kilos en trop, ... jean trop serré ; .... coups de gueule et ....
maquillage qui coule.

5. Toi, mon fils chéri, ... coiffure rasta, ... blagues foireuses et .... mauvaise
humeur systématique.

6. Nous, les Dupont, ... défauts, ... disputes, ... sale caractère, ... secrets
de famille.

B1.1
★

39. Adjectifs possessifs – La France et ses symboles

a Complétez les phrases avec les possessifs nécessaires ; continuez
si vous avez d'autres idées.

1. Ah, la France ! .... 365 fromages, ... variété géographique, ... gastronomie,
.... patrimoine architectural, ... philosophie des Lumières, ... grands écrivains...

2. Ah, les Français, ... économie fatiguée, ... manque de pragmatisme, ...
idéologies, ... grèves...

b Sur le même modèle, énumérez les qualités et les défauts de votre pays et de vos
compatriotes.

B1.1 ★

40. Pronoms possessifs – Cache-cache

Complétez les phrases suivantes en imaginant le nom remplacé par chaque pronom possessif en caractères gras.

1. Prête-moi ...., **les miens** sont en réparation. – **2.** Vous mettrez .... dans ce tiroir, les autres rangeront **les leurs** dans cette armoire. – **3.** Est-ce que je peux prendre ...., **la mienne** est en panne. – **4.** .... sont très agréables, **les siens** sont insupportables. – **5.** .... est adorable, **le mien** est détestable. – **6.** Je ne comprends pas pourquoi .... sont toujours mauvais, **les tiens** sont toujours parfaits. – **7.** .... est très agréable mais **le nôtre** est plus fonctionnel. – **8.** .... de Claudine ne sont pas encore terminés, mais **les vôtres** le sont. – **9.** Je prendrai .... dans ma chambre, les enfants prendront **le leur** dans la cuisine. – **10.** Le mois prochain, nous vendrons ...., nous vendrons **la mienne** l'année prochaine. – **11.** Demain soir, nous irons chez ...., nous rendrons visite **aux tiens** dimanche prochain. – **12.** .... ne fonctionne plus, il faut que je demande à mon père de me prêter **le sien**.

B1.1 ★

41. Autres façons d'exprimer la possession – Rendez à César...

Faites le maximum de phrases en utilisant un élément de la liste A et un élément de la liste B (n'employez ni un adjectif ni un pronom possessif).

Liste A : le livre,
la maison, les clés USB, la voiture,
le téléviseur, les bijoux, les skis,
la planche à voile, les outils, les dossiers

Liste B : la voisine, les enfants, le boulanger,
le ministre, la femme du directeur, le père de Bruno,
le professeur, les amis de Fabienne,
l'institutrice, les acteurs

B1.1 ★

42. La possession : les verbes pronominaux réfléchis – Qu'est-ce qu'elle s'est fait ? Qu'est-ce qu'elle s'est fait faire ?

Complétez les phrases suivantes sur le modèle ci-dessous.

Exemple : Ses mains sont propres ; **elle s'est lavé les mains.**

1. Ses cheveux sont très courts ; .... – **2.** Sa jambe est dans le plâtre ; .... – **3.** Son nez est totalement différent ; .... – **4.** Ses ongles sont rouges ; .... – **5.** Sa cheville est bandée ; .... – **6.** Son doigt saigne ; .... – **7.** Ses dents sont propres ; .... – **8.** Ses jambes sont lisses ; ....

★

43. Adjectifs et pronoms possessifs – Autonomes

Complétez les situations suivantes avec les possessifs nécessaires.

1. Chloé à ses parents qui veulent orienter ses choix :

Je veux être libre ! C'est .... vie, c'est .... problème, pas le .... ! Je veux faire .... choix, pas imiter les .... ! Je suivrai .... cœur ; .... erreurs et .... réussites seront les ....

2. Le président d'un parti politique :

.... pays a besoin de trouver .... propres solutions. Nous devons respecter .... valeurs. Les autres pays ont .... solutions, mais nous devons choisir les .... C'est .... destin, pas le .... !

L'ESSENTIEL SUR...

● Adjectifs et pronoms démonstratifs

	Neutre	Masculin	Féminin	Pluriel	
Adjectifs		**ce** livre		*masc. et fém.* livres hommes	**+ -ci**
		cet homme oiseau	**cette** maison amie	**ces** maisons oiseaux amies	**+ -là**
Pronoms	ça ce c' cela ce	celui	celle	*masc.* *fém.* ceux celles	**+ -ci** **+ -là** **+ qui** **+ que** **+ dont** **+ où**

⚠ REMARQUES :
- Attention au tiret : Ces **livres-ci** m'appartiennent, mais **ceux-là** sont à toi.
- On utilise
   -ci pour indiquer ce qui est près de celui qui parle, dans l'espace ou le temps.
   -là pour indiquer ce qui est loin de celui qui parle, dans l'espace ou le temps.
- Démonstratifs + pronoms relatifs : voir chapitre 6.

« Celui qui regarde dehors, rêve. Celui qui regarde à l'intérieur s'éveille. »
Carl Jung

« Le luxe tache tous ceux qu'il touche. »
Georges Ritz (de l'hôtel du même nom)

Adjectifs démonstratifs

B1.1
★

44. Adjectifs démonstratifs

Répondez aux questions suivantes en utilisant un adjectif démonstratif dans votre réponse.

Exemple : – Tu as déjà skié à Tignes ?
   – Non, je ne connais pas encore **cette station de ski**.

1. Qu'est-ce que vous pensez du dernier Luc Besson, *Valérian* ? – **2.** Vous connaissez la Bourgogne ?
3. Avez-vous visité La Rochelle ? – **4.** Avez-vous déjà goûté le champagne rosé ? – **5.** Vous aimez les éclairs au chocolat ? – **6.** Que pensez-vous des Renault ? – **7.** Est-ce que tu pratiques le golf ?
8. Tu mets souvent des baskets ? – **9.** Est-ce qu'elle aime les orchidées ? – **10.** Est-ce que vous aimeriez jouer du violon ?

B1.1
★

45. Adjectifs démonstratifs

Complétez les deuxièmes phrases en reprenant le mot en gras des premières phrases. Utilisez un adjectif démonstratif et un des noms de la liste suivante, comme dans l'exemple ci-dessous.

espèce   gâteau   bonbon   oiseau   monsieur   race   voiture   garçon

Exemple : – Il est parti avec **Nadia**.
   – Quelle chance ! **Cette jeune fille** est charmante.

1. – Vous connaissez **le fils** de Mme Dufour ?
– Oui, ...

2. – Tu entends **le rossignol** comme il chante bien ?
– Oui, ...

3. – J'aime **les chats siamois**, j'en ai deux.
– ....

4. – Achète-moi **des caramels au chocolat**.
– Tu as raison, ...

5. – Pour le dessert, nous prendrons **des millefeuilles**.
– C'est une bonne idée, ...

6. – Tu travailles avec **le père de Flora** ?
– ....

7. – Que pensez-vous **des nouveaux modèles du salon de l'auto** ?
– ....

8. – Où avez-vous trouvé **des roses** aussi parfumées ?
– ....

« Les seules batailles qu'on est sûr de perdre sont celles qu'on ne mène pas »
Gandhi

« Les mots savent de nous ce que nous ignorons d'eux »
René Char

46. Adjectifs démonstratifs

Complétez les phrases comme dans l'exemple en utilisant les mots de la liste suivante et un adjectif démonstratif.

genre d'homme   voisins   marque   type   filles
temps   phénomène   variété   appartement

Exemple : En général, les roses se fanent très vite, **mais cette espèce-là** est très robuste.

1. La plupart des biscuits sont très sucrés, mais .... ne l'est pas. – **2.** On dit que les Dauphinoises sont froides, mais .... sont très chaleureuses. – **3.** En général, les habitants de mon immeuble sont assez indifférents, mais .... sont très serviables. – **4.** Je n'aime pas beaucoup les champignons, mais .... me plaît beaucoup. – **5.** Tous les moteurs s'usent assez vite, mais .... est presque inusable. – **6.** Les typhons sont très violents dans le Pacifique, mais .... est extrêmement rare en France. – **7.** Jonathan est intelligent, mais intolérant et coléreux : je déteste .... – **8.** À Londres, il est souvent difficile de bien se loger à cause des prix très élevés, mais .... est vraiment bon marché. – **9.** Dans cette région, il fait très froid l'hiver, il fait très chaud l'été, il pleut énormément au printemps, ... ne me convient pas du tout.

Pronoms démonstratifs

---

47. Pronoms démonstratifs

Complétez avec le pronom démonstratif qui convient.

Exemple : – Mon stylo ne marche plus.
            – Tiens, prends **celui-là**.

1. Au garage
– Quelle voiture vas-tu acheter ?
– Je ne sais pas encore, peut-être ....

2. Chez le médecin
– Pourriez-vous me prescrire d'autres comprimés, ... me donnent mal à l'estomac.

3. À la boutique de vêtements
– Je voudrais un autre jean, ... est trop moulant.

4. À la crémerie
– Quel fromage me conseillez-vous ?
– ...., qui est très doux ou si vous préférez ...., qui est un peu plus fort.

5. À la pâtisserie
– Hum ! Ces tartes ont l'air d'être excellentes. J'en prendrais bien quelques-unes.
– Lesquelles voulez-vous ? ...., au citron ou ...., à la framboise ?

6. À la maison, la mère de famille
– Je n'achète jamais de biscuits industriels, je préfère ...., qui sont moins sucrés.

7. À la parfumerie

– Avez-vous choisi votre rouge à lèvres ?

– J'hésite encore ; .... me plairait bien, mais il est un peu cher ; .... sont trop foncés. Je vais réfléchir.

B1.1
★

48. Pronoms démonstratifs

Complétez avec le pronom démonstratif qui convient.

<u>Exemple :</u> – Où sont les enfants ?
     – Ils jouent avec **ceux des** voisins.

1. – J'ai oublié mes livres.
– Tu peux peut-être emprunter .... ton ami Matteo.

2. – Tu as vu la robe, là, à gauche dans la vitrine ?
– Moi je préfère .... droite.

3. – J'aime bien les bagues de Zoé.
– Mais tu n'as pas vu .... sœurs de Fatima !

4. – Hier soir j'ai mangé au restaurant de la Bastille.
– Est-ce que c'est le même style de cuisine qu'à .... la place Victor-Hugo où nous sommes allés la semaine dernière ?

5. Nous aimons beaucoup les melons, particulièrement .... Sud de la France.

6. Mon appartement est bien situé, mais je préférerais .... dernier étage.

B1.1
★

49. Pronoms démonstratifs : ce (c') / cela (ça)

Complétez les phrases avec le pronom « ce (c') » ou « cela (ça) ».

1. J'en en ai assez de faire de la peinture, heureusement .... sera bientôt terminé. – **2.** Tu dois absolument venir à ce cours, ... est très important. – **3.** Pour son anniversaire, on lui a offert un sac en cuir, ... lui a fait vraiment plaisir. – **4.** Il reste encore du beurre, ... n'est pas la peine d'en acheter. – **5.** Quand elle était petite, elle n'aimait pas s'endormir dans le noir, ... lui faisait très peur. – **6.** Ne me regarde pas comme .... , tu me fais peur ! – **7.** Qui est-............ ? .... sont les amis d'Arthur. – **8.** Je vais m'inscrire au cours de calligraphie, ... doit être très intéressant. – **9.** .... alors ! .... est vraiment incroyable ! Comment a-t-il pu faire .... ? – **10.** Tu n'as pas pris de pain ? .... ne fait rien, j'ai des biscottes.

B1.1
★

50. Pronoms démonstratifs : ce / ceux

Complétez les phrases avec le pronom « ce » ou « ceux ».

1. Veux-tu répéter .... qu'il t'a dit ? – **2.** Est-ce que je connais .... qui ont dit ça ? **3.** Est-ce que je peux te demander .... que tu as fait des clés de la voiture ? – **4.** .... qui font ce genre de sport extrême sont un peu fous. Tu ne crois pas ? – **5.** Avez-vous pensé à ...... dont vous avez besoin ? – **6.** Les films policiers sont .... que je préfère. – **7.** Je ne suis pas venu parce que je ne savais pas .... que vous aviez décidé. – **8.** Il n'est pas facile pour .... qui travaillent de gérer les problèmes de vie quotidienne.

B1.1

51. Adjectifs et pronom démonstratifs – Modeuses

La mère n'apprécie pas les choix vestimentaires de sa fille et le lui dit vertement.

a Complétez avec les démonstratifs nécessaires.

1. C'est quoi .... tenue? D'où tu sors ....? Tu les as trouvées où .... fringues?

2. Tu vas pas mettre .... truc fluo avec .... mini-jupe et .... collants à pois roses pour aller passer l'oral du bac!

3. C'est quoi .... vieux jean dégoûtant? Où est .... que je t'ai acheté? Chez Agathe? Ah, celle-là, je la déteste!

4. C'est nul .... chaussures de randonnée avec .... robe légère! Et .... sont .... de ton frère en plus, il va adorer ....!

5. Tu t'habilles de .... façon pour les cent ans de Mamie? Tu veux la tuer, ... pauvre femme? Enlève-moi .... , par pitié.

b Imaginez les commentaires de la fille sur les tenues de la mère en utilisant les démonstratifs ci-dessous. Puis, jouez le dialogue.

1. cette , ça , ces – **2.** ce , cette ; ces – **3.** ce , celui – **4.** ces , cette , ce , celles , ça – **5.** cette , cette , ça .

Synthèse des possessifs

B1.1

52. Synthèse sur les possessifs – Le tourbillon de la vie

Amélie et Nicolas vivent en famille recomposée avec les enfants qu'ils ont chacun eus avec un autre conjoint, et avec ceux qu'ils ont eus ensemble, les petits derniers. Un vrai tourbillon...

Écoutez Amélie et complétez avec les possessifs nécessaires.

« Notre famille recomposée, c'est plutôt compliqué. D'abord il y a .... compagnon et moi .... amour, ... disputes, ... besoins d'intimité. Puis il y a .... enfants et .... problèmes, ... mésententes, ... amis et .... études. Sans compter .... ex: .... sienne, ... exigences de garde, ... égoïsme; le .... , ... contraintes professionnelles, ... agressivité. Et .... parents respectifs, ... maison, ... voitures, ... chien, ... deux chats. Quelquefois je ne sais plus où j'en suis! »

Continuez le portrait du groupe vu par l'un ou l'autre des enfants : frères et sœurs, demi-frères ou demi-sœurs, parents du beau-père ou de la belle-mère, amis des uns ou des autres…

Synthèse des possessifs et des démonstratifs

B1.1

★

53. Synthèses possessifs et démonstratifs – Sur le vif

Reconstituez les conversations suivantes à l'aide d'adjectifs et de pronoms possessifs, d'adjectifs et de pronoms démonstratifs et des indications données.

Exemple : **Au bureau**

– Il a pris quelle voiture ?
– **Celle de** son père.
– Et **la sienne**, qu'est-ce qu'il en a fait ?
– Elle est au garage.

1. Devant le magasin de lunettes

– Regarde .... lunettes à gauche, elles sont jolies !

– Oh ! non, moi je préfère .... qui sont à droite, à 90 euros.

– .... ne sont pas mal non plus, tu les as achetées ici ?

– Non c'est .... mère qui me les a offertes.

2. Dans la chambre d'Océane

– Tu as vu les chaussures de Manon ? Comment tu les trouves ?

– Je préfère .... d'Inès. Elles sont plus élégantes.

– Et .... ? Qu'est-ce que tu en penses ?

– Oh ! toi tu portes toujours de super-beaux trucs.

4. À la sortie du lycée

– Oh ! là ! là ! J'ai un problème, il faut que j'aille à la poste tout de suite et .... scooter est en panne.

– Si tu veux, je peux te prêter ....

– Tu es vraiment sympa, merci beaucoup.

– Mais fais attention, il est plus puissant que ....

3. En classe

– Leïla, pourquoi n'avez-vous pas fait .... exercices correctement ?

– Excusez-moi, Madame, je n'ai pas eu le temps.

– Et .... , Enzo, ils sont vraiment mauvais !

– Je n'ai pas bien compris, Madame.

– Bien. Alors, je vais répéter pour .... et .... qui n'ont pas compris.

« Le pouvoir appartient à ceux qui ont les mots. »
Cécile Ladjali, professeur en banlieue

54. Synthèses des démonstratifs

Complétez ces phrases avec les pronoms de la liste suivante.

ce qui   ce que   ceux qui   celui qui   celle où

celles que   celles dont   ce à quoi   ce dont

celui avec qui

1. Ton cousin, c'est .... parle avec mon père ? – **2.** Ces toiles sont intéressantes, ... je préfère représente une mouche. – **3.** Je n'aime pas .... le conférencier a parlé. – **4.** .... est intolérable, c'est la misère où on laisse ces gens. – **5.** Je comprends mal .... tu fais allusion. – **6.** .... t'ont dit ça, sont des menteurs. – **7.** Sa gentillesse ; c'est .... tout le monde apprécie. – **8.** La chaise, ... tu as posé ta valise, est cassée. – **9.** J'ai trop grossi pour mes robes ! Je vais donner .... je ne peux plus porter. – **10.** Ce jeune homme avec Margot, c'est .... elle va se marier ?

55. Synthèse des déterminants

Complétez le texte par des articles, des adjectifs possessifs ou démonstratifs.

IL EST FOU DE BOUFFE, CE GAULOIS !

Dévorer .... langoustines vivantes en Écosse, chevaucher .... tracteur breton en hurlant « Obélix », déclamer Homère sous .... citronnier d'Amalfi, s'abreuver .... huile de Toscane à .... bouteille, rien n'arrête .... colosse. En .... tirade dont lui seul a .... secret, ... monstre sacré .... cinéma français nous offre .... délicieux avant-goût de .... dernier film. « J'ai rencontré Gérard à .... fête .... rosé qu'il organisait dans .... vignoble de Tigné. .... était simple et authentique », se souvient Laurent, ... associé et chef de .... restaurant parisien. « Depuis, j'ai .... chance de l'accompagner en voyage. À chaque fois, nous tombons sur .... petits producteurs formidables qui travaillent .... merveilleux produits de saison ».

« Quoi, ma gueule ? Qu'est-ce qu'elle a ma gueule ? », Johnny Hallyday, *Ma gueule*

Les pronoms personnels

 L'ESSENTIEL SUR...

Les pronoms personnels remplacent un nom, une proposition ou une phrase. Ils varient en genre et en nombre selon la personne ou la chose qu'ils remplacent, la fonction qu'ils exercent et la place qu'ils occupent dans la phrase.

● Les pronoms et leurs fonctions

Les pronoms personnels varient selon leur fonction dans la phrase. Ils remplacent un nom, une proposition, une phrase, etc. pour éviter une répétition.

Exemples :
– Sujet : **Yves** rentre la voiture. → **Il** rentre la voiture.
– Complément d'objet direct : Alice emmène **les enfants** à l'école. → Elle **les** emmène.
– Complément d'objet indirect : Je parle à **tes parents**. → Je **leur** parle.

Les pronoms personnels

	Pronoms singuliers			Pronoms pluriels		
	1	*2*	*3*	*1*	*2*	*3*
Sujets	je / j'	tu	il / elle	nous	vous	ils / elles
Compléments d'objet direct	me / m'	te / t'	le / la	nous	vous	les
Compléments d'objet indirect	me / m'	te / t'	lui	nous	vous	leur
Toniques	moi	toi	lui / elle	nous	vous	eux / elles
Toniques réfléchis	–	–	soi	–	–	soi

> « Tu veux un monde meilleur, plus fraternel et plus juste ?
> Eh bien, commence à le faire : qui t'en empêche ? Fais-le en toi et autour de toi,
> fais-le avec ceux qui le veulent. Fais-le en petit et il grandira. »
> Carl Gustav Jung, psychanalyste, xxᵉ siècle

Les pronoms personnels renforcés par les adjectifs

Pronoms singuliers			Pronoms pluriels			+ adjectifs
1	2	3	1	2	3	
–	–	–	nous	vous	–	autres *(rare)*
moi	toi	lui elle soi	nous	vous	eux / elles	même(s)
moi	toi	lui elle soi	nous	vous	eux / elles	seul(e)(s)
–	–	–	nous	vous	eux / elles	tous/toutes

● La place des pronoms compléments dans la phrase

Les pronoms se placent toujours avant le verbe dont ils dépendent sauf à l'impératif affirmatif. L'ordre des pronoms dans la phrase n'est pas toujours le même : quelquefois, le pronom direct précède le pronom indirect, quelquefois c'est l'inverse. « y » et « en » sont, eux, toujours en deuxième position.

Pronoms indirects	Pronoms directs		Pronoms directs	Pronoms indirects		Pronoms directs + y			Pronoms indirects + en	
me te se nous vous	+ le + la + l' + les		le la les	+ lui + leur + ----- + moi + toi		m' t' l' nous vous les	+ y		m' t' lui nous vous leur	+ en

Exemples :
- Paul me donne le livre. → Il **me le** donne.
- Paul donnera le livre à sa sœur. → Il **le lui** donnera.
- Paul vous emmènera à la gare. → Il **vous y** emmènera.
- Paul parlait de son voyage à ses parents. → Il **leur en** parlait.

« Sois toi-même, tous les autres sont déjà pris. » Oscar Wilde

« Je t'ai beaucoup aimée.
Tu me l'as rendu au centuple.
Merci la vie »
Épitaphe de Michel Tournier, écrivain français mort le 18 janvier 2016

TEMPS SIMPLES	Il	(ne)	me l' le lui t'en	offre offrait offrait	(pas).	
			vous y	emmènera		
TEMPS COMPOSÉS	Il	(ne)	me l' le leur nous en	a avait aura	(pas)	offert.
			vous y	aurait		emmené.
IMPÉRATIF *Négation*	Ne		me l' le lui leur en	offre	pas.	
			les y	emmène		
Affirmation		Offre	-le moi. -les lui. -lui en.			
		Emmène	-l'y.			
INFINITIF	Il		veut	te l'	offrir.	
	Il	ne	veut pas	le leur nous les vous les		
				nous y	emmener.	

Pronoms toniques

B1.1
★

56. Pronoms toniques

Complétez avec le pronom qui convient.

1. – Vous avez tout préparé vous-même ?

– Eh oui, ma femme et ...., ... avons bien travaillé.

2. – Mais enfin chérie, quand as-tu rencontré cet homme ?

– L'été dernier, chez les Garcia. Tu te souviens ? les enfants et ...., ... n'aviez pas voulu venir.

3. – Enfin, vous voilà ! je cherchais les enfants partout.
– Eh oui, je les ai emmenés au cinéma nous nous sommes bien amusés, ... et ...., pas vrai les enfants ? »

4. – Maman, arrête de me demander ce que j'ai fait avec Matthieu. On s'est amusés, c'est tout !
– Tu dis ça, mais je me méfie de .... et ...., ... faites toujours des bêtises.

5. – Messieurs, laissez-moi vous dire à quel point je suis satisfait de vous avoir dans mon équipe : .... et ...., j'en suis sûr, ... ferons de grandes choses ensemble.

6. – Tiens, Martin, a amené sa chienne ! Ce n'est pourtant pas la place d'une chienne ici.
– Tu sais bien, ... et ...., ... ne se quittent plus jamais une seconde, le couple modèle !

7. – Notre grand homme politique avec des gauchistes?! Mais c'est insensé, qu'est-ce qu'............ peuvent bien avoir à se dire, ... et ....?

8. – J'ai invité les Chabert pour jeudi soir. Est-ce que j'invite aussi les Faure?
– Mais enfin, pour quoi faire? tu sais bien que les Chabert et ...., ... n'ont rien à se dire.

9. – C'est bien à .... que je m'adresse, Mademoiselle. Vos amis n'ont rien à voir dans cette affaire.

B1.1
★

57. Pronoms toniques

Répondez en utilisant le pronom qui convient.

Exemple: – Vous viendrez **avec nous**?
         – D'accord, nous viendrons **avec vous**.

1. Tu as fait tout cela pour moi? – **2.** Ils sont toujours assis à côté de ces jolies filles? – **3.** Il a fait une dépression nerveuse à cause de ses enfants? – **4.** Il a eu son poste grâce à son père? – **5.** Laure habite toujours chez toi? – **6.** Tu veux encore t'asseoir près de Mathis? – **7.** Il est toujours aussi malheureux sans sa femme? – **8.** Tu te sens heureux parmi ces étrangers? **9.** Tu n'es pas trop triste loin de tes parents? – **10.** Tu veux aller au cinéma avec Prune et moi? **11.** Elle est partie camper avec ses cousines?

B1.2
★★

58. Pronoms toniques

Trouvez dans quelles situations peuvent être dites les phrases suivantes et donnez leur sens.

1. À moi! – **2.** Après vous. – **3.** Vas-y, c'est à toi. – **4.** Je suis à vous tout de suite. – **5.** Je suis tout à vous. – **6.** Ah! que c'est bon de se retrouver chez soi! – **7.** Alors, à demain chez vous? **8.** Ils ne sont jamais chez eux! – **9.** Ils se croient chez eux, ma parole! – **10.** Ah! c'est bien de toi! – **11.** Faites comme chez vous. – **12.** Ça n'arrive qu'à moi. – **13.** Et d'après vous, qu'est-ce qui s'est passé? – **14.** Ils veulent rester entre eux.

⊕ Activité de repérage 4

a Lisez le texte suivant.

À LA FOIRE D'ART CONTEMPORAIN

1. Tu as vu la sculpture du crocodile rouge là-bas? Si je pouvais, je me l'achèterais bien... Il me plaît beaucoup. – **2.** Moi, je connais quelqu'un qui lui en a déjà acheté un. – **3.** Je n'aime pas du tout ces dessins... Tu les aimes, toi? Mais les toiles, elles, elles sont incroyables. **4.** Je trouve cette aquarelle formidable! Je vais en acheter une reproduction et je la mettrai en face de mon lit. – **5.** Cette sélection d'œuvres est nulle! Pourtant les critiques en avaient dit beaucoup de bien. Je ne leur ferai plus confiance. – **6.** Tu as vu ces croûtes? Pour rien au monde, je ne les lui paierais le prix qu'il en demande ! – **7.** Les Hutin ne sont pas là ? J'avais rendez-vous avec eux pour dîner après le vernissage... d'ailleurs si vous voulez vous joindre à nous... Vous verrez, on s'amuse beaucoup avec eux. Ah, les voilà ! – **8.** Ce tableau-là, je voudrais bien que quelqu'un me l'explique ! – **9.** Expliquez-moi un peu ce que vous y comprenez, moi je n'y comprends rien. – **10.** Vous aimeriez connaître l'artiste ? Je vous le présenterai. **11.** Ah ! On m'avait beaucoup parlé de vous. Je suis heureuse de vous rencontrer. – **12.** Cette œuvre est si belle que je ne vous en parlerai pas. Je vous laisserai simplement la regarder. – **13.** Des tableaux comme ça, je n'en avais pas encore vu ! – **14.** Son atelier ? Je vous y emmènerai.

b Dans les phrases 1., 3., 6., 7., 8., 10., 12., vous trouverez les pronoms « l' », « le », « la », « les ». Quels mots reprennent-ils ? Reformulez les phrases sans le pronom, en utilisant le mot qu'ils remplacent.

<u>Exemple</u> : dans la phrase 1. : l' = la sculpture du crocodile. Je m'achèterais bien la sculpture du crocodile.

c Dans les phrases 8., 12., 13. le mot « tableau » n'est pas toujours repris par le même pronom. À votre avis, pourquoi ? Si vous ne savez pas, reformulez les phrases sans le pronom, en utilisant le mot « tableau ». Que remarquez-vous ?

d Les pronoms « me » (1.), « lui » (2.), « leur » (5.), « lui » (6.), « moi » (9.), « vous » (12.) représentent qui ou quoi ?

– Quelles sont les constructions des verbes plaire (1.), acheter (2.), faire confiance (5.), payer (6.), expliquer (9.), parler (12.) ?
– Comparez les constructions des verbes des phrases 1. et 9. Que remarquez-vous ?

e Dans les phrases 7. et 11., quels sont les pronoms utilisés après des prépositions ?

f Dans la phrase 9., que représente le « y » ? À quelle construction du verbe « comprendre » est-ce que cela correspond ? Et dans la phrase 14. ?

g Comparez la place du pronom dans les extraits suivants.

3. tu les aimes – 4. je la mettrai – 9. je n'y comprends rien – 9. expliquez-moi – 11. je suis heureuse de vous rencontrer – 12. je vous laisse la regarder
Quelles sont vos conclusions ?

h Notez les uns au-dessous des autres les doubles pronoms des phrases 1., 2., 8., 10., 12. Ajoutez ensuite ceux de la phrase 6. Que constatez-vous ? Même travail pour la phrase 14.

i Observez bien la phrase 4. Y a-t-il des choses qui vous surprennent ? Qu'en pensez-vous ?

« L'argent, oui, j'en ai gagné mais ce qui m'intéressait surtout c'était de me glisser dans la peau des peintres. J'ai fait les tableaux qu'ils rêvaient peut-être de faire. Je les ai peints avec le plus grand soin. » Wolfgang Beltracchi, faussaire

L'ESSENTIEL SUR...

● En / le, l', la, les

Un objet indéfini	Un objet défini		
Un bateau ? Un jour, j'**en** aurai **un**. Je n'**en** aurai pas.	**Le** riz, **Ce** livre, **Sa** robe, **Ses** cheveux,	tu	l'aimes. **le** lis. **la** veux. **les** adores

Exemple : J'ai acheté un livre de Le Clézio. Je l'ai adoré.
→ L'objet est défini : ce livre que j'ai acheté, pas un autre.

Une quantité indéfinie (une partie)		Le tout
J'ai du..., de la..., des... Du pain, De la bière, Des enfants,	j'**en** veux. je n'**en** veux pas.	Le pain, je **le** termine. La bière, je **la** finis. Les enfants, je **les** emmène.
Une quantité définie		
J'ai **un** million, **deux** millions, **cent** millions, **quelques** millions, **beaucoup de** millions, bref, **un peu de** fortune. J'**en** ai **un**, **cent, beaucoup, quelques-uns**. Je n'**en** ai pas.		

 ATTENTION :
On peut passer d'un objet défini à une quantité indéfinie.
– *Allez, prends ce gâteau.*
– *Non, je ne pourrai pas le manger, donne-m'en seulement un morceau.*

Préposition « de »	Construction directe
Noms	
Je parle de **vacances**. J'**en** parle.	J'aime **la danse**. Je **l'**aime.
Phrases	
Pour savoir si on utilise « en » ou « le », il faut connaître la construction du verbe avec le nom. ● Il parle de partir. → Il en parle (cf. il parle de quelque chose). ● Tu lui as demandé de venir ? → Je le lui ai demandé (cf. demander quelque chose).	● Tu crois **que** la Terre tourne autour du Soleil ? Je **le** crois.

B1.1 ★

59. L', le, la, les

Complétez avec le pronom qui convient (le , l' , la , les).

1. Tes chaussettes, je .... ai mises au linge sale. – **2.** Ta voiture ? Je .... ai garée devant la poste. – **3.** Ta chemise ? Je ne .... vois pas. – **4.** J'ai acheté une nouvelle lampe mais je ne sais pas où .... mettre. – **5.** Ne jette pas le gratin. Je .... finirai ce soir. – **6.** À table il y aura Marina à côté de Nicolas. Je .... place là parce qu'elle est drôle et je .... mets à côté d'elle parce qu'il est timide. Les autres, ce n'est pas nécessaire de .... placer, ils se débrouilleront. – **7.** Tu veux la bouteille de Coca ? – Passe-............ moi. – **8.** Je te donne le vase Ming. Ne .... casse pas ! – **9.** Tes skis, je te ...... rendrai dès que les miens seront réparés. **10.** Ce vaccin est très efficace ; tous les médecins .... ont prescrit à leurs patients.

B1.1 ★

60. En (quantité) – Appétits d'oiseau

Répondez aux questions en utilisant « en » dans la réponse, qui remplacera le mot entre parenthèses.

Exemple : – C'est toi qui as bu tout le Coca, Timothée ? (un verre)
 – Mais non maman, je n'en ai bu qu'un verre.
 – Mais non maman, j'en ai bu seulement un verre.

1. C'est toi qui as fini la plaquette de chocolat, Jérémie ? (une barre)

2. C'est toi qui as fini le lait, Jonas ? (un bol)

3. C'est toi qui as mangé les fraises, Victor ? (une)

4. C'est toi qui as englouti le poulet, Louna ? (une cuisse)

5. C'est toi qui as croqué toutes les pommes, Evan ? (deux)

6. C'est toi qui as sifflé toutes les canettes de bière, Paul ? (une douzaine)

7. C'est toi qui as grignoté les petits fours de grand-mère, Camille ? (quelques-uns)

8. C'est toi qui as entamé les tartelettes aux framboises, Samuel ? (deux ou trois)

9. C'est toi qui as mangé le camembert, Simon ? (un petit morceau seulement)

10. C'est encore toi qui as bu le reste du champagne, Mathurin ? (une goutte)

B1.1 ★

61. En / le, la, les

Complétez avec le pronom qui convient (en, le, la, les). Attention aux modifications nécessaires : Je → J' ; ne → n'.

ⓐ 1. Quand je vois des cerises, je ne .... achète pas parce que je ne .... aime pas.
2. Mais quand j'achète des pêches, je .... mange un kilo en cinq minutes parce que je .... suis fou. – **3.** Et quand j'ai très faim, ne mettez pas une vache devant moi, je suis capable de .... manger tout entière ! Pourtant, quand je n'ai pas faim, mettez une entrecôte devant moi et je .... laisserai sûrement la moitié. – **4.** Certains sont toujours au régime : le pain est interdit, ils ne peuvent pas .... consommer. Ne parlons pas des gâteaux : interdiction même de .... regarder un. Et même leur gâteau d'anniversaire ils ne peuvent que .... regarder de loin.

b – Reprenez de ce camembert, il est excellent !

– Merci, il est tellement bon que j'ai envie de .... finir. Je peux ?

– Non merci, je ne .... veux plus, si ça ne vous fait rien.

– Oui, volontiers mais je .... prendrai seulement un peu.

– Avec plaisir, je .... ai rarement mangé d'aussi crémeux.

L'ESSENTIEL SUR...

● En / y

On peut utiliser les pronoms « en » et « y » pour indiquer un lieu : d'où on vient, où on va. On les utilise aussi pour remplacer des objets ou des idées.

LIEU					
	D'où on vient			**Où on est, où on va ?**	
Il vient	**de** Bordeaux. **du** Pakistan. **de** l'université. **des** Caraïbes.	Il **en** vient.	Il habite	**à** Paris. va **en** France. **au** Mexique. **aux** États-Unis.	Il **y** habite. Il **y va**.
			Le livre est	sur... derrière... dans...	Il **y** est.

OBJETS ET IDÉES				
	Préposition « de »		**Préposition « à »**	
Nom	Tu parles **du** match. **de** la pluie. **des** inondations.	Tu **en** parles.	Tu penses **au** match. **à** la pluie. **aux** inondations.	Tu **y** penses.
Phrase	Il rêve **de** vivre en Amérique.	Il **en** rêve.	Il pense **à** émigrer en Amérique.	Il **y** pense.
Remarque : lorsque c'est une personne	Il parle **de Véronique**	Il parle **d'**elle.	Il pense **à** Véronique.	Il pense **à** elle.

« Le pouvoir du peuple est comme le génie de la lampe :
une fois qu'il **en** est sorti, il n'**y** rentre plus jamais. »
Srdja Popovic, activiste serbe (révolution démocratique)

« Pouvons-nous sortir de la pauvreté ? Nous **en** avons les moyens.
La seule chose qui nous manque : **y** croire. »
Mark Zuckerberg, créateur de Facebook

B1.1

★

62. Y, en (lieu)

Le dialogue suivant se déroule entre le responsable des services d'espionnage et un futur espion. Le responsable teste son interlocuteur. Complétez les réponses de ce dernier en réutilisant le verbe et en remplaçant les éléments en caractère gras par le pronom personnel nécessaire. Pour la dernière réplique, vous ferez un résumé de tout ce qui précède. Attention, pour être clair, ce résumé ne doit pas comporter seulement des pronoms, mais aussi des informations détaillées.

MISSION SECRÈTE

- Vous vous rendrez place Grenette demain à 17 heures. D'accord ?

- D'accord, ...

- Au Cintra, vous vous assiérez à la table la plus proche de la fontaine. Compris ?

- Compris, ...

- Vous ne bougerez pas de là pendant cinq minutes. Vu ?

- D'accord, ...

- Vous resterez à cette table même s'il pleut. OK ?

- OK, ...

- Après, vous sortirez de la place Grenette par la Grand-Rue. Enregistré ?

- Enregistré, ...

- Vous ferez trois fois le tour de la place Saint-André en sifflotant la *Marseillaise*... Compris ?

- Parfaitement, ...

- Vous partirez de la place Saint-André par le jardin de ville. Entendu ?

- Entendu, ...

- Vous vous promènerez discrètement dans la roseraie.

- Bien, ...

- Ensuite vous reviendrez au Cintra.

- Bon, ...

- Vous entrerez dans le café.

- OK, ...

- Puis vous attendrez le signal à la table du fond. C'est clair ?

- Très clair : ....

63. Y, en, le (lieux)

Dans les conversations suivantes, placez le pronom qui convient (y , en , le , la). Attention aux modifications de «je», «ne» ou «se»...

VOYAGES

1 – Connais-tu la Malaisie?

– Bien sûr, je .... connais très bien. Justement, je .... reviens, je .... ai passé une semaine.

2 – C'est quand finalement, le voyage de Jacques à Panama?

– Il se .... rendra en automne.

– Il compte .... rester longtemps?

– Il pense .... repartir pour Noël, pour revenir passer les fêtes en famille.

– Eh bien dis donc, ce pays, il doit .... connaître vraiment par cœur !

3 – Anne-Marie a aimé la Turquie?

– Non, elle ne s'............ est pas plu.

– Ah bon? moi je .... suis revenue enchantée. Les gens .... sont merveilleux. Et les paysages, ne .... parlons pas, extraordinaires. Moi, la Turquie, je .... recommande à tout le monde!

– Tu sais, c'est assez simple pour Anne-Marie: il fait très chaud là-bas. Il .... fait très très chaud, même. Elle ne supporte pas ça. Elle s'est enfermée dans sa chambre climatisée et elle n'............ a presque pas bougé.

– Ben dis donc, elle devait .... connaître par cœur, sa chambre... Elle ne devrait pas voyager. Et toi, quand est-ce que tu .... vas? Depuis le temps que je te dis que, ce pays, il faut absolument .... visiter avant que tout le monde ...... soit allé!

– Moi non plus, je ne supporte pas la chaleur.

64. Y (idées, objets)

Complétez le dialogue en utilisant le verbe de la phrase précédente et le pronom nécessaire.

IL N'Y A PAS D'ÂGE POUR MILITER

Dans la rue, devant un stand de propagande pour une association écologique, discutent un jeune militant de l'association et une vieille dame dynamique.

◀◀ – Madame, **vous vous intéressez** aux problèmes écologiques?

– Oui mon garçon, je ....

– **Vous avez déjà pensé** à vous inscrire à notre association?

– Non, ...

– Pourtant, **vous adhérez** à nos idées?

– Oui, en effet ....

– Vous savez, vous devriez **vous joindre** à notre organisation.

– À mon âge, je peux ....?

– Mais il n'y a pas d'âge pour ça ! Si vous voulez **travailler** à l'amélioration de l'environnement...

– Bien sûr, je veux ....

– Vous verrez, **vous vous amuserez bien** à contrarier les trusts et les gouvernements.

– Bon, c'est d'accord, jeune homme, nous nous .... ensemble. Je veux bien **m'inscrire** à votre groupe.

– Vous verrez, vous ne regretterez pas de ...., il y a tant à faire !

– Vous pouvez même m'envoyer sur vos bateaux. À mon âge je peux **renoncer** à mon confort pour la planète Terre !

– Vous n'aurez pas besoin d'............ parce que, vous verrez, vous .... prendrez plaisir !

– Parfait, jeune homme, adopté ! Quand est-ce qu'on commence ?

B1.2
★★

65. **Pronoms personnels substituts d'une phrase**

Observez les pronoms soulignés dans les phrases ci-dessous. À quelle idée ou structure de phrase correspondent-ils ?

Promesse de campagne : le revenu universel

« Vous **y** croyez, vous ? Ils vont vraiment **le** faire ? Ils **l'**ont promis, oui mais de là à **la** tenir, leur promesse... Moi j'**en** doute, j'**en** doute sérieusement même. Pour tout dire, je n'**y** crois pas du tout. »

Exemple : Vous y croyez, vous ?
→ vous croyez à cela, à cette promesse de revenu universel ?

B1.1
★

66. **Pronoms compléments directs ou indirects**

Comparez.

Il **me** regarde.	Il **nous** regarde.	Il **me** parle.	Il **nous** fait confiance.
Il **te** connaît.	Il **vous** aime.	Il **te** téléphone.	Il **vous** envoie des fleurs.
Il **le** taquine.	Il **les** achète.	Il **lui** écrit.	Il **leur** achète une voiture.
Il **la** raccompagne.		Il **lui** raconte tout.	

a Qu'est-ce qui est différent ? Qu'est-ce qui est pareil ?

b Pour savoir pourquoi, cherchez les constructions des verbes.

Exemples : emmener
appeler } quelqu'un

téléphoner
parler } à quelqu'un

c Cherchez d'autres verbes pour compléter la liste ci-dessus.

67. Me, te, lui, nous, vous, leur

Répondez en utilisant le pronom complément direct ou indirect qui convient et en réutilisant le verbe de la question.

1. Tu offres souvent des fleurs à ta femme ? – Oui, ...

2. Tu as parlé aux ouvriers ? – Non, ... J'attends encore un peu.

3. Tu envoies souvent des SMS à ta copine ? – Oh oui .... matin, midi et soir !

4. Jacques t'a raconté son aventure ? – Oui ....

5. Alors, c'est vrai, vous me faites confiance pour cette affaire ? – Oui ....

6. Qu'est-ce que le médecin vous a conseillé ? – .... de rester à la maison.

7. Pourquoi n'êtes-vous pas entrés ? Ce n'est pas interdit ?! – Si, justement, on ....

8. J'aurais besoin de ton dossier sur les centrales nucléaires. – D'accord, ... l'envoie tout de suite.

68. Y, en, à lui, de lui

a Observez les phrases suivantes.

1. La guerre ?
– Je n'y pense jamais.
– Je n'ai pas envie d'en parler.

5. Les grands problèmes ?
– On en reparlera plus tard.
– Je n'y ai jamais réfléchi.

2. Le réchauffement climatique ?
– Je m'en moque !
– Je ne m'y intéresse pas.

6. Le président de la République ?
– Je ne m'intéresse pas à lui.
– Je n'ai pas envie de parler de lui.

3. Les clochards du quartier ?
– Je penserai à eux un autre jour.
– Je ne me préoccupe pas d'eux.

7. La violence dans les banlieues ?
– On y réfléchit au début des émeutes.
– Ensuite on n'en parle plus.

4. Comment je vais ?
– C'est gentil de me parler de moi.
– C'est gentil de penser à moi.

8. Les grèves dans les transports en commun ?
– Les médias en parlent.
– Je ne m'y intéresse pas beaucoup.

b Pourquoi, à votre avis, le nom de la question est-il quelquefois remplacé par « y », quelquefois remplacé par « en », quelquefois par « à » + pronom tonique (ex. : moi, lui...) et quelquefois par « de » + pronom tonique ?

c Quelles sont vos conclusions ?

B1.2 **69. En, de lui (d'elle, etc.)**

★★

Répondez aux questions suivantes en utilisant dans votre réponse le bon pronom (en , de lui , etc.), le verbe de la question et les éléments entre parenthèses.

1. Alors, qu'est-ce que tu penses de ton voyage en bateau ? (beaucoup de bien)

2. Est-ce que tu diras du bien de ton voyage ? (oui)

3. Tu diras aussi du bien du capitaine ? (oui)

4. Cet hiver, tu rêveras souvent de ton voyage ? (oui)

5. Peut-être rêveras-tu aussi du capitaine ? (non)

6. Comment avais-tu entendu parler de cette croisière ? (par un catalogue)

7. Et tu avais déjà entendu parler du capitaine ? (oui, par la télévision)

8. Vous parliez parfois de navigation, sur ce bateau ? (oui, souvent)

9. Et vous avez parlé des sirènes, celles qui ensorcellent les marins ? (oui, une fois)

10. Est-ce que vous vous êtes moqués de ceux qui avaient le mal de mer ? (non)

11. Est-ce que tu t'es occupé de la manœuvre ? (quelquefois)

12. Tu t'es bien occupé des autres passagers ? (oui)

13. Est-ce que le capitaine s'est quelquefois moqué de vous ? (jamais)

14. Tu te souviens du capitaine ? (très bien) Et de son prénom ? (plus du tout)

15. Vous vous êtes servis des bouées de sauvetage ? (une fois)

16. Est-ce que les passagers se sont plaints des cuisiniers ? (jamais)

17. Ton fils a eu besoin du docteur à bord ? (hélas, plusieurs fois)

18. Et toi, tu as eu besoin de médicaments ? (jamais)

« Sauvez-moi de la roue moite des habitudes. » Jean Cocteau, écrivain

● Pronoms indirects et construction des verbes

1. Construction avec « à » et « de » – Généralités

– **Avec la préposition « de »**, la règle est simple.
On utilise **« en »** comme substitut pour les COI de lieu, d'objets, d'idées.
On utilise la préposition **« de » + pronom tonique** pour les personnes.
– **Avec la préposition « à »**, le système est complexe.
Il y a trois types de substitut : « y »
« lui », pronom direct sans préposition
« à lui », préposition « à » + pronom tonique

Avec la préposition « à »				Avec la préposition « de »
Lieux, objets, idées	Personnes			Lieux, objets, idées
y	lui (etc.)	à lui (etc.)	de lui (etc.)	en
Elle passe à Pau. → Elle **y** passe. Elle pense **aux** vacances. → Elle **y** pense. Elle pense à émigrer en Afrique. → Elle **y** pense.	Elle parle à Jules. → Elle **lui** parle.	Elle pense à Jules. → Elle pense **à lui**.	Elle parle **de** Jules. → Elle parle de **lui**.	Elle vient d'Afrique. → Elle **en** vient. Elle parle **de** vacances. → Elle **en** parle. Elle parle **d'**émigrer **en** Afrique. → Elle **en** parle.

Verbes de TYPE 1	Verbe + COD + à +	COI personnes / COI objets, idées	→ lui (pronom indirect)

Ce sont des verbes d'échange et de communication qui ont la plupart du temps un COD + un COI humain, mais la même règle s'applique si le COI est une entité plus abstraite (média, réseaux sociaux, organisations) ou même une idée ou un objet.

Exemples :
Le syndicat a communiqué l'information aux militants.
aux médias.
→ Le syndicat **leur** a communiqué l'information.

On peut faire la guerre à son ex.
au tabac.
à l'extrémisme.
→ On peut **lui** faire la guerre.

Le pronom substitut pour les COI (animés et non animés) de ces verbes est toujours le pronom indirect sans préposition (me, te, lui, nous vous, leur).

Verbes de TYPE 2	**Toujours Y**

La langue française utilise ces verbes avec des compléments indirects non-animés : lieux, objets, idées, activités, structures, organisations → le substitut est toujours « y ».

Verbes + à	s'abonner **à** une revue adhérer **à** une idée ou un parti consentir **à** une demande s'inscrire **à** un cours prendre plaisir **à** une activité (pêcher, la pêche) réfléchir **à** un projet se mettre **à** une activité (peindre, la peinture) travailler **à** améliorer le quartier		
Verbes + adjectif + à	être, se montrer, se déclarer, se dire	ouvert réceptif favorable fermé opposé défavorable	à une idée une proposition une action

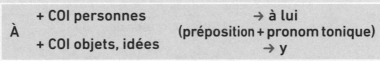

Verbes de TYPE 3	**À**	**+ COI personnes**	**→ à lui**
		+ COI objets, idées	**(préposition + pronom tonique)** **→ y**

Le français utilise ces verbes avec des compléments indirects soit animés, soit non animés selon le contexte. Le substitut utilisé marque nettement la différence entre les deux.

<u>Exemple :</u>
Penser
Il pense à son fils. (animé)
→ Il pense **à lui**.
Il pense à sa carrière. (inanimé)
→ Il **y** pense.

Quelques verbes et locutions verbales

– **Faire attention aux** autres, **à** son apparence, s'intéresser **à** la Bretagne, **à** ses traditions, **à** ses habitants, etc.
– **Consacrer** son argent / son temps / son énergie **à** ses enfants.
          à une cause.
          à son travail.
          à une activité de loisir.

[!] **ATTENTION :** passer du temps **à** une activité.

 – **Tenir à / renoncer à** devenir champion
       à son métier de médecin
       à garder sa fiancée
       à Marine
 – **S'habituer à** une personne, un lieu, un mode de vie, une situation

REMARQUE :
Le même verbe acceptant divers compléments animés ou inanimés, soyez très attentifs à la structure de la phrase avant de choisir le substitut.

BOÎTE À OUTILS

Transmettre des informations à quelqu'un

communiquer dire répéter demander répondre	apprendre enseigner expliquer exposer montrer	téléphoner faxer écrire envoyer expédier adresser	conseiller proposer suggérer ordonner	défendre interdire autoriser accorder

Faire circuler des objets

acheter	vendre
prendre	rendre
voler	restituer
emprunter	prêter
demander	offrir
	léguer
envoyer	expédier

REMARQUE :
Les verbes d'échange d'informations ou d'objets ci-dessus sont présentés ici
avec COD + COI mais certains acceptent d'autres constructions :
sans complément explicite : *il a répondu*
avec COD seul : *il a envoyé le paquet*
avec COI seul : *il a téléphoné à son assistant*

Pronoms et construction des verbes

B1.2
★★ ## 70. Y, à, lui, lui

À la place de Monsieur Estrobard, répondez aux questions en utilisant le pronom qui convient et en réutilisant le verbe de la question.

Langue de bois

1. – Monsieur Estrobard, avez-vous déjà songé à vous présenter à la présidence de la République ?
– Oui, bien sûr, ...

2. – Vous associez-vous à ceux qui pensent qu'il faut changer la constitution ?
– Non, je ne ....

3. – Êtes-vous opposé à une liste commune de l'opposition ?
– Pas du tout, je ne ....

4. – Réfléchissez-vous actuellement à l'avenir de l'Europe ?
– Bien entendu, ... intensément.

5. – Êtes-vous ouvert aux idées écologiques ?
– Tout à fait. Je ....

6. Avez-vous parlé au président de tous ces problèmes ?
– Évidemment, je ....

7. – Pensez-vous qu'on peut faire confiance au nouveau secrétaire du parti ?
– Quelle question ! Évidemment, on peut ...., c'est un homme remarquable.

8. – Pensez-vous que les Français s'intéressent à vous ?
– Certes… Tous les sondages prouvent qu'ils ....

9. – Croyez-vous qu'ils vous font confiance ?
– Je suis sûr qu'ils ....et ils ont raison !

10. – Renonceriez-vous à votre carrière politique pour votre vie privée ?
– Non je ....La politique, c'est ma vie !

11. – Renonceriez-vous à votre femme pour les besoins de votre carrière ?
– Ma femme, est-ce que je .... ? Permettez-moi de ne pas répondre à cette question.

12. – Vous avez l'air très coquet. Faites-vous très attention à votre look ?
– De nos jours, tout le monde est obligé de............

13. – Pensez-vous au général de Gaulle quand vous écrivez vos discours ?
– Oui, il m'arrive quelquefois de ....

14. – Honnêtement, dans vos déclarations, vous pensez toujours d'abord au bien de la France ?
– Certainement, Monsieur, je ne cesse de ....

> « C'est moi que je peins… chaque homme porte en lui la forme entière de l'humaine condition. » Montaigne

71. En, y, de, lui, à lui

Répondez avec le pronom qui convient et en réutilisant le verbe de la question.

1. – Tu te souviens de Martin ?
– Qui ? Non, ...

2. – Tu as parlé de cette affaire à la banque ?
– Oui .... au Crédit Agricole.

3. – Ta fille s'est inscrite à l'université ?
– Oui .... hier.

4. – Tu feras bien attention à ton petit frère.
– Évidemment, maman ....

5. – Est-ce qu'il tient beaucoup à son travail ?
– Je crois qu'il ....

6. – Est-ce qu'elle rêve de toi, à ton avis ?
– Elle, rêver .... ? C'est toi qui rêves !

7. – Il pense à partir définitivement ?
– Il .... sérieusement.

8. – Tu crois que le patron sera favorable à notre idée ?
– Je crois ...., elle est très bonne.

9. – J'ai besoin de ton aide.
– Non ...., tu peux .... arriver tout seul.

10. – Est-ce que vous vous occuperez des invités toute la journée ?
– C'est ça, ... jusqu'à ce soir.

11. – Ce Simon, quel veinard, il part pour l'Afrique !
– Mais non, il n'............, il .... revient.

12. – Le petit chat s'est habitué aux enfants ?
– Oui, ...

Pronoms et impératif

---

72. Impératif affirmatif

Répondez en utilisant l'impératif et le pronom qui remplace l'élément en caractère gras.

Exemple : – Je **te** donne le livre ? – Donne-moi le livre.
– Je bois une goutte **de café** ? – Buvez-en une goutte.

1. Je m'achète une glace ? Tu veux bien ? – **2.** Je **vous** raconte mes aventures ? Vous êtes intéressé ? – **3.** J'apporte une bonne bouteille **aux Dubreuil** ? – **4.** Je retourne en vitesse **au café** ? **5.** Je change **le canapé** de place ? – **6.** Je demande **à Luc** de partir ? – **7.** Je nettoie **la cuisine** à fond ? – **8.** Je range **les chaussures** dans le placard ? – **9.** Je **me** joins à vos amis ? – **10.** Je m'adresse **à vous** ? – **11.** Je fais attention **aux plantes**, en ton absence ? – **12.** Je réfléchis **à ce problème** ? – **13.** Je me préoccupe **de Damien** ?

> « Le bonheur est un présent. Tendez-lui les bras. »
> Anselm Grün

> « Libère-toi de toi-même. »
> André Comte-Sponville, philosophe contemporain

B1.1

★

73. Impératif négatif

Répondez par l'impératif négatif (deuxième personne du singulier) en remplaçant l'élément en caractères gras par un pronom.

Exemple : Je peux aller **à la piscine** ? → Non, n'y va pas.

1. Je dois téléphoner **à Patrick**. – **2.** Je vais emporter **du pain**. – **3.** Je peux laver **les vitres** ? **4.** Je peux repasser **ta robe** ? – **5.** Je dois faire attention **aux autres**. – **6.** Je peux demander conseil **aux psychologues**. – **7.** Je veux **vous** offrir une Porche. – **8.** Je dois m'acheter une voiture. – **9.** Je dois aller **au bal de l'université** ? – **10.** Je veux emprunter **de l'argent**. – **11.** Je vais m'habituer **à ce garçon**. – **12.** Je peux m'intéresser **à ce problème**.

B1.1

★

74. Impératif affirmatif et négatif

M. et Mme Jarlier ne sont jamais d'accord. Voici les questions de leurs deux enfants. Utilisez l'impératif et utilisez un pronom pour faire les réponses opposées des parents.

Exemple : Nous lavons **le chat** ?
→ Lavez-le / ne le lavez pas.

1. Nous finissons **les frites** ? – **2.** Nous **vous** donnons nos dessins ? – **2.** Nous téléphonons **à grand-mère** ? – **4.** Nous prenons **du gruyère** ? – **5.** Nous buvons **un verre de Coca** ? **6.** Nous allons **à la boulangerie** ? – **7.** Nous faisons confiance **aux professeurs** ? – **8.** Nous nous joignons **à vous** ? – **9.** Papa, maman, nous **vous** montrons nos devoirs ?

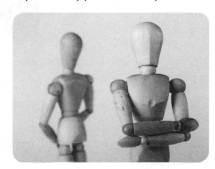

Pronoms et infinitif

B1.1

★

75. Un pronom avant l'infinitif – Forme affirmative

Répondez aux questions en utilisant le pronom qui remplace les mots en gras.

Exemple : – Tu rêves de parler **à cette fille** ?
– Je rêve de lui parler.

1. Le professeur saura expliquer le problème **à son étudiante** ?

2. M. Duparc rêve de posséder **une Mercedes** ?

3. Est-ce que Véronique peut envoyer **le mail** ?

4. Marie a-t-elle voulu aller **à la discothèque** ?

5. Ils ont eu envie de **vous** rejoindre ?

6. Les Martin rêvent de passer quelques jours **à Venise** ?

7. Grand-père aime faire peur **aux enfants** ?

8. Ton mari désire participer **au marathon de Paris** ?

9. Les enfants ont envie d'acheter **des bandes dessinées** ?

76. Un pronom devant ou après l'infinitif – Savoir-faire

★

Exemple : Les enfants, c'est tuant, il faut **les** chouchouter, **les** éduquer, veiller sur **eux**, jouer avec **eux**, **leur** tenir la main, **leur** raconter des histoires.

Sur ce modèle, complétez les deux textes suivants avec les pronoms qui conviennent.

1. Les jeunes, c'est le futur de notre pays. Il faut .... soutenir, ... rendre honneur, ... intégrer dans le monde du travail, ... faire confiance, ... confier des respon-sabilités, ... aider à créer leurs entreprises, construire avec .... et pour .... le monde de demain.

2. Un bon chef doit savoir comment traiter ses collaborateurs. Il doit .... stimuler sans .... malmener, de façon à .... motiver. Pour cela, il doit .... connaître et s'intéresser à .... Il doit savoir aussi bien .... recadrer si nécessaire que .... donner de

l'autonomie et s'appuyer sur .... S'il sait ...... expliquer les changements et .... annoncer les mauvaises nouvelles sans .... stresser inutilement, tout ira bien. Et encore mieux s'il pense à .... complimenter, ... remercier et à passer du temps avec ....

77. Un pronom avant l'infinitif – Forme négative

★

Répondez négativement aux questions suivantes en utilisant le pronom qui remplace les mots en gras, comme dans l'exemple.

Exemple : – Papa a promis **de punir les enfants** ?
– Mais non, il a promis de ne pas les punir !

1. Le président a décidé d'aller **à Tokyo** ? – **2.** Elle a décidé de parler **à sa mère** ? – **3.** Ils redou-taient de plaire **aux étudiants** ? – **4.** Vous avez craint de reconnaître **Aline** ? – **5.** Lucie a décidé de manger encore **des huîtres** ? – **6.** Paul a juré de parler encore **de football** ? – **7.** Ils ont promis de reparler **de tous ces problèmes** ? – **8.** Il a refusé de boire encore **un verre de whisky** ? **9.** Armand a décidé de rester **en Italie** ?

78. Un pronom avant l'infinitif (réemploi plus libre)

★

Trouvez des solutions aux situations suivantes, comme dans l'exemple ci-dessous.

Exemple : Le patron de Christian trouve son rapport très mauvais. Que doit faire Christian ?
– Il doit **le** refaire ; – il doit **lui** demander comment faire ; – il doit **s'**excuser ;
– il doit **lui** promettre de faire mieux la prochaine fois ;
– il doit **lui** dire qu'il n'est pas d'accord.

1. Il y a un petit objet dans votre chambre que vous ne voulez pas que votre mère voie. Elle arrive en visite tout à l'heure. Quelle est la meilleure cachette ? (vous pouvez utiliser les verbes : mettre, poser, placer, cacher, enfermer, dissimuler).

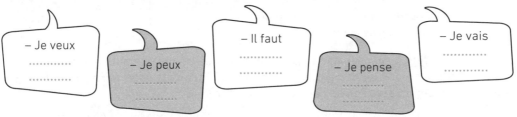

2. Deux de vos amis qui ont fait une grosse bêtise sont recherchés par la police. Ils arrivent pour se cacher chez vous. Vous hésitez vraiment sur ce qu'il faut faire. Faites la liste des solutions possibles et impossibles.

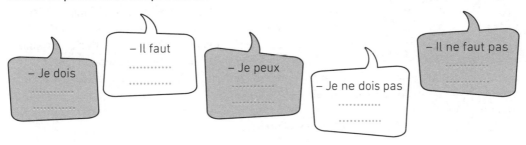

B2.1
★★★

79. Place du pronom avec l'infinitif : cas particulier

Observez l'échange suivant.

> – Tu as entendu Pierre rentrer ?
> – Oui je l'ai entendu rentrer. (Il est rentré, je l'ai entendu).

<u>Règle</u> : avec les verbes *écouter, entendre, voir, regarder, sentir, faire, laisser, mener* (*emmener*), le pronom se place avant le verbe principal.

Répondez aux questions suivantes en utilisant le pronom qui convient et en faisant attention à sa place.

1. Tu as écouté les oiseaux chanter ? – **2.** Tu me regardes dormir ? – **3.** Vos parents vous laissent regarder la télé ? – **4.** Vous verrez les enfants arriver ? – **5.** Vous avez vu l'accident se produire ? **6.** Ils ont senti le sol trembler ? – **7.** Elles vous ont vu sortir ? – **8.** À votre avis, nous vous avons vu passer ? – **9.** Paul m'a entendu partir ? – **10.** Papa t'a écoutée dire le texte ? – **11.** Vous nous avez laissés voir un pareil navet ? – **12.** Vous avez fait travailler Michel ? – **13.** Il a entendu parler de cette histoire ? – **14.** Il emmène Sylvette déjeuner ?

> « L'argent ne se souvient de rien.
> Il faut le prendre quand on peut et le jeter par les fenêtres.
> Ce qui est salissant, c'est de le garder dans ses poches,
> il finit toujours par sentir mauvais. »
> Marcel Aymé, écrivain du XXe siècle

80. Verbe avec pronom et infinitif avec pronom

ⓐ Observez les phrases suivantes.

> J'ai empêché **les enfants** de manger **le pain**.
> → Je **les** ai empêchés de **le** manger.

ⓑ Sur ce modèle, proposez des phrases avec les éléments suivants et en remplaçant les mots en gras par un pronom (remarque : les verbes *laisser, faire, entendre*, etc., fonctionnent comme les autres dans cette structure).

> Philippe a demandé conseil. Doit-il ou non divorcer ? Voici ce que lui ont dit ses amis :

1. Marc / encourager quelqu'un à / demander **le divorce**. – **2.** Jacques / suggérer à quelqu'un de / parler **du problème** à un conseiller conjugal. **3.** Sophie / déconseiller à quelqu'un de / faire **cela**. – **4.** Manuel / conseiller à quelqu'un de / réfléchir encore **au problème**. – **5.** Muriel / dire à quelqu'un de / ne pas demander **le divorce**. – **6.** Violette / supplier quelqu'un de / ne plus penser **à cela**. – **7. Carla** / ordonner à quelqu'un de / ne plus parler **de cette idée stupide**. – **8.** Martin / demander à quelqu'un de / ne pas abandonner **les enfants**. – **9.** Patrick / conseiller à quelqu'un de / ne pas quitter **le foyer conjugal**. – **10.** Claudine / suggérer à quelqu'un de / rester **à la maison**. – **11.** Philippe / pousser quelqu'un à / parler **avec sa femme**. – **12.** Michel / convaincre quelqu'un de / ne pas mettre **sa femme** à la porte.

Pronoms et phrases

81. « Le » remplaçant une partie de phrase

Répondez aux questions en remplaçant les éléments en gras par un pronom.

1. Tu regrettes **qu'il soit parti** ?

2. Vous pensez **que les femmes vont être un jour des êtres humains à part entière** ?

3. On t'a dit **que le nouveau directeur nous convoque tous demain** ?

4. Un jour tu lui dis noir, un jour tu lui dis blanc, tu veux vraiment **qu'il soit malheureux** ?

5. Est-ce que vous faites souvent **ce qui est défendu** ?

6. Racontes-tu toujours **ce qu'on te dit en secret** ?

7. Avez-vous bien compris ce **que je vous ai demandé de faire** ?

82. Pronoms remplaçant un groupe de mots ou une proposition subordonnée

ⓐ Répondez en faisant une phrase complète. Que remplace le pronom en caractère gras ?

1. « Finalement, il n'est pas aussi stupide que je **le** pensais. » Que pensait-elle ?

2. « Je les croyais mieux informés de leurs droits. Vraiment, je **le** croyais. » Que croyait-il ?

3. « Je lui ai parlé de cette affaire, vraiment j'**en** suis sûre ! » De quoi est-elle sûre ?

4. « Je le croyais à son travail et sa secrétaire ne **le** confirme pas ! » Que croyait sa femme ?

5. « Si Pierre arrivait ce soir, Sébastien m'**en** aurait parlé. » De quoi lui aurait-il parlé ?

6. « Oui, oui, la réunion aura bien lieu le **17**. Il me l'a confirmé. » Que lui a-t-il confirmé ?

7. « Ne vous inquiétez pas, on **y** fera attention, tout le monde sera payé de la même façon. » À quoi doivent-ils faire attention ?

8. « Vous refusez de faire ce travail ? Parfait, je **le** ferai savoir à qui de droit. » Que fera-t-il savoir ?

9. « Tuer sa femme ? Je l'**en** estime capable dans l'état où il est. » De quoi l'estime-t-il capable ?

10. « Bien sûr que nous **y** tenons, à garder notre situation. » À quoi tiennent-ils ?

11. « Il voulait venir t'aider. Je t'assure qu'il **y** a pensé tous les jours. » À quoi a-t-il pensé ?

b Dans quel cas les groupes de mots ou partie de phrases sont-elles remplacées par les pronoms « y », « le » ou « en » ?

B1.2
★★

83. « En » remplaçant une partie de phrase

Répondez aux questions en remplaçant les éléments en gras par un pronom.

1. Il est satisfait **d'avoir réussi ce concours difficile** ? Qu'en pensez-vous ?

2. Elle n'est pas mécontente **d'avoir réussi son permis de conduire**, n'est-ce pas ?

3. Ils doivent être ravis **d'avoir trouvé cet appartement**, vous ne croyez pas ?

4. Il est assez fier **d'être admis dans cette grande école**, il me semble ?

5. Elle est enchantée **d'être arrivée la première**, n'est-ce pas ?

6. Vous êtes content **d'avoir réussi cet examen**, je suppose ?

7. Êtes-vous satisfait **d'avoir changé de travail** ?

B1.2
★★

84. « Y » remplaçant une partie de phrase

Répondez aux questions en remplaçant les éléments en gras par un pronom.

1. Vous allez penser **à m'aider un de ces jours**, oui ou non ?

2. Il tient **à ce qu'on ne repeigne pas la pièce du fond** ?

3. Vous vous habituez **à devoir vous lever tous les jours pour 8 heures** ?

4. Il va se mettre **à apprendre l'informatique**, à son âge !

5. Est-ce que votre fils consent parfois **à vous parler correctement** ?

6. Est-ce que Pierre a réfléchi **à ce qu'il allait faire l'an prochain** ?

7. Il est arrivé **à résoudre ce problème tout seul** ?

85. « En » remplaçant une partie de phrase

Répondez aux questions en remplaçant les éléments en gras par un pronom.

1. Êtes-vous sûr **qu'il soit capable d'occuper un poste aussi élevé** ?

2. Est-ce qu'il rêve parfois **qu'il part pour un long voyage** ?

3. Sa mère a-t-elle toujours besoin **que Pierre soit avec elle** ?

4. Est-ce qu'elle souffre du fait **que son fils ne vient jamais la voir** ?

5. Vous ne vous inquiétez pas, vous, **que vos enfants aient de mauvaises notes** ?

6. Tu te moques **que les enfants soient fatigués ou non**, ce n'est pas toi qui t'occupes d'eux après !

7. Il est très fier **que son fils soit maintenant un entrepreneur performant**.

86. « Le » ou « en » remplaçant « de » + infinitif

Observez.

> Il est content **d'avoir réussi** ? → Oui, il **en** est content.
> Vous **lui** avez demandé **de venir** ? → Oui, je **le** lui ai demandé.

a Dans certains cas, la proposition infinitive introduite par « de » est remplacée par « en », dans d'autres par « le ». Pourquoi ?

b Répondez aux phrases ci-après avec le pronom personnel convenable. Que constatez-vous ?

Il est content	*d'avoir réussi ?*	→ *Il **en** est content.*
	de ses vacances ?	→ *Il **en** est content.*
Vous lui avez demandé	*de venir ?*	→ *Je **le lui** ai demandé.*
	son autorisation ?	→ *Je **la lui** ai demandée.*
1. Il a besoin	de dormir ?	→
	d'argent ?	→
2. Vous craignez	d'être angoissé ?	→
	votre patron ?	→
3. Elle se passe	de fumer ?	→
	de ses cigarettes ?	→
4. Vous regrettez	d'avoir perdu ?	→
	votre échec ?	→
5. Ils ont envie	de partir ?	→
	de vacances ?	→
6. Ils apprécient	d'être ici ?	→
	leur séjour ?	→

	de mentir ?	→
7. Il est capable	de mensonges ?	→
8. Tu lui as conseillé	de divorcer ?	→
	le divorce ?	→
9. Tu te souviens	d'être venu ici ?	→
	de ton passage ici ?	→

Synthèse

87. Synthèse

★

Complétez avec le pronom qui convient.

◀◀ JÉRÔME : – Dis, Audrey où est-ce que tu as mis mes chaussures ?

AUDREY : – Je sais pas moi, je ne .... ai pas vues. Cherche-............ Elles ne sont pas dans le placard ?

JÉRÔME : – Mais, j'ai déjà regardé dans le placard, elles n'............ sont pas ! Je suis sûr que c'est .... qui .... as mises quelque part, et tu ne te ...... rappelles plus.

AUDREY : – Comment ! mais, si je .... avais rangées, je me .... rappellerais. Traite-............ donc d'imbécile pendant que tu .... es.

JÉRÔME : – Mais non, je ne .... traite pas d'imbécile ! Tu .... mets tout le temps en colère pour rien !

AUDREY : – Moi ! Je .... mets en colère ! Tu exagères ! C'est toujours la même chose ! Tu ne sais jamais où tu ranges tes affaires et c'est toujours moi qui dois .... savoir. Tu ne fais jamais attention à rien. C'est comme ma robe ! Tu .... souviens de ma robe rouge ! Tu t'............ es servi pour essuyer tes chaussures !

JÉRÔME : – Ah ! Fais attention à ce que tu dis ! Ta robe, je ne .... aurais pas prise si elle n'avait pas été au fond du placard comme un chiffon.

AUDREY : – Un chiffon ! Ma robe rouge ! Je .... aimais beaucoup, et puis c'est ma mère qui me .... avait offerte et je .... portais pour le mariage de ta sœur.

JÉRÔME : – Qu'est-ce que ma sœur vient faire là-dedans ? Elle n'a rien à .... faire ! Il faut toujours que tu mêles la famille à tout !

AUDREY : D'abord ce n'est pas ma famille, c'est ta famille, et puis ta sœur, je .... déteste. Elle .... téléphone toutes les semaines pour qu'on .... dise de venir déjeuner le dimanche. Elle .... apporte toujours des gâteaux et je ne .... aime pas du tout, ces gâteaux. J'............ ai assez. Snif !

JÉRÔME : – Allons, allons, ma chérie ne .... mets pas dans des états pareils, les enfants dorment et nous allons .... réveiller et il ne faut pas .... faire peur avec tous ces cris.

Audrey : – Oui, tu as raison, je suis un peu énervée en ce moment, excuse ....

Jérôme : – Oui, moi aussi. Je vais téléphoner à ma sœur et à son mari pour .... dire de ne pas venir dimanche prochain et nous irons .... promener tous les deux. On pourra laisser les enfants à ta mère, je crois qu'elle .... sera ravie.

Audrey : – Oui d'accord, c'est une bonne idée. >>

Deux pronoms compléments

 ### Activité de repérage 5

Lisez et observez les phrases suivantes. Quelles sont les règles pour placer les pronoms personnels ?

1. Monsieur, apportez-le-lui immédiatement !
2. Alors, tu me l'offres, ce parfum ?
3. Je le leur ai déjà dit souvent mais ils ne m'écoutent jamais.
4. Surtout, ne la lui envoie pas, il se fâcherait.
5. Ne nous la livrez pas avant demain, il n'y a personne au magasin ce soir.
6. Mais bien sûr que je te les montrerai, ces photos !
7. Rends-le moi demain matin sans faute.
8. Tu les leur expliques, ces problèmes ? Sinon ils sont là jusqu'à demain.
9. Oui, c'est ça Madame, montrez-les nous.
10. Je ne comprends rien à cette histoire, tu peux me l'expliquer ?
11. Alors, ce voyage, vous nous le racontez ou vous ne nous le racontez pas.
12. Ne prenez pas cet air étonné, il vous l'offre, si, si...
13. Ne me le dites pas, je veux avoir la surprise.

B1.1 ★ **88. Le / la / les + lui / leur**

Complétez ces dialogues avec les deux pronoms qui conviennent.

1. – Pour ce type de travail, il lui faut son permis de conduire ?
– Ah oui, il .... faut absolument.

2. – Tu penseras à rendre leur voiture aux Durand ?
– Je .... rendrai ce soir.

3. – Papa est impatient que tu lui présentes ta fiancée.
– C'est d'accord, je .... présenterai dimanche prochain.

4. – Les Dupont réclament qu'on leur rapporte leurs livres.
– Mais enfin, ils sont bien distraits ! On .... a déjà rapportés il y a six mois.

5. – Les étudiants n'ont toujours pas compris le texte.
– Pourtant je .... ai déjà expliqué dix fois !

6. – Christophe m'a dit que tu avais donné tes chaussures de foot à son fils, c'est vrai ?
– Exact, je n'en faisais plus rien, alors je .... ai données.

7. – Victor a encore sauté du toit du garage !
– Et il sait bien que c'est interdit, on .... a répété mille fois !

8. – Il paraît que cette nouvelle chanson a beaucoup plu au public d'hier soir.
– Ouais, ils la redemandaient tout le temps, alors le DJ .... a passée toute la soirée.

B1.1 ★ **89. Me / te / nous / vous + le / la / les**

Complétez les dialogues suivants avec les deux pronoms qui conviennent.

1. – Dis, tu me feras essayer ta nouvelle voiture ?
– D'accord, je .... ferai essayer demain.

2. – Papa nous ramène les enfants à quelle heure ?
– Il a dit qu'il .... ramènerait vers cinq heures.

3. – On ne peut plus attendre, patron, quand nous donnerez-vous notre paie ?
– Encore un peu de patience les gars, je .... donnerai à la fin de la semaine.

4. – Loïc a encore oublié de me rendre mes clés.
– Mais non, rappelle-toi, il .... rendues hier soir.

5. – Tu me présenteras ce charmant jeune homme, comme promis ?
– Mais oui, mais oui, je .... présenterai bientôt, arrête de me demander toujours la même chose !

6. – Ce livre a l'air drôlement intéressant !
– Si vous voulez, je .... prête.

7. – Vous ne voulez pas me lire votre nouveau poème ?
– Si justement, j'allais .... proposer.

90. Me / te / nous / vous + le / la / les – le / la / les + lui / leur

Complétez avec les deux pronoms qui conviennent.

ALEX : – Alors, Matthieu se marie, oui ou non ?

DAMIEN : – Il ne .... a pas dit.

ALEX : – Tu .... as demandé ?

DAMIEN : – Je n'oserais pas .... demander, c'est indiscret.

ALEX : – Tu connais sa copine ?

DAMIEN : – Non, il ne .... a pas présentée. Et toi ?

ALEX : – Moi, il doit .... présenter ce soir.

DAMIEN : – Alors tu sauras s'ils se marient ou non. Ils .... diront sûrement.

ALEX : – Mais s'ils ne .... disent pas d'eux-mêmes, que faire ?

DAMIEN : – Eh bien, à ce moment-là tu .... demanderas.

ALEX : – Bof, il finira bien par .... dire, à nous ses deux meilleurs amis ! Tu ne sais pas s'il a présenté sa copine à ses parents ?

DAMIEN : – Oui, c'est fait ! Il .... a présentée dimanche dernier. Tiens justement, le voilà.

MATTHIEU : – Salut ! J'ai une grande nouvelle à vous annoncer : je me marie dans un mois... Surpris, hein ? Je .... avais bien caché !

ALEX : – Pourquoi est-ce que tu ne .... as pas dit plus tôt ?

MATTHIEU : – Je vous connais ! Vous auriez essayé de me faire changer d'avis !

91. M' / t' / lui / nous / vous / leur + en

Complétez les dialogues avec les verbes de la phrase précédente et les pronoms de reprise nécessaires et quelques commentaires libres si vous voulez (« oh mon dieu ! », « c'est terrible ! », « incroyable ! »).

UN CRIMINEL ENDURCI

• Accusations du procureur et réactions des jurés
– Messieurs les jurés, monsieur le président, rendez-vous compte ! Cet homme est forcément coupable du crime dont on l'accuse. En effet, l'accusé n'a jamais offert de fleurs à sa femme en vingt ans de mariage !

• Un juré
– Quoi ! Il ne .... a jamais offert !
– Et il n'a fait qu'une fois des cadeaux de Noël à ses enfants !
– Non ! Il ne .... !
– Et il n'a jamais donné d'argent à son vieux père dans la misère !
– Sans blague ! Il ne .... !

• Questions du président, réponses de la femme
et des enfants de l'accusé :

– Est-il vrai, madame, que votre mari vous a rarement
donné de l'argent pour les courses ?

– C'est tout à fait exact, il .... ; il préférait le
dépenser au bistrot !

– Est-il vrai qu'il vous a dit un jour qu'il ne vous donne-
rait jamais un centime ?

– Oh oui, un jour il m'a dit exactement : « De l'argent,
Simone, je ne .... ! »

• Le président aux enfants de l'accusé :

– Est-il exact que votre père vous a donné des coups de pied toute votre enfance ?

– Hélas oui, il .... !

• L'avocat de la défense au président et à l'accusé

– Monsieur le président, l'accusé vous a-t-il déjà parlé de son enfance malheureuse ?

– Oui, il ....

– Accordez-vous à l'accusé quelques minutes pour s'excuser devant tous ?

– Eh bien oui, je ....

– Monsieur Dupont, vous voulez bien nous parler de vos problèmes d'enfance ?

– Oui, je veux bien ....

• Plus tard, l'avocat aux jurés

– Vous voyez bien, Messieurs, que ce pauvre homme est beaucoup moins
coupable qu'il n'en avait l'air !

B1.2
★★
92. **Pronoms indirects + le / la, les + en**

Répondez avec les deux pronoms qui conviennent.

SECRÉTAIRE EFFICACE

◀◀ – Pouvez-vous me photocopier cette lettre ?

– Je .... photocopie immédiatement,
Monsieur.

– Vous .... apporterez dans mon bureau.

– Très bien, je .... apporterai dans une minute.

– Donnez-moi le dossier États-Unis, s'il vous plaît.

– Je .... donne tout de suite, Monsieur.

– Martin l'a déjà lu ?

– Oui, je .... ai passé hier et il voudrait .... parler aujourd'hui.

– Parfait. Je peux le voir à dix heures, je compte sur vous pour .... dire.

– Bien sûr, Monsieur. Monsieur, les syndicats réclament les chiffres.

– Je .... communiquerai la semaine prochaine. Ah, je vois que vous avez un paquet de cigarettes. Donnez............ ....

– Mais, Monsieur, vous savez qu'il est interdit de fumer dans les espaces publics !

– Je vous ai dit de .... donner une ! Qui est le patron ici ?

– Vous, Monsieur. Monsieur, l'agence de Londres demande si elle doit nous envoyer des stagiaires.

– Bien sûr, elle doit .... envoyer, c'est prévu depuis longtemps. Convoquez les chefs de service, je veux .... parler.

– Tout de suite, Monsieur ?

– Non, à 14 h, dans la grande salle, je préfère .... dire à tous en réunion générale.

– Dois-je leur parler du thème de la réunion ?

– Oui, oui, parlez-............ ...., ça leur donnera le temps d'y réfléchir. **»**

93. Le / la / les / y / en – Toniques après prépositions

Complétez avec les pronoms qui conviennent.

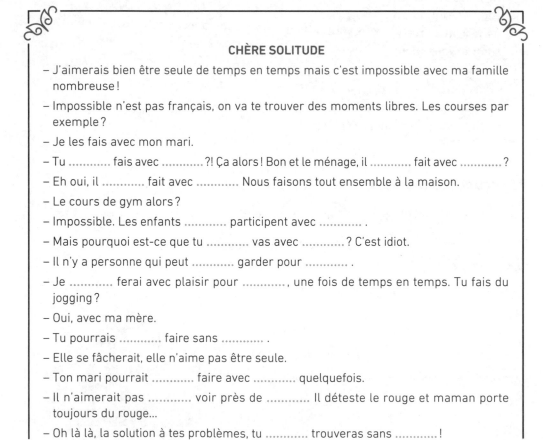

CHÈRE SOLITUDE

– J'aimerais bien être seule de temps en temps mais c'est impossible avec ma famille nombreuse !

– Impossible n'est pas français, on va te trouver des moments libres. Les courses par exemple ?

– Je les fais avec mon mari.

– Tu .... fais avec .... ?! Ça alors ! Bon et le ménage, il .... fait avec .... ?

– Eh oui, il .... fait avec .... Nous faisons tout ensemble à la maison.

– Le cours de gym alors ?

– Impossible. Les enfants .... participent avec ....

– Mais pourquoi est-ce que tu .... vas avec .... ? C'est idiot.

– Il n'y a personne qui peut .... garder pour ....

– Je .... ferai avec plaisir pour ...., une fois de temps en temps. Tu fais du jogging ?

– Oui, avec ma mère.

– Tu pourrais .... faire sans ....

– Elle se fâcherait, elle n'aime pas être seule.

– Ton mari pourrait .... faire avec .... quelquefois.

– Il n'aimerait pas .... voir près de .... Il déteste le rouge et maman porte toujours du rouge...

– Oh là là, la solution à tes problèmes, tu .... trouveras sans .... !

Deux pronoms et impératif

B1.2
★★

94. Deux pronoms et impératif

En vous mettant à la place du chef hésitant, répondez aux questions en donnant ses deux ordres à l'impératif (deuxième personne du pluriel). Remplacez les éléments en gras de la question par des pronoms.

UN CHEF HÉSITANT

Chaque fois qu'il donne un ordre, il change d'avis.

Exemple : Nous mettons **les dossiers dans l'armoire** ?
          Oui, mettez-les y. Non, ne les y mettez pas.

1. Nous donnons **le courrier aux responsables** ? – 2. Nous téléphonons **la nouvelle au grand chef** ? – 3. Nous **vous** préparons **un dossier de presse** ? – 4. Nous **vous** rappelons **les informations** ? – 5. Nous **nous** accordons **une pause** ? – 6. Nous emmenons **la cliente** au **restaurant** ? – 7. Nous confions **nos projets** au **préfet** ? – 8. Nous **vous** accompagnons **à l'aéroport**, vous et votre femme ? – 9. Nous expliquons **la stratégie aux ouvriers** ? – 10. Nous parlons **du prototype** au **ministre** ? – 11. Nous prenons **un stand** avec **nos concurrents** ? – 12. Nous parlons du **banquier** au **Président** ?

B1.2
★★

95. Impératif et pronoms personnels

Répondez avec l'impératif et le ou les pronoms nécessaires en vous servant des éléments entre parenthèses, comme dans l'exemple ci-dessous.

Exemple : **(aller)** – Dis maman, je peux aller au cinéma ce soir ?
                    – Mais oui vas-y.

1. – Monsieur le directeur, est-ce qu'il me sera possible de prendre un jour de vacances la semaine prochaine ?
(prendre) – Mais oui ....

voiture

2. – Ma voiture ne marche plus !
(vendre) – ....
– Oui mais, j'irai travailler comment ?
(acheter une autre) – ....

fenêtre

3. – Madame il fait chaud, je peux ouvrir la fenêtre ?
(un peu) – Oui, ...

4. – Tu n'as pas de livre ? Je vais te prêter le mien.
(prêter) – Oh ! oui ...., tu seras gentille.

livre

5. – Tu veux mes skis ? Tu en as besoin demain ?
(apporter) – Oui s'il te plaît, ... demain matin.

skis

6. – Elle aime beaucoup ce vernis à ongles n'est-ce pas ?
(acheter) – Oh ! oui, ..., elle sera très contente.

7. – Tu crois que Pierre et Nicole sont chez eux maintenant ?
(téléphoner) – ...., tu verras bien.

concert

8. – Je devrais peut-être parler de cette affaire à mon patron.
(parler) – Oui, ..., ce sera mieux à mon avis.

9. – J'ai envie d'aller écouter ce concert ce soir.
(aller) – Oh ! non ...., il n'est pas très bon.

10. – Je vais louer des patins à glace.
(louer) – Non ...., je te prêterai les miens.

11. – Je peux t'emprunter tes DVD ?
(prendre) – Oh non, ..., je dois les rendre à mes parents.

12. – Je vais m'acheter ces lunettes de soleil.
(acheter) – Oh non, ..., elles sont nulles !

13. On vous apportera des fleurs.
(apporter) – Oh non, ..., on part demain.

14. Je t'emmènerai un jour voir ce film d'horreur.
(emmener) – Non, ... surtout pas, je ne te le pardonnerais pas.

15. – Je peux finir le lait ?
(boire) – Non ...., il est tourné !

16. – Mes amis ne savent pas quoi faire ce soir.
(amener) – .... Plus on est de fous plus on rit.

17. – Délicieuse, cette sauce pimentée.
(manger) – Attention, ..., vous pourriez avoir mal à l'estomac.

18. – Les enfants sont au courant pour la colonie de vacances ?
(parler) – Non ...., ça doit rester secret jusqu'à la dernière minute.

19. – Je vais emporter ma caméra en Espagne.
(oublier) – ...., je ne t'en rachèterai pas une autre.

20. – Je vais faire un tour au zoo avec les gosses.
(emmener) – Bonne idée, ...

(patins à glace)

DVD

lunettes

FLEURS

(film)

LAIT

colonie

caméra

(ZOO)

Deux pronoms et infinitif

B1.2
★★

96. Deux pronoms groupés avant l'infinitif

Transformez les phrases suivantes en utilisant les deux pronoms qui conviennent, comme dans l'exemple ci-dessous.

Exemple : Il a promis de **nous** emmener **au cinéma**. → Il a promis de nous y emmener.

1. Il a décidé d'emmener **les enfants au Parc Astérix**. – **2.** Ils ne peuvent pas dire la vérité **à leurs parents**. – **3.** Aide-moi à expliquer **la situation à Paul**. – **4.** Patrick saura **me** réparer **la télévision**. – **5.** Charles refuse de donner **les informations aux étudiants**. – **6.** Martine va offrir **des cigares à Cédric**. – **7.** Il a décidé de cacher **sa maladie à sa femme**. – **8.** Le chef d'établissement va apprendre **la nouvelle aux étudiants**. – **9.** Sa femme n'a pas voulu dire **de mensonges à Bruno**. – **10.** Les employés ont décidé d'envoyer **un cadeau au directeur**. – **11.** Ils n'ont pas pu nous confirmer **l'heure de l'avion**.

Synthèse générale

B1.2
★★
97. Multipronoms

Complétez le dialogue en utilisant les pronoms appropriés.

LES CLÉS

– Jérémie! Où as-tu encore mis mes clés?

– Je .... ai laissées sur la table, comme d'habitude.

– Elles n' .... sont pas.

– Zut... Est-ce que je .... aurais laissées dans ma poche? Je ne sais pas... Attends, c'est .... qui .... es servie la dernière!

– Mais non, ce n'est pas ....! C'est ...., pour aller au bureau de tabac. Tu ne .... aurais pas laissées, par hasard?

– Et comment est-ce que je serais rentré, alors?

– Plus distrait, tu meurs! Je .... ai ouvert, tu ne .... souviens pas?

– Ah, c'est vrai... Voyons... Le buraliste .... a parlé du match de foot, je ...... ai donné mon opinion, d'autres clients ont donné ...., on .... a répondu, on a essayé

de .... convaincre qu'ils avaient tort, ils .... ont presque insultés et...

– Oh, ... et les matchs!

– Bon, bon... J'............ vais. Je vais voir si le buraliste ne .... a pas trouvées.

– Téléphone-............ d'abord.

– Tu as raison, je n'............ avais pas pensé.

– Alors, il .... a?

– Ouf, oui... Et tu sais, il .... a aussi d'autres. Je ne suis pas le seul distrait!

– Ah, tais-............ et file .... chercher. J'............ ai besoin, ..., de ces clés!

– Je .... rapporte tout de suite, mon amour.

– C'est ça, rapporte-............ ...., et plus vite que ça. Je suis très pressée. Mais enfin, cette fois j'ai compris, je ne .... prêterai plus jamais.

B1.2
★★
98. Pronoms variés tous azimuths

Complétez le dialogue en utilisant les pronoms appropriés.

LE DÉMÉNAGEMENT

– Grande nouvelle! Nous déménageons à Genève!

– Vous allez .... installer quand?

– Cet été. Nous .... déménageons en août dans une belle villa... Je suis content.

– Vous vendez l'appartement de Paris?

– Non, nous .... gardons pour .... louer. Nous serons heureux de pouvoir .... récupérer dans trois ans. Un appartement à Paris, c'est trop difficile à trouver, il ne faut surtout pas s'............ débarrasser.

– Qu'............ pense ta femme?

– Elle sera contente d'............ aller, pour les gosses... et peut-être d'............ revenir, pour .... Elle aime beaucoup Paris, tu sais.

– Et les gosses?

– Oh, ..., on ne .... a pas encore parlé. Il va falloir .... mettre dans une école privée. Je n'ose pas .... dire...

– C'est vrai qu'ils n'.......... ont pas trop le style !

– Il faudra bien qu'ils .... adaptent ! Normalement nous allons .... annoncer ce week-end.

– Bon courage ! J'espère qu'ils n'.......... feront pas une maladie !

– Et qu'ils ne .... feront pas payer en étant insupportables...

– Si tu veux un coup de main pour le déménagement.

– Je .... demanderai peut-être un pour emballer.

– N'hésite pas à .... demander, si tu .... as besoin, surtout.

– Entendu ! Tu es un ange. **>>**

99. Synthèse des pronoms

Complétez avec les pronoms nécessaires.

ALADIN ET LE GÉNIE DE LA LAMPE

ALADIN : – Dis-.........., Génie, s'il te plaît, j'aimerais beaucoup .... demander quelque chose...

LE GÉNIE : – Quoi encore Aladin ? Tous les trucs que tu .... as demandés, je ....·.......... ai apportés. Tu ne sais plus où .... mettre ! Tu .... as tellement que tu marches dessus. Stop !

ALADIN : – Tu exagères. Je .... ai beaucoup moins demandé ces derniers temps.

LE GÉNIE : – Ah ! parce que tu ne .... as pas demandé d'écran plasma récemment ?

ALADIN : – Si, et tu .... as apporté ...., c'est vrai. L'autre était démodé.

LE GÉNIE : – Démodé ! Je .... avais fourni il y a six mois ! Et le cabriolet, tu .... as oublié, le cabriolet décapotable ? Tu .... avais déjà un rouge et tu .... as exigé .... autre jaune canari.

ALADIN : – C'était pour ma nouvelle copine.

LE GÉNIE : – Tu parles d'une copine ; tu es resté avec .... trois jours et le cabriolet elle .... a laissé parce que la couleur ne .... plaisait pas. Et ...., tu ne .... as jamais conduit. Tu ne .... es même pas assis une seule fois.

ALADIN : – On dirait que tu .... veux. Tu n'aimes plus ton boulot ?

LE GÉNIE : – Si, justement, j'.......... ai une très haute idée, de mon travail. Et toi, tu .... gâches avec tes demandes idiotes.

ALADIN : – Bon, ça va, là. Tes reproches, tu .... feras plus tard. On ne va pas .... passer la soirée, quand même ! N'oublie pas que c'est .... le patron.

LE GÉNIE : – C'est ce que tu crois. Tu vas .... faire voler, la lampe ! Un de tes soit-disant copains va s'.......... charger et tu ne .... retrouveras jamais, ni .... ni moi. Personnellement, je ne .... plaindrai pas. Tu .... supplieras en vain de revenir mais je ne pourrai pas .... faire, car je serai au service d'un autre crétin.

ALADIN : – Je vois. Tu as plein de bons conseils pour .... Vas-............, donne-............ ...., je .... écoute.

LE GÉNIE : – C'est simple : si tu as un cerveau, sers .... avant de .... appeler. Les derniers gadgets, demande-............ si tu .... as vraiment l'usage. Utilise-............ pour des choses qui .... valent vraiment la peine.

ALADIN : – Comme quoi par exemple ?

LE GÉNIE : – Pense aux autres ! Que pourrais-tu .... apporter, faire pour .... ? Je peux .... construire un hôpital en une nuit et .... tu réclames des tickets de cinéma ! Achète- .... tout seul, tes tickets, je vaux mieux que ça !

Les pronoms relatifs

 L'ESSENTIEL SUR...

Le pronom relatif relie deux énoncés évitant ainsi la reprise du nom ou du pronom qui le représente. Il varie selon le mot qu'il remplace et selon la fonction qu'il occupe dans la proposition qu'il introduit.

● Les pronoms relatifs simples

Pronoms	Fonctions du pronom	
Qui	« **Qui** » est le sujet.	Je connais un homme. – **Il** est assis sur le banc. – **Cet homme** est assis sur le banc. – **Celui-ci** est assis sur le banc. → Je connais l'homme **qui** est assis sur le banc.
Que	« **Que** » est complément d'objet.	Je mange les pommes. – Tu as acheté **les pommes**. – Tu **les** as achetées. – Tu as acheté **ces pommes**. → Je mange les pommes **que** tu as achetées.
Dont	« **Dont** » remplace un complément précédé de la préposition « de », il est complément : **d'un nom**	J'ai un ami. – La mémoire **de cet ami** est exceptionnelle. – **Sa** mémoire est exceptionnelle. → J'ai un ami **dont** la mémoire est exceptionnelle.
	d'un verbe	Prenez ces médicaments. – Vous avez besoin **de ces médicaments**. – Vous **en** avez besoin. → Prenez ces médicaments **dont** vous avez besoin.
	d'un adjectif	J'ai un fils. – Je suis fier **de mon fils**. – Je suis fier **de lui**. → J'ai un fils **dont** je suis fier.

Où	«**Où**» est complément circonstanciel :	
	de lieu	Ce quartier est très animé. – J'habite **dans ce quartier**. – J'**y** habite. – J'habite **là**. → Le quartier **où** j'habite est très animé.

	de temps	Vous vous rappelez **ce jour**.
		           ce moment.
		Vous avez pleuré **ce jour-là**.
		         à ce moment-là.
		→ Vous vous rappelez **le jour où** vous avez pleuré.
		         le moment où

● Les pronoms relatifs composés

Les pronoms relatifs composés sont obligatoires pour les objets et les idées. Ils peuvent aussi s'utiliser pour les personnes.

Pronoms	Fonctions du pronom	
À qui Auquel À laquelle Auxquels Auxquelles	Le pronom relatif remplace un complément construit avec la préposition «**à**». «**À qui**» est réservé aux personnes.	Ils ont demandé de l'aide **à des gens**. Ils ont bien réagi. → Les gens **à qui** ils ont demandé de l'aide ont bien réagi.
	Les pronoms relatifs composés sont obligatoires pour les objets et les idées. Ils peuvent aussi s'utiliser pour les personnes (littéraire).	Je pense **à une voiture** ; elle est trop chère pour moi. → La voiture **à laquelle** je pense est trop chère pour moi.
		Nous participons **à des réunions**, elles sont ennuyeuses. → Les réunions **auxquelles** nous participons sont ennuyeuses.

« J'ai la sensation de sans-fin dont je suis le commencement. » Paul Gauguin, peintre

« Il balayait les convenances d'un air naturel. Et il décrivait tout ce qu'il voyait, les lieux qu'ils traversaient ; les paysages dans lesquels ils marchaient, les gens qu'ils croisaient avec une précision telle que ça gravait ce qu'il disait en elle. »
Christine Angot, à propos de son père dans *Un amour impossible*, 2015

De qui Duquel De laquelle Desquels Desquelles	• Le pronom relatif remplace un complément construit avec : – la préposition « **de** » – un groupe prépositionnel avec « **de** » : à cause de, à côté de, près de, loin de, à droite de, à gauche de, au milieu de, au-dessus de, au-dessous de, en face de, en dehors de, etc. « **De qui** » est réservé aux personnes.	J'habite **en face d'un pont** ; il est très beau. → Le pont **en face duquel** j'habite est très beau.
		Ils ont demandé de l'aide **à des gens**. Ils ont bien réagi. → Les gens **à qui** ils ont demandé de l'aide ont bien réagi.
	• Le pronom relatif remplace un complément d'un nom précédé d'un groupe prépositionnel avec « **de** ».	Je pense **à l'avenir de ce garçon** ; il n'écoute pas mes conseils. → Ce garçon **à l'avenir de qui** je pense n'écoute pas mes conseils.
En Avec Sous qui Pour lequel Par + laquelle Sur lesquels Dans lesquelles	Le pronom relatif remplace un complément précédé d'une préposition autre que « **à** » ou « **de** ».	J'ai sacrifié ma vie **pour cette femme**. Elle se moque de moi. → Cette femme **pour qui** j'ai sacrifié ma vie se moque de moi.
		J'ai usé ma vie **sur ces travaux**. Ils sont enfin récompensés. → Les travaux **sur lesquels** j'ai usé ma vie sont enfin récompensés.

⊕ Activité de repérage 6 – Pronoms relatifs simples et composés

ⓐ Les devinettes ci-dessous contiennent toutes les pronoms relatifs utilisés en français. Soulignez-les. Cherchez aussi les réponses aux devinettes.

DEVINETTES À OBSERVER

1. C'est une fleur qui est blanche, que l'on cueille au printemps et avec laquelle on peut savoir si on aime quelqu'un. – **2.** Ce sont des gens dont la vie finit derrière les barreaux, sur qui (sur lesquels) on préfère ne pas tomber dans une rue déserte et dont la presse parle. – **3.** Ce sont des personnes pour qui (pour lesquelles) certains hommes font des folies et que les femmes n'adorent pas. – **4.** C'est un appareil qui ne coûte pas cher et avec lequel on peut allumer le feu. – **5.** C'est un objet qui a été inventé au xxᵉ siècle et grâce auquel on peut voyager très loin et très vite. –

« J'ai chéri l'idéal d'une société démocratique et libre dans laquelle tout le monde vivrait en harmonie avec les mêmes chances. C'est un idéal que j'espère défendre ma vie durant. Mais, s'il le faut, c'est un idéal pour lequel je suis prêt à mourir »
Nelson Mandela à son procès en 1964

6. Les femmes à qui (auxquelles) on a donné ce titre sont normalement les plus belles du monde.
7. Les objets auxquels on a donné ce nom sont inconnus de la science et peuvent quelquefois se voir dans le ciel. – **8.** La peinture à laquelle on a donné ce nom et que des millions de touristes viennent admirer se trouve au Louvre et représente une belle femme au sourire mystérieux. – **9.** La tour près de laquelle coule la Seine est célèbre et tout en métal. – **10.** Le château royal au centre duquel se trouve la galerie des Glaces est le plus célèbre de France. – **11.** Ce sont des beautés en pierre que l'on trouve dans les jardins ou les musées et autour desquelles on tourne avec admiration. – **12.** C'est un lieu où l'on rencontre beaucoup de mères et d'enfants, où il y a des oiseaux, où l'on pique-nique. – **13.** C'est le palais dans laquelle Louis XIV a passé sa vie.

b Complétez ci-dessus avec les éléments que vous trouverez dans les phrases, comme pour la phrase 1 donnée en exemple. Pour permettre un classement des relatifs proposés, certaines phrases apparaissent plusieurs fois.

1.	*C'est une fleur*	*qui*	*est blanche*
4.	C'est un objet	....	ne coûte pas cher
5.	C'est un objet	....	a été inventé au XXe siècle
3.	Ce sont des personnes	....	les femmes n'adorent pas.
11.	Ce sont des beautés en pierre	....	l'on trouve dans les jardins
2.	Ce sont des gens ... et	....	la vie finit derrière les barreaux ... la presse parle
12.	C'est un lieu	....	on rencontre beaucoup de mères il y a des oiseaux, on pique-nique.
6.	Les femmes	à	on a donné ce titre
7.	Les objets	....	on a donné ce nom
8.	La peinture	....	on a donné ce nom
5.	C'est un objet qui a été inventé au XXe siècle et	grâce	on peut voyager très loin et très vite.
2.	Des gens dont la vie finit derrière les barreaux	sur	on préfère ne pas tomber la nuit
3.	Ce sont des personnes	pour	certains hommes font beaucoup de folies...
4.	C'est un objet qui ne coûte pas cher et	avec	on peut allumer des cigarettes.
13.	C'est la maison	dans	Louis XIV a passé sa vie.
10.	Le château royal	au centre	se trouve la galerie des Glaces.
9.	La tour	près de	coule la Seine
11.	Des beautés en pierre que l'on trouve dans les jardins ou les musées et	autour	on tourne avec admiration.

c Réfléchissez : dans certains cas on utilise une forme et dans certains une autre. Pourquoi ?

Pronoms relatifs simples

B1.1
★

100. Qui (personnes)

Sur le modèle ci-dessous, imaginez des jugements décrivant qui vous aimez ou détestez. Pour faire vos phrases, vous pouvez choisir parmi les éléments ci-dessous ou inventer vous-mêmes.

<u>Exemple :</u> Cet homme se prend au sérieux. Vous détestez ça. → Je déteste les hommes qui se prennent au sérieux.

Verbes :

apprécier   aimer bien   aimer   adorer   ne pas apprécier beaucoup

ne pas aimer   détester

Personnages :

hommes   femmes   professeurs   hommes d'affaires

Actions :

se prendre pour un génie   parler de manière affectée   se comporter comme un macho

porter du parfum   se ronger les ongles   utiliser la séduction en affaires

jouer les victimes   se prendre pour le nombril du monde

savoir parler seulement d'argent   être incapable d'écouter les autres

utiliser tous les moyens pour réussir   accorder trop d'importance aux apparences

B1.1
★

101. Que (personnes) – Coups de cœur

Faites une seule phrase avec les deux phrases proposées.

<u>Exemple :</u> **Cette fille** est danoise. Je l'ai rencontrée en Italie.
→ **La fille que j'ai rencontrée en Italie est danoise.**

1. Cette femme vient du Togo. Grégory l'a épousée. → ....

2. Ce bel espagnol est chef d'entreprise. Barbara l'a suivi à Madrid. → ....

3. Cette jeune suédoise est championne de ski de fond. Justin l'a conquise. → ....

4. Ce diplomate anglais vient pour quelques jours. Ida l'a connu au Club Méditerranée. → ....

5. Ce musicien africain veut la rejoindre à Paris. Rachida l'a rencontré au Mali cet été. → ....

6. Ce peintre hongrois est spécialiste de l'art naïf. Heidi veut l'épouser. → ....

7. Cette informaticienne algérienne a fini ses études très jeune. John veut la présenter à sa mère. → ....

8. Cet Italien navigue d'habitude en solitaire. Lisbeth veut l'accompagner autour du monde. → ....

> « Le cœur a ses raisons que la raison ne connaît pas »
> Blaise Pascal

102. Où (lieu)

Continuez la phrase comme vous le souhaitez, en utilisant le pronom relatif « où ».

Exemple : Je voudrais te faire visiter **la ville** où j'ai passé toute mon enfance.

1. Il faut absolument que tu visites ce musée magique .... – **2.** Nous avons acheté une délicieuse petite maison .... – **3.** C'est un étrange pays .... – **4.** Ils ont dû passer la nuit dans un vieux château .... – **5.** Le village .... est en train de mourir : tous les habitants s'en vont. – **6.** Il n'a jamais remis les pieds dans la ville .... – **7.** C'est une région étonnante .... – **8.** Cette cave, ..., est restée fermée pendant des siècles. – **9.** Mesdames, Messieurs, voici la tour .... – **10.** L'université .... date du Moyen Âge.

103. Où (temps) = À l'instant où, juste à la seconde où...

Faites une seule phrase avec les deux proposées, en utilisant le pronom relatif « où ». (Les phrases ne seront pas toujours dans le même ordre.)

Exemple : Les bandits sortaient de la banque. **À cette minute-là** les policiers sont arrivés.
→ **Les policiers sont arrivés à la minute où les bandits sortaient de la banque.**

1. Je fermais la porte. À cet instant-là, le téléphone a sonné. → ....

2. Luc dormait devant sa télévision. À cette heure-là, les astronautes sont redescendus sur terre. → ....

3. L'enfant s'est réveillé en sursaut dans son lit. À cette seconde-là, un avion s'écrasait pas très loin de là. → ....

4. Le capitaine donnait l'ordre de jeter l'ancre. À cette minute-là, le cargo a heurté un récif.
→ ....

5. Il allait percuter le camion. À cette seconde-là, il a redressé le volant. → ....

6. Le malfaiteur était sur le point de tirer. À cet instant-là, un inspecteur l'a désarmé. → ....

7. Il commençait à brûler les documents dans la cheminée. Nous avons réussi à ouvrir la porte juste à ce moment-là. → ....

8. Certains ne vivent que la nuit. À cette heure-là les autres dorment. → ....

9. Tu éteindras la lumière. J'arriverai avec le gâteau et les bougies juste à ce moment-là.

104. Où (temps) = Le jour où

Transformez les phrases selon le modèle suivant.

Exemple : ELLE : – Tu te souviens quand nous nous sommes rencontrés ?
LUI : – Bien sûr, cette année-là je passais mon bac !
→ **Ils se sont rencontrés l'année où il passait son bac.**

> « La Corse, c'est le pays où, quand tu avances, le travail recule »
> Tino Rossi

1. ELLE : – Tu te souviens quand nous nous sommes embrassés pour la première fois ?
LUI : – Évidemment ! Ce soir-là, je suis tombé en dansant au bal de l'université.

2. LUI : – Tu te rappelles quand tu m'as présenté à tes parents ?
ELLE : – Oh là là, oui. Ce jour-là, mon frère a eu un accident de voiture !

3. ELLE : – Et quand nous nous sommes fiancés, c'était un matin ou un après-midi ?
LUI : – C'était un après-midi d'automne. Il neigeait déjà !

4. LUI : – Notre mariage, c'était le matin, en juillet.
ELLE : – Il y a eu le seul orage de la saison !

5. ELLE : – Et notre voyage de noces à Venise, tu te souviens de la date ?
LUI : – Oui, cette semaine-là, il a plu sans arrêt !

6. LUI : – Notre premier bébé n'est pas bien arrivé, tu te rappelles ?
ELLE : – Tempête de neige ! Et le médecin était malade, ce soir-là !

7. ELLE : – Notre deuxième enfant est né une nuit d'hiver.
LUI : – Cette nuit-là, j'ai été élu maire de notre village.

8. LUI : – Et nos premières disputes, tu te souviens quand c'était ?
ELLE : – Bien sûr. Cette année-là, j'ai voulu recommencer à travailler.

B1.1

★

105. Dont

Remplacez l'expression de possession par le pronom relatif « dont » et faites une seule phrase.

Exemple : J'ai acheté une voiture. Le moteur **de** cette voiture est puissant. **Son** moteur est puissant. → J'ai acheté une voiture **dont** le moteur est puissant.

CERTAINS VIVENT VRAIMENT BIEN

1. Charlie a acheté un diamant à sa femme. Le prix de ce diamant est incroyable ! → ....

2. Il n'accepte d'aller qu'à l'hôtel Carlton. La piscine de cet hôtel est immense. → ....

3. Il vient d'épouser une jeune actrice. Sa beauté est vraiment exceptionnelle. → ....

4. Nous allons acheter une propriété à Deauville. Le jardin de cette propriété est magnifique. → ....

5. Si vous voulez manger du caviar vraiment bon, achetez du caviar de la mer Noire. Son goût est inimitable. → ....

6. Les Dumont ont un appartement de trois cents mètres carrés. Les fenêtres de cet appartement donnent sur la tour Eiffel. → ....

7. Delphine vient de se marier avec un présentateur de télévision. Le salaire de celui-ci est de 30 000 euros par mois. → ....

8. Je vais partir en mer quelques mois avec un milliardaire grec. Son yacht vaut une fortune !
→ ....

9. Ils ont loué une superbe villa. Sa piscine est chauffée par un système solaire. → ....

★

106. « Dont » remplaçant « en »

Remplacez le pronom personnel « en » par le pronom relatif « dont » et faites une seule phrase.

Exemple : Il ne peut pas encore s'acheter cette moto.
Il en a vraiment envie.
→ **Il ne peut pas encore s'acheter cette moto dont il a vraiment envie.**

D'AUTRES VIVENT PLUS MODESTEMENT...

1. Il aimerait bien visiter ces pays exotiques. Il en a seulement entendu parler.

→ ....

2. Nous devons attendre encore un peu pour acheter ces vélos. Les enfants en ont envie.

→ ....

3. Dans la vitrine, elle va souvent regarder ce beau manteau. Elle en rêve depuis un mois.

→ ....

4. Elle a des tas de problèmes financiers. Elle n'en parle presque jamais.

→ ....

5. Son fils a finalement trouvé un petit boulot à mi-temps. Il en est très content.

→ ....

6. Il a refusé de leur donner de l'argent. Ils en avaient besoin.

→ ....

7. Il va bientôt nous montrer sa petite maison. Il en est très fier !

→ ....

8. Excusez-moi de vous faire asseoir sur ce mauvais fauteuil. Je m'en débarrasserai bientôt !

→ ....

★

107. « Dont » remplaçant les pronoms personnels « de lui », « d'elle(s), », « d'eux »

Remplacez « de lui » par le pronom relatif « dont » et faites une seule phrase.

CERTAINS VEULENT AVOIR DES RELATIONS...

1. J'aimerais beaucoup rencontrer cet écrivain célèbre. On m'a tellement parlé de lui !

→ ....

2. J'ai enfin obtenu un rendez-vous avec cette actrice. Tout le monde parle d'elle en ce moment.

→ ....

3. Je cherche un moyen de connaître ce grand patron. Tu as sûrement entendu parler de lui.

→ ....

4. Je suis curieux de voir ces chanteurs. Tout le monde dit du bien d'eux.

→ ....

5. Je suis invité à une réception chez ces danseuses américaines. Tous les hommes sont fous d'elles !

→ ....

6. Antoine va finalement nous présenter cette mystérieuse poétesse russe. Il est si fier d'elle !

→ ....

7. Peux-tu me faire rencontrer cet homme d'affaires ? Les journaux spécialisés disent du bien de lui.

→ ....

8. Marjorie garde pour elle ce séduisant danseur argentin. Elle est amoureuse de lui.

→ ....

> « Ce pourquoi tu acceptes de mourir, c'est cela seul dont tu peux vivre. »
> Antoine de Saint-Exupéry

B1.1 ★ **108. Qui, que, dont, où**

Complétez les textes en utilisant un pronom relatif et en utilisant les éléments fournis.

1. Leïla a un frère. Il est professeur. Elle envoie un texto à Sarah :
– Viens samedi prochain, je te présenterai ....

2. Miribel est un petit village. Chaque année dans ce village, il y a une grande fête. Léa veut y aller. Elle envoie un SMS à Gaëlle :
– Veux-tu venir avec moi, je vais à Miribel ....

3. Monsieur Leroux est en train de réparer une machine. Le directeur en a besoin rapidement. Il envoie un mail à Monsieur Leroux :
– Monsieur Leroux, avez-vous ....

4. Le directeur doit aller à une réunion. Il a besoin d'une lettre et il veut que sa secrétaire la tape pour lui. Elle n'est pas là. Il laisse la lettre sur son bureau avec un mot :
– Mademoiselle, voulez-vous ....

5. Madame Fumet a parlé d'un jeune homme à son ancien patron. Le patron voudrait voir le jeune homme, mais il a oublié son nom. Il écrit à la vieille dame :
– Madame, voudriez-vous ....

6. Monsieur Puce a perdu sa serviette. Elle contenait des dossiers importants. Il voudrait la retrouver. Il envoie un mail à un ami policier :
– J'ai perdu .... Peux-tu m'aider à la retrouver ?

7. Marc a aperçu dans le métro, mardi 10 octobre à 18 heures, une ravissante jeune asiatique habillée tout en rouge. Il écrit une petite annonce pour le journal *Libération* :
– Message personnel. Je voudrais revoir ....

8. Aglaé est amoureuse de Cyril. Cyril est amoureux de Katia. Aglaé écrit au courrier du cœur du journal *Elle* pour demander conseil :
– Comment faire pour ....

B1.1 ★ **109. Qui, que, dont, où**

Faites une seule phrase en utilisant un pronom relatif. Il y a plusieurs solutions.

1. Ce jeune homme est très sympathique. Je l'ai vu avec vous hier soir. → ....

2. Il a travaillé longtemps au Brésil. Il a rencontré sa femme là-bas. → ....

3. Pierre avait besoin de mes livres ; je n'ai pas pu les lui prêter. → ....

4. Il connaît bien ce petit village ; il y a passé ses vacances l'année dernière. → ....

5. Bruce et Mourad sont des amis ; je les emmène faire de l'escalade. → ....

6. Marie est à l'hôpital ; sa voiture a percuté un arbre. → ....

7. Il cherche un papier. Il en a besoin. → ....

8. Je suis allé souvent en Suède. Je connais bien ce pays. → ....

9. Nous sommes partis un dimanche matin. Il pleuvait beaucoup ce jour-là. → ....

10. Je reviens d'un long voyage. Je suis très content de ce voyage. → ....

11. Vous m'avez conseillé de lire ce livre. Je n'ai pas pu l'acheter ; il n'y en avait plus. → ....

12. J'ai ramené une jeune fille chez elle ; elle avait manqué l'autobus. → ....

13. Hier, je vous ai donné des lettres à taper. Est-ce que vous les avez tapées ? → ....

14. J'ai perdu mon bracelet en or. Ma mère m'avait fait cadeau de ce bracelet. → ....

15. Franck a acheté un très beau tableau. La couleur dominante de ce tableau est le rouge. → ....

16. Il a eu un grave accident. Ce jour-là, il venait d'acheter sa voiture. → ....

B1.2
★★

110. Relatifs directs – Magasins européens

Allongez les phrases comme dans l'exemple suivant. Le pronom relatif doit garder la même fonction dans votre phrase que ce qu'il remplace. Attention aux changements possibles de déterminants.

Exemple : Elle travaille dans **un magasin portugais**.
→ **Le magasin portugais où elle travaille est très bien.**

1. Ce magasin asiatique vend **des spécialités alimentaires**. – **2.** Cette boulangerie allemande propose beaucoup de **pains complets**. – **3. Les vêtements** de ce grand magasin anglais sont très bon marché. – **4.** Il y a souvent des soldes dans **cette boutique grecque**. – **5.** Ce marchand de meubles suédois annonce des **prix étonnants**. – **6.** Nous faisons nos courses dans **un hyper-marché français**. – **7. Cette épicerie italienne** a d'excellents produits. – **8.** J'ai besoin de **ce vin espagnol** pour ma sangria. – **9.** Cet excellent gruyère vient de la **fromagerie suisse**. – **10.** On m'a beaucoup parlé de ces **commerces algériens**.

B2.1
★★★

111. Relatives en incise

Faites une phrase avec les deux proposées en plaçant la proposition relative en incise, comme dans l'exemple ci-dessous.

Exemple : Cette maladie est très dangereuse. Son origine est mal connue.
→ **Cette maladie, dont l'origine est mal connue, est très dangereuse.**

VIRUS

1. Cette maladie est mortelle. Elle est due à un virus. – **2.** Cette maladie se soigne assez bien. Elle n'a pas encore de vaccin. – **3.** Cette maladie n'est pas contagieuse. Tout le monde en a très peur. – **4.** Les pays africains sont très touchés par cette 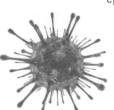 épidémie. Les conditions économiques sont difficiles dans ces pays. **5.** Cette épidémie progresse rapidement. Elle a déjà tué des dizaines de millions de personnes. – **6.** Cette maladie se répand surtout chez les jeunes. Les médecins la connaissent mal.

B1.2
★★

112. Pronoms relatifs simples – Questionnaire

> Nous vivons dans un monde qui aime aller vite... En français soigné on dirait : « **Quel est le livre que vous aimez relire ?** » Mais aujourd'hui, on lit ou on entend souvent à la radio : « **le livre que vous aimez relire ?** »

a À partir de l'exemple ci-dessus, complétez les questions suivantes avec un relatif simple.

1. Le restaurant .... vous avez vos habitudes ?

2. La musique .... vous écoutez en boucle ?

3. L'actrice .... vous fait rêver ?

4. La qualité .... vous êtes le plus fier ?

b Continuez ce questionnaire en élaborant des questions portant sur les éléments proposés (ou/et d'autres), puis interrogez quelqu'un.

✔ La boutique…   ✔ La star…

....

✔ L'ami…   ✔ Le secret…

....

✔ L'objet…   ✔ Le club…

....

✔ La langue…   ✔ L'erreur…

....

✔ Le régime…   ✔ Le défaut…

....

✔ Le héros…   ✔ La bonne action…

....

B1.2
★★

113. Ce qui, ce que, ce dont, ce à quoi

a Observez les phrases suivantes.

Elle est extravertie.
Tout le monde sait

ce qui	lui plaît.
ce qui	l'amuse.
ce qu'	elle aime.
ce qu'	elle veut.
ce dont	elle rêve.
ce dont	elle a besoin.
ce à quoi	elle pense.
ce à quoi	elle accorde de l'importance.

b Sur le même modèle, complétez les phrases suivantes.

Il est secret. On ne sait jamais :

1. .... il pense .... – **2.** .... il déteste .... – **3.** .... lui déplaît ....
4. .... l'attriste .... – **5.** .... il se moque .... – **6.** .... il rêve ....
7. .... il travaille .... – **8.** .... il s'amuse ....

! **ATTENTION :** avant de compléter, réfléchissez à la construction du verbe : détester quelque chose. Penser à quelque chose…

114. Ce qui, ce que, ce dont, ce à quoi

a Complétez les phrases stéréotypées suivantes par « ce qui », « ce que », « ce qu' », « ce dont », « ce à quoi ».

1. Dites-moi tout .... vous passe par la tête. – **2.** Faites attention à .... vous dites ! **3.** Dans la vie, il faut savoir .... en vaut vraiment la peine. – **4.** .... se passe était prévisible. – **5.** C'est bien triste, ... est arrivé. – **6.** C'est .... vous dites ! – **7.** On ne fait pas toujours .... on veut. – **8.** C'est bien .... je me demande. – **9.** On se demande .... l'intéresse. – **10.** Faites .... je dis, pas .... je fais ! – **11.** Impossible de savoir .... il a. – **12.** Dis-nous .... ne va pas. – **13.** Dites-nous .... nous pouvons faire (pour vous). – **14.** Non ! ce n'est pas .... vous pensez. – **15.** Racontez-moi .... vous avez fait. – **16.** Elle ne fait que .... lui plaît.

b Trouvez un contexte d'emploi : qui peut dire ça à qui, pour dire quoi, en réponse à quoi ? Élaborez des dialogues contenant chacune de ces expressions.

115. Celui qui, etc.

a Observez les phrases suivantes.

Il est jaloux de tous les autres hommes, et surtout de **ceux qui** sont beaux, riches et célèbres.

ceux que tout le monde adore.

ceux dont tout le monde parle.

ceux à qui tout réussit.

ceux pour qui la vie est un tapis de roses.

b Réfléchissez : que se passe-t-il si on change le début ? Continuez comme ci-dessous.

« Elle est jalouse de toutes les autres femmes, et surtout de .... ».

c Complétez les phrases suivantes.

1. – .... te plaît, c'est le petit blond ?
– Non, c'est .... est accoudé au bar.

2. Papa ! Maman ! Je vais me marier ! J'ai enfin rencontré le prince charmant, ... j'attendais depuis si longtemps...

3. Messieurs les jurés, cette ravissante jeune femme est bien .... a tué son mari de sang-froid le soir du 24 juillet 2004 !

« Les mots qui vont surgir savent de nous ce que nous ignorons d'eux. »
René Char

« Le sens véritable de la vie consiste à planter des arbres
à l'ombre desquels on n'aura probablement pas le loisir de se mettre. »
Nelson Henderson

4. – Finalement, tu as acheté quelle robe pour le mariage ?
– .... j'avais essayée aux Galeries, la bleue.

5. – Alors c'est vrai, les vieux journaux vous intéressent ?
– Oui. Mettez-moi de côté .... vous ne voulez plus.

6. – Venez, je veux vous présenter Monsieur Agnelli.
– Ah ! .... toute la presse parle. J'arrive !

7. Je déteste les gens qui manquent d'imagination et surtout .... se prennent au sérieux !

8. Voici .... il a abandonné femme et enfants. Pourtant, ce n'est pas une beauté fatale !

9. Permettez-moi, chers passagers, de vous présenter .... vous allez partager cette croisière de rêve.

10. Dans la vie, il y a .... mangent et .... sont mangés.

11. Quels sont vos livres préférés ? .... vous emporteriez sur une île déserte ?

12. Monsieur, je ne suis pas .... vous croyez !

13. Il y a .... on aime et .... on épouse...

14. Retourne-toi, mais discrètement surtout. Tu verras une très belle femme brune. C'est .... je suis tombé fou amoureux.

15. Il me faut dix de tes hommes pour ce commando mais seulement .... on peut vraiment compter.

16. J'ai essayé une nouvelle recette, ... propose le dernier *Elle*.

17. – Quelle variété de desserts ! J'aimerais goûter tous .... sont sur le buffet !
– Libre à vous, Madame, vous pouvez vous servir à volonté.

18. Elles sont fraîches vos moules ? Je mange exclusivement .... sont pêchées le jour même !

Pronoms relatifs composés

116. Relatifs composés : auquel, à laquelle, auxquels, auxquelles

Complétez avec le pronom relatif qui convient

1. La question .... j'aimerais répondre est la suivante : où allons-nous ?

2. Les conclusions .... aboutissent nos adversaires politiques sont inacceptables.

3. Le problème .... notre parti a le plus réfléchi est le problème majeur de notre époque.

4. C'est une affaire très difficile .... j'ai déjà consacré beaucoup d'énergie.

5. C'est un sujet très délicat .... il faut réfléchir sérieusement.

6. Voilà les obstacles majeurs .... peut se heurter notre programme.

7. Je vous proposerai demain la solution .... m'ont amené mes réflexions.

8. Cette solution a des avantages .... vous n'avez pas pensé jusque-là.

117. Relatifs composés : lequel, laquelle, lesquels, lesquelles

a Reliez les éléments. Attention au sens, au genre et au nombre.

1. La voiture sous... •   • a. ... laquelle ils se sont battus est toujours d'actualité.

2. Le faux passeport avec... •   • b. ... lesquelles nous avions fait des graffitis ont disparu.

3. Le lait en poudre sans... •   • c. ... lesquels se sont cachés les terroristes sont connus.

4. La cause pour... •   • d. ... laquelle on avait mis la bombe est entièrement détruite.

5. Les logements dans... •   • e. ... lequel ils ont passé la frontière était d'origine française.

6. Les affiches sur... •   • f. ... lequel on ne pourrait pas nourrir ces enfants est arrivé hier.

b Continuez les phrases suivantes.

1. Il porte encore aujourd'hui les vêtements avec ....

2. Elle a conservé toute sa vie la petite boîte dans ....

3. Ils collectionnent depuis longtemps des photos sur ....

4. Voilà notre plus vieux fauteuil sur ....

5. Je suis très fier de ces résultats pour ....

6. Ils ont décidé de monter cette pièce dans ....

7. Il a monté au grenier les cartons dans ....

118. Relatifs composés : duquel, de laquelle, desquel(le)s

Et maintenant voici la formule pour trouver la cachette du trésor sur l'île des pirates ! Quand vous aurez transformé toutes les phrases, il sera à vous !

<u>Exemple</u> : Cet arbre est rouge. Le trésor est enterré sous les branches d'un arbre.
→ **L'arbre sous les branches duquel le trésor est enterré, est rouge.**

1. Le trésor est caché sur le flanc d'une colline. Cette colline est élevée.

2. La colline se trouve au centre d'une île. Cette île est minuscule.

3. L'arbre se dresse à côté d'un rocher bleu. Ce rocher ressemble à une chèvre.

4. Depuis la plage, il faut marcher en direction des grands arbres. Ces arbres ont de grandes feuilles jaunes.

5. Les arbres poussent à proximité de sources d'eau chaude. Ces sources d'eau chaude sont dangereuses.

6. Avant de creuser la terre, vous devrez compter trois pas à partir d'un caillou. Ce caillou est vert.

7. Notre île se situe à côté d'autres îles. Ces îles sont inconnues.

Vous avez trouvé ? Bravo ! À propos, c'était quoi, ce trésor ?

B2.1
★★★

119. Relatifs composés : dont, de qui, duquel

Complétez le texte avec les pronoms relatifs qui conviennent.

ÉCOLO, MOI ? JAMAIS !

« Regarde ! Voici la nouvelle voiture .... je t'ai parlé hier. Elle a un moteur révolution-naire à côté .... celui des Formule 1 est un chat comparé à un tigre ! Elle a des phares en face .... la nuit la plus noire recule en criant de peur ! Sa carrosserie est faite d'un nouveau plastique .... tous les autres constructeurs cherchent désespérément la formule ! Elle a des vitres au travers .... aucun projectile ne peut passer, même pas une bombe ! C'est enfin la voiture .... tous les hommes rêvent ! Et ses heureux propriétaires seront les hommes auprès .... toutes les femmes voudront vivre ! D'accord son prix est élevé, mais c'est un prix au-dessous .... on ne trouve aucune voiture de cette classe ! Elle procure des satis-factions exceptionnelles à côté .... les satisfactions habituelles ne sont rien ! Je veux être cet homme irrésistible pour le charme .... toutes les femmes se battront ! Je veux cette voiture, je la veux, je la veux ! **»**

B2.1
★★★

120. Lieux avec « où » ou pronoms relatifs composés après préposition

a Complétez le texte avec les pronoms relatifs qui conviennent.

UN CLUB TRÈS FERMÉ

Vous allez tout savoir sur le club .... les gens les plus fortunés passent leurs vacances. C'est un club très privé .... on se rend exclusivement en jet ou en yacht et dans .... on ne rencontre que des gens très chics. C'est un luxueux village autour .... s'étend une forêt pleine de fleurs et d'oiseaux et près .... se trouve la plage. Ah ! Cette plage de sable blanc ultrafin devant .... s'étend une mer bleu turquoise ! Et au-dessus de .... dansent les cocotiers ! C'est un paradis .... vous ne pourrez pas entrer si vous n'êtes pas une célébrité. Et c'est aussi un paradis fiscal.

b Transformez selon l'exemple.

Exemple : Dans le village, les maisons sont luxueuses.
→ **Il y a un village dans lequel les maisons sont luxueuses.**
(Ici « où » est possible aussi, mais ce n'est pas vrai pour toutes les autres phrases.)

1. Près de ce village, il y a une ville antique très bien conservée. → ....

2. Aux alentours des maisons, la forêt exotique s'étend. → ....

3. À l'intérieur des maisons, il y a l'équipement le plus ultramoderne. → ....

4. Pas loin du village se trouve un lagon aux eaux merveilleuses. → ....

5. Dans les eaux du lagon nagent des poissons aux couleurs fantastiques. → ....

6. Au milieu des poissons familiers, on peut nager sans crainte. → ....

7. Au bord de la plage, il y a de beaux voiliers. → ....

8. Au-dessus des voiliers flotte le drapeau français. → ....

9. Sur ces voiliers, on peut inviter douze personnes. → ....

10. Au centre de la place se dresse une statue magnifique. → ....

Synthèse des pronoms simples et composés

B1.2
★★

121. Pronoms relatifs simples et composés

a Terminez les phrases.

1. C'est un garçon…
qui ……… ; que ………… ; dont ………… ; à qui
………… ; chez qui ………… ; avec qui ………… ;
en qui ………… ; pour qui ………… ; près de qui
…………

2. C'est le canapé…
où ………… ; sur lequel ………… ; sous lequel
………… ; près duquel ………… ; que ………… ;
qui ………… ; dont …………

3. C'est une entreprise ultramoderne qui ………… ; que ………… ; dont ………… ; où ………… ;
à l'intérieur de laquelle ………… ; derrière laquelle ………… ; sur le toit de laquelle ………… ; dans
laquelle ………… ; au centre de laquelle …………

b Continuez avec : des chaussures de running, une maison, un candidat à la mairie.

B1.2
★★

122. Pronoms relatifs simples et composés

a Complétez avec le pronom relatif qui convient (précédé ou non d'une préposition).
Trouvez aussi la préposition.

1. C'est une journaliste extraordinaire
a. ………… a tous les courages.
b. ………… l'on respecte beaucoup.
c. ………… les articles font sensation.
d. ………… on peut compter pour les
reportages délicats. – **e.** ………… la vie
est un tourbillon permanent.

**2. Je ne sais plus quoi penser de tes nouveaux
« amis »**
a. ………… vont partout avec toi. – **b.** …………
tu emmènes même chez maman. – **c.** …………
tu passes tout ton temps. – **d.** ………… tu as
confiance. – **e.** ………… tu dis le plus grand bien.
f. ………… je n'aime pas du tout. – **g.** ………… tu
n'es jamais invité.

3. Et j'adore particulièrement ce livre
a. ………… j'ai découvert il y a dix ans. – **b.** ………… je parle à tout
le monde – **c.** ………… je trouve toujours l'inspiration qu'il me faut –
d. ………… je me plonge avec délices chaque année – **e.** ………… je ne
voyage jamais

b Inventez des phrases autour des mots suivants : actrice, lunettes.

c Définissez les personnes ou les objets que vous aimez en utilisant des phrases relatives.

B1.2
★★

123. **Pronoms relatifs simples et composés**

Complétez le texte avec les pronoms relatifs qui conviennent. Les prépositions sont données, sauf pour les pronoms contractés.

1. J'ai rencontré un homme politique .... les idées sont intéressantes. – **2.** Les fleurs .... mon fiancé m'a offertes sont déjà fanées. – **3.** Il se souvient très précisément du lieu .... est arrivé l'accident. – **4.** Le toit sur .... je suis monté l'autre jour était en très mauvais état. – **5.** Le problème .... il a réfléchi toute la nuit lui a donné mal à la tête. – **6.** La porte par .... sont entrés les cambrioleurs était mal fermée. – **7.** Quand on a trouvé des gens en .... on peut avoir confiance, tout va bien. – **8.** Je refuse de mettre les vêtements .... mon frère aîné a déjà portés. – **9.** J'ai été obligé de donner ce pantalon dans .... je ne pouvais plus entrer. – **10.** J'ignore complètement les informations .... vous faites référence. – **11.** Ce sera un programme chargé au cours .... le président devra rencontrer tous les hommes politiques. – **12.** J'ai l'honneur de vous présenter M. Turbin, grâce .... notre opération a réussi. – **13.** Il a été impossible de trouver dans les magasins le cadeau .... nous avions pensé pour papa. – **14.** À l'entrée, vous pouvez voir une porte au-dessus de .... se trouve une magnifique sculpture. – **15.** Ces plantes près .... vous marchez sans faire attention sont rarissimes. – **16.** La personne .... vous attendiez est arrivée, Monsieur. – **17.** Voilà justement l'homme .... je vous disais le plus grand bien à l'instant. **18.** Il porte toujours des chaussures dans .... les orteils sont à l'aise. – **19.** Notez la petite taille du lit .... dormait une famille entière. – **20.** Tu as encore cassé un des verres .... m'avait donnés ma grand-mère. – **21.** Les motos avec .... les plus grands champions ont gagné le Paris-Dakar seront exposées au centre des congrès du 15 au 20 novembre. – **22.** Les immeubles en face .... se trouvait la fenêtre de notre chambre nous cachaient toute la vue. – **23.** J'ai complètement oublié au réveil les histoires si drôles .... j'avais rêvé toute la nuit. – **24.** Comme le temps passe! Je ne me rappelle pas le visage de cette fille pour .... j'aurais fait n'importe quoi il y a dix ans. – **25.** Tu as remarqué la voiture à côté .... j'ai garé la mienne? C'est une voiture de collection! – **26.** Nous voulons remercier ici, notre ami Étienne Garcia pour les nombreux travaux .... il a consacré toute sa vie et .... ont tant fait progresser la médecine – **27.** L'accès à l'autoroute en travers .... le camion s'est renversé a été bloqué pendant une journée entière. – **28.** Il y a des tableaux pour .... les spéculateurs d'art dépensent des millions.

B2.1
★★★

124. **Propositions relatives et nominalisations d'action**

Dans les phrases suivantes, transformez le verbe en caractère gras en nom.

Exemple : Le livre **est sorti**. Tous les fans se sont précipités en librairie. Le livre a déçu ses lecteurs.

le livre est sorti → **la sortie du livre.**

Puis transformez la phrase selon le modèle ci-dessous.
Le livre **à la sortie duquel** tous les fans se sont précipités en librairie a déçu ses lecteurs.

1. Il achète des livres anciens. Il consacre beaucoup d'argent à cela. Ces livres ont pris de la valeur. → Les livres anciens à l'............

2. Une sculpture **a été vendue**. Elle est partie pour une somme astronomique. J'ai assisté à cela. → La sculpture à la ....

3. Les criques **sont explorées**. Tu m'y as emmenée. Elles sont magnifiques. → Les criques à l'............

4. Le ballet **a été répété**. J'ai pu y aller. Le ballet sera bientôt présenté au public.
→ Le ballet à la ....

5. La banque **a été braquée**. Elle était en faillite. Il a participé à cette action. → La banque au ....

6. Ils m'ont pilotée pour **découvrir** une ville. Cette ville m'a vraiment séduite. → La ville à la ....

7. L'avion privé **est arrivé**. Une centaine de journalistes se pressait là. L'avion ne transportait pas le chef de l'État. → L'avion privé à l'............

8. Les huîtres crues sont devenues mon plat préféré. Les Français m'ont invitée à les **déguster**.
→ Les huîtres crues à la ....

B1.2
125. Relier deux phrases avec un pronom relatif
★★

Faites une seule phrase des deux phrases proposées en utilisant le pronom relatif qui convient ; plusieurs phrases sont possibles.

Exemple : Elle a choisi la robe bleue ; cette robe était exposée dans la vitrine.
> → **Elle a choisi la robe bleue qui était exposée dans la vitrine.**
> → **La robe bleue qu'elle a choisie était exposée dans la vitrine.**

1. Nous pensons à une autre solution ; elle plairait à tout le monde. – **2.** Ce petit village alpin est un lieu de vacances idéal pour une famille nombreuse ; j'y vais régulièrement et je vous en ai souvent parlé. – **3.** Le gros chien à poils blancs est un labrador ; il ne va jamais se promener sans lui. – **4.** Ses enfants se sont montrés bien ingrats ; il avait fait beaucoup de sacrifices pour eux. – **5.** L'église était adossée contre un vieux mur ; il datait du XVIᵉ siècle ; il s'est écroulé. – **6.** Le candidat était écologiste ; elle a voté en sa faveur ; il a été réélu. – **7.** Les actrices sélectionnées étaient très jeunes ; il devait faire le choix de son héroïne parmi elles. – **8.** Ce produit est totalement inoffensif ; j'ai réussi à décaper ma table grâce à lui. – **9.** La police a retrouvé dans le jardin une échelle ; c'est au moyen de cette échelle que le cambrioleur a réussi à pénétrer dans la villa. – **10.** Ce jardin est le plus fréquenté du village ; une statue de Victor Hugo se dresse en son milieu.

B2.1
126. Pronoms relatifs divers
★★★

Allongez les phrases suivantes à partir des mots en caractère gras : ajoutez une idée. L'ordre des mots et les déterminants peuvent changer.

Exemple : Il est né **dans un pays africain**.
> → **Le pays africain où il est né** se trouve au centre du continent.

1. La paix a été signée grâce au **président de l'ONU**. – **2.** Cette jeune nation a besoin **d'aide économique**. – **3.** Les négociateurs nous ont proposé **une autre solution**. – **4.** La délégation chinoise est sortie de la salle à l'annonce de **cette nouvelle**. – **5.** Nous habitons sur **la** même **planète**. – **6.** Le président a confiance **en son représentant**. – **7.** Les pays endettés ne s'attendaient pas **à cette réponse** du conseil. – **8.** Le siège des Nations unies se trouve dans **un pays européen**. – **9.** Les deux camps sont restés chacun sur **leur position**. – **10.** Les auditeurs regardaient l'orateur **avec amusement**.

127. Pronoms relatifs simples et composés – Créativité

VOYAGE, VOYAGE

ⓐ Complétez le texte avec les pronoms relatifs qui conviennent.

Ce voyage .... était dangereux et .... j'ai fait par inconscience, m'a fait comprendre la valeur de la vie. J'ai connu des moments très durs .... m'ont déstabilisé et .... je ne souhaite à personne, mais grâce .... j'ai mûri très vite ! Depuis cette expérience, je connais exactement les limites au-delà .... je ne veux plus aller !

ⓑ Complétez les phrases ci-dessous avec les pronoms relatifs qui conviennent et, si nécessaire, avec les prépositions qui les précèdent. N'oubliez pas que certaines structures demandent une reprise par un démonstratif avant le pronom relatif.

1. Là-bas, les petites routes .... ne sont pas répertoriées sur le GPS peuvent vous rendre fou. Prenez plutôt une bonne carte routière .... repérer votre direction et suivez votre instinct. Le pays n'est pas dangereux, vous découvrirez des sources .... vous baigner, des arbres .... faire la sieste et des villages .... on vous offrira le thé.

2. C'était un voyage miraculeux .... tout s'enchaîne parfaitement bien, ... il n'y a que de bonnes surprises ; bref, le truc .... n'arrive qu'une fois dans une vie. J'ai rencontré, par hasard dans un sentier désert, la célébrité locale .... tout le monde voulait être vu. Évidemment je ne le connaissais pas, ... il a trouvé reposant. Il m'a donc invité à une soirée .... toute la ville rêvait de participer. J'avais un seul jean et j'ai donc gardé sur moi .... je circulais, depuis le début en vrai pro du voyage ! Amusant. Et je n'oublierai jamais le moment le plus magique, ... le soleil de l'aube a émergé derrière le volcan.

3. J'ai fait une fois un voyage .... était très dur mais c'est aussi .... j'ai rencontré ma femme ! Ce voyage a présenté de nombreuses difficultés .... je n'aurais pas découvert ma capacité à résoudre les problèmes. Il y a eu un trajet en train .... on m'a tout volé, mais la gentillesse .... les gens m'ont aidé était merveilleuse ; ça m'a fait réfléchir. Après ces dix semaines .... j'étais vraiment libre, j'ai quitté l'entreprise .... je travaillais pour monter ma boîte de tourisme éthique dans le pays de mon épouse.

ⓒ Racontez un voyage que vous n'oublierez jamais ; petit ou grand, il vous a apporté quelque chose, en positif ou en stress, avant, pendant ou après. Peut-être a-t-il changé l'image que vous aviez de vous-même et du monde, en bien ou en mal. Utilisez des pronoms relatifs avec ou sans préposition.

128. Synthèse créative – Objet fétiche

On peut faire la biographie d'un homme avec le contenu de ses tiroirs. Tous les objets que nous gardons parlent de nos engagements.

Lisez l'exemple ci-dessous et, ensuite, parlez-nous d'un (ou plusieurs) objet précieux à vos yeux. Attirez notre attention sur ses caractéristiques (matière, décor, taille), les services qu'il vous rend, son origine, comment il est arrivé chez vous, pourquoi vous y tenez, quel rôle il joue dans votre vie. Faites-en tout un roman et n'oubliez pas d'utiliser beaucoup de pronoms relatifs.

Exemple :

Cette statuette de femme est le seul objet **dont** je refuse de me séparer, un vrai coup de foudre **qui** dure. J'étais parti en Espagne avec un groupe **dans lequel** il y avait un archéologue. C'est lui **qui** m'a montré les détails **dont** je suis tombé amoureux : le petit sourire **qui** est plus que craquant, la robe **sur laquelle** on devine des motifs délicats, les cheveux **dans lesquels** on a envie de passer la main, le soin **avec lequel** tous les détails sont exécutés... L'auteur **dont** j'ignore le nom avait un talent fou. C'est un objet **sans lequel** ma vie n'aurait pas eu la même saveur.

L'ESSENTIEL SUR...

● Les adjectifs indéfinis

Les adjectifs indéfinis, comme les adjectifs qualificatifs, s'accordent en genre et en nombre avec le nom qu'ils complètent. Mais, comme leur nom l'indique, ils n'ajoutent à ce nom qu'une précision assez vague de quantité, qualité, ressemblance ou différence.

	Masculin	Féminin	Pluriel	
Ressemblance	même tel	même telle	mêmes tel(le)s	
Différence	autre	autre	autres	
Quantité	aucun pas un nul plus d'un maint (rare) chaque tout	aucune pas une nulle plus d'une mainte (rare) chaque toute	d'aucuns (très rare) pas de nul(le)s divers(e)s différent(e)s plusieurs maint(e)s tout(e)s	+ nom
Qualité	certain n'importe quel je ne sais quel quelconque quelque	certaine n'importe quelle je ne sais quelle quelconque quelque	certain(e)s n'importe quel(le)s je ne sais quel(le)s quelconques (rare) quelques	

« La mixité, partout, toujours, tout le temps.
L'universalité, partout, toujours, tout le temps. C'est la clé de la lutte contre le racisme. » Raphaël Glucksmann, philosophe

« Écrire toute sa vie, ça ne sauve de rien. Ça apprend à écrire, c'est tout. »
Marguerite Duras, écrivain

« De près, personne n'est normal mais tout le monde fait semblant de l'être. »
Caetano Veloso, chanteur brésilien

« Qui veut faire quelque chose trouve un moyen. Qui ne veut rien faire trouve une excuse. » Proverbe arabe

● Les pronoms indéfinis

Les pronoms indéfinis peuvent se classer en deux groupes :
- ceux qui n'existent qu'au singulier et qui ne reprennent pas un nom déjà cité : n'importe qui, on, personne, quelque chose, quelqu'un, quiconque, rien + NE
- tous les autres reprennent un nom déjà cité et s'accordent en genre et en nombre ; voir tableau ci-dessous.

	Pronoms variables		Pronoms invariables	Pronoms neutres
	Unité	Pluralité		
Sens positif	[l'] un(e) [l' / un(e)] autre le/la même chacun(e) quelqu'un quelque autre un(e) tel(le) n'importe lequel n'importe laquelle	les un(e)s les [/ d'] autres les mêmes plus d'un(e) quelques-un(e)s quelques autres tous/toutes n'importe lesquels(le)s quel(le)s certaines	on autrui quiconque je ne sais qui qui que ce soit n'importe qui plusieurs la plupart d'aucuns	tout quelque chose autre chose je ne sais quoi quoi que ce soit n'importe quoi
Sens négatif	ni l'un(e) ni l'autre aucun(e) pas un(e)	ni les un(e)s ni les autres	personne nul	rien

● Le cas particulier de « tout »

« Tout » peut avoir trois natures :
- **Pronom** : masculin singulier ne reprend pas un nom déjà cité donc valeur de neutre masculin ou féminin, singulier ou pluriel qui reprend un nom déjà cité
- **Adjectif** qui s'accorde avec le nom qu'il complète.
  Attention à l'ordre : tout + déterminant + nom / tout + nom / tout + adjectif + nom
- **Adverbe** qui complète un adjectif ou un adverbe. Il a le sens de complètement, tout à fait.
  Attention, il peut parfois s'accorder (voir tableau ci-dessous).

Pronom « tout »	Neutre	**Tout** est calme.
	Pluriel	Ses amis sont **tous** venus le voir. (**s** prononcé) **Tous** lui ont apporté un cadeau. (**s** prononcé) Ces fleurs sont **toutes** jolies. Je les aime **toutes**.

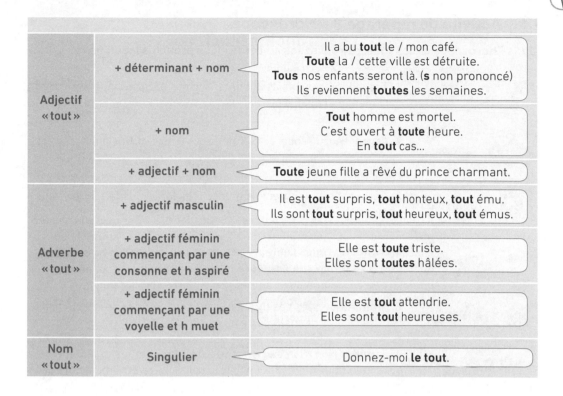

Adjectif « tout »	+ déterminant + nom	Il a bu **tout** le / mon café. **Toute** la / cette ville est détruite. **Tous** nos enfants seront là. (**s** non prononcé) Ils reviennent **toutes** les semaines.
	+ nom	**Tout** homme est mortel. C'est ouvert à **toute** heure. En **tout** cas...
	+ adjectif + nom	**Toute** jeune fille a rêvé du prince charmant.
Adverbe « tout »	+ adjectif masculin	Il est **tout** surpris, **tout** honteux, **tout** ému. Ils sont **tout** surpris, **tout** heureux, **tout** émus.
	+ adjectif féminin commençant par une consonne et h aspiré	Elle est **toute** triste. Elles sont **toutes** hâlées.
	+ adjectif féminin commençant par une voyelle et h muet	Elle est **tout** attendrie. Elles sont **tout** heureuses.
Nom « tout »	Singulier	Donnez-moi **le tout**.

⊕ Activité de repérage 7 – Ça sent le vécu !

a Quel sens donnez-vous aux mots suivants : CHACUN, QUELQU'UN, PERSONNE, TOUT LE MONDE ?

b Lisez le texte suivant et répondez : que s'est-il passé avec le travail important à faire et pourquoi ?

Il y avait un très important travail à faire, et on a demandé à **tout le monde** de le faire. **Tout le monde** était persuadé que **quelqu'un** le ferait. **Chacun** aurait pu le faire mais **personne** ne l'a fait. **Quelqu'un** s'est fâché parce que c'était le travail de **tout le monde**. **Tout le monde** pensait que **chacun** pouvait le faire mais **personne** n'a réalisé que **tout le monde** ne pouvait pas le faire.

En fin de compte, **tout le monde** a fait des reproches à **quelqu'un**, parce que **personne** n'avait fait ce que **chacun** aurait pu faire...

c Où le texte peut-il être affiché, à votre avis ?

> « Tout le monde a toujours raison, car la vérité dépend du regard de chacun. »
> sagesse bouddhiste

> « Une vie ne vaut rien, mais rien ne vaut une vie. » André Malraux

> « On a tous en nous quelque chose de Néandertal » Svante Pääbo, généticien suédois

Activité de repérage 8 – Horoscope

Dans l'horoscope ci-dessous, retrouvez les adjectifs et les pronoms indéfinis.

	Bélier	**1. Travail** : Ne vous laissez impressionner par personne, vous êtes parfaitement capable de maîtriser la situation.
	Taureau	**2. Argent :** Aucun souci de ce côté-là ces temps-ci. Quelques rentrées imprévues améliorent votre ordinaire.
	Gémeaux	**3. Amour :** Quelqu'un pense à vous très fort. Vous laisseriez-vous attendrir ?
	Cancer	**4. Santé :** Quelques petits problèmes en perspective si vous continuez la belle vie. Levez le pied sur l'alcool.
	Lion	**5. Amitié :** Ne soyez pas trop curieux. Certaines réponses pourraient vous faire plus de mal que de bien.
	Vierge	**6. Famille :** Non, rien de rien, non, vous ne regrettez rien. Répétez-vous cela pour tenir le coup, car la semaine va être mouvementée côté enfants !
	Balance	**7. Cœur :** Allez-vous enfin rencontrer l'Autre avec un grand A ? Les astres y sont favorables, sortez de votre trou.
	Scorpion	**8. Chance :** On ne peut pas tout avoir, l'argent et l'amour. Vous avez toutes les chances de faire un héritage, mais pas celle de rencontrer l'âme sœur.
	Sagittaire	**9. Rencontre :** Des rencontres friquées sont probables. Attention ! ne vous laissez pas séduire par un quelconque nabab, vous valez mieux que ça.
	Capricorne	**10. Psycho :** Vous serez tenté de dormir n'importe où, de rentrer à n'importe quelle heure, et de fréquenter n'importe qui. Franchement, c'est n'importe quoi !
	Verseau	**11. Affaires :** On vous a déjà répété maintes fois de foncer, de prendre des risques. Si vous ne saisissez pas votre chance, nul n'en sera responsable, sinon vous.
	Poisson	**12. Problème :** Vous voyez la fin du tunnel. La plupart de vos difficultés vont trouver leur solution rapidement. N'oubliez pas de remercier chaque fois que vous recevez de l'aide.

« Aucun de nous ne s'est élevé à la seule force de son poignet. Nous sommes arrivés parce que quelqu'un s'est baissé pour nous aider. » Thurgood Marshall

Les pronoms indéfinis

B1.1
★

129. Personne, rien

Répondez négativement aux questions suivantes comme dans l'exemple ci-dessous.

Exemple : Vous attendez quelqu'un ? **Non, je n'attends personne.**

1. Quelqu'un t'a pris ton crayon ? – **2.** Avez-vous quelque chose contre la toux ? – **3.** Tu as entendu quelque chose ? – **4.** Il a choisi quelqu'un ? – **5.** Quelqu'un était absent ? – **6.** Elle y est allée avec quelqu'un ? – **7.** Quelque chose vous gêne ? – **8.** As-tu besoin de quelque chose ? – **9.** Quelqu'un vous a fait de la peine ? – **10.** Tu m'as apporté quelque chose ?

B1.1
★

130. Quelqu'un, quelque chose, personne, rien

Complétez les phrases suivantes avec les pronoms : quelqu'un , quelque chose , personne , ou rien .

1. Je n'ai vu .... – **2.** .... est venu en mon absence ? – **3.** Il y a .... de bizarre que je n'arrive pas à expliquer. – **4.** Nous n'avons .... ajouter à ce que nous venons de dire. – **5.** .... ne pouvait me faire plus plaisir que ce livre. – **6.** Est-ce que .... pourrait m'expliquer ce qui se passe ? – **7.** J'ai .... de drôle à vous raconter. – **8.** « Avez-vous .... à déclarer ? », a demandé le douanier. – **9.** Je n'ai raconté cette histoire à ....

B1.1
★

131. Personne, une personne, quelque chose, quelques choses

Complétez les phrases suivantes avec : personne , une personne , quelque chose ou quelques choses .

1. Je n'ai rencontré .... – **2.** Nous avons vu .... qui t'auraient plu. – **3.** Il y a .... qui a oublié son portable. – **4.** J'ai observé .... d'important. – **5.** .... est venue apporter un paquet pour vous. – **6.** Avez-vous remarqué .... intéressantes à acheter à cette brocante ? **7.** .... n'était encore arrivé. – **8.** J'ai .... de grave à t'avouer. – **9.** Il y avait .... dans la salle. – **10.** .... ne s'est rendu à son invitation.

B1.1
★

132. Personne, rien...

a Observez les petits poèmes suivants.

Solitude	**La complainte du mari énervé**
Personne ne le regarde.	Rien n'est bon.
Personne ne lui parle.	Je ne retrouve rien.
Personne ne lui écrit.	Rien n'est rangé.
Il ne connaît personne.	Tu n'es vraiment bonne à rien !

b À votre tour, en utilisant « rien » et « personne », faites un petit poème sur une adolescente mélancolique, un ouvrier en grève, une cliente impatiente, un étudiant mécontent, un enfant déçu à Noël, le Français jamais content.

Les adjectifs indéfinis

B1.1

133. Autre

★

Mettez les expressions en caractères gras au pluriel.

1. Il y a **un autre problème**. – **2.** J'ai repeint **l'autre porte**. – **3.** Nous pouvons chercher **une autre solution**. – **4.** Avez-vous les clés de **l'autre appartement** ? – **5.** J'ai répondu à **l'autre annonce**. **6.** Il a un **autre frère**. – **7.** Les roues de **l'autre voiture** sont en bon état. – **8.** C'est à **l'autre secrétaire** que j'ai remis mon dossier. – **9. Un autre étudiant** a répondu à sa place. – **10.** J'aurais préféré une **autre couleur**.

Tout

B1.1

134. Tous, toutes

★

En utilisant tous ou toutes , proposez des stéréotypes sur les catégories de personnes suivantes.

Exemple : Tous les Français aiment boire du vin.

1. Les banquiers. – **2.** Les infirmières. – **3.** Les joueurs de foot. – **4.** Les facteurs. – **5.** Les policiers. **6.** Les actrices de cinéma. – **7.** Les militaires. – **8.** Les belles-mères. – **9.** Les journalistes. **10.** Les médecins.

B1.2

135. Tout, toute, tous, toutes

★★

a Complétez les phrases suivantes en utilisant : tout , toute , tous ou toutes .

1. Il a plu .... la journée. – **2.** .... est de ma faute. – **3.** Les feuilles sont .... tombées. **4.** Les Français aiment .... le fromage. – **5.** .... les ans nous allons à la mer. **6.** .... les fois qu'il sera absent, je vous préviendrai. – **7.** Les enfants avaient .... leur sac à dos. – **8.** Elle était .... malheureuse à l'idée de partir. – **9.** Dans ces circonstances, il faut s'attendre à .... – **10.** C'est .... l'effet que ça te fait ? – **11.** Les téléviseurs sont .... en promotion. – **12.** Je lui ai dit ce que je pensais en .... bonne foi. – **13.** Il a acheté un cheval de .... beauté. – **14.** .... son art réside dans le choix des couleurs. – **15.** Le .... Paris était présent à cette inauguration. – **16.** Elle fait une cure .... les deux ans.

b Remplacez ensuite dans chaque phrase le mot tout (ou son dérivé) par un mot synonyme.

« Je est un autre. » Arthur Rimbaud, poète

« Tous pour un, un pour tous » *Les trois mousquetaires* d'Alexandre Dumas

B1.1
★

136. Signification de « tout » et ses dérivés

Dans les phrases suivantes, remplacez tout (ou son dérivé) par un mot synonyme.

1. Il a repeint tout l'appartement. – **2.** Elles manifestaient toute leur violence par des cris. **3.** Elles manifestaient toutes leur violence. – **4.** Les insectes sont tout petits. – **5.** On peut faire du sport à tout âge. – **6.** Votre travail nous a donné toute satisfaction. – **7.** Il doit se faire une piqûre tous les jours. – **8.** Elle a eu un sourire pour toute récompense.

Synthèses

B1.2
★★

137. Synthèse – Un peu de tourisme...

Placez les indéfinis suivants dans les phrases ci-dessous. Plusieurs combinaisons sont possibles dans les phrases 1, 2, 3, 4.

aucun   aucune   chaque   les unes   les autres   certains   certaines   différents
n'importe où   je ne sais qui   je ne sais quoi   je ne sais où   quelques   n'importe
laquelle   quelques-unes   quelconque   pas une   pas un   la plupart   plusieurs
plus d'un   rien   tous   toutes

1. Paris, Londres ou Berlin ? C'est bien, oui, j'y suis déjà allé .... fois. .... capitale a ses charmes et si j'avais le budget je les visiterais .... après .... Mais à mes yeux, ... ne vaut celle de mon pays !

2. On a essayé .... restaurants le long de la plage ; .... sont corrects, mais .... n'est vraiment remarquable.

3. On ne peut pas visiter .... les châteaux de France, mais .... méritent le détour. .... sont absolument exceptionnels.

4. .... agences proposent un tour d'Europe, mais .... ne proposent pas les 28 pays. Attention à ne pas choisir ....

5. On aura .... heures seulement pour dormir entre deux trains ; un .... hôtel à proximité de la gare fera l'affaire.

6. Nous avons voyagé complètement au hasard. Bien sûr, on a eu .... mauvaises surprises en dormant un peu .... , mais .... de tragique.

7. Tu n'as que 16 ans et je refuse de te laisser partir en vacances .... avec .... pour faire .... Tu viendras au camping avec nous !

« Tout individu a droit à la vie, à la liberté et à la sûreté de la personne.
Tous sont égaux devant la loi. Toute personne a le droit de circuler librement
et de choisir sa résidence. Quiconque travaille a droit à une rémunération équitable. »
Déclaration des droits de l'homme

B1.2
★★

138. Certain, plusieurs, divers, quelque, tout, différent, chaque, n'importe quel, le même

ⓐ Parmi ces adjectifs indéfinis suivants, lesquels pouvez-vous employer avec les noms : gens, personnes, peuple ?

certain   plusieurs   divers   quelque   tout   différent

chaque   n'importe quel   le même

ⓑ Complétez les phrases suivantes avec ces adjectifs indéfinis en les accordant si nécessaire.

1. J'ai rencontré .... personnes très sympathiques à cette soirée. – **2.** .... personnes ont été témoins de l'incident. – **3.** .... personnes se désintéressent complètement de leurs voisins. – **4.** .... les gens présents étaient satisfaits. – **5.** Elle n'était pas heureuse ici, ... les gens vous le diront. – **6.** Ce sont .... gens qui m'ont indiqué ce docteur. – **7.** .... personnes ont déjà réagi de cette façon. – **8.** Nous ne sommes pas exigeants, ... personne fera l'affaire. – **9.** Le traité de paix de 1919 accorda à .... peuple le droit de disposer de lui-même. – **10.** .... personne devra se procurer un visa. – **11.** .... personne remarquant un événement insolite devra le prendre en photo et le signaler à la police. – **12.** Il a fait une étude très complète des .... peuples slaves.

B1.2
★★

139. N'importe qui, n'importe lequel, laquelle, n'importe quel(le)s, n'importe quoi

Complétez les phrases en utilisant un indéfini parmi ceux de la liste suivante.

n'importe qui   n'importe lequel   laquelle   n'importe quel(le)s   n'importe quoi

1. Tu dis .... – **2.** Ne répète pas ce secret à .... – **3.** Je suis libre .... jour. – **4.** Quel gâteau veux-tu ? .... – **5.** Tu peux me téléphoner à .... heure. – **6.** .... vous indi-quera où se trouve la gare. – **7.** Josiane et Valérie sont secrétaires bilingues et ...... des deux est capable de vous traduire cette lettre. – **8.** .... lui sert de prétexte pour ne pas aller au travail. – **9.** .... agriculteur sait la différence entre du blé et de l'orge. – **10.** Tu ne dois pas donner ton numéro de téléphone à .... – **11.** Partir en stop toute seule ? C'est franchement .... – **12.** Ce type n'est pas .... Dans sa jeunesse, il était champion de natation.

B1.2
★★

140. Réemploi en expression libre

Sur le modèle de l'horoscope de la page 104, faites l'horoscope du mois suivant avec le maximum d'indéfinis possible.

« On peut rire de tout mais pas avec n'importe qui. » Pierre Desproges, humoriste

« Aucun homme n'a jamais vécu sans rêver les yeux ouverts. »
Ernst Jünger, philosophe allemand

B2.1
★★★

141. Synthèse – Tous artistes

Complétez ce texte avec les expressions ci-dessous :

pour le paragraphe 1 : autres   certains   n'importe quel   rien   rien   tout   tout

pour le paragraphe 2 : autres   tous   certains   n'importe quoi   personne
la plupart   plusieurs   tout le monde.

pour le paragraphe 3 : aucune   la même   n'importe lequel   nul   rares
les uns   les autres.

---

1. Connaissez-vous Zigzazou ? Ce gros orchestre de rue joue de .... avec ....
Il utilise des instruments qui n'ont .... à voir avec les instruments classiques. Ils bricolent
des objets sonores à partir de presque ...., car .... objet (ou fruit ou légume)
produit un son utilisable dans un ensemble. .... évoquent Bach, ... Morricone.

---

2. Cependant, l'orchestre ne fait pas .... ; .... des musiciens ont une solide formation musicale. Polyvalents, ils sont .... capables de jouer de .... « instruments ».
.... les plus doués, sont aussi d'excellents compositeurs. L'ambiance est festive, ...
ne se prend pour le chef et .... est le bienvenu pourvu qu'il coopère avec ....

---

3. Il n'y a .... différence entre les jeunes et les vieux car ni .... ni .... n'accordent
d'importance à l'âge. .... des participants peut être la vedette de la performance du
jour, qui ne sera pas .... le lendemain. .... ne se plaint dans la ville car ....
sont les spectateurs qui n'apprécient pas leurs sorties.

Les prépositions

 L'ESSENTIEL SUR...

● Principales prépositions et locutions prépositives

Les prépositions sont des mots invariables placés devant un nom, un pronom, un infinitif, un adjectif ou un adverbe pour les lier, en précisant le rapport qui les unit au mot qui les précède.

Sens	Prépositions et locutions	
Addition	en plus de, outre	**En plus d'**une prime, vous aurez une augmentation.
		Outre deux chats, ils avaient trois chiens.
Appartenance	à, de	Ce livre est **à** qui ?
		C'est le livre **de** Pierre.
Attribution	à, pour	Donne le livre **à** Pierre.
		Une cuillère **à** café.
		Un lit **pour** deux
Agent	de, par	Entouré **de** ses amis et suivi **par** son chat.
But	*recherché :* pour, afin de, en vue de, dans le but de, de façon à, de manière à	Ils ont révisé **pour / en vue de** l'examen.
		Ils ont révisé **pour / afin de / dans le but de / de façon à / de manière à** réussir l'examen.
	à éviter : de peur de, de crainte de, pour... ne pas	Ils ont révisé **de peur de / de crainte de** rater l'examen.
		Ils ont révisé **pour ne pas** rater l'examen.
Cause	étant donné, vu, à cause de, en raison de	**Étant donné / vu** son grand âge, il n'a pas pu faire la marche en montagne.
		Il n'a pas pu le faire **en raison de** son grand âge.
	cause positive : grâce à, à la faveur de	Il a eu ce travail **grâce à** ses relations.

« Toutes les difficultés de l'homme viennent de son incapacité à s'asseoir tranquillement dans une pièce en sa seule compagnie. » Blaise Pascal

Comparaison	auprès de, comparé à, en face de, par rapport à, vis-à-vis de	Le livre de Dupont est sans intérêt **auprès de / en face de / vis-à-vis de / comparé à / par rapport à** celui de Durand.
Manière	à, de, avec, sans	Il parle **à** voix basse, **d**'un ton sec, **avec** animation, **sans** conviction.
Matière	de, en	Un verre **de** cristal Une robe **en** laine (plus fréquent)
Moyen	par, en, avec, sans, au moyen de	Il est venu **en** avion. Il tient sa fille **par** le bras. Il écrit **avec** un stylo. Il chante **sans** micro. Il a réparé le sac **au moyen** d'un peu de colle.
Opposition	contre	Le peuple a voté **contre** le président sortant.
Prix	*financier :* à, de, pour	Des oranges **à** 4 € le kilo Une robe **de** 80 € (rare) Il a eu sa maison **pour** 200 000 €.
	figuré : moyennant, au prix de, au risque de, au péril de	Il a obtenu ce qu'il voulait **moyennant** quelques promesses. Il a gardé ce travail **au prix de** sa santé. Il a plongé **au risque de** se noyer aussi. Il l'a sauvé **au péril de** sa vie.
Remplacement	au lieu de, à la place de	Je voudrais un café **à la place d**'un thé. Tu aurais mieux fait de te taire **au lieu de** tout raconter.
Restriction	malgré en dépit de (littéraire)	Il s'est levé **malgré** sa fièvre. Il a agi **en dépit de** mes conseils.
Soustraction	excepté, hormis, sauf, à l'exception de, à l'exclusion de, en dehors de	Je n'aime personne **excepté / sauf / à l'exception de / en dehors de** ma mère. Il mange de tout **sauf de la** viande.

« Chose inouïe, c'est en dedans de soi qu'il faut regarder le dehors. » Victor Hugo

Activité de repérage 9

Repérez et soulignez les prépositions dans le texte ci-dessous.

Orthographe : mots de tête

Comment se décider pour « ognon » ou « oignon » ? Choisir « nénufar » au lieu de « nénuphar » ? En février 2016, les réseaux sociaux sont en émoi. On se bat à coup d'o(i)gnons et de nénuf(ph)ars et de « hashtags circonflexes »… Une réformette élaborée (en 1990) afin de supprimer les bizarreries et dans le but de faciliter l'apprentissage de la langue, déclenche une guéguerre entre la ministre de l'Éducation nationale et la secrétaire générale de l'Académie française. L'Académie a été très novatrice au cours des siècles passés, mais depuis la socialisation de l'orthographe, à la fin du XIXᵉ siècle, elle se montre hyper-prudente… Dans les dictionnaires, la coexistence entre les deux orthographies est la norme jusqu'à la disparition naturelle de l'ancienne.

La nouvelle est placée en première position si elle est déjà passée dans les mœurs et à la deuxième place si elle est très récente. Sauf dans les cas les plus « chauds », susceptibles de créer une polémique.

Le débat se déchaîne surtout autour de l'accent circonflexe, plus obligatoire sur le i et le u, excepté en cas d'homographie possible (sur et sûr, mur et mûr, jeune et jeûne…) Ah, l'accent circonflexe, éternel symbole de la lutte des modernes contre les classiques, et réciproquement… Chacun sait pourtant que l'oignon (pardon, l'union) fait la force… sacrebleu.

Récit d'après Marianne Payot,
L'Express, 08/06/2016

 L'ESSENTIEL SUR…

● Prépositions indiquant la localisation

On utilise de très nombreuses prépositions pour expliquer où se trouvent les lieux, les monuments, les personnes, les objets. Chacune a un sens plus spécifique.

Sens	Prépositions et locutions	
Dans le monde	à, au, en, sur	Elle est **à** Paris / **au** Chili.
		Elle habite **en** Algérie / **sur** la Terre.
Adresse	pas de préposition	Elle habite Paris / rue Monge / place Grenette.
Maison	à, chez	Tu viens **chez** moi ?
		Il est **à** la maison.
L'intérieur	– d'un espace : **dans**, **à l'intérieur de** – d'un groupe : **parmi**	Il fait chaud **dans** la cuisine.
		Le chat s'est caché **à l'intérieur** du placard.
		Elle est heureuse **parmi** ses amis.
Le centre	au centre de, au milieu de	**Au centre** de la place se trouve la statue du chevalier Bayard.
		Le piano trône **au milieu** du salon.

Sens	Prépositions et locutions	
L'extérieur	hors de, au dehors de, à l'extérieur de	Vous trouverez des champs **hors de** la ville.
		Le canari ne sort jamais **au dehors de** sa cage.
		Voulez-vous rester un moment **à l'extérieur de** la pièce ?
La périphérie	autour de, à la périphérie de	**Autour de** la ville s'élève encore une muraille.
		On trouve beaucoup de zones industrielles **à la périphérie** des grandes villes.
La proximité	près de, auprès de, aux alentours de, aux environs de	Mon bureau est **près de** la maison.
		Assieds-toi **auprès de** moi.
		La nature est merveilleuse **aux alentours du** village.
		Il y a un château **aux environs de** ce village.
La distance	loin de, au-delà de	**Loin des** yeux, loin du cœur.
		Le prochain village se trouve **au-delà de** la colline.
Le haut	sur, en haut de, au sommet de, au-dessus de	Assieds-toi **sur** le lit.
		Le chat a grimpé **en haut de** l'échelle.
		Il a planté un drapeau **au sommet de** la montagne.
		Un tableau est accroché **au-dessus de** son lit.
Le bas	sous, en bas de, au-dessous de	Le grenier est la pièce **sous** le toit.
		La maison est **en bas de** la route.
		Le chat dort **au-dessous du** lit.
Le devant	devant, à l'avant de, sur le devant de, face à, en face de	La voiture est **devant** la maison.
		Sur le devant de la maison, il y a un petit jardin.
		J'ai mis ton sac **à l'avant de** la voiture.
		Elle habite juste **en face du** théâtre.
		Il a demandé une chambre **face à** l'océan.

Sens	Prépositions et locutions	
Le derrière	derrière, à l'arrière de	Le chat est caché **derrière** l'armoire.
		Le chien dort toujours **à l'arrière de** la voiture.
Le côté	à côté de	Je me suis assis **à côté de** Paul.
L'intervalle	entre	Il était assis **entre** Louis et Marcel.
L'origine	à, de	Il est né **à** Hong Kong.
		Ce sac vient **de** Hong Kong.
La destination	à, pour, jusqu'à	Il va **à** Rome.
		Il est parti **pour** le Canada.
		Il ira **jusqu'au** pôle Nord.
La direction	vers, en direction de	La fusée se dirige **vers** la Lune.
		Ils sont partis **en direction de** Lyon.
Le passage	par	Les voleurs sont entrés **par** la fenêtre.

 L'ESSENTIEL SUR...

● **Prépositions indiquant des situations géographiques**

Lieux	Noms masculins	Noms féminins	Pluriel
Continents Pays	*aller* **au** *Congo* *venir* **du** *Mexique,* **d'***Iran*	**... et masculin commençant par une voyelle** – *aller* **en** *France,* **en** *Iran* – *venir* **de** *Suisse,* **d'***Afrique,* **d'***Irak*	*aller* **aux** *Pays-Bas* *venir* **des** *États-Unis*
Îles		**Petites îles européennes et grandes îles distantes d'Europe ou îles États :** – *aller* **à** *Chypre, Malte* – *venir* **de** *Madagascar* **Petites îles distantes d'Europe :** – *aller* **à** *la Réunion* – *venir* **de** *Guadeloupe* **Grandes îles européennes :** – *aller* **en** *Crête* – *venir* **de** *Sardaigne*	*Archipels, groupes d'îles :* – *aller* **aux** *Baléares* – *venir* **des** *Seychelles*
Départements Zones géographiques	*aller* **dans le** *Massif central* *aller* **dans l'***Hérault* *venir* **du** *Jura* *venir* **de l'***Ain*	*aller* **dans la** *Creuse,* **dans l'***Aude* *venir* **de la** *Lozère,* **de l'***Eure*	*aller* **dans les** *Alpes* *venir* **des** *Hauts-de-Seine*

Lieux	Noms masculins	Noms féminins	Pluriel
Régions Provinces États	aller **dans le** Béarn venir **du** Périgord venir **de** l'Oregon	aller **en** Île-de-France venir **de** Californie venir **d'**Aquitaine ⚠ **Exceptions :** aller **dans la** région Midi-Pyrénées venir **de la** région Auvergne-Rhône-Alpes	aller **dans les** pays de la Loire venir **des** pays de la Loire
Villes	⚠ **Exceptions :** Noms de ville très rares : Le Havre, Le Mans aller **au** Havre aller **au** Mans	aller **à** Madrid venir **de** Rome venir **d'**Helsinki ⚠ **Exceptions :** aller **en** Avignon	aller **aux** Sables d'Olonne venir **aux** Houches
Rues Places	**Sans préposition :** aller square Martin habiter square Martin **Avec préposition :** venir **du** square Martin	**Sans préposition :** aller rue Thiers, place de l'Étoile **Avec préposition :** venir **de la** rue Thiers, **de la** place aux Herbes	
Autres lieux	être **au** marché aller **à** l'hôtel venir **du** restaurant, **de** l'hôtel	être **à la** maison aller **à** l'université venir **de la** gare, **de** l'épicerie	

● Liste des noms de continents et de pays

Noms féminins

– Ceux qui se terminent par un **e**, sauf l'Arctique, l'Antarctique, le Cambodge, le Mexique, le Zaïre, le Zimbabwe.
– Les îles.
– Les noms de ville sont en général sentis comme féminins, surtout ceux qui se terminent par un **e** (Toulouse, Marseille, Nice...).

⚠ **REMARQUES :** on ne dit pas *Paris est belle* mais *Paris est une belle ville* ou *Paris est beau*.

Nom féminin commençant par une consonne		Nom féminin commençant par une voyelle	
visiter **la** aller **en** venir **de**	Grèce	visiter **l'** aller **en** venir **d'**	Autriche

Liste des principaux noms de pays féminins

Algérie	Côte d'Ivoire	Italie	Slovaquie
Allemagne	Égypte	Libye	Suède
Angleterre	Espagne	Malaisie	Suisse
Arabie Saoudite	Éthiopie	Mauritanie	Syrie
Argentine	Finlande	Norvège	Tanzanie
Australie	France	Nouvelle-	Tchéquie
Autriche	Grèce	Zélande	Thaïlande
Belgique	Hongrie	Pologne	Tunisie
Bulgarie	Inde	République	
Chine	Irlande	sud-africaine	
Colombie	Islande	Russie	

Noms masculins

– Ceux qui se terminent par une consonne.
– Ceux qui se terminent par **a, i, o**, sauf la Haute-Volta.

> ⚠ **ATTENTION :** pour les prépositions, il y a deux cas détaillés dans le tableau ci-dessous.

Nom masculin commençant par une consonne		Nom masculin commençant par une voyelle	
habiter **le** aller **au** venir **du**	Brésil	habiter **l'** aller **en** venir **d'**	Ouganda
⚠ **Exception :** habiter **en** Israël		⚠ **Exception :** aller **au** Yémen	

Liste des noms de pays masculins commençant par une consonne

le Brésil	le Danemark	le Mali	le Sénégal
le Burundi	le Gabon	le Mozambique	le Soudan
le Burkina Faso	le Ghana	le Nicaragua	le Sri Lanka
le Bénin	le Honduras	le Niger	le Surinam
le Botswana	le Japon	le Nigeria	le Tchad
le Cameroun	le Kenya	le Paraguay	le Venezuela
le Cap-Vert	le Koweït	le Pakistan	le Vietnam
le Chili	le Lesotho	le Pérou	le Zaïre
le Congo	le Liban	le Portugal	le Zimbabwe
le Canada	le Libéria	le Qatar	
le Costa Rica	le Luxembourg	le Salvador	

Liste des noms de pays masculins commençant par une voyelle

l'Antarctique, l'Arctique	l'Iran, l'Irak	l'Uruguay
l'Afghanistan	Israël	le Yémen
l'Équateur	l'Ouganda	

> ⚠ **REMARQUES SUR L'USAGE DE L'ARTICLE :**
> – *Je connais **la** Tunisie, **l'**Espagne, **le** Luxembourg, mais je connais Israël, Andorre* (la ville d'Andorre-la-Vieille).
> – On ne met pas d'article devant les noms de pays suivants : Andorre, Bahreïn, Djibouti, Haïti, Hong Kong, Israël, Monaco, Oman.

⊕ Activité de repérage 10

Retrouvez les règles de l'emploi des prépositions devant les noms de pays, de régions, d'îles, de villes en regroupant les exemples proposés dans le tableau ci-dessus. Quelles sont vos conclusions ?

DONNEZ LEUR CHANCE À VOS VACANCES !

À Amsterdam / En Andalousie / À Athènes et dans le Péloponnèse / En Australie / Aux Baléares / À Barcelone et en Catalogne / En Bavière et en Forêt Noire / À Berlin / Au Brésil / À Bruges et à Gand / À Budapest et en Hongrie / En Bulgarie / En Californie / Au Cameroun / Aux Canaries / À Ceylan et aux Maldives / À Chypre / En Corée / En Côte d'Ivoire / En Crète et à Rhodes / En Écosse / En Égypte / À Florence / En Floride / En Guadeloupe / À Hong Kong, à Macao, à Singapour / Aux îles Anglo-Normandes / Aux îles grecques / En Indonésie / En Israël / À Istanbul et en Cappadoce / Au Kenya / À Londres / À Madagascar / Au Mali et au Niger / À Madrid et en Castille / À Malte / À Marrakech et dans le sud marocain / En Martinique / À Moscou et à Saint-Pétersbourg / Au Népal / À New York / En Nouvelle-Calédonie / À Paris / À Pékin et en Chine / À Prague, Brno et Bratislava / Au Québec / À la Réunion, à l'Île Maurice, aux Seychelles / À Rome / Au Sénégal / En Sicile / En Syrie / À Tahiti / En Thaïlande et en Birmanie / À Tokyo et à Kyoto / En Tunisie / En Turquie / À Venise en Italie

Destinations	Masculin	Féminin	Pluriel
Pays	*au* Brésil	*en* Australie	....
Régions	*dans le* Péloponnèse	*en* Andalousie	
Villes	....	*à* Amsterdam	
Îles	....	*à* Ceylan	*aux* Baléares ....

Noms de pays, villes, départements, régions

B1.1
★

142. Noms de pays, de villes, de départements, de régions

Complétez les phrases en insérant la préposition qui convient.

1. Ils sont déjà revenus .... Canada. – **2.** Nous partons .... Paris. – **3.** Ils travaillent actuellement .... Valence, ... Drôme. – **4.** Il est né .... Mexique. – **5.** Ils ont fait leur voyage de noces .... Jamaïque. – **6.** Il a fait ses études .... Afrique, ...

Ouagadougou. – **7.** Elle est arrivée .... États-Unis en 1990. – **8.** Ils passent leurs vacances .... Avignon. – **9.** Ils partiront .... Birmanie en août pour aller .... Grèce. – **10.** Nous revenons .... Maroc où nous avons passé d'excellentes vacances. – **11.** Elle s'en va .... Québec rejoindre son mari. – **12.** Ils ont acheté une petite maison .... Riom .... Auvergne. **13.** Ils se sont mariés .... Pays-Bas, ... Amsterdam. – **14.** Cette course a lieu chaque année .... Le Mans. – **15.** Claude fait son service militaire .... Guadeloupe. – **16.** Ils sont partis camper .... Corse. – **17.** .... Espagne comme .... Portugal, les auto-mobilistes roulent à droite. – **18.** En France, on importe beaucoup plus de café .... Brésil que .... Nouvelle-Guinée ou .... États-Unis. – **19.** C'est .... Australie qu'on trouve le plus de kangourous. – **20.** Ils ont décidé de s'installer .... Arles. – **21.** Ils importent la plupart de leur pétrole .... Qatar. – **22.** Elle retournera .... Irlande ou .... Danemark dès qu'elle en aura l'occasion. – **23.** C'est en campant .... Pyrénées qu'ils ont vu des ours. – **24.** Il existe un Montpellier .... l'Hérault .... France et un Montpelier .... le Vermont .... États-Unis.

B1.2
★★

143. Préposition et nom de pays – Puzzle

Voici une série de phrases en désordre. Reconstituez le texte. La première phrase est à sa place (attention aux noms de pays et aux prépositions).

LE TOUR DE LA MÉDITERRANÉE À MOTO

[a] Il y a vingt ans, j'ai fait le tour de la Méditerranée. Je suis parti de Venise,

[b] Yémen en traversant la mer Rouge qui, finalement n'est pas si rouge. Du Yémen je suis parti pour l'

[c] Grèce où j'ai visité les Cyclades et Rhodes d'où j'ai pris le bateau pour la

[d] Algérie je suis passé par la

[e] en Italie. Avant de partir, j'ai mangé beaucoup de pâtes ! Je suis d'abord allé en

[f] Soudan dont la côte sur la mer rouge est très belle, puis vers le

[g] Turquie. En Turquie, j'ai acheté un petit tapis de soie. J'ai quitté ce pays pour faire un tour en

[h] Maroc où je me suis reposé un moment avant de remonter par l'

[i] Algérie où j'ai de bons amis. D'

[j] Égypte dont je voulais admirer les Pyramides et j'ai continué en direction du

[k] Tunisie où j'ai acheté des poteries et ensuite par le

[l] Afrique du Nord. Je me suis d'abord arrêté un moment en

[m] Espagne que j'adore. Partout j'ai rencontré des gens formidables !

 Classez les phrases dans le bon ordre :

Pour voyager, voici quelques verbes et leurs constructions :

Aller à, au, à la, aux, en, jusqu'à	**J'irai à** Paris, **au** Mexique, **en** Italie, **jusqu'à** Rome, **jusqu'aux** Alpes.
Atterrir à, au, à la, aux, en	**Nous atterrirons à** Roissy / **à** Paris / **au** Canada / **en** plein désert.
(Re)découvrir (pas de préposition)	**Vous découvrirez** Paris / la France / une belle région / des montagnes.
Se déplacer à, au, à la, aux, en, de... à, de... jusqu'à, jusqu'à	**Je me déplacerai** (à pied, **en** voiture) / **de** Moscou **à** Prague / **jusqu'à** Bucarest.
Être à, au, à la, aux, en, de	**Il est du** Canada / **de** Paris / **aux** États-Unis / **à** New York / **en** France.
S'en aller à, au, à la, aux, de, par	**Il s'en ira de** Paris / **par** le Sud.
Finir à, au, à la, aux, en, par	**Je finirai** mon voyage **en** France / **par** l'Italie / **à** Rome.
Habiter à, au, à la, aux, en / Pas de préposition	**Nous habiterons** Paris / la France / **à** Paris, **en** France.
Monter au, à la, aux	**Il montera à** Paris / **de** province (**à** Paris ou dans une capitale).
(Re)partir à, au, à la, aux, en, de, pour par	**Il partira à** Paris / **en** Espagne / **des** États-Unis / **pour** le Mexique / **par** les Alpes.
(Re)passer à, au, à la, aux, en, par	**Nous passerons à** Rabat / **aux** Baléares / **en** Irlande / **par** le Maroc.
Passer du temps à, au, à la, aux, en	**Nous passerons** trois jours **à** Londres / une semaine **en** Belgique.
Remonter à, de	**Ils remontent** bientôt **à** Paris / **du** midi. (On parle depuis une capitale.)
Se rendre à, de... à, de... jusqu'à	**Ils se rendront** un jour **à** Hong Kong / **en** Asie / **aux** Seychelles.
Résider à, au, à la, aux, en	**Nous avons résidé** longtemps **à** Athènes / **aux** Canaries / **en** Turquie.

Rester à, au, à la, aux, en	**Nous désirons rester** un moment **à** Dublin / **en** Angleterre / **aux** Marquises.
Retourner à, au, à la, aux, en, jusqu'à	**Nous retournerons à** Naples / **en** Sicile / **jusqu'à** la frontière
Traverser (pas de préposition)	**Il traversa** l'océan / Dallas.
(Re)venir à, au, à la, aux, en, de... à, de... jusqu'à, par, jusqu'à / Pas de préposition	**Il viendra** ici / **à** Paris / **à** la maison / **en** France / **de** Montpellier **à** Grenoble / **jusqu'à** Paris.
Visiter (pas de préposition)	**Nous visiterons** Florence / une église / des ruines.
Voyager au, à la, aux, de... à, de... jusqu'à, jusqu'à	**Nous voyagerons au** Ghana, **en** Éthiopie / **jusqu'**en Afrique du Sud / **de** Malte à Tanger.

144. Prépositions – Voyages

Vous mettez au point un tour du monde (ou d'Europe) des pays francophones avec des amis. Vous avez beaucoup de temps mais très peu d'argent. Vous devrez faire preuve d'imagination pour les transports et il faudra peut-être gagner de l'argent de temps en temps. Expliquez ensuite votre projet au sponsor qui vous donnera l'argent minimum pour démarrer votre aventure.

Pour l'usage des prépositions, aidez-vous des fiches « L'essentiel sur… » p. 115 à 117 et des informations suivantes.

Quelques pays en Afrique dont le français est la langue officielle : Gabon, Congo Brazzaville, République démocratique du Congo, Togo, Bénin, Côte d'Ivoire, Sénégal, Guinée, Burkina Faso, Mali, Niger, Madagascar…

Ou en Europe : Belgique, Suisse, Luxembourg, Monaco

Et les autres pays où on parle aussi français : Algérie, Tunisie, Maroc, Québec…

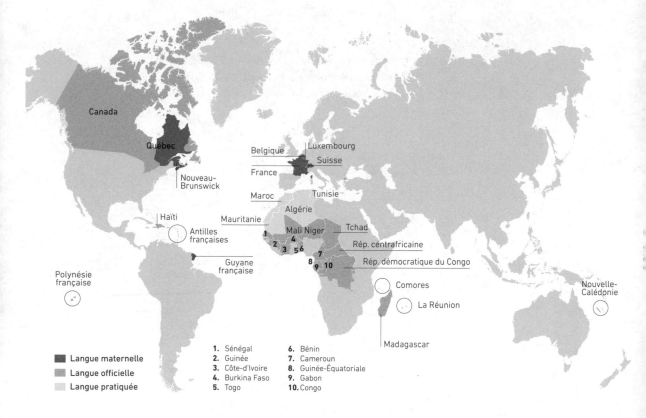

Canada
Québec
Nouveau-Brunswick
Belgique
Luxembourg
Suisse
France
Maroc
Tunisie
Algérie
Mauritanie
Haïti
Antilles françaises
Mali Niger
Tchad
Rép. centrafricaine
Guyane française
Polynésie française
Rép. démocratique du Congo
Comores
La Réunion
Nouvelle-Calédonie
Madagascar

■ Langue maternelle
■ Langue officielle
□ Langue pratiquée

1. Sénégal	**6.** Bénin
2. Guinée	**7.** Cameroun
3. Côte-d'Ivoire	**8.** Guinée-Équatoriale
4. Burkina Faso	**9.** Gabon
5. Togo	**10.** Congo

> « Le mal se fait sans effort, naturellement, par fatalité ;
> le bien est toujours le produit d'un art. »,
> Charles Baudelaire

B1.2 **145. Synthèse – Voyage à Nice**

★★

ⓐ Complétez le texte avec les prépositions (1) et avec les contractions (2) qui conviennent.

(1)   dans   sur   de   pour   au milieu de   en   à   chez

vers   après   par   au-dessus

(2)   des   du   au   aux

1ᵉʳ JOUR

Nous partirons .... plus près de .... vous ....
un autocar .... grand tourisme équipé ....
toilettes .... voyager .... la vallée du Rhône
et .... la Côte d'Azur, déjeuner libre .... cours
de route. L'après-midi, nous continuerons ...... direction
de Cannes et Nice. Nous nous arrêterons .... Biot
.... visiter une verrerie et .... admirer le travail des souffleurs de verre.
Nous arriverons .... Gilette .... "Domaine de l'Olivaie" .... fin
d'après-midi. Nous nous installerons .... le dîner et la soirée d'accueil.

2ᵉ JOUR

Petit-déjeuner et départ .... Saint-Paul-de-Vence, la cité des artistes. Vous
apprécierez les charmes de ce bourg médiéval, fortifié, vigie .... des orangers
et des cyprès du paisible pays de Vence où vécurent, ... les années 1920, les
célèbres peintres Signac, Modigliani, Bonnard et Soutine. .... le repas, après-midi
libre ou, en option, excursion .... Vallauris et Cannes. En début d'après-midi :
départ .... Vallauris, le village .... potiers, visite .... un atelier.
Continuation .... Cannes et sa Croisette, au pays des pierres précieuses,
essences rares, palmiers et grands hôtels. Dîner et logement .... village.

3ᵉ JOUR

Petit-déjeuner et journée libre .... pension complète .... village, ou,
.... option, excursion d'une journée .... Monaco ; le matin, vous visiterez
le musée océanographique, puis vous assisterez .... la relève de la garde du
palais Princier. Déjeuner et temps libre .... compléter votre visite ....
Rocher. .... d'après-midi, retour .... Èze .... les Corniches. Arrêt
et visite d'une parfumerie. Dîner et logement au village.

4ᵉ JOUR

Petit-déjeuner et départ .... Nice. Promenade .... la vieille ville ....
admirer le marché .... fleurs et flâner selon votre gré. Déjeuner ....
village et, ... le repas, départ .... la région lyonnaise .... l'autoroute.

ⓑ Préparez, vous aussi, le programme d'un voyage organisé de quelques jours dans un lieu de votre choix : une région que vous aimez particulièrement, la planète Mars, un lieu imaginaire. Tout est possible !

146. Synthèse – Tourisme

a Soulignez les prépositions dans les deux publicités rédactionnelles ci-dessous.

❶ HAWAÏ ET POLYNÉSIE : BIENVENUE AU PARADIS

Les plus belles îles de Polynésie sont au cœur d'une magnifique croisière en compagnie d'Olivier de Kersauzon, navigateur d'exception.

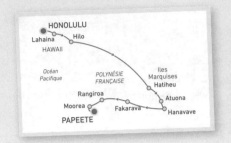

À bord du *Ponant*, 132 cabines, vous commencerez votre croisière par trois jours à Hawaï, dans des conditions de confort exceptionnelles. Ensuite vous mettrez le cap sur les îles Marquises, sur les pas de Jacques Brel et de Paul Gauguin. En particulier sur l'île de Hiva Oa, un éden aux yeux de ces deux grands artistes. Le surlendemain vous explorerez l'atoll de Fakarava, en plein cœur du Pacifique. Son lagon de 1 000 km² réserve de biosphère de l'Unesco, exerça sa fascination sur le peintre Matisse. Vous tomberez sous le charme. À Rangirora, l'un des plus beaux sites de plongée au monde pour le commandant Cousteau, vous serez ébloui aussi en raison de la splendeur de la faune sous-marine. Tout au long de ce périple, vous pourrez goûter à l'incomparable douceur de vivre de ces îles. Comme le disait Brel : « Le temps s'immobilise aux Marquises. »

❷ LE FESTIVAL DE GAVARNIE (PYRÉNÉES)

D'abord, il y a le décor, celui du Cirque de Gavarnie, un site à la beauté étourdissante inscrit au Patrimoine mondial par l'Unesco. Cette prodigieuse muraille de 1 700 mètres de hauteur et de 14 kilomètres de circonférence, au centre du parc national des Pyrénées, est encadrée par un cortège de 16 sommets de plus de 3 000 mètres. Vous serez sidéré. Ensuite il y a le spectacle de théâtre installé chaque année au pied de ce colosse de la nature. Les scénographies spécialement conçues pour le lieu sont amplifiées par la magie du relief. Après une demi-heure de marche, le spectateur se retrouve plongé au cœur de la nature, sur une scène à ciel ouvert, sous les étoiles. Le retour au village se fait à la lueur des flambeaux, à pied ou à dos d'âne… Souvenirs garantis pour la vie.

Cirque de Gavarnie

ⓑ Imaginez un dialogue entre Virginie et Christophe à propos de leurs futures vacances, en reprenant les informations et les prépositions dans les publicités (n'expliquez pas tout dès le début pour que l'autre ait des questions à poser).

Exemple :
– J'ai trouvé une super idée de vacances dans les Pyrénées.
– Et moi dans le Pacifique !
– Aucune comparaison pour les prix. Imagine… Voyons voir… Commençons par ton idée…

ⓒ Rédigez une publicité attractive pour un lieu ou un circuit que vous connaissez. Consultez les tableaux pp. 113-115.

Prépositions et localisation

B1.2
★★

B2.1
★★★

147. Prépositions composées – Tourisme Porto Vecchio

ⓐ Associez les éléments de la première et de la deuxième colonne (verbe + préposition sur la même ligne) avec les éléments de la troisième colonne.

Exemple : **1.** + **a.** → arriver au cœur d'un golfe protégé des vents

LE TOURISME À PORTO VECCHIO

1. arriver	au cœur d'	a. un golfe protégé des vents
2. s'installer	au bord d'	b. pins centenaires
3. marcher	le long d'	c. la nuit des étoiles
4. plonger	au sein d'	d. parasols
5. s'endormir	au dessous de	e. une eau turquoise
6. déjeuner	à la terrasse de	f. la vieille ville
7. se promener	à l'intérieur de	g. une plage de sable blanc
8. se désaltérer	à l'ombre des	h. produits locaux
9. explorer le marché	à la découverte des	i. soleil
10. faire la fête	dans le circuit des	j. Morphée (dieu grec du sommeil)
11. danser en plein air	à l'occasion de	k. restaurants de la plage
12. se coucher	au lever du	l. bars à tapas
13. s'endormir à l'aube	dans les bras de	m. une lagune tranquille

ⓑ À présent, associez librement les trois colonnes : verbe au choix + préposition au choix + complément au choix. Respectez bien les contraintes de sens et de syntaxe : toutes les constructions ne sont pas possibles.

ⓒ Continuez en expression libre. Décrivez les charmes d'un lieu touristique (ou autre) que vous connaissez pour donner envie d'y aller. Utilisez des prépositions composées selon le même principe : on peut dormir à l'abri des pins / à l'ombre des pins / à l'intérieur du château / à l'arrière du parc / à l'avant du bateau, etc.

148. Localisation

a Ce dessin représente la situation du village de Justin Ledoux (élève de CM2). Relevez les prépositions dans les phrases qui commentent le dessin.

b Sur le modèle de ce dessin, faites vous aussi le dessin commenté de votre village ou de votre quartier.

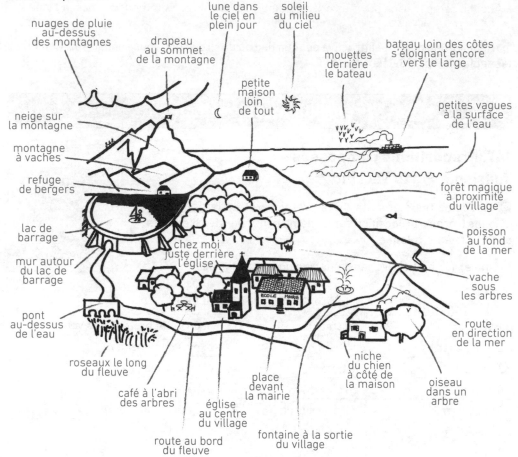

nuages de pluie au-dessus des montagnes

lune dans le ciel en plein jour

soleil au milieu du ciel

drapeau au sommet de la montagne

mouettes derrière le bateau

bateau loin des côtes s'éloignant encore vers le large

petite maison loin de tout

petites vagues à la surface de l'eau

neige sur la montagne

montagne à vaches

refuge de bergers

forêt magique à proximité du village

lac de barrage

chez moi juste derrière l'église

poisson au fond de la mer

mur autour du lac de barrage

vache sous les arbres

pont au-dessus de l'eau

route en direction de la mer

roseaux le long du fleuve

niche du chien à côté de la maison

oiseau dans un arbre

café à l'abri des arbres

place devant la mairie

église au centre du village

route au bord du fleuve

fontaine à la sortie du village

 BOÎTE À OUTILS

Pour décrire la situation d'un objet dans un lieu, vous pouvez utiliser :		
Dans, derrière, devant, sous, sur, vers...	le la l'	lit fenêtre armoire
Entre	les	fenêtres
Loin, près **À l'arrière, à l'avant, à côté, à proximité.** **Au bas, au-dedans, au-dehors, au-dessus, au-dessous** **Au centre, au milieu, au bord** **En bas, en dehors, en face, en haut, en travers** **Le long**	du de la des	placard porte rayonnages

B1.1
★

149. La localisation des objets (de l'espace)

Placez dans l'appartement dont le plan se trouve ci-dessous tout ou partie des objets suivants et expliquez où vous les placez et pourquoi.

Exemple : Dans la maison, presque au centre de la salle à manger, se trouve un piano. Au-dessus du canapé, le long du mur droit, on peut voir un grand tableau où il y a une dame qui sourit et, au-dessus d'elle, des anges qui dansent. À côté du piano, un grand fauteuil avec, sur le siège, un chat endormi...

LES OBJETS DE LA MAISON

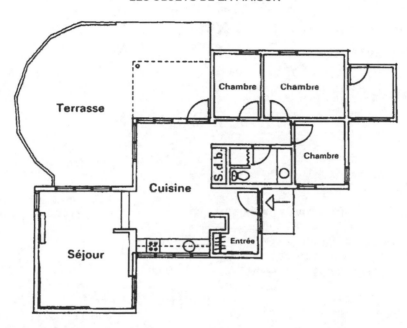

A. Arbustes, aspirateur, aquarium, annuaire.

B. Banc, bureau, bougeoirs.

C. Chaîne hi-fi, congélateurs, cadres.

D. Divan, disques.

E. Évier, échelle, étagères.

F. Fauteuils, frigo, fleurs fraîches, four.

G. Géranium.

H. Haltères, hortensia en pot.

I. Icône, instruments de musique.

J. Jeux de cartes, journaux, journal intime, jouets.

K. Kimono, kangourou en peluche.

L. Lampe de chevet, livres, lave-linge, lecteur DVD, lustre.

M. Miroirs, magnétoscope.

N. Niche du chien.

O. Ordinateur, outils.

P. Piscine pour enfants, piano, plateau.

Q. Quilles (jeu de).

R. Radio, rideaux, rasoir, robot ménager.

S. Statuette, spots, suspension.

T. Téléviseur, tables, tapis, tabouret, téléphone.

U. Ustensiles de cuisine.

V. Vaisselier, vêtements, vaisselle.

W. Whisky, wagons du train électrique.

X. Xylophone.

Y. Yaourts.

Z. Zèbre en peluche.

Évaluation approximative d'une distance, d'une quantité, d'une durée, etc.
(+ cas spéciaux, comparaison, recours)

	Espace	Temps	Quantité	Comparaison	Recours
Près de	✗ à côté de	✗ presque	✗		
Auprès de	✗ tout à côté de			✗	✗
À proximité de	✗				
Pas loin de	✗	✗ presque	✗		
Aux environs de	✗ du côté	✗ à peu près	✗		
Aux alentours de	✗ dans la région de	✗ à peu près	✗		
Pas trop loin de	✗				
Pas tout près de	✗ assez loin de				
Loin de	✗	✗	✗		

Espace

Il y a une boulangerie **près de** chez lui.
Sa mère vit **auprès de** lui.
Il habite **à proximité** d'un village.
Ils ont déménagé **aux environs de** Grenoble.
Il habite **loin de** ses enfants.

Comparaison

Ce roman est mauvais
auprès du précédent.

Quantité

Cela coûte   **près de** 1 000 €.
             pas loin de 1 000 €.
             aux environs de 1 000 €.
             aux alentours de 1 000 €.
Cette somme **est loin** d'être suffisante.

Temps

Il est   **près de** cinq heures.
            pas loin de cinq heures.
Il a   **près de** quarante ans.
            pas loin de quarante ans.
Ils ne sont **pas près de** finir.
            sont loin de finir.

Recours

Il se plaint toujours **auprès du** patron.
Il a fait toutes les démarches **auprès
des** institutions.

Espace

Il y a une boulangerie **près de** chez lui.
Sa mère vit **auprès de** lui.
Il habite **à proximité** d'un village.
Ils ont déménagé **aux environs de** Grenoble.
Il habite **loin de** ses enfants.

B1.2
★★

150. Synthèses expression de la localisation – Héritage

Situation : Vous venez d'hériter de votre grand-père **un vaste espace de 200 m²**. Vous pouvez en faire ce que vous voulez : appartement luxueux, galerie de peinture, salle omnisports...

En groupe, décidez de l'utilisation de cet espace (situation dans la ville, environnement extérieur direct, plan, aménagement intérieur, etc.). Puis proposez votre projet, plan à l'appui, et commentez-le à l'aide des prépositions suivantes :

> près de   auprès de   à proximité de   pas loin de
>
> aux environs de   aux alentours de   loin de

Toutes ces prépositions peuvent exprimer la situation dans l'espace, avec des nuances différentes. Certaines d'entre elles peuvent aussi exprimer le temps et la quantité. Consultez le tableau de la boîte à outils p. 128 avant de faire l'exercice.

B1.2
★★

151. Expression de la localisation – Grenoble, Alpes

Complétez avec la préposition qui convient parmi les suivants :

> près de   auprès de   à proximité de   pas loin de
>
> aux environs de   aux alentours de   loin de

– Il y a .... trois mois que je n'ai pas vu Martin.

– Normal, il a quitté Paris. Il vit maintenant .... sa mère, quelque part .... Grenoble.

– Il est content ?

– Ravi ! Tu parles, c'est une région formidable : .... brumes du Nord, ... l'Italie, ... la mer, ... stations de ski. La nature est tout .... la ville.

– Quelle chance il a ! .... la vie parisienne, c'est incroyable ! Ça fait longtemps qu'il est parti ?

– Ça fait .... deux mois maintenant et il se plaît tellement là-bas qu'il n'est pas .... de revenir !

– J'aimerais bien, moi aussi, trouver une maison .... une petite ville.

– Une petite ville, c'est vite dit. L'agglomération grenobloise compte quand même .... 450 000 habitants.

– C'est .... d'être petit, en effet.

– Bah, j'irai le voir. J'ai quelques jours de vacances à prendre .... du 30 mai.

– Et si on allait faire de la randonnée dans une station .... Grenoble ?

« La vie humaine commence de l'autre côté du désespoir. » Jean-Paul Sartre

L'ESSENTIEL SUR...

● Prépositions « à », « de », « en »

Les prépositions « à », « de » et « en » sont très fréquentes parce qu'elles sont utilisées pour exprimer de nombreuses notions regroupes dans le tableau suivant.

	À	De	En
Matières (fait de)		un sac **de** cuir	un sac **en** toile
Valeur	un journal **à** 2 €	un billet **de** 20 € un chèque **de** 100 € une robe **de** prix	un chèque **en** euros
Contenu (plein de)		une tasse **de** café	
Composants 1. fait de		une villa **de** 6 pièces	
2. avec	un gâteau **au** chocolat		
3. qui fonctionne avec	un bateau **à** moteur une lampe **à** huile		
Usage 1. fait pour	un verre **à** vin une machine **à** écrire une salle **à** manger		
2. utilisé dans certaines circonstances		une salle **de** bains un pantalon **de** ski des lunettes **de** soleil	
Appartenance 1. possession	Ce livre est **à** Marc.	C'est le livre **de** Marc.	
2. origine		Il est **de** mère indienne. Elle est **du** Maghreb.	
Lieu 1. de séjour	Il habite **à** Rome. Il est **au** Kenya.		Elle est **en** France, **en** Provence.
2. de destination	Il va **à** Prague.		Il se rend **en** Turquie.
3. de départ		Il vient **de** Londres. Il part **des** États-Unis.	
Temps 1. heure	Venez **à** 9 heures.		
2. limites	Le magasin est ouvert **de** 9 **à** 19 h, **du** lundi **au** samedi, **de** janvier **à** novembre.		
3. moment	Il vient de partir **à** l'instant. Nous partirons **à** l'aube.	Nous partirons **de** bonne heure. Nous voyagerons **de** jour (**de** nuit).	Je l'ai rencontré **en** revenant de la piscine (gérondif).
4. durée			J'ai cousu cette robe **en** une heure.
5. mois	**au** mois de juin		**en** juin
6. saison	**à** l'automne, **au** printemps		**en** été, **en** hiver

7. année			*en* 1991
Moyen 1. avec quoi	tapé **à** la machine fait **à** la main		

2. avec quel moyen
de transport
	venir **à** pied, **à** cheval,
	   à bicyclette, **à** moto
			venir **en** train,
			   en bateau, **en** avion

Manière 1. comment 2. qualification	parler **à** voix basse C'est facile **à** faire.	Je le voyais **de** dos.	Il était **en** pantalon. Elle était **en** larmes.

Cause
déduction
	À être agressif de
	   la sorte, il doit
	   avoir de nombreux
	   ennemis (litt.)
	À (voir) sa tête on
	   comprend qu'il est
	   triste.
		crier **de** douleur
		mourir **de** peur
			En étant si souvent
			   agressif, il ne se
			   fait pas que des
			   amis (litt. gérondif).

Aspect particulier
En ce qui concerne
		De formation, il est
		   linguiste mais **de**
		   goût, il est peintre.	

Prépositions « à », « de », « en »

B1.1
★

152. Adjectif + à + infinitif

Écrivez sept phrases avec les éléments ci-dessous (dans certains cas, plusieurs combinaisons sont possibles) selon le modèle suivant.

Exemple : **un exercice de français, c'est facile à faire.**

un piano   une escalade de nuit   une exposition   un livre   un enfant   un fruit

l'amour   dur   long   intéressant   bon   lourd   impossible   dangereux

élever   voir   lire   porter   écrire   faire   oublier   manger   expliquer

> « Rencontrer un homme, c'est être tenu en éveil par une énigme. »
> Emmanuel Levinas, philosophe

> « Un homme doit toujours vivre avec un pied dans le printemps. » Proverbe portugais

> « Les œuvres d'art sont toujours le fruit d'une expérience conduite jusqu'au bout,
> jusqu'où personne ne peut aller plus loin. » Rainer Maria Rilke, poète allemand

> « Il faut se laver les yeux entre chaque regard. » Kenji Mizoguchi, réalisateur japonais

★

153. À, de, en

Complétez les phrases suivantes avec à ou de ou en .

Maman, j'ai vu une robe .... soie, ... seulement 80 euros !

Et tu vas me demander un billet .... 100 euros pour l'acheter, c'est ça ?

Mais c'est une occasion .... ne pas manquer ! s'il te plaît.

C'est une robe .... été ? une robe .... bal ?

Une très belle robe .... soirée, ... pois roses !

Et tu veux porter ça quand ?

.... la fête d'anniversaire de Sylvain.

Sylvain est toujours .... jean !

Maman, tu n'imagines pas comme cette robe est belle. Elle est cousue .... la main.

Bientôt tu vas me dire qu'elle vient .... chez Dior !

Presque ! Elle est si jolie .... regarder.

Tu as ta robe .... coton, la bleue.

L'ourlet .... décolleté est déchiré.

Tu peux le réparer.

C'est plus facile .... dire qu'............ faire !

Achète-la .... crédit.

J'ai demandé, c'est impossible, mais 40 euros, tu n'as pas 40 euros .... me prêter, petite maman ? Je te les rendrai en juin.

Ça change tout. J'ai bien cru que tu allais pleurer .... désespoir pour avoir cet argent !

Tu vas voir quand je porte cette robe je suis .... beauté. C'est une robe .... faire tourner la tête .... tous les garçons .... la terre !

B1.2
★★

154. À, de – Devenir collectionneur

Complétez les phrases suivantes avec à ou de.

Étant suffisamment fortuné pour cela, vous avez pensé un jour .... acheter un tableau
.... maître ou .... investir dans une sculpture. Vous devez envisager ....
passer un long moment .... étudier le marché .... l'art avant de vous décider. Vous
devrez parler .... de nombreux spécialistes. Les tendances les plus .... la mode
ne sont pas forcément appréciées .... véritables professionnels. Prenez le temps : allez
.... Paris, ... New York, obtenez des renseignements .... galeristes. Certains
s'offriront .... vous guider. Suivre aveuglément leurs conseils vous exposerait ....
des mésaventures. Renoncer totalement .... leur aide ne vous permettrait pas ....
connaître suffisamment le milieu. À vous .... savoir faire preuve .... discerne-
ment. Il serait stupide .... acheter une toile .... peu .... valeur .... un
prix prohibitif. Vous ne serez prêt .... acheter intelligemment que lorsque vous saurez
distinguer un mauvais tableau .... un bon. Et surtout lorsque vous ne songerez plus
.... investir, mais .... apprécier réellement les œuvres. Une œuvre achetée sur
un coup .... foudre fait plus .... bien .... l'âme qu'une œuvre achetée ....
cause .... sa cote. Bien sûr, personne ne peut vous obliger .... devenir sensible
.... l'art. Alors achetez le tableau le plus cher .... la meilleure galerie, enfermez-le
dans un coffre-fort et interdisez ainsi .... quiconque .... le voir !

Prépositions diverses

B1.2
★★

155. En, dans – Matière, lieu, temps

Complétez les phrases suivantes avec la préposition qui convient.

1. Ce sac n'est pas .... cuir, il est .... plastique. – **2.** Ces chaussures sont coupées
.... un cuir très fin. – **3.** Je n'aime pas la campagne, je préfère habiter .... ville.
4. L'assassin se cache quelque part .... la ville, soyez prudents ! – **5.** Ils ont peur de
l'avion, ils ont préféré venir .... train. – **6.** Elle a perdu son sac de voyage .... le train.
7. Je travaille vite : votre appartement sera refait .... une semaine. – **8.** Ils ont été aussi
rapides que des professionnels, ils ont refait leur appartement ...... une semaine. – **9.** Il se met
toujours .... colère pour des riens. – **10.** Elle se met .... des états de nerfs impossibles pour trois fois rien. – **11.** Il a toujours de nombreux projets .... tête. – **12.** Depuis
hier, j'ai cet air .... la tête, ça m'agace ! – **13.** Celui-là, il remarque tout : il n'a vraiment pas
les yeux .... sa poche. – **14.** Il ne paie jamais son café, il n'a pas un sou .... poche.
15. Il s'était déguisé .... fantôme .... s'enroulant .... un drap. – **16.** Ils habitent
.... Croatie, ... une petite ville.

> « Ici la poésie se dégage toute seule et il suffit de se laisser aller au rêve
> en peignant pour la suggérer. » Paul Gauguin parlant des Marquises

> « Aucun homme n'a jamais vécu sans rêver les yeux ouverts. »
> Ernst Jünger, philosophe allemand

156. Prépositions diverses

Complétez les phrases suivantes par la préposition correcte.

1. Je finis .... travailler .... midi. **2.** .... quelle heure est-ce que tu sors .... cours ? – **3.** Cet enfant commence .... parler. – **4.** Dimanche nous allons .... Courchevel. – **5.** Nous partons .... Paris .... 8 h et nous allons être .... Grenoble .... 15 h. – **6.** Est-ce que vous venez .... acheter des gâteaux ? **7.** .... aller .... Annecy, je vais passer .... Lyon. **8.** Nous sommes .... décembre. **9.** .... deux semaines, c'est Noël. **10.** .... Grenoble .... Paris, il y a 600 km. – **11.** Il habite .... sixième étage .... ses parents. **12.** Attends, j'ai oublié mon sac .... ta voiture. – **13.** Nous partons .... nos amis .... faire du ski .... Val-d'Isère. **14.** Je viens .... la campagne .... voiture. – **15.** Il a invité Sylvie .... danser .... lui. – **16.** Ils vont faire le voyage .... deux heures. – **17.** Je fais du camping .... Paul : nous voyageons .... stop et nous dormons .... la tente. – **18.** Pierre et Hélène viennent .... arriver .... Berlin ce matin. – **19.** Je suis .... France depuis deux mois et après je vais aller .... Angleterre .... États-Unis, ... Venezuela et .... Brésil. – **20.** Mettez votre manteau .... laine rouge avec votre robe .... soie noire. **21.** Il veut boire une bonne tasse .... café. – **22.** Nous voulons un kilo .... cerises .... 3,50€. – **23.** .... son anniversaire, on va lui offrir des tasses .... café. – **24.** Elle va venir .... cheval. – **25.** Elle est très contente .... sa nouvelle voiture. – **26.** Dépêche-toi, nous allons être .... retard et arriver .... eux. **27.** Tu as une bibliothèque pleine .... livres intéressants. – **28.** .... hiver, il y a .... la neige .... les montagnes.

157. Prépositions (simples)

Complétez les phrases suivantes en enchaînant avec une préposition + complément. Faites trois fins de phrases pour chaque exemple proposé.

<u>Exemple :</u> Ils sont allés courir dans le parc avec leurs amis. **→ pour prendre l'air**

→ afin de promener leur chien

1. Ils se sont rencontrés ....

2. Elle a fabriqué des objets ....

3. Il a cuisiné ....

4. Les enfants ont fait un bonhomme de neige ....

5. Il a raté son permis de conduire ....

6. Ils ont redécoré tout l'appartement ......

158. Quelques constructions verbales

Les verbes peuvent souvent se construire avec diverses prépositions. Leur sens est chaque fois légèrement différent.

<u>Exemple :</u> **Elle se prépare / à sortir / pour la fête / en vue de l'examen.**

Faites des phrases en associant les verbes suivis de leurs prépositions de la colonne 1 avec les expressions de la colonne 2.

MARCHER

1. Cette voiture hybride marche à •   • **a.** la flaque d'eau.

2. Méfie-toi, il marcherait sur •   • **b.** merveille.

3. Le dimanche, il marche avec •   • **c.** pas de géants.

4. Annie et François, ça marche à •   • **d.** l'essence et l'électricité.

5. Mon patron n'a pas marché dans •   • **e.** un groupe d'amis.

6. Attention ! ne marche pas dans •   • **f.** mon histoire de retard. Dommage !

7. J'ai du mal à le suivre. Il marche toujours à •   • **g.** les pieds de n'importe qui.

S'HABILLER

1. C'est un vrai gentleman : il s'habille toujours pour •   • **a.** plus de soin que d'habitude.

2. Pour le bal masqué, il s'est déguisé en •   • **b.** dîner, même quand il reste à la maison.

3. Elle a encore changé de style, maintenant elle s'habille à •   • **c.** King Kong.

4. Quand on a sonné, il s'est habillé en •   • **d.** comme l'as de pique

5. Pour ce rendez-vous, il s'est habillé avec •   • **e.** l'orientale.

6. Il est toujours habillé •   • **f.** toute hâte.

PARLER

1. Annie parle trop de •   • **a.** difficulté.

2. C'est drôle : mon frère parle quelquefois en •   • **b.** mon directeur. J'espère qu'elle ne fera pas de gaffe.

3. Depuis son accident, elle parle avec •   • **c.** clients !

4. C'est d'accord pour cette fois. Je te promets de parler pour •   • **d.** rêve, mais il ne se souvient de rien.

5. Mon Dieu ! Ma mère est en train de parler avec •   • **e.** ses problèmes. Elle commence à ennuyer tous ses amis.

6. Mais si, vous me dérangez ! Vous voyez bien que je parle aux •   • **f.** toi. Mais je ne le ferai qu'une fois.

159. Prépositions diverses

Complétez les phrases suivantes avec une préposition.

DEMANDER

1. Comme il était malade, il a demandé .... partir. – **2.** Il ne sait rien demander .... crier. – **3.** Elle le lui a demandé .... anglais. – **4.** Comment le patron a demandé ça ? Oh, ... fermeté, comme d'habitude. – **5.** Il nous a demandé .... rester travailler après sept heures aujourd'hui. – **6.** Elle lui a demandé .... rapporter du pain .... criant.

POUSSER

1. Les policiers ont poussé les malfaiteurs .... le mur pour les fouiller. – **2.** La foule était si nombreuse que les premiers rangs ont été poussés .... avant. – **3.** Cette chute est anormale. On l'a probablement poussé .... la fenêtre. – **4.** Tous les pêcheurs ont aidé à pousser le bateau .... le large. – **5.** Sa mère la pousse .... être médecin, mais elle veut être actrice. – **6.** Cet enfant est insupportable ! Il me pousse .... bout ! – **7.** La voiture était très lourde et les trois hommes la poussaient .... difficulté.

Synthèse générale

160. Synthèse

a Soulignez les prépositions présentes dans chaque phrase du texte ci-dessous.

b Lisez ensuite le texte à haute voix pour vous imprégner de sa structure.

La minute zen

Sachez apprécier la plénitude de la vie en vous et autour de vous : la chaleur du soleil sur votre peau, le fruit succulent dans votre bouche, la lumière qui filtre à travers les nuages, la pluie qui ruisselle le long de votre nuque, la beauté du chiot qui court vers vous... Appréciez la dignité de la vieille dame qui marche avec lenteur et la vitalité du chaton qui joue jusqu'à l'épuisement.

c Continuez le texte avec d'autres suggestions pour vivre pleinement le moment présent, en utilisant des prépositions. Échangez-les avec les autres.

« Rencontrer un homme, c'est être tenu en éveil par une énigme. »
Emmanuel Levinas, philosophe

B1.2
★★

161. Synthèse

Complétez ce portrait avec les prépositions qui conviennent.

> ### PORTRAIT D'UN CLOCHARD
>
> C'était un vieil homme très mal habillé qui marchait .... la rue .... peine, ...
> un pas hésitant, presque .... la pointe des pieds. Il se dirigeait .... le métro où il
> voulait dormir. Il portait un chapeau .... la tête, des lunettes .... du nez, un journal
> .... le bras gauche et un gros sac .... la main droite. .... les doigts ....
> la main gauche, on pouvait apercevoir une orange qu'il tenait .... son poing serré.
> Il avait probablement acheté son pantalon .... bon marché, ... solde,
> Tati ; ou alors il l'avait trouvé .... une poubelle ou .... secours catholique. Son
> pauvre manteau, décousu .... bas, usé .... les fesses, était mal coupé ....
> un lainage mince, peut-être .... une petite couturière .... un mariage d'autrefois.
> Ses chaussures .... plastique .... mauvaise qualité tenaient .... des lacets
> .... ficelle. Elles étaient tachées .... le dessus, et trouées .... la semelle.
> C'était un vieil homme très fatigué et très seul.

B1.2
★★

162. Synthèse

a Notez toutes les prépositions utilisées dans la publicité pour le quotidien *Libé* qui dit que l'on peut lire ce journal dans de nombreux lieux ou situations.

> # Libération
>
> # PARTOUT !
>
> Dans la rue … Au bureau …
> Dans le bus … Aux toilettes …
> Dans une manif … À l'entracte …
> Sous un arbre … Chez le médecin …
> Dans le train … En vacances …
> Avant le ciné … Dans son lit …
> À un resto … En réu …
> En terrasse … Au marché …
> Sur un banc

b Vous avez un objet que vous emportez presque partout. Faites-nous une liste pour votre téléphone, votre tablette, votre médaille religieuse, votre alliance (ou autre).

163. Le périple de Joseph

Ce texte retrace le périple de Joseph, érythréen, arrivé en 2015 en France après un an et demi de tribulations.

Complétez le texte avec les prépositions prises dans la liste suivante ; certaines sont répétées et, dans certains contextes, plusieurs choix sont possibles.

(!) **ATTENTION :** si le nom de pays est complément d'objet direct du verbe qui le précède, il n'y a pas besoin de mettre de préposition. Soyez attentifs.

> à   aux   avec   à l'intérieur de   alors   après   à travers
> chez   d'   dans   du côté de   durant   en   en direction de
> jusqu'en   par   pendant   pour   sans   via

« Je voulais vraiment rester .... mon pays, mais j'étais .... danger. Je vivais .... la peur d'être arrêté, car j'étais surveillé. Mon crime ? Parler .... étrangers que je rencontrais .... leur vendant des chewing-gums…

Un jour, la police est passée .... ma mère .... me chercher et j'ai décidé de partir. C'était impossible d'obtenir un visa Schengen, alors, j'ai choisi l'Ouganda, un pays où nous pouvons aller .... visa. Marc, un Français, m'a aidé .... acheter le passeport et le billet .... Kampala .... Le Caire. Là-bas, j'ai cherché .... huit mois une façon .... aller .... France. J'ai réussi .... rejoindre .... la Grèce .... passant .... la Turquie, mais non .... mal. J'ai été arrêté deux fois .... côté grec et renvoyé .... Istanbul. Finalement, ... d'autres réfugiés, on a passé la frontière albanaise. Nous sommes restés bloqués .... trois mois .... des conditions terribles, ... quoi, j'ai rencontré une Syrienne qui partait .... le Monténégro .... des passeurs soudanais. J'ai porté ses valises .... les montagnes. .... trois jours .... Monténégro, nous sommes montés .... trente .... une camionnette .... direction .... l'Italie. J'étais si malade .... l'arrivée qu'on m'a transporté .... urgences. Marc est venu me chercher .... voiture et, ... un an .... périple, je suis enfin arrivé .... Marseille. Tout cela a coûté 18 000 euros, financés .... Marc. .... lui, je n'aurais jamais réussi .... arriver .... bout. Aujourd'hui, je suis .... attente du statut .... réfugié, ... garantie .... l'avoir. »

**« Les statistiques sont formelles :
il y a de plus en plus d'étrangers dans le monde. »**

Campagne Cimade

> « Les migrations constituent depuis toujours un fait historique naturel, complexe, certes, mais qui, loin d'être une calamité pour les pays de résidence, constituent un apport économique, social et culturel inestimable. »
> Charte mondiale des migrants proclamée à Gorée (Sénégal, février 2011)

L'interrogation se caractérise par la présence d'un point d'interrogation à la fin de la phrase. Poser une question peut se faire de trois façons : par l'intonation (à l'oral), avec l'aide de « est-ce que » et à un niveau de langue plus soutenu (plutôt à l'écrit) par l'inversion du sujet (nom repris par un pronom) par rapport au verbe.

● La question sans adverbe, pronom ni adjectif interrogatif

	pronom personnel Sujet : ce on	Sujet : groupe nominal
Question avec intonation (très fréquente en français parlé)	*Tu es arrivé hier* **?** *C'est terminé* **?** *On a sonné* **?**	*Ta petite fille est ici* **?** *Monsieur Dufour viendra* **?**
Question avec est-ce que	**Est-ce que** *tu es arrivé hier ?* **Est-ce que** *c'est fini ?* **Est-ce qu'**on a sonné ?	**Est-ce que** *ta petite fille est ici ?* **Est-ce que** *monsieur Dufour viendra ?*
Question avec inversion simple du sujet	**Es-tu** *arrivé hier ?* **Est-ce** *fini ?* **A-t-on** *sonné ?*	(impossible)
Question avec inversion complexe du sujet	(impossible)	*Ta petite fille* **est-elle** *ici ?* *M. Dufour* **viendra-t-il** *?*

● La question avec adverbe, pronom ou adjectif interrogatif

• **Questions introduites par un adverbe interrogatif, un pronom ou un adjectif précédé d'une préposition**

	Mot interrogatif à la fin de la phrase			
Question dans le langage familier	*Vous viendrez* **quand** *?* *Elle s'adressera* **à qui** *?* *Alain ira* **où** *?*			
	Mot interrogatif + EST-CE QUE + sujet + groupe verbal			
Mot interrogatif + est-ce que dans la langue courante	*Où* *De qui* *À quoi*	*est-ce que*	*ton frère* *vous* *les enfants*	*habite ?* *avez parlé ?* *jouent ?*

Mot interrogatif + inversion du sujet	*Si le sujet est un pronom personnel ou « ce » ou « on », il y a inversion simple.*	*Si le sujet est un groupe nominal, il y a inversion simple ou complexe.*
	Pourquoi *vient-**il** ?* ***Comment*** *est-**ce** arrivé ?* ***De qui*** *avez-**vous** parlé ?*	***Où*** *vit **Anne** ?* ***Où Anne*** *vit-**elle** ?* ***De quoi*** *parlent **les élèves** ?* ***De quoi les élèves*** *parlent-**ils** ?*

● **Questions introduites par un pronom interrogatif sans préposition**

	Qui ? / Qui est-ce qui ? (sujet)	Qui ? / Qui est-ce que ? (objet direct ou attribut)
Personnes	***Qui*** *viendra avec nous ?* ***Qui est-ce qui*** *viendra avec toi ?*	***Qui*** *avez-vous vu ?* ***Qui est-ce que*** *vous avez vu ?* ***Qui*** *ton ami attend-il ?* ***Qui est-ce que*** *ton ami attend ?* *Ton ami attend **qui** ?* ***Qui*** *sont ces personnes ?*

	Qu'est-ce qui ? (sujet)	Que ? / Qu'est-ce que ? (objet direct ou attribut)
Choses	***Qu'est-ce qui*** *t'arrive ?*	***Que*** *font tes parents ?* ***Qu'est-ce que*** *font tes parents ?* ***Qu'est-ce que*** *c'est ?*

	Lequel		
		Singulier	Pluriel
Personnes ou choses déjà citées	Masculin	*Regardez ces journaux.* ***Lequel*** *préférez-vous ?* ***Lequel*** *est-ce que vous préférez ?* ***Lequel*** *vous préférez ?* *Vous préférez **lequel** ?*	*On passe plusieurs films.* ***Lesquels*** *voulez-vous voir ?* ***Lesquels*** *vous voulez voir ?* *Vous voulez voir **lesquels** ?* ***Lesquels*** *est-ce que vous voulez voir ?*
	Féminin	*Voici des tartes.* ***Laquelle*** *veux-tu ?* ***Laquelle*** *est-ce que tu veux ?* ***Laquelle*** *tu veux ?*	*J'ai acheté beaucoup de fleurs.* ***Lesquelles*** *sont les plus jolies ?*

● **Questions introduites par un adjectif interrogatif sans préposition**

		Quel	
		Singulier	Pluriel
Personnes ou choses	Masculin	***Quel*** *livre me conseilles-tu ?* *Tu me conseilles **quel** livre ?*	***Quels*** *films passent en ce moment ?*
	Féminin	***Quelle*** *émission veux-tu regarder ?* *Tu veux regarder **quelle** émission ?*	***Quelles*** *voitures préfères-tu ?* *Tu préfères **quelles** voitures ?*

⊕ Activité de repérage 11

Observez attentivement les questions ci-dessous et répondez aux questions suivantes.

ⓐ Quelle est la situation et quel est le registre de langue utilisé pour chacun de ces groupes de questions ?

ⓑ Quels sont les différentes structures et outils grammaticaux utilisés pour former ces questions ?

---

1. Tu m'aimeras toujours quand je serai grand ?

2. À quoi servent les étoiles ?

3. Comment on fait pour construire une fusée ?

4. Quelle est la distance de la terre à la lune ?

---

5. Ça ne va pas ?

6. Qu'est-ce qu'il y a ?

7. Est-ce que quelque chose te contrarie ?

8. Je peux faire quelque chose pour toi ?

---

9. Pourquoi vous n'avez pas encore fini ?

10. Rencontrez-vous des problèmes ?

11. Que comptez-vous faire pour avancer ?

12. De quelle façon puis-je vous aider ?

---

13. Tu fais quoi finalement ?

14. Tu viens ou tu viens pas ?

15. Qu'est-ce que tu attends ?

16. Tu boudes ou quoi ?

17. Téoù ? là ?

---

18. Qui sommes-nous ?

19. D'où venons-nous ?

20. Où allons-nous

21. La vie a-t-elle un sens ?

---

22. Pourquoi cette peur de l'immigration ?

23. Quelle réforme pour l'école ?

24. Que faire de la colère ?

---

25. Pouvons-nous préserver notre modèle social ?

26. Doit-on changer les paroles de *La Marseillaise* ?

27. Faut-il sortir du nucléaire ?

28. Y a-t-il encore un pilote dans l'avion ?

29. N'en avons-nous pas assez de ces inégalités ?

« Pourquoi faire simple quand on peut faire compliqué ? »
Devise des *Shadoks* (dessin animé)

« À quoi bon avoir tant d'argent si, à la fin, c'est pour mourir ? » Question d'enfant,

Différentes formes interrogatives

B1.1
★

164. Différentes formes interrogatives

Mettez les phrases à la forme interrogative en utilisant trois formes différentes.

1. Il est venu avec ses parents. – **2.** Les étudiants sont arrivés en retard. – **3.** Ces voitures sont très chères. – **4.** Les enfants ont regardé un dessin animé. – **5.** Ces livres sont très intéressants. **6.** Vous avez pris l'autobus. – **7.** Elles les ont tous vus. – **8.** La cathédrale a été restaurée. **9.** Votre mari est allé à la pêche. – **10.** Les jeunes aiment faire de la bicyclette. – **11.** La maison est située en dehors de la ville. – **12.** Il y en a beaucoup.

B1.1
★

165. Questions perdues

Trouvez les questions correspondant aux réponses données.

1. J'ai seulement une fille.

2. Je ne pense pas pouvoir venir.

3. Ils arriveront dans trois jours.

4. Nous viendrons en voiture.

5. Ils n'ont pas pu venir parce qu'ils étaient malades.

6. Elle est allée à la Zumba* avec Océane. (*Danse brésilienne très dynamique)

7. Elle a fait ce tableau avec des morceaux de tissus collés sur du papier.

8. Je vais prendre la robe rouge.

Questions introduites par un mot interrogatif

B1.1
★

166. Qui est-ce qui ? Qui est-ce que ?

Trouvez la question correspondant à chacune des réponses, en utilisant « qui est-ce qui ? » ou « qui est-ce que ? ».

1. C'est Tarek qui a fait ce programme.

2. Hier soir ? J'ai rencontré Véronique et Patrick.

3. Je suis sûre que c'est Vanessa. Elle oublie toujours ses lunettes.

4. Daniel. Son tableau est joli, n'est-ce pas ?

5. Nous avons emmené les enfants et un de leurs copains.

6. Elles ont invité Thierry, Hélène et Catherine.

B1.1
★

167. Qu'est-ce qui ? Qu'est-ce que ?

Trouvez la question correspondant à chacune des réponses, en utilisant « qu'est-ce qui ? » ou « qu'est-ce que ? ».

1. Je ne sais pas très bien, mais je crois qu'il a eu un petit malaise.

2. J'ai visité le viaduc de Millau et le musée Soulages.

3. Il ne s'est rien passé du tout, heureusement.

4. Il n'a rien répondu, il est parti.

5. Ce qui a cassé les branches ? C'est l'orage.

6. Le brouillard. Il provoque très souvent des accidents.

B1.1
★

168. Qui ? Qui est-ce qui ? Qui est-ce que ? Que ? Qu'est-ce que ? Qu'est-ce qui ?

Complétez avec les mots interrogatifs qui conviennent.

1. Ce livre est très intéressant, ... te l'a offert ? – **2.** .... tu veux faire samedi soir ? – **3.** Je ne comprends pas bien, ... vous voulez dire dans cette phrase ? – **4.** .... a gagné la Coupe de France de football ? – **5.** Quand vous étudiiez à Paris, ... faisiez-vous le samedi et le dimanche ? – **6.** .... avez-vous vu samedi soir 25 novembre à 17 heures ? – **7.** .... vous avez rencontré ensuite à 20 h ? continue le policier. – **8.** Oh ! là, là ! il y a beaucoup de monde dans cette rue, ... se passe ? – **9.** Moi je prends une bière, et vous, ... prenez-vous ? – **10.** .... avez-vous rencontré, M. Lecomte ou Mme Jardin ?

B1.1
★

169. Quel, lequel, quelles, lesquelles, quelle, laquelle, quelles, lesquels

Complétez avec l'adjectif ou le pronom interrogatif qui convient (attention aux accords).

1. – J'aimerais bien faire un petit ciné. Tu viens avec moi ?
Pourquoi pas, ... film proposes-tu ?

2. – Je me suis décidé pour une voiture électrique finalement.
Tu deviens écolo ? .... vas-tu prendre ?

3. – Tu peux me passer des bouquins français ?
– Oui, j'en ai des tas. .... auteurs aimes-tu particulièrement ?

4. – Alors, ce pantalon, ça vient ? .... choisis-tu pour finir ?
– Je ne sais pas, ils sont tous trop bien.

5. – Tu as préparé toutes ces verrines pour l'apéro, c'est royal !
– Eh oui, ... veux-tu goûter d'abord ?

6. – Ça y est, j'ai passé tous les examens... ouf !
– .... t'ont semblé les plus difficiles ?

7. – Alors, on le fait, cet été, le tour des capitales européennes ?
– Absolument ? .... villes t'attirent en priorité ?

8. – Tu n'auras droit qu'à une question. Réfléchis bien !
– Malheur ! .... question pourrai-je bien inventer ?

9. – Pour .... raisons l'abbaye de Tournus est-elle célèbre ?
– Ça, c'est la question à mille euros !

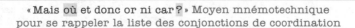

« **Mais où et donc or ni car ?** » Moyen mnémotechnique
pour se rappeler la liste des conjonctions de coordination

B1.2 **170. Association**
★★

Associez les questions à leurs réponses.

Liste des questions

1. Est-ce que tu veux venir avec nous ? •
2. Partez-vous bientôt ? •
3. Ton frère arrive-t-il jeudi ou samedi ? •
4. Faites-vous du ski ? •
5. Voulez-vous danser avec moi ? •
6. Préférez-vous voyager en train ou en avion ? •
7. Qu'est-ce que vous faites dans la vie ? •
8. Qu'est-ce que vos amis pensent de vous ? •
9. Qu'aimez-vous chez lui ? •
10. Que font vos parents ? •
11. Qui est-ce qui chante ? •
12. Qui a peur de Virginia Woolf ? •
13. Combien gagnez-vous ? •
14. Quand ferez-vous de la gymnastique ? •
15. Quand les hommes seront-ils raisonnables ? •
16. De quoi demain sera-t-il fait ? •
17. Pourquoi faut-il étudier ? •
18. Quel film choisir ? •
19. Où allons-nous ? •
20. Pourquoi ne vous inscrivez-vous pas au club ? •
21. Est-ce la fin de la crise ? •
22. À qui confierons-nous nos enfants ? •
23. Laquelle de ces voitures achèteriez-vous ? •
24. Avec qui voyagez-vous ? •

Liste des réponses

• **a.** Qui peut le savoir.
• **b.** Bientôt, il faut que je m'inscrive à un club.
• **c.** Sûrement pas encore.
• **d.** Volontiers, mais attention à vos pieds !
• **e.** Nous voudrions bien le savoir.
• **f.** Tout ce que j'aime !
• **g.** Où tu veux.
• **h.** Oui, avec plaisir.
• **i.** Personne.
• **j.** Avec ma famille.
• **k.** Pour avoir une formation.
• **l.** Pas assez.
• **m.** C'est une bonne idée, je vais le faire.
• **n.** Samedi, je crois.
• **o.** Va voir *Sils Maria*.
• **p.** Beaucoup de bien, j'espère.
• **q.** Tout.
• **r.** Sans doute jamais.
• **s.** Oui, la semaine prochaine.
• **t.** Oui, une fois par semaine.
• **u.** Ni l'un ni l'autre, je prends ma voiture.
• **v.** La moins chère.
• **w.** C'est mon mari, sous la douche.
• **x.** Ils sont à la retraite, ils voyagent.

1.	2.	3.	4.	5.	6.	7.	8.	9.	10.	11.	12.	13.	14.	15.	16.	17.	18	19	20.	21.	22.	23.	24.

Savoir poser des questions

B1.1
★

171. Savoir poser des questions

a Pour chaque élément donné, trouvez deux questions équivalentes.

1. Nom : ....
....
2. Prénom : ....
....
3. État civil : ....
....
4. Âge : ....
....
5. Lieu de naissance : ....
....
6. Adresse : ....
....
7. Taille : ....
....
8. Poids : ....
....
9. Langues parlées : ....
....
10. Profession : ....
....

b Un ou une inconnu(e) vous intéresse fortement et vous vous posez 10 000 questions sur lui ou elle ; en trente secondes vous aimeriez tout savoir...

1) Complétez les questions suivantes.

1. .... s'appelle-t-il ? – **2.** .... fait-il dans la vie ? – **3.** .... libre ou .... quelqu'un dans sa vie ? – **4.** .... habite-t-il ? .... fréquente-t-il ? – **5.** .... sont ses buts dans la vie ? – **6.** .... est-il vraiment ? – **7.** .... occupe-t-il ses loisirs ?

2) Fabriquez d'autres questions sur le même modèle pour en savoir plus sur les points suivants : âge, origine, enfance, activité professionnelle, revenus, loisirs, goûts, dégoûts, philosophie ou religion... Utilisez la structure d'inversion complexe et divers temps (passé composé, présent, futur).

3) Quand vous avez fini cette liste, posez toutes ces questions à quelqu'un qui connaît la personne qui vous intéresse. À l'oral, vous pouvez varier les structures d'interrogation.

B1.1
★

172. Questions indiscrètes avec mots interrogatifs

Écrivez les questions qui correspondent aux situations suivantes, en utilisant à chaque fois un mot interrogatif différent.

1. Cinq questions stupides à ne pas poser à un sportif.

2. Cinq questions méchantes à ne pas poser à un acteur.

3. Cinq questions méta-physiques que chacun peut se poser.

4. Cinq questions qu'un homme amoureux peut poser à la femme qu'il aime.

173. Titres de journaux sous forme de questions

a Observez les verbes et les structures utilisés pour formuler ces titres de journal.

PSYCHOLOGIE : PEUT-ON APPRENDRE À ÊTRE HEUREUX ?

**Social :
Faut-il reculer
l'âge de la retraite ?**

**Philosophie :
Qu'est-ce qu'être beau ?**

**EXPORTATION :
LA FRANCE A-T-ELLE LE VIN TRISTE ?**

Hymne national : Doit-on changer les paroles de *La Marseillaise* ?

b Reformulez les titres suivants en utilisant les verbes être, avoir, devoir, falloir, pouvoir (il y a quelquefois plusieurs possibilités).

**Infidélité : faut-il
tout dire à l'autre ?**

**AGRICULTURE : INTERDIRE LES OGM
(ORGANISMES GÉNÉTIQUEMENT MODIFIÉS) ?**

SANTÉ : UN LIEN ENTRE POLLUTION ET CANCER ?

**Alimentation :
arrêter les régimes ?**

**ÉCOLOGIE :
PRÊTS À RÉDUIRE
NOTRE CONSOMMATION D'ÉNERGIE ?**

ÉDUCATION : LAISSER FAIRE OU SÉVIR ?

c Trouvez le maximum de questions que chacun peut se poser à propos de la pollution, l'éducation, le féminisme, le mariage pour tous.

d Relisez les exemples 18 à 29 de l'activité de repérage 11, puis composez le sommaire de votre propre journal : celui de la classe, de l'immeuble, de la commune ou de votre pays ; d'un magazine pour femmes, hommes, enfants, amateurs de lecture...

BOÎTE À OUTILS

Pour décrire un événement, les journalistes essaient de répondre aux questions-clés suivantes :
Qui / a fait (subi) Quoi / Où / Quand / Pourquoi / Dans quel but / Avec quelles conséquences ?
Les éléments inconnus ou secondaires ne sont pas toujours signalés.

174. Divers mots interrogatifs – Questionnaires

Avant de foncer pour approfondir ses connaissances, élaborer une pensée, prendre une décision, agir, il faut se poser des questions.

Exemple : **les questions de base d'un psychothérapeute à propos d'un nouveau patient : comment vit-il ? A-t-il des amis, un entourage qui le soutient et sinon pourquoi ? Où en est-il professionnellement ? A-t-il des soucis de santé ? Est-il créatif ?**

B1.1
★

a Cet étudiant réfléchit à une orientation professionnelle et doit choisir une filière d'études. Il se pose de nombreuses questions. Complétez les questions avec les éléments suivants.

ai-je   cette université   combien   quel   quels   qu'est-ce   où   y a-t-il   qui

1. .... qui m'intéresse vraiment ?
2. .... métier ai-je envie d'avoir ?
3. .... puis-je me renseigner ?
4. .... peut me conseiller ?
5. .... est-elle réputée ?
6. .... un mooc sur ce sujet ?
7. .... cela coûte-t-il ?
8. .... sont les critères d'entrée ?
9. .... le niveau ?

B1.2
★★

b Détaillez les questions de a).

Exemple : pour la question 3. : « Où puis-je me renseigner ? »
Vais-je tout trouver sur Internet ? Dois-je prendre un rendez-vous et avec qui ? À qui dans mon entourage puis-je demander de l'aide ?

B2.1
★★★

c À partir des sujets ci-dessous, élaborez la liste des questions à se poser avant de prendre un nouvel emploi dans une autre région. Certaines questions seront au présent (état des lieux) d'autres au futur (actions à venir) Utilisez la forme avec inversion. Variez les sujets (je, ma femme/mon mari, les enfants, l'entreprise). Variez les verbes (il y a, pouvoir, devoir, falloir, avoir, être, etc.).

Santé économique et valeur de l'entreprise ?

Ambiance et possibilité de progression ?

Salaire et progression de carrière, avantages ?

Déplacements ?

Temps libre, vacances ?

Équipement de la région : écoles et universités.

Possibilités d'emploi pour le conjoint, transports, climat, qualité de vie ?

B2.1
★★★

d Construisez à présent d'autres questionnaires pour tout savoir sur vos ancêtres, l'histoire d'un pays, les actions d'un héros dans une histoire qu'on vous raconte, les habitudes d'un animal mystérieux, etc.

« Si on ajoute du bonheur au bonheur, ça donne plus de bonheur ? »
Agnès Varda, dans le film *Le bonheur*

175. Qui a fait quoi, où, quand, comment, pourquoi ?

a Lisez les trois entrefilets ci-dessous et notez à quelles questions chacun d'entre eux répond ou ne répond pas.

Exemple : pour le texte **1.** : **Qui ?** la tempête Jonas.

Texte 1. Tempête de neige historique aux États-Unis

La tempête de neige baptisée Jonas, qui a balayé la côte est des États-Unis et paralysé plusieurs villes, a fait au moins 25 morts. La neige est tombée sans discontinuer durant trente-six heures jusque dans la nuit de samedi 23 à dimanche 24 janvier. À New York, le record a été battu (67 cm de neige tombée en une journée à Central park), de même qu'à Washington, couverte de 56 cm de neige. *Libération*, 02/02/16

Texte 2. Braquer un Quick et finir en cabane

Trois hommes de 30 à 36 ans ont été condamnés, jeudi, à sept et huit ans de prison pour le braquage, en 2013, d'un Quick à Coignières (Yvelines) afin de permettre à l'un d'eux de financer un voyage au Moyen Orient (*Libération* du 22 janvier). Les peines sont conformes aux réquisitions du parquet, et le tribunal correctionnel les a assorties d'une période de sûreté des deux tiers. Un quatrième prévenu, qui avait fourni un couteau et un pistolet à billes, a été condamné à quatre ans de prison, dont la moitié avec sursis. *Libération*, 02/02/16

Texte 3. Incendie criminel en Corse

La mairie et l'école primaire du village de montagne de Tavera (Corse du sud) ont été dévastées par un incendie criminel qui n'a pas fait de victimes, dans la nuit de jeudi 4 à vendredi 5 février. L'enquête a été confiée à la brigade de recherches de la gendarmerie mais l'origine criminelle ne fait aucun doute affirment les enquêteurs. *Le Monde*, 07/02/16

---

b Prolongements

Entrefilet 1. Faites un dialogue sur le entrefilet 1 entre quelqu'un qui a vu l'information à la télé et l'autre non.

Racontez les faits du entrefilet 2 dans l'ordre chronologique.

Entrefilet 3. Les policiers interrogent les habitants pour recueillir des informations sur les faits, les auteurs, les motifs et les buts de cet acte criminel décrit dans le texte 3. **Élaborez** leurs questions.

c Créativité :

1) Créez des faits divers d'une phrase à partir d'événements réels récents, connus de tous (un train a déraillé en Allemagne ; il y a eu un séisme au Japon).

2) Proposez-les au groupe qui va vous poser des questions pour avoir des précisions.

3) Rédigez l'information avec les précisions.

B1.1
★

176. Buzz

Vous et vos amis faites circuler beaucoup d'informations de votre vie quotidienne sur les réseaux sociaux en les racontant de façon amusante, très subjective mais pas méchante. Préparez quelques informations ou anecdotes qui répondront aux questions suivantes.

Qui / a vécu quoi / comment (émotions) / où / avec qui / conséquences / commentaires ?

Exemple : **Le chaton de Margot**
Dimanche, Margot a cherché son chaton partout car il avait disparu. Elle a paniqué et elle a même cru qu'on l'avait volé. Elle a ouvert le frigo pour se consoler un peu avec un soda… et elle a aperçu un truc bizarre dans le bac à légumes… Horreur ! C'était le chat, mort de froid peut-être ? Mais non, il dormait tranquillement… Et vous savez quoi ? Maintenant, Margot boit deux fois plus de soda car elle ouvre le frigo à chaque fois que le chat se cache !

B2.1
★★★

177. Questions-Réponses

ⓐ Associez les débuts et les fins de réponses de politiciens interviewés par des journalistes politiques.

1. C'est une bonne question et… •　• **a.** autant arrêter tout de suite !

2. C'est du domaine de la vie privée, •　• **b.** qu'en présence de mon avocat.

3. La question se pose en effet, mais •　• **c.** vous me permettrez de ne pas répondre.

4. Belle… •　• **d.** je vous remercie de me l'avoir posée.

5. Encore une question piège ! •　• **e.** question !

6. Si vous faites les questions et les réponses, •　• **f.** pour ma part elle reste ouverte.

7. C'est une interview •　• **g.** vous n'en avez pas d'autres ?

8. Je ne répondrai •　• **h.** ou un interrogatoire ?

ⓑ Proposez les questions qui ont pu provoquer ces réponses, séparément, phrase par phrase.

ⓒ Préparez le dialogue entre un journaliste et un homme politique très connu.

B2.1
★★★

178. Pourquoi, oui pourquoi ?

L'auteur du texte suivant est scandalisée par la situation actuelle des jeunes. La question répétée avec pourquoi est un procédé argumentatif qui donne de la force à ses idées.

Choisissez une situation qui vous indigne et rédigez un texte sur le même modèle ; le motif d'indignation peut être réellement dramatique, ou fantaisiste.

> **Pourquoi** un jeune sur cinq vit-il sous le seuil de la pauvreté ?
>
> **Pourquoi** le nombre de chômeurs de moins de vingt-cinq ans approche-t-il de 25 % ? (10,6 % de la population active.
>
> **Pourquoi** 50 % de jeunes diplômés sont-ils sans emploi après la fin de leurs études ?
>
> **Pourquoi** parmi les personnes sans domicile fixe un quart a moins de trente ans ?
>
> **Pourquoi** ne sommes-nous pas obsédés par le sort que nous faisons aux enfants, aux adolescents et aux jeunes de ce pays ?
>
> D'après Marie Desplechin, écrivaine, *Libération*, 3 février 2016

La négation | 10

L'ESSENTIEL SUR...

Excepté pour « non » la négation s'exprime toujours par deux termes : ne + autre adverbe.

● La place des éléments de la négation

Avec un temps simple	Sujet + ne + verbe conjugué + pas
Avec un temps composé	Sujet + ne + auxiliaire + pas + participe passé
Avec le mode infinitif	Ne pas + verbe à l'infinitif
Avec le mode impératif	Ne + verbe + pas

● Les différentes formes de négation

	Formes	Exemples	Correspondances à la forme affirmative
La négation porte sur l'ensemble de la phrase	non	Tu viens ? **Non**, je reste ici.	
La négation porte sur le verbe	ne... pas	Elle **ne** parle **pas** français.	toujours / encore
	ne... point	Nous **ne** sommes **point** partis.	toujours / souvent
	ne... plus	Je **ne** fume **plus**.	
	ne... jamais	Mon père **ne** fait **jamais** de ski.	quelquefois / déjà
	ne... guère	Avec les enfants, je **n'**ai **guère** le temps de sortir.	beaucoup
	sans	Il est parti **sans** son manteau.	avec
La négation porte sur un complément de circonstance	ne... plus	Mireille **ne** travaille **plus** dans cette entreprise.	encore
	ne... pas encore	Nous **n'**avons **pas encore** voyagé en avion.	déjà
	ne... nulle part	J'ai cherché partout, je **ne** l'ai vu **nulle part**.	quelque part

« On **n'**était **rien** de plus qu'un groupe ! » John Lennon à propos des Beatles

	Formes	Exemples	Correspondances à la forme affirmative
L'élément négatif a fonction de sujet ou de complément	rien... ne	**Rien n'**est pareil depuis qu'il est parti.	quelque chose
	ne... rien	Elle **n'**a vraiment **rien** compris à mon explication.	
	personne... ne	**Personne n'**est venu avec moi.	quelqu'un
	ne... personne	En rentrant chez elle, elle **n'**a rencontré **personne**.	
	aucun(e)... ne	Ses filles étaient là, mais **aucune ne** m'a parlé/**pas une ne** m'a parlé.	quelques
	pas un(e)... ne ne... aucun(e)	Ces livres étaient trop chers, je **n'**en ai acheté **aucun**.	des + nom
La négation porte sur deux éléments	ne... ni... ni	Elle ne parle **ni** allemand **ni** italien.	et ... et
	ne... pas... ni	Son père **ne** veut **pas** qu'elle sorte **ni** qu'elle invite ses amis.	... et ...
	ne... ni ne	Elle **n'**entend **ni ne** voit bien.	
	ni... ni ne	**Ni** lui **ni** moi **n'**habitons en France.	
Combinaisons de différentes négations	ne... jamais personne	Je **ne** vois **jamais personne** dans ce magasin.	toujours quelqu'un
	... personne nulle part	Il **n'**y a **personne nulle part**.	quelqu'un quelque part
	... plus personne	Je suis fatigué, je **ne** veux **plus** voir **personne**.	encore quelqu'un
	... jamais rien	Elle **ne** fait **jamais rien** d'intéressant le dimanche.	toujours quelque chose
	... rien nulle part	Il **n'**y a **rien** d'intéressant **nulle part**.	quelque chose quelque part
	... plus rien	Non merci, je **ne** veux **plus rien** manger.	encore quelque chose
	... plus jamais	Je **ne** voyagerai **plus jamais** avec lui	encore souvent
	... plus jamais rien	Puisque c'est ainsi, je ne ferai **plus jamais rien**.	encore souvent quelque chose
	... plus jamais personne	Je **ne** pourrai plus **jamais** voir **personne** avec les mêmes yeux.	encore souvent quelqu'un
	... plus nulle part	Elle **ne** peut aller **plus nulle part** sans son appareil.	encore quelque part

	Formes	Exemples	Correspondances à la forme affirmative
Reprise de la négation	un nom moi, toi, elle, lui, nous, vous, elles, eux + non plus	Madeleine ne fume pas et son mari non plus / **lui non plus**.	... aussi
Autres formes	pas... mal	Vous travaillez beaucoup ? Oui, **pas mal**.	
	non seulement... mais encore	**Non seulement** il fume, **mais encore** il boit.	
	non sans...	Nous sommes arrivés **non sans** problème.	
	rien que	**Rien qu'**à la voir, on a senti qu'elle allait bien.	
Restriction	ne... que seulement	Le matin, il **ne** boit **que** du café = Il boit seulement du café.	

⊕ Activité de repérage 12

Observez les neuf phrases suivantes. Essayez de dégager quelques règles en étudiant :

a les différentes formes de négation employées.

b leur place dans la phrase par rapport aux verbes (observez les temps et les modes).

1. « Facile à apprendre, la langue française ? Oh, que non ! Elle fourmille de bizarreries. Mais... la grammaire n'est pas un dieu... », dit le conseil des programmes 2015.

2. « En été, je ne bois que du rosé, je ne porte que du blanc et je ne dors qu'avec du parfum Chanel n°5... Et vous ? »

3. « Vous n'êtes pas encore monté à l'aiguille du Midi ? Vous n'avez jamais séjourné à l'île de Ré ? Vous n'allez plus en Camargue ? C'est trop dommage ! »

4. « Ne faites pas aux autres ce que vous ne voulez pas qu'ils vous fassent ! » sagesse populaire.

5. « La France n'est ni un territoire, ni une religion, ni une couleur : c'est une nation fondée sur une république ! » Jean-Luc Mélenchon, politicien.

6. « Surtout, ne jamais se décourager, refuser de se désespérer, pas de "je n'ai plus l'âge". Plus de "je n'ai aucune chance". IL N'Y A PAS DE FATALITÉ ! » slogan de Pôle emploi, établissement public chargé de l'emploi en France.

7. « Nous avons un délit, mais pas de coupable... Ce qui est étrange dans cette affaire, c'est qu'il n'y a aucun témoin. Dans le quartier, personne n'a rien vu, rien entendu. C'est comme s'il ne s'était rien passé. Un déni total. » L'envoyé spécial de France Inter.

8. – Ce groupe est nul ! Le chanteur est deux fois nul ! D'ailleurs, personne ne les écoute sauf toi !
– Décidément tu ne comprends rien à rien. Tu n'as aucun goût !
– Ni rien ni personne ne me fera jamais changer d'avis, pas plus toi qu'un autre !
– Évidemment, tu n'aimes rien ni personne ! Tu es toujours négatif !

9. – On ne t rouve plus rien dans cette maison ! Je ne supporte plus ce souk ! Ça ne peut plus durer !
– Ne t'énerve pas, ça n'est pas si grave que ça...
– J'y crois pas... Toi tu ne ranges jamais rien derrière toi, et moi je devrais supporter tout ça sans rien dire ?!

Activité de **repérage 13**

Soulignez les négations grammaticales et lexicales.

> ### ARRÊTONS LE DÉCLINISME ! LE PIRE N'EST JAMAIS SÛR
>
> En 2015, 79 % des Français se déclarent pessimistes concernant l'avenir, comme si le pays avait tout faux et devait tout changer.
>
> Sans nier aucune des difficultés nombreuses et réelles que traverse actuellement le pays, ce point de vue est cependant largement erroné. Sur de nombreux points, la France ne s'en sort pas plus mal que les autres et, pour l'avenir, elle dispose d'atouts non négligeables.
>
> Les Français ont une vision négative de leur futur, car ils constatent que l'influence de la France dans le monde a nettement reculé, qu'il n'y a aucune chance que la tendance s'inverse prochainement, et ils ont peur que cela détruise leur modèle social.
>
> Mais cette évolution n'est peut-être pas un drame : la puissance passée de la France a reposé le plus souvent sur la guerre et le colonialisme, des pratiques dont il n'y a aucune raison d'être fier aujourd'hui... Et rappelons aussi que le peuple français n'a tiré aucun bien-être des règnes glorieux de Louis XIV et de Napoléon.
>
> Nous ne nous porterons pas plus mal de ne plus être une grande puissance. Regardez les Vikings : ils ne font plus parler d'eux, mais cela n'empêche pas qu'on cite régulièrement les Scandinaves comme un modèle à suivre...
>
> D'après *Alternatives économiques*, juillet 2015

La négation grammaticale

B1.1
★

179. **La négation portant sur le verbe**

Répondez négativement aux questions suivantes.

1. Voulez-vous encore un peu de gâteau au chocolat ? – **2.** Elle fait encore du judo à son âge ?
3. Il fume encore ? – **4.** Vous prenez encore votre voiture ? – **5.** Vous avez déjà pris votre médicament ?
6. Tu pars déjà ? – **7.** Ce film est déjà sorti en salle ? – **8.** Tu as déjà acheté cette marque de biscuits ? – **9.** Vous buvez souvent du cognac ? – **10.** Vous prenez toujours un petit-déjeuner copieux le matin ? – **11.** Vous allez souvent au théâtre ? – **12.** Les enfants boivent souvent du vin rouge ?

> « Moi, pour la modestie, je ne crains personne » Erik Satie, compositeur

> « Une femme, qui ne porte pas de parfum, n'a pas d'avenir. »
> Coco Chanel, créatrice de mode

B1.1

★

180. Personne / rien

Répondez négativement aux questions suivantes.

1. Est-ce que quelqu'un est venu ? – **2.** À la soirée de samedi, vous avez rencontré quelqu'un que vous connaissiez ? – **3.** Il a rencontré quelqu'un d'intéressant hier soir ? – **4.** Il a écrit à quelqu'un ? **5.** Est-ce que quelqu'un a vu ce qui s'est passé ? – **6.** Tu vas à Pékin pour les vacances, tu y connais quelqu'un ? – **7.** Est-ce que quelque chose te ferait plaisir ? – **8.** Tu veux boire quelque chose ? **9.** Est-ce que quelque chose t'a choqué dans son discours ? – **10.** Attention ! En montagne, la température baisse très vite, vous avez pris de quoi vous couvrir chaudement ? – **11.** Vous n'avez pas l'air en forme, il vous est arrivé quelque chose ? – **12.** C'est l'anniversaire de Monique, vous avez pensé à quelque chose pour son cadeau ?

B1.1

★

181. Ni... ni

Répondez négativement en utilisant « ni... ni » dans la réponse.

1. Tu vas en vacances à la mer ou à la montagne ? – **2.** Vous prendrez le train ou l'avion ? **3.** Au mariage de ta sœur, tu porteras une jupe longue ou une jupe courte ? – **4.** Pour aller au travail, tu prends le bus ou ton vélo ? – **5.** Tu as chaud ou tu as froid ? – **6.** Qu'est-ce que tu préfères ? Le camping ou le caravaning ?

B1.2

★★

182. La négation avec l'infinitif

Transformez les phrases selon le modèle.

Exemple : Elle est sortie. Elle n'a rien dit en sortant. → **Elle est sortie sans rien dire.**

1. L'étudiant est entré. Il n'a pas fermé la porte.
→ ....

2. L'homme s'est assis. Il n'a pas dit un seul mot. → ....

3. Il marchait, perdu dans ses pensées. Il n'a vu personne. → ....

4. Il a fabriqué cette machine tout seul. Il n'a pourtant aucune formation. → ....

5. Elle était malade. Elle a guéri très vite. Elle n'a pas pris de médicaments. → ....

6. Il est parti. Il n'a pas fait de bruit. → ....

7. Ce sportif a fait toute la compétition. Pourtant, il n'avait pas pu s'entraîner avant.
→ ....

8. J'ai réussi tous mes examens. Je n'ai jamais beaucoup travaillé. → ....

9. Il a un bon travail. Il n'avait pas fait de longues études. → ....

10. Nous avons fait le trajet Lille-Montpellier. Nous ne nous sommes pas arrêtés plus d'une heure pour manger. → ....

B1.2

★★

183. Synthèse – Puzzle

Reconstituez les phrases.

1. n' – pourquoi – ce – pas – comprends – ne – vous – je – jamais – voyage – fait – avez

2. m' – proposé – d' – entreprise – rien – a – dans – ne – on – cette – intéressant

3. la – je – personne – veux – ne – voir – porte – fermez – plus – ,

4. pas – petit – n' – n' – allé – pourquoi – nous – Provence – irions – aucun – nous – ce –? – visiter – d' – jamais – entre – est – de – y – village

184. L'expression du conseil – Prudence, prudence

a Formulez les conseils de prudence à suivre quand on prend des selfies à l'impératif puis à l'infinitif (en ne rédigeant que des conseils écrits).

Exemple : Il est déconseillé de prendre des risques inutiles.
> → **Ne prenez pas de risques inutiles.**
> → **Ne pas prendre de risques inutiles.**

Il est dangereux de : se pencher hors du train / faire de l'équilibre sur la fenêtre / poser à côté d'animaux dangereux / explorer des lieux interdits / reculer sans vérifier ses arrières

b Même travail pour les situations suivantes : éviter d'être malade / ne pas échouer aux examens / être un bon président

185. Négation et infinitive

Transformez les phrases selon le modèle.

Exemple : Il ne peut pas aller à ton mariage. Il en est désolé.
> → **Il est désolé de ne pas pouvoir aller à ton mariage.**

1. Il ne peut plus faire de ski. Il le regrette. – **2.** Il ne fumera plus. Le médecin le lui a ordonné. **3.** Les étudiants n'arriveront plus en retard. Le professeur le leur a demandé. – **4.** Les écoliers ne joueront plus avec le matériel du laboratoire. Le directeur l'a ordonné. – **5.** Nous ne mettrons plus de désordre dans ce bureau. On nous en a prié. – **6.** M. et Mme Duparc n'ont pas pu acheter la maison de leurs rêves. Ils en sont vraiment désolés. – **7.** Ils ne sont pas partis à l'heure prévue. Ils en sont furieux. – **8.** Mes amies ne sont pas venues me voir à l'hôpital. Elles le regrettent beaucoup. – **9.** Ils ne peuvent rien dire. Ils en sont très mécontents. – **10.** À la soirée, je n'ai rencontré personne. J'en suis bien triste. – **11.** Nos voisins ne feront plus de bruit après 22 heures. Nous le leur avons demandé.

186. Synthèse – Interrogatoire

On pose à Monsieur Dinon les questions ci-dessous. Il y répond à la forme négative. Écrivez ses réponses.

1. Vous voulez bien répondre à quelques questions ?
2. Vous avez déjà été accusé de quelque chose ? – **3.** Vous étiez chez vous samedi dernier ? – **4.** Vous étiez avec quelqu'un ? – **5.** Quelqu'un vous a vu alors ? – **6.** Vous êtes allé au café ? – **7.** Vous faisiez des courses ? – **8.** Vous étiez bien quelque part ? – **9.** Vous faisiez bien quelque chose ? – **10.** Et votre femme, elle est toujours chez elle le samedi ? – **11.** Elle a un frère et une sœur, elle était chez l'un ou chez l'autre ? **12.** Pourtant elle fait toujours quelque chose le samedi ? – **13.** Est-ce qu'il y a quelquefois quelqu'un chez vous le samedi soir ? – **14.** Mais vous avez bien vu quelqu'un quelque part ? **15.** Vous n'auriez pas quand même encore quelque chose à me dire ?

« NON ! »

« Une culture ne meurt que de sa propre faiblesse. » André Malraux

B1.2
★★

187. Les réponses négatives

Quelles questions peuvent entraîner les réponses suivantes ?

1. ....? **Jamais.**

2. ....? **Pas du tout.**

3. ....? **Nulle part.**

4. ....? **Moi non plus.**

5. ....? **Pas beaucoup.**

6. ....? **Personne.**

7. ....? **Ni l'un l'autre.**

8. ....? **Rien.**

9. ....? **À personne.**

10. ....? **Plus jamais.**

11. ....? **Pas un.**

12. ....? **Plus rien.**

La négation par le lexique

B1.2
★★

188. La négation lexicale

Complétez le tableau suivant, en prenant modèle sur l'exemple fourni.

	Préfixe	Sens négatif	Sens positif
	a	*Exemple : apolitique*	*politique*
	an	....	moral
		anormal	....
	dé	défaire	....
		....	boucher
		découdre	....
		déblocage	....
		....	posséder
		....	valorisation
	des	déshydratation	....
		....	intéresser
Préfixes privatifs	in	infaillible	....
		....	contrôlable
		....	traduisible

> « Ne rien prévoir, sinon l'imprévisible. Ne rien attendre, sinon l'inattendu »
> Christian Bobin, poète

> « Les hommes font l'histoire, mais ne savent pas l'histoire qu'ils font. »
> Raymond Aron, historien

Préfixe		Sens négatif	Sens positif
Préfixes privatifs	**in**	inefficace	....
		intolérant	....
	im	immangeable	....
		....	probable
		....	buvable
		....	mobile
	il	illégal	....
		illégitime	....
	ir	irréalisable	....
		....	responsable
		....	rationnel
	mé	mécontent	....
		....	connaître
		....	entente
	mes	mésaventure	....
		mésestimer	....
	mal	*Exemple :* **malheureux**	**heureux**
		....	habile
		....	chance
	non	non-voyant	....
		....	conforme
		....	violent
Adverbes de négation (devant les participes passés)	**mal**	*Exemple :* **mal dit**	*dit*
	non	non compris	....
		....	fini

⚠ ATTENTION VARIANTE :

malveillant	bienveillant
malfaisant	bienfaisant
mal aimé (mal-aimé)	bien aimé

★★

189. Négation lexicale

En vous aidant du tableau précédent, refaites les phrases suivantes en donnant un sens négatif à l'élément en caractère gras.

Attention, il faudra parfois apporter des modifications pour que la phrase ait un sens.

<u>Exemples :</u> Une consommation **modérée** d'alcool est recommandée pour les conducteurs.
Une consommation **immodérée** d'alcool **n'est pas** recommandée pour les conducteurs.

1. Franck a acheté un magnifique tableau d'un peintre **connu**.

2. Écoutez les discours de ce philosophe réputé pour sa **moralité**.

3. Vous allez bien, a dit le docteur, votre pouls bat **régulièrement**.

4. Il est **légitime** de prétendre à ce droit.

5. Sa réaction était bien **normale**.

6. Il a décidé de **s'abonner** à cette revue qui lui plaît beaucoup.

7. Confiez la restauration de ce tableau à M. Tricot, je le connais, il est **honnête**.

8. Alors, racontez-moi vos **aventures** en Turquie.

9. Il imite toujours ce que font les autres, il est **conformiste**.

10. Il a commis une faute **pardonnable**.

Synthèses

`B1.2`
★★

190. Synthèse créative – Plus jamais !

L'héroïne du livre d'Anne Gavalda n'a rien oublié de sa terrible enfance et elle l'exprime avec intensité. Lisez le texte à voix haute, puis rédigez votre « plus jamais ! » personnel : pensez à une petite expérience désagréable mais soyez très émotionnel.

« Le seul truc, c'est que je ne veux jamais les revoir. Jamais, jamais, jamais… Jamais je ne retournerai là-bas. À aucun mariage, à aucun enterrement, à rien. La seule chose que je demande, c'est de ne jamais plus les revoir, plus jamais. Même si vous me donniez un million, je dirais non. Je refuserais. »

`B1.1`
★
`B1.2`
★★

191. Synthèse – Au secours !

Complétez ces deux textes avec les éléments de négations proposés (le style est parlé).

`B1.1`
★

ⓐ aucun   aucun   ne… pas   que   pas   pas trop   ne … que   plus   sans   zéro

PAS D'ÉCARTS !

.... de sucre, ... de gras, ... de beurre ; .... gâteau. .... des légumes, et .... encore ! et .... sauce ! Ça .... traînera .... : tu .... auras .... la peau sur les os et .... plaisir à manger.

`B1.2`
★★

ⓑ ne … jamais   ne… personne   ne… plus   que   pas   plus rien

J'EN PEUX PLUS !

C'est .... une vie ! On fait .... regarder la télé ! On .... fait .... d'intéressant ! On .... va .... part. On .... invite .... ! Ça .... peut .... durer ! J'en peux .... !

192. Synthèse créative – Je n'ai rien dit

a Lisez le texte ci-dessous. Dans le contexte de l'année 1942 à Dachau en Allemagne, précisez qui sont les personnes dénommées par «ils».

b Écrivez un petit texte à la manière du Pasteur Niemöller à propos d'une autre situation : harcèlement au lycée, tensions entre communautés, corruption dans le foot, action syndicale... Gardez la structure «quand ils... je n'ai rien dit / fait».

JE N'AI RIEN DIT...

Quand ils sont venus chercher les communistes, je n'ai rien dit, je n'étais pas communiste.

Quand ils sont venus chercher les syndicalistes, je n'ai rien dit, je n'étais pas syndicaliste.

Quand ils sont venus chercher les Juifs, je n'ai rien dit, je n'étais pas Juif.

Quand ils sont venus chercher les catholiques, je n'ai rien dit, je n'étais pas catholique.

Puis ils sont venus me chercher,

et il ne restait personne pour dire quelque chose.

Pasteur Martin Niemöller (mort au camp de concentration nazi de Dachau en 1942)

193. Synthèse créative orale – Portraits peu avantageux

a Quentin, Camille, Maxime, Chloé, Hugo et Océane vivent en colocation. Six personnes, ce n'est pas toujours facile à vivre, il est parfois dur de se comprendre... Énumérez les défauts des uns et des autres avec des négations.

Exemples : Chloé ne fait pas attention aux autres, elle ne prête aucun objet, elle est souvent désagréable...

b Continuez avec Maxime et son désordre, Camille et ses amis, Quentin et sa sono, Océane et sa paresse, Hugo et son appétit.

c Relisez «Combinaisons de différentes négations dans la p. 152 du tableau» et l'exemple 9 de l'activité de repérage 12 et faites dialoguer les colocataires.

194. Synthèse créative – Trop bizarre, ce rêve

Rédigez la suite du rêve ci-dessous, qui vous a emmené dans plusieurs lieux étranges pour vous, en utilisant le maximum de négations. Ensuite, racontez-le à l'oral.

«Au début, je ne comprenais pas du tout où j'étais,
je n'avais jamais vu un paysage comme ça. Il n'y avait aucun arbre, que des cailloux noirs.
Je ne voyais personne, je n'entendais rien,
mais je ne me sentais pas tranquille. Puis la scène a changé et...»

Le passif 11

L'ESSENTIEL SUR...

Le passif est un procédé qui met en valeur une action ou son résultat, un état ou un événement. Il est plutôt réservé à l'écrit journalistique ou littéraire. Seules les phrases comportant un verbe transitif direct peuvent se mettre au passif car c'est le complément d'objet direct qui devient le sujet du verbe passif.

● Formation du passif

Seuls les verbes transitifs directs (c'est-à-dire ceux qui ont un complément d'objet direct) peuvent se mettre à la voix passive.

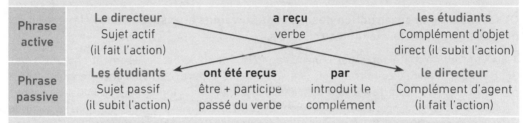

Phrase active	Le directeur Sujet actif (il fait l'action)	a reçu verbe		les étudiants Complément d'objet direct (il subit l'action)
Phrase passive	Les étudiants Sujet passif (il subit l'action)	ont été reçus être + participe passé du verbe	par introduit le complément	le directeur Complément d'agent (il fait l'action)

> **!** **ATTENTION :**
> Certains verbes pronominaux peuvent avoir un sens passif.
> <u>Exemple</u> : Cette expression **ne s'utilise plus**. = n'est plus utilisée

Transformations

B1.1
★

195. Transformation à la voix passive

Mettez les phrases suivantes à la voix passive.

1. La police avait déjà arrêté de nombreux manifestants. – **2.** La municipalité va fermer la piscine. **3.** Ce tribunal condamne toujours lourdement les accusés. – **4.** Les ravisseurs ont abandonné l'enfant au bord de la route. – **5.** Mon aïeul a construit cette maison en 1875. – **6.** L'entreprise réembauchera les ouvrières licenciées il y a un mois. – **7.** Le ministre vient d'annoncer le blocage des prix. – **8.** Cette nouvelle proposition de travail me tente beaucoup. – **9.** Je croyais que le mauvais temps retarderait l'arrivée de l'avion. – **10.** Je ne savais pas qu'on avait photographié le Premier ministre au domicile de sa maîtresse. – **11.** Nous vous avertirons quand le gouvernement aura donné son accord. – **12.** Il est inadmissible qu'aucun des passagers n'ait secouru la jeune fille.

196. Transformation à la voix active

Mettez les phrases suivantes à la voix active en respectant le temps proposé.

1. Chaque année, la fête est annoncée par de grandes affiches. – **2.** Les otages étaient paralysés par la peur. – **3.** Les enfants sont comblés de cadeaux par leur grand-mère. – **4.** Les élèves seront accompagnés par tous leurs professeurs. – **5.** Cette maison a été construite par des apprentis maçons. – **6.** Les enfants ont été vaccinés par le médecin. – **7.** Ce roman a été écrit par un jeune écrivain inconnu, Dominique Even. – **8.** Le règlement intérieur devra être rédigé par la directrice. – **9.** Les étudiants sont invités à une réception par le maire de la ville. – **10.** Les réfugiés seront pris en charge par la municipalité. – **11.** L'autorisation de résidence leur a été accordée par la préfecture. – **12.** Plusieurs tonnes de fruits ont été jetées sur l'autoroute par les agriculteurs en colère. – **13.** Un objet volant non identifié aurait été aperçu par des agriculteurs en Normandie. – **14.** Le gros chêne a été déraciné par le vent violent de la nuit dernière. – **15.** Les anciens combattants de la seconde guerre mondiale seront reçus par le président à l'Élysée.

197. Les différentes formes de la construction passive

Observez bien la construction des phrases suivantes et essayez de les classer en six groupes en complétant le tableau ci-après.

1. Les enfants ont été punis par leur mère. – **2.** Ce château est entièrement entouré d'eau. **3.** Le vin blanc doit se boire très frais. – **4.** Cette petite voiture fabriquée chez Renault est très performante. – **5.** Ces artistes sont habillées par la maison Channel. – **6.** Privé de ses parents, l'enfant avait de gros problèmes psychologiques. – **7.** Aidée par ses amis, elle a pu se sortir de cette situation difficile. – **8.** Le député a été applaudi par tous les participants. – **9.** Ce tableau de Picasso s'est vendu cinq millions d'euros. – **10.** Le président de la République est élu au suffrage universel pour cinq ans. – **11.** Le professeur de littérature est respecté de tous les étudiants. – **12.** La petite fille, enlevée dimanche dernier dans un jardin public, a été retrouvée saine et sauve. – **13.** Elle est venue à la soirée accompagnée du maire de la ville. – **14.** Tous les responsables de l'attentat ont été arrêtés hier soir. – **15.** La maison, protégée par une haie d'arbres touffus, était très agréable. – **16.** Tous les examens radiologiques devront être faits rapidement.

1 – Construction passive complète : sujet + être + participe passé du verbe + par + complément d'agent	n°5. *Ces artistes* **sont habillés par la maison Chanel**. n° ...... n° ......
2 – Construction passive complète	n° 2. *Ce château* **est** *entièrement* **entouré d'eau**. n° ......
3 – Construction passive incomplète	n° 10. *Le président de la République* **est élu** *au suffrage universel pour cinq ans.*
4 – Construction avec un verbe pronominal de sens passif	n° 3. *Le vin blanc doit* **se boire** *frais.* n° ......
5 – Construction passive incomplète	n° 4. *Cette petite voiture* **fabriquée chez Renault** *est très performante.* n° ......
6 – Construction passive incomplète	n° 6. **Privé de ses parents**, *l'enfant avait de gros problèmes psychologiques.*

B1.2
★★

198. Synthèse

ⓐ Observez les phrases suivantes et classes-les en deux groupes selon qu'elles sont actives ou passives.

ⓑ Puis transformez les phrases passives en phrases actives et les phrases actives en phrases passives, quand c'est possible.

1. Cette émission a beaucoup plu à mes amis. → ....

2. Le président est élu par tous les Français. → ....

3. Le bureau du directeur était encombré par de nombreux dossiers. → ....

4. Cette statue de Tintin et Milou a appartenu à ma grand-mère. → ....

5. Ce terrain va être aménagé en terrain de sport par la municipalité. → ....

6. Des milliers d'exoplanètes ont été découvertes. → ....

7. Les vendanges sont faites au mois d'octobre. → ....

8. On a installé un interphone dans notre immeuble. → ....

9. Mes amis m'enverront bientôt mes cadeaux de mariage. → ....

10. La voiture a renversé le cycliste. → ....

11. Les enfants ont décoré le sapin de Noël. → ....

12. Mes voisins ont poursuivi les voleurs qui étaient entrés chez moi. → ....

13. Le juge a interrogé le témoin. → ....

14. Mon ordinateur a été infecté par des virus. → ....

15. Le conflit sera évité au Moyen-Orient. → ....

16. Les effets spéciaux ont été réalisés par Alain Plessis. → ....

17. Après l'accident, les badauds entouraient le blessé. → ....

18. Il a tellement plu que la cave a été inondée. → ....

19. Le maire l'a chaudement félicitée pour son attitude courageuse. → ....

20. Elle était partie en claquant la porte. → ....

> « Ce qui vaut la peine d'être fait vaut la peine d'être bien fait »
> Nicolas Poussin, peintre du XVIIᵉ siècle

> « Nous sommes condamnés à être libres » Jean-Paul Sartre

B1.2
★★

199. Valeurs de l'actif et du passif – Carnets mondains

Les entrefilets suivants, publiés dans deux journaux différents, donnent chacun une version différente du même fait, l'un à la forme active (Ceux-ci), l'autre à la forme passive (Ceux-là).

Chaque article met en valeur l'un des protagonistes en le choisissant comme sujet.

MICHEL LUCAS SORT ENCORE DE SES GONDS !

Le célèbre acteur a perdu son sang-froid hier sur la Croisette et, pour des raisons inconnues, a envoyé un énergique aller-retour à son ex-femme. Quelle humiliation pour Lætitia ! (*Ceux-ci*)

LÆTITIA BRUTALISÉE PAR SON EX !

La célèbre chanteuse a été giflée en public à Cannes par son ex-mari, l'acteur Michel Lucas, aussi célèbre pour ses accès de mauvaise humeur que pour son talent. Un comportement vraiment regrettable. (*Ceux-là*)

En utilisant les informations du tableau ci-après, et sur le modèle ci-dessus, écrivez les carnets mondains des journaux *Ceux-ci* (à l'actif) et *Ceux-là* (au passif).

Ceux-ci	Les faits	*Ceux-là*
Charles Juliet se remarier être amoureux comme un jeune homme refaire sa vie	Charles Juliet, célèbre acteur de 70 ans change d'épouse pour une femme de 40 ans plus jeune.	**Vanessa, ex-épouse** délaisser abandonner répudier
Caroline Valentin, ex-femme de Luc Levy gagner en justice obtenir réparation garder la maison bénéficier d'une pension confortable	Un juge accorde une grosse pension alimentaire à l'ex-femme et collaboratrice d'un écrivain à succès.	**Luc Levy, écrivain à succès** ruiner condamner dépouiller
Bertrand Pietri, chanteur ne pas s'embêter dans la vie s'offrir une petite aventure papillonner profiter de la vie	Un chanteur corse, bien connu et marié, a une aventure avec une jolie fan.	**Marie Pietri, sa femme** humilier décevoir tromper
Le vainqueur, Jonathan gagner haut la main remporter la victoire réunir 70 % des voix	Un candidat de l'émission de téléréalité *École de stars* gagne avec 70 % des voix, l'autre perd.	**Le perdant, Bruno** éliminer écraser choisir seulement à 30 %

L'ESSENTIEL SUR...

● Passif avec « par » ou « de »

- **Les prépositions « par » et « de »**
- « par » met en valeur le caractère d'agent réel qui fait vraiment l'action.
- « de » se rapproche du complément de cause, de moyen ou de manière (construction moins fréquente).

  <u>Exemples :</u> Cette avenue est bordée d'arbres centenaires. Les cambrioleurs ont été arrêtés par les policiers.

- **Quelques verbes suivis de la préposition « de »**
- Ils donnent des renseignements sur l'état : être couvert de, bordé de, être accompagné de, être décoré de, être équipé de, être suivi de, être entouré de, être précédé de, etc.
- Ils expriment des sentiments : être aimé de, être estimé de, être adoré de, être apprécié de, être respecté de, etc.

B1.2
★★

200. Verbes suivis de « de » ou de « par »

Complétez le texte en utilisant les verbes suivants. Ajoutez la préposition « de » ou « par » suivant les cas.

équiper   border   dessiner   respecter   offrir   couvrir   aimer

peindre   entourer   léguer   parsemer   décorer   apprécier   aider

Jacques et Sophie habitent une grande maison blanche qui leur .... la grand-mère de Jacques. Elle .... un magnifique jardin avec des pelouses .... gazon et .... fleurs de toutes les couleurs. Au centre du jardin s'étend une pièce d'eau .... massifs de rosiers nains d'un rouge éclatant. Ce jardin .... le grand-père de Jacques qui était paysagiste et qui l'entretenait avec passion, ... sa femme qui, elle, s'occupait surtout des fleurs. L'intérieur de la maison est très sobre ; tous les murs sont blancs .... tableaux qui .... Jacques lui-même. Il est peintre et enseigne la peinture à l'école des Beaux-Arts. Il .... et .... tous ses élèves. Sophie et Jacques aiment bien préparer de bons petits plats et leur cuisine .... tous les appareils modernes. Ils utilisent beaucoup leur four à micro-ondes qui leur .... les parents de Sophie pour leur anniversaire de mariage. Le couple .... des voisins pour leur gentillesse et leur serviabilité.

« Être gouverné, c'est être gardé à vue, inspecté, espionné, dirigé, légiféré, réglementé. » Pierre-Joseph Proudhon, philosophe

« Nul ne sera tenu en esclavage ni en servitude. Nul ne peut être arbitrairement arrêté, détenu ou exilé. » *Déclaration universelle des droits de l'homme*, ONU, 1948

B1.2
★★

201. Verbes pronominaux de sens passif – Vie quotidienne

Faites des phrases en utilisant un élément de chaque colonne (sauf de la première colonne).

Cuisine	la daube la fondue savoyarde le gratin dauphinois les huîtres	se réviser s'acheter se faire se boire	régulièrement après le repas dans des verres ballons à gauche de l'assiette

Savoir-vivre	le vin rouge
	le champagne
	le couteau
	le café
	l'apéritif
	le cognac
	la fourchette
		se prendre
		se préparer
		se servir
		se vendre
		se manger
		s'évaporer
		se mettre
		se trouver
			avec des pommes de terre
			  et de la crème
			très frais
			avec du pain beurré
			à droite de l'assiette
			avec trois sortes de gruyère
			  et du vin blanc
			avec du béton ou de la pierre

Achats	les livres les alcools	se construire s'entretenir	tous les 15 000 km chambré
Divers	l'eau les maisons les cheminées les voitures		dans une librairie avant le repas avec de la viande de bœuf dans une épicerie ou au supermarché sous l'action de la chaleur

B1.2
★★

202. Se voir / se faire / se laisser + infinitif

a Observez ces entrefilets.

NANCY

Un heureux quinquagénaire de Nancy qui avait acheté 3 euros un tableau du peintre Maximilien Luce dans un vide-greniers **s'est vu proposer** 70 000 euros par une galerie après expertise.

Escroquerie au faux jade

Quinze personnes soupçonnées d'escroquerie ont été interpellées hier dans la région parisienne. Les sept victimes **s'étaient laissé convaincre** d'investir dans des objets en jade prétendument de grande valeur. Près de 200 gendarmes ont été mobilisés pour cette opération.

BRAQUAGE AU BUFFALO GRILL

Dimanche soir, deux braqueurs ont fait irruption dans le Buffalo Grill de Sainte-Geneviève et **se sont fait** remettre le contenu du coffre-fort de l'établissement.

Poitiers : espion volé

Plusieurs gradés de l'armée de terre ont été obligés de changer de numéro de téléphone portable. Le colonel du régiment **s'était fait voler** son mobile dans lequel étaient enregistrés tous leurs numéros.

ⓑ Sur ce modèle, faites des phrases au présent de l'indicatif en utilisant un élément de chaque colonne (faites attention au sens des mots).

Exemples : – La naïve **se fait avoir** assez souvent.
– Le malhonnête **se voit délaisser** par ses amis.
– Le masochiste **se laisse battre** avec plaisir.

La naïve		attendrir	
Le malhonnête		tenter	
Le masochiste		écraser	
Le grincheux		délaisser	avec plaisir
La gourmande		offrir	à toutes les fêtes
Le timide		inviter	très facilement
Le parasite		déborder	facilement
La paresseuse		interrompre	de l'argent très souvent
Le généreux	se voir	avoir	des pâtisseries
Le comique	se voir +	émouvoir	par de beaux vêtements
Le faible	se laisser	hospitaliser	fréquemment
La bavarde		se battre	assez souvent
Le fauché		séduire	très rapidement
La coquette		entretenir	par ses amis
Le blessé		rouler	par un beau poème
Le romantique		embrasser	l'entrée de la discothèque
L'amoureuse		prêter	embrasser par son fiancé
L'alcoolique		rejeter	par son médecin
Le malade		refuser	
		battre	

 L'ESSENTIEL SUR...

● **Passif et organisation du discours**

Informations

– *Les rebelles ont poursuivi le président Rigobert.*
– *Le gouvernement français a lâché le président Rigobert.*
– *Ses derniers partisans l'ont abandonné.*
– *Il a pris la fuite la nuit dernière.*

Transformation passive des trois premières phrases de manière que chacune des phrases ait le même sujet

– *Le président Rigobert a été poursuivi par les rebelles.*
– *Il a été lâché par le gouvernement français.*
– *Il a été abandonné par ses derniers partisans.*
– *Il a pris la fuite la nuit dernière.*

Organisation du paragraphe autour de ce sujet commun

Poursuivi par les rebelles, lâché par le gouvernement français et abandonné par ses derniers partisans, le président Rigobert a pris la fuite la nuit dernière.

[!] REMARQUE : garder un verbe à l'actif est nécessaire dans certaines phrases.

203. Structurer une phrase complexe grâce au passif

Faites des paragraphes selon le modèle de la fiche *L'essentiel sur...* p. 167.

1. La municipalité apporte son aide aux migrants. De nombreux citoyens approuvent cette aide. Certains hommes politiques la contestent. – **2.** Le Front populaire a accordé les congés payés en 1936. Ils ont augmenté jusqu'à cinq semaines par an. Beaucoup de pays les ont copiés. Ils sont toujours enviés par des pays moins riches. – **3.** Une voiture a renversé M. Martin. Une ambulance l'a transporté immédiatement à l'hôpital. Des médecins qualifiés l'ont sauvé malgré ses très graves blessures. – **4.** Des réseaux sociaux ont annoncé cette mauvaise nouvelle. D'autres l'ont déformée. La presse l'a publiée un peu trop rapidement. Le gouvernement l'a finalement démentie. – **5.** Les conseillers municipaux accueilleront la délégation allemande à l'aéroport. Ils l'emmèneront à la mairie en autocar. Le maire les conviera à un grand dîner. – **6.** L'UNESCO a classé les fantastiques animaux préhistoriques de la grotte Chauvet. On les a reproduits grandeur nature dans une réplique. Les animaux éblouissent les visiteurs. – **7.** Ses employés le critiquaient. Ses collègues le pressaient d'expliquer ses agissements. Ses créanciers le poursuivaient. Le directeur a finalement démissionné. – **8.** On a édifié la Sainte-Chapelle au XIIᵉ siècle. On l'a entièrement rénovée. On l'a protégée des intempéries par un double vitrage. Elle a attiré plus d'un million de personnes en 2016. Ses vitraux fascinent les visiteurs.

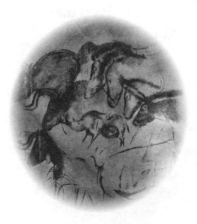

B1.2
★★

204. **Le passif dans les articles de presse – Faits divers**

a Observez les articles suivants.

LÉZARD TERRIFIANT RETROUVÉ

SCIENCES

On le connaissait par un unique spécimen collecté vers 1870, puis naturalisé. Il n'avait jamais été revu, et on considérait qu'il faisait partie des espèces éteintes. Il vient d'être retrouvé par une équipe du Museum de Paris lors d'une mission en Nouvelle-Calédonie. Le scinque « terrifiant », considéré comme un super-prédateur, est muni de longues dents courbes et acérées. Protection des espèces oblige, l'animal a été relâché dans la nature après une séance photos.

Gastronomie

ORGIE DE GRENOUILLES

Sept tonnes de cuisses de grenouilles ont été englouties par 20 000 amateurs au cours de la 32ᵉ foire à la grenouille de Vittel. Les cuisses, qui avaient été importées congelées d'Indonésie, « ont été cependant très appréciées », a précisé la femme du président du comité d'organisation.

CANTAL
HALLUCINATION COLLECTIVE

Un félin, identifié comme une panthère noire, a été filmé vendredi dernier par un promeneur.
Le mystérieux animal, signalé par de nombreux appels téléphoniques, n'a pas été retrouvé malgré des recherches par hélicoptère ce week-end. Les recherches suspendues pendant la nuit de dimanche, reprendront lundi matin.

---

b Sur ce modèle, continuez la rubrique « Nos amis les animaux ». Vous pouvez proposer vos propres idées ou vous inspirer des suggestions suivantes.

Écologie : une invasion de criquets ravage l'Afrique de l'Ouest.

Mystère : un kangourou attaque une Australienne en plein centre de Londres.

Zoo : le zoo de Chicago renvoie ses éléphants dans les parcs naturels africains.

Médecine : l'université de Montpellier réhabilite l'usage des sangsues comme traitement dans certaines affections liées à la suralimentation.

Sciences : des nouvelles de *Nessie*, le monstre du Loch Ness, en Écosse.

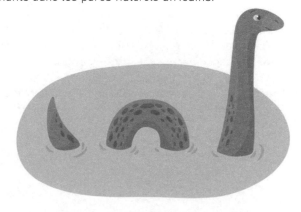

205. Passif et organisation du discours

Toute l'écriture de ce texte sur le musée de l'esclavage en Guadeloupe est organisée avec le passif, ce qui permet de concentrer les paragraphes.

ⓐ Soulignez tous les verbes au passif dans les textes ci-dessous.

ⓑ Puis inspirez-vous de ces textes pour rédiger l'histoire d'un objet et/ou monument célèbre de votre pays.

---

❶ **Mémorial ACTe**

Le Mémorial ACTe (2015) de Pointe-à-Pitre met fin aux non-dits d'une histoire encore douloureuse, car trop longtemps réprimée, oubliée ou alors évoquée seulement par bribes, à voix basse.

Le projet a été porté par les Indépendantistes et lancé véritablement en 2001 quand l'esclavage a été reconnu comme un crime contre l'humanité par la loi Taubira.

Ce centre Caribéen d'expression et de mémoire de la traite et de l'esclavage a été érigé sur le terrain d'une ancienne sucrière fermée, puis rasée. Son architecture moderne spectaculaire (240 mètres de long) est conçue comme « des racines d'argent sur une boîte noire qui évoque les millions d'âmes disparues ». L'histoire universelle de l'esclavage depuis le néolithique est retracée par le parcours de l'exposition. La colonisation des Amériques et la traite transatlantique d'êtres humains sont détaillées.

Rappelons que l'esclavage a été aboli par la Révolution en 1794, malheureusement rétabli par Napoléon en 1802 et définitivement aboli en 1840.

L'incroyable lutte en justice menée par l'esclave Finsi contre ses maîtres et soutenue par les abolitionnistes de la métropole a été un épisode marquant de cette évolution. Après 25 ans de procès et de prison, il a été déclaré libre en 1843, a pu fonder une famille, monter une entreprise et faire fortune. Le Mémorial ACTe est déjà considéré par les Guadeloupéens comme leur grand symbole emblématique, leur tour Eiffel.

---

❷ **Réédition bienvenue**

« **Liberté, j'écris ton nom...** » Le magnifique texte de Paul Eluard vient d'être réédité chez Seghers.

« Sur mes cahiers d'écolier / sur mon pupitre et les arbres / sur le sable sur la neige / J'écris ton nom » Puissance de l'anaphore, douceur des images. *Liberté* mêle vigueur poétique et destin national – il est publié clandestinement en 1942, parachuté par la RAF dans la France occupée, et bâché devant le Centre Pompidou à Paris après les attentats du 13 novembre 2015. En 1953, enluminé par Fernand Léger, il devient poème objet. Le voici réédité à l'identique en un panneau illustré qui, déplié, mesure 127,7 cm par 31,8 cm.

Les nominalisations 12

La nominalisation est un procédé qui consiste à transformer un verbe ou un adjectif en un nom grâce à l'ajout d'un suffixe. Il est très utilisé à l'écrit (en particulier dans la presse) car il permet en peu de temps de donner une grande quantité d'informations.

● Généralités

La nominalisation est un procédé très fréquent à l'écrit lorsqu'il faut donner beaucoup d'informations sous une forme concise, c'est pourquoi il est omniprésent dans la presse.

C'est une opération qui concerne deux propositions et qui consiste à transformer l'une des deux propositions en syntagme nominal et à l'insérer dans l'autre phrase comme sujet, complément d'objet ou complément circonstanciel. Elle se fait à partir d'un adjectif, d'un verbe ou d'une proposition complétive introduite par « que ».

• **Nominalisation à base adjectivale**
Soit deux propositions simples :
a. *Océane est **émotive**.*
b. *Cela la perturbe pour ses examens.*
On transforme la première proposition :
→ *L'émotivité d'Océane* ou *Son émotivité*
On créé une seule phrase :
→ ***L'émotivité d'Océane*** *la perturbe pour les examens.*

• **Nominalisation à base verbale**
On utilise le même procédé.
Le député a été élu au premier tour.
→ *L'élection du député au premier tour*
Ce groupe nominal peut maintenant devenir sujet ou complément dans une autre phrase plus complexe ajoutant une autre idée.
→ *L'élection du député au premier tour **a surpris tout le monde**.*

• **Nominalisation de la proposition complétive**
Soit une phrase contenant deux propositions :
J'ai constaté   que ce commercial était malhonnête.
       1   2

On nominalise la complétive :
→ *J'ai constaté **la malhonnêteté de ce commercial**.*
La phrase est plus concise et surtout, elle peut être prolongée facilement sans ajouter d'autres verbes :
→ *J'ai constaté **la malhonnêteté de ce commercial**, **le laxisme de ses chefs** et **l'incompétence du PDG**.*

Cette opération est très utilisée, surtout à l'écrit, notamment dans les titres de journaux.
Exemple : *Hausse du prix du baril de pétrole.*
La nominalisation permet de mettre en valeur un certain nombre d'informations plus ou moins abstraites d'une façon concise.

Exemple : Il a tout de suite compris combien le problème était complexe.
→ Il a tout de suite compris la complexité du problème.

Observez, dans les phrases suivantes, la présence de cinq idées exprimées par cinq verbes. *On veut **mettre en place** de nouvelles évaluations. Les étudiants **protestent**. Les enseignants ne **sont pas d'accord**. Les parents **s'inquiètent**. Malgré cela, la ministre **l'a décidé.***

Observez à présent la phrase qui suit, composée d'un seul verbe, et structurée autour de « malgré ».
→ *La ministre a décidé **la mise en place** de nouvelles **évaluations** malgré les **protestations** des étudiants, le **désaccord** des enseignants et l'**inquiétude** des parents.*

 ## BOÎTE À OUTILS

Nominalisations à base adjectivale

Les mots dérivés sont tous féminins (F) sauf les mots en -isme (masculins – M) et en -iste (féminins ou masculins – F / M).

Quelques adjectifs et leur nominalisation

Suffixe -ité (F)	aimable / amabilité crédule / crédulité curieux / curiosité divers / diversité efficace / efficacité émotif / émotivité fraternel / fraternité	fidèle / fidélité grave / gravité inutile / inutilité limpide / limpidité maniable / maniabilité ponctuel / ponctualité égal / égalité	réel / réalité sensible / sensibilité sensuel / sensualité simple / simplicité subtil / subtilité rapide / rapidité laïc / laïcité
Suffixe -té (F)	beau / beauté bon / bonté bref / brièveté clair / clarté	étrange / étrangeté libre / liberté fier / fierté gratuit / gratuité	méchant / méchanceté
Suffixe -ce (F)	abondant / abondance clairvoyant / clairvoyance permanent / permanence ressemblant / ressemblance	constant / constance élégant / élégance cohérent / cohérence important / importance persévérant / persévérance	insistant / insistance croyant / croyance bienveillant / bienveillance violent / violence tolérant / tolérance
Suffixe -esse (F)	juste / justesse gentil / gentillesse hardi / hardiesse joli / joliesse	poli / politesse large / largesse maladroit / maladresse petit / petitesse	délicat / délicatesse riche / richesse sage / sagesse bas / bassesse

Suffixe -ie (F) Suffixe -rie (F)	courtois / courtoisie drôle / drôlerie étourdi / étourderie fou / folie galant / galanterie	inepte / ineptie jaloux / jalousie malade / maladie mesquin / mesquinerie sensible / sensiblerie	sympathique / sympathie empathique / empathie
Suffixe -ise (F)	bête / bêtise franc / franchise	gourmand / gourmandise couard / couardise	sot / sottise
Suffixe -itude (F)	apte / aptitude certain / certitude exact / exactitude	las / lassitude plat / platitude plein / plénitude	solitaire / solitude seul / solitude incertain / incertitude
Suffixe -eur (F)	blanc / blancheur doux / douceur grand / grandeur	laid / laideur lent / lenteur lourd / lourdeur	noir / noirceur pâle / pâleur gros / grosseur

Vocabulaire abstrait de la politique, de l'économie ou de la littérature

Suffixe -isme (notion abstraite) (M) Suffixe -iste (la personne) (M / F)	germain / germanisme / germaniste américain / américanisme / américaniste anglais / anglicisme / angliciste espagnol / hispanisme / hispaniste extrême / extrémisme / extrémiste français / gallicisme	grec / hellénisme / helléniste relative / relativisme / relativiste national / nationalisme / nationaliste pacifique / pacifisme / pacifiste positif / positivisme / positiviste régional / régionalisme / régionaliste	réel / réalisme / réaliste social / socialisme / socialiste symbolique / symbolisme / symboliste
Absence de suffixe (M)	calme / calme charmant / charme	courageux / courage désespéré / désespoir	éclatant / éclat abusive / abus

« Égaliberté » : néologisme créé par une classe d'éducation physique autour de « liberté, égalité, fraternité »

« Liberté, égalité, fraternité, laïcité, liberté de conscience et d'expression, respect des droits fondamentaux de l'homme, élections libres, protection des travailleurs. » Associées à la France pour des raisons historiques, ces notions sont au cœur des débats et des combats dans toutes les sociétés. Leur application dépend de la volonté d'équilibrer les pouvoirs et de la vigilance des citoyens.

« La colonisation est un bloc qui a mêlé générosité et sottise, héroïsme et cupidité mais, qui a fait mieux ? » François Mitterrand, alors ministre des Affaire étrangères, en tournée africaine, 1951

Nominalisations à base verbale

Quelques verbes et leur nominalisation

A. La nominalisation indique l'action du verbe

Suffixes (F) -isation -tion -ation -sion -ssion -ion -xion	administrer / administration déclarer / déclaration annexer / annexion coopérer / coopération cuire / cuisson permettre / permission exprimer / expression démolir / démolition exploser / explosion apparaître / apparition décrire / description libérer / libération	arrêter / arrestation interdire / interdiction louer / location augmenter / augmentation détruire / destruction nommer / nomination autoriser / autorisation opposer / opposition diminuer / diminution priver / privation composer / composition disparaître / disparition	protéger / protection connecter / connexion éditer / édition rédiger / rédaction normaliser / normalisation construire / construction élire / élection réunir / réunion convoquer / convocation évacuer / évacuation voir / vision
Suffixes (M) -ment -issement	s'engager / engagement se comporter / comportement élargir / élargissement acquitter / acquittement déchirer / déchirement emballer / emballement	agir / agissement payer / paiement changer / changement détourner / détournement approfondir / approfondissement relever / relèvement	élargir / élargissement commencer / commencement écraser / écrasement remplacer / remplacement
Suffixe -age (M)	monter / montage emballer / emballage jardiner / jardinage bavarder / bavardage éplucher / épluchage	masser / massage chômer / chômage essayer / essayage passer / passage partager / partage	friser / frisage covoiturer / covoiturage démarrer / démarrage forer / forage se marier / mariage
Suffixe -ade (M)	dérober / dérobade promener / promenade	glisser / glissade noyer / noyade	braver / bravade parer / parade
Suffixe = féminin du participe (F)	arriver / arrivée monter / montée sortir / sortie entrer / entrée	prendre / prise mettre / mise remettre / remise	conduire / conduit prendre la Bastille / prise de la Bastille
Absence de suffixe (M / F)	abandonner / abandon s'efforcer / effort pleurer / pleur appeler / appel s'élancer / élan poser / pose arrêter / arrêt s'envoler / envol réformer / réforme bondir / bond	essayer / essai changer / change s'entretenir / entretien rencontrer / rencontre chanter / chant étudier / étude répondre / réponse chasser / chasse exposer / exposé se révolter / révolte	débuter / début finir / fin sauter / saut payer / paie craindre / crainte se soucier / souci voler / vol décliner / déclin débattre / débat

B. La nominalisation indique le résultat de l'action (abstrait ou concret)

Suffixe -ure (F)	blesser / blessure cultiver / culture mordre / morsure brûler / brûlure déchirer / déchirure	ouvrir / ouverture casser / cassure éplucher / épluchure plier / pliure coiffer / coiffure	friser / frisure rompre / rupture couvrir / couverture lire / lecture signer / signature
Suffixe -is (M)	semer / semis gazouiller / gazouillis gargouiller / gargouillis	briser / bris permettre / permis	compromettre / compromis

L'ESSENTIEL SUR...

● Nominalisations à base verbale. Cas particuliers

• Nominalisation avec modification du radical du verbe

mourir → mort
naître → naissance
partir → départ
revenir → retour

– Les nominalisations en -isation et -issement décrivent un processus de transformation selon le procédé ci-dessous :
mondial → mondialiser → mondialisation
large → élargir → élargissement
Autres exemples : banalisation, radicalisation, individualisation, privatisation, agrandissement approfondissement, durcissement, grossissement

– Les verbes « prendre » et « mettre » sont utilisés dans de nombreuses expressions comme : prendre conscience, mettre en marche, etc. On les transforme ainsi : prise de conscience, mise en marche (mise en vente, mise en pratique, mise en état / prise de vues, prise de sang, prise de contact, etc.)

• Attention aux doubles nominalisations correspondant à des sens différents :

arrêter → **l'arrêt** de l'autobus / **l'arrestation** des voleurs
changer → **le change** de l'argent / **le changement** de saison
déchirer → **la déchirure** de la robe / **le déchirement** de se séparer
essayer → **l'essai** de la nouvelle voiture / **l'essayage** d'un vêtement
exposer → **l'exposé** de l'étudiant / **l'exposition** de peinture
payer → **la paie** le 30 du mois / **un paiement** par chèque

[!] ATTENTION : La transformation nominale entraîne des modifications dans la phrase.
Exemples : Phrase verbale : Les coureurs **partent rapidement**.
Phrase nominale : **Départ rapide** des coureurs.

L'adverbe se transforme en adjectif.

⊕ Activité de repérage 14 – Un métier qui fait rêver

a Lisez le texte suivant sur le métier de mannequin et soulignez les noms qui décrivent les qualités nécessaires pour l'exercer ainsi que ses difficultés.

b Tous ces noms sont dérivés d'adjectifs. Lesquels ?

> Ce métier, qui fait rêver beaucoup de jeunes, n'est pas toujours facile. Il demande de la disponibilité, de la patience et de la résistance physique. Il exige aussi un bon équilibre moral pour pouvoir accepter la folie du milieu sans y tomber et aussi savoir supporter l'incertitude du lendemain.

⊕ Activité de repérage 15

a Lisez le texte suivant et soulignez les adjectifs.

Elle est belle et élégante,
Elle est féminine et douce,
Elle est drôle,
Elle est aussi intelligente,
Ponctuelle et efficace,
Compétente,
Et dure au travail,
C'est la patronne, la « BIG BOSS » !
Aujourd'hui les femmes assurent !

b Ensuite, reformulez le texte pour répondre à la question : « Pourquoi est-ce qu'elle assure ? »

Exemple : Elle assure à cause de son intelligence.

c Quelles transformations avez-vous dû opérer pour reformuler le texte ?

> « Je préfère la folie des passions à la sagesse de l'indifférence. »
> Anatole France, écrivain

> « Ce que la douceur a de féminin, c'est qu'elle est un courage sans violence,
> une force sans dureté, un amour sans colère. »
> André Comte-Sponville philosophe contemporain

> « Nous réaffirmons notre engagement total pour œuvrer à l'émancipation
> et au développement du rôle des femmes dans la société française d'aujourd'hui
> et de demain. » Conseil français du culte musulman 8 mars 2015
> pour la journée des femmes

Nominalisations à base adjectivale

B1.1
★

206. Nominalisations à base adjectivale

À partir des deux phrases données, faites une seule phrase en transformant la phrase en caractères gras en groupe nominal.

---

a Suffixe -ité/-té

1. Il est ponctuel ; j'apprécie beaucoup cela. – **2. Cet outil est très maniable** ; cela me permet de travailler facilement. – **3. Franck est curieux** ; cela le pousse à lire énormément. – **4. Alain est émotif** ; cela lui cause quelquefois des problèmes. – **5. La conférence a été brève** ; cela m'a déçu. – **6. Cet homme est méchant** ; je ne comprends pas cela. – **7. Ce film est étrange** ; cela me plaît beaucoup.

---

b Suffixe -ce/-esse

1. Les orages ont été très violents ; cela nous a beaucoup surpris. – **2. Ce vendeur est très insistant** ; cela est vraiment désagréable. – **3. Cette secrétaire est très élégante** ; cela provoque de grandes jalousies parmi ses collègues. – **4. Elle est maladroite** ; cela m'étonne toujours. – **5. Son fiancé est très délicat** ; elle apprécie beaucoup cela. – **6. Les employés sont polis** ; le patron pense que cela est nécessaire pour avoir une bonne ambiance dans l'entreprise.

---

c Suffixe -ie/-rie/-ise

1. Son mari est jaloux ; elle déteste cela. – **2. Elle dit souvent des choses ineptes** ; je ne les écoute pas. – **3. Cet homme est franc** ; j'aime beaucoup cela. – **4. Il est fou** ; cela lui permet de dire n'importe quoi. – **5. Elle est gourmande** ; cela lui a fait prendre plusieurs kilos. **6. Il est très étourdi** ; cela le perturbe dans son travail. – **7. Stéphane est toujours très drôle** ; il est invité partout à cause de cela.

---

d Suffixe -itude/-eur/-isme

1. Les réponses sont exactes ; j'en suis absolument sûre. – **2. Ce tissu est très doux** ; j'aime beaucoup cela. – **3. L'administration est très lourde** ; cela reste un gros problème. **4. Ce roman est très réaliste** ; je déteste cela. – **5. Je suis certain de partir** ; cela me remplit de joie. – **6. Elle est toujours seule** ; cela est difficile à supporter. – **7. Les Corses sont nationalistes** ; cela n'est plus à démontrer.

---

e Absence de suffixe

1. Le directeur est extrêmement calme ; cela m'étonne toujours. – **2. Cet homme est charmant** ; cela lui attire beaucoup de succès féminins. – **3. Valérie est désespérée** ; je supporte difficilement cela. – **4. Fabienne est toujours éclatante** ; elle est souvent remarquée à cause de cela.

207. Cause et nominalisation

a Transformez les phrases complexes en phrases simples.

Exemple : Je n'aime pas les corridas **parce qu'elles sont barbares**.
→ Je n'aime pas **la barbarie des corridas**.

1. Je déteste la publicité parce qu'elle est inutile. – **2.** Je n'aime pas les tempêtes parce qu'elles sont violentes. – **3.** J'aime ces escalades parce qu'elles sont difficiles. – **4.** J'adore les pays lointains parce qu'ils sont exotiques. – **5.** J'apprécie ces forêts parce qu'elles sont très fraîches. **6.** J'aime les torrents parce qu'ils sont limpides. – **7.** J'apprécie ces enfants parce qu'ils sont très polis. – **8.** J'aime le TGV parce qu'il est rapide.

b Transformez les phrases suivantes en utilisant à cause de (cause vue comme simple) ou grâce à + nominalisation (cause vue comme positive).

Exemple : Nous avons terminé tôt **parce que nous sommes efficaces**.
→ Nous avons terminé tôt **grâce à notre efficacité**.

1. Mon collègue m'a beaucoup aidé parce que ses explications étaient très claires. – **2.** Elle s'est sortie de cette sombre histoire parce qu'elle était réaliste. – **3.** Sophie plaît à tout le monde parce qu'elle est très douce. – **4.** Il a toujours des problèmes en bricolant parce qu'il est maladroit. – **5.** Sa femme l'a quitté parce qu'il était trop jaloux. – **6.** Il ne peut pas être jockey parce qu'il est obèse. – **7.** Il obtient tout ce qu'il veut parce qu'il est sympathique. – **8.** Elle n'a pu faire son exposé parce qu'elle est émotive.

208. Opposition et nominalisation

Transformez les phrases suivantes **en utilisant « malgré » + nominalisation**.

Exemple : Elle a pu faire l'exercice **bien qu'il soit difficile**.
→ Elle a pu faire l'exercice **malgré sa difficulté**.

1. Elle l'a aimé bien qu'il soit excentrique. – **2.** Elle le comprenait toujours bien qu'il soit incohérent. – **3.** Ils se sont bien entendus bien qu'ils soient différents. – **4.** Elle l'a épousé bien qu'il soit pauvre. – **5.** Elle l'a quitté bien qu'il soit fidèle. – **6.** Elle a demandé le divorce bien qu'il soit désespéré. – **7.** Il est revenu bien qu'elle soit méchante. – **8.** Ils se sont disputés bien qu'ils soient habituellement courtois.

209. Dérivation à base objectivale – Portraits de famille

a Quelles qualités et quels défauts appréciez-vous ou détestez-vous ?

Aimez-vous que les gens soient sots, impolis, agressifs, violents, méchants, ignorants, racistes, sales, etc. ?
Préférez-vous qu'ils soient curieux, drôles, dynamiques, optimistes, sincères, courtois, clairvoyants, subtils, sages etc. ?

→ **je déteste, je hais, je ne supporte pas la sottise.**
→ **j'apprécie, j'adore, j'aime la courtoisie.**

b Jugez positivement et négativement les personnages d'une série télé.

Exemples : Je ne supporte pas **la vulgarité de Kevin. La violence de Coralie** me fait peur.
Je n'apprécie pas Raphaël **à cause de son manque de finesse**.

Nominalisations à base verbale

 Activité de repérage 16 – Éducation

ⓐ Lisez le texte ci-dessous en observant les noms en gras. Ils sont dérivés de verbes et utilisent des suffixes spécifiques.

Le modèle actuel de l'école, fondé sur **l'évaluation**, la compétition et la performance est largement discuté aujourd'hui. Pourquoi ne pas voir la **réussite** autrement ? Un **apprentissage** ouvert et divers favoriserait la pleine **expression** du génie de chacun. Selon de nombreux chercheurs, le véritable **épanouissement** des personnes dans le **respect** des différences, associé à un **enseignement** poussé de la **coopération** bénéficierait à toute la société.

ⓑ Dites de quels verbes sont dérivés les noms en gras ? Quels suffixes ont été utilisés ? Les noms obtenus sont-ils masculins ou féminins ? Faites-en une liste comme ci-dessous.

Exemple :

évaluation   évaluer   -tion   féminin

> ⚠ **REMARQUE :**
> « Compétition » est un nom d'action sans verbe correspondant.
> « Performance » provient d'un adjectif.

 Activité de repérage 17

Voici la liste des huit besoins fondamentaux de l'être humain établie par les psychologues.

ⓐ Reformulez-les comme dans l'exemple avec des nominalisations.

Exemple : **1.** besoin d'être nourri → le besoin de nourriture

2. besoin d'être soigné → ....

3. besoin d'être habillé → ....

4. besoin d'être respecté → ....

5. besoin d'être reconnu → ....

6. besoin d'être aimé → ....

7. besoin d'être écouté → ....

8. besoin d'être éduqué → ....

ⓑ Observez les nominalisations. Quels suffixes utilisent-elles ?

> « La jeunesse n'est pas une période de la vie. Elle est un état d'esprit, un effort
> de la volonté, une qualité d'imagination, une victoire du courage sur la timidité,
> du goût de l'aventure sur l'amour du confort » général Mac Arthur

210. Nominalisations verbales dans les titres d'articles de presse

a Trouvez, dans les entrefilets suivants, les formes verbales qui correspondent aux noms écrits en italique dans les titres. Quelles remarques pouvez-vous faire ?

b Soulignez les autres nominalisations présentes dans les entrefilets.

Exemple :

NUIT DEBOUT : 200 *INTERPELLATIONS*

La police, qui recherche les casseurs des dernières manifestations, **a interpellé** plus de 200 personnes place de la République dans la nuit de jeudi à vendredi.

→ interpellations → Forme verbale = a interpellé (interpeller).

ACQUITTEMENT

1. À son deuxième procès en appel, le meurtrier présumé de la petite Stéphanie a été acquitté, un témoin ayant permis de retrouver le vrai coupable.

FERMETURE DE LA HALTE-GARDERIE

2. La halte-garderie de Meylan sera fermée du lundi 1er août au vendredi 19 août. La réouverture se fera lundi 22 août à 8h15.

SÉISMES AU MAROC : IMPORTANTES *DESTRUCTIONS*

3. Le récent tremblement de terre a fait de nombreuses victimes et détruit totalement plusieurs villages de montagne proches de l'épicentre. La population critique la mauvaise organisation des secours.

DÉMISSION EN CATASTROPHE

4. Le président d'une commission de l'Assemblée nationale a démissionné suite aux accusations pour harcèlement sexuel de plusieurs femmes politiques. Cas particulier ou machisme ordinaire ?

52 *NOYADES* AU JAPON

5. Au moins 52 personnes, dont 19 enfants, se sont noyées pendant le week-end où les vacanciers ont envahi plages et piscines pour échapper à la canicule.

BIVIERS : *ARROSAGE* INTERDIT

6. En raison de la sécheresse, le maire de la commune de Biviers signale qu'il est interdit d'arroser les pelouses.

HAUSSE DES TEMPÉRATURES

7. Le pic de canicule de l'été confirme une tendance au réchauffement climatique. En effet, les températures augmentent régulièrement depuis une dizaine d'années. Cette élévation préoccupe les scientifiques.

LAXISME

8. Les autorités de Singapour ont levé partiellement l'interdiction de vendre des chewing-gums, décidée pour préserver la propreté des trottoirs. La mesure ne concerne que les gommes à la nicotine pour les personnes voulant arrêter de fumer.

B1.1
★

211. Nominalisation et construction de la phrase

À partir des deux phrases données, faites une seule phrase en transformant la phrase en caractères gras en groupe nominal.

---

a Suffixes -tion, -ssion et -sion

1. On a détruit cette vieille maison ; cela m'a fait de la peine. – **2. Nous nous sommes installés dans cette ville** ; cela a été difficile. – **3.** Dans cette ville, **on ne peut pas louer de vélos** ; cela n'existe pas. – **4.** Il a demandé qu'**on lui permette de sortir** ; on lui a refusé cela. – **5. Le prisonnier s'est évadé** ; cela reste mystérieux. – **6. Monsieur André a disparu** ; on ne comprend pas cela.

---

b Suffixe -ment

1. On a chargé le camion ; cela a été long. – **2. On détourne les avions** ; cela n'étonne plus personne. – **3. On va développer les échanges commerciaux avec ce pays** ; cela est nécessaire. – **4. Les uns s'enrichissent**, cela ne profite pas aux autres. – **5. Les campagnes s'appauvrissent** ; c'est mauvais pour l'économie du pays. – **6. La presse a grossi les événements** ; cela est inadmissible.

---

c Suffixe -age

1. L'avion a atterri ; cela s'est bien passé. – **2. Il faut arroser régulièrement les plantes** ; cela les rend belles. – **3. Quand on essaie un nouveau vêtement**, cela dure en général très longtemps. – **4. Il démarre toujours difficilement** car c'est un conducteur débutant. – **5. On emballe les appareils** ; cela se fait automatiquement. – **6. Il chôme depuis longtemps** ; cela le déprime.

---

d Suffixe = féminin du participe

1. Les eaux sont montées rapidement ; cela a inondé tout le village. – **2. Un groupe de jeunes est arrivé tard** ; cela a dérangé tout le monde. – **3. Les enfants sont sortis bruyamment** ; cela m'a surpris. – **4. On a mis à l'eau un gros bateau** ; pour cela on a utilisé une grue. – **5. Les réfugiés vont être pris complètement en charge** ; les autorités ont donné leur accord. – **6. On veut remettre en marche la machine** ; cela nécessite beaucoup d'argent.

---

e Absence de suffixe

1. Les skieurs sautaient ; nous admirions cela. – **2. Les cigales chantent** ; cela nous réveille la nuit.   **3. Éric m'a regardée** ; cela m'a mise mal à l'aise. – **4. Les militaires marchaient rapidement** ; cela nous a impressionnés. – **5. Il faut étudier la grammaire** ; c'est indispensable. – **6. Les oiseaux se sont envolés** ; nous avons admiré cela.

---

f Suffixe -ure

1. On a fermé les portes à six heures ; il est arrivé après cela. – **2. Il a lu ce livre** ; il en était très satisfait. – **3. Il a été blessé** ; cela se cicatrise très bien. – **4. Ils ont rompu brutalement** ; Noëlle n'a pas supporté cela. – **5. On va signer le contrat** ; pour cela il faut préparer tous les papiers nécessaires. – **6. On cultive du maïs** ; c'est plus intéressant.

212. Fonction de la nominalisation dans la phrase

Transformez la phrase verbale proposée en groupe nominal, puis insérez celui-ci en sujet ou complément dans un maximum de nouvelles phrases.

Exemple :
Situation : L'actrice Julia Roberts est présidente du festival de Cannes (2016).
1) Julia Roberts arrive (enfin) → **L'arrivée (attendue) de Julia Roberts.**
2) La foule attendait (avec impatience) **l'arrivée de Julia Roberts.**
→ **L'arrivée (tardive) de Julia Roberts** a été saluée par des applaudissements.
→ **À l'arrivée de Julia Roberts**, les spectateurs ont essayé de faire des selfies.
→ Le jury s'est réuni pour travailler **dès l'arrivée de Julia Roberts**, la présidente, la star…

1. Le mauvais temps revient. – **2.** On a détourné un avion. – **3.** Le commerce se développe. – **4.** Un nouveau barrage a été construit. – **5.** Les deux présidents se sont entretenus longuement. – **6.** Le contrat a été signé. – **7.** Le satellite a été mis sur orbite. – **8.** Les deux gangsters ont été arrêtés.

213. Nominalisation d'une complétive

Transformez la proposition en gras en effectuant une nominalisation à base verbale. Attention le qualifiant du verbe (adverbe ou autre) doit être transformé en adjectif.

Exemples :
Coline prédit <u>que</u> **son frère échouera certainement au bac**. → Elle prédit l'échec certain de son frère au bac.
L'entreprise confirme <u>qu'elle a envoyé les nouveaux téléphones il y a peu</u>. → Elle confirme l'envoi récent des nouveaux téléphones.

1. Les scientifiques craignent **que les températures augmentent sérieusement**. – **2.** Les journalistes sont sûrs **que le gouvernement sera prochainement remanié**. – **3.** Les députés ont demandé **que le ministre réponde rapidement à leurs questions**. – **4.** Une pétition internet réclame **que le projet de loi soit discuté démocratiquement**. – **5.** Le médiateur exige **que le dossier soit examiné attentivement**. – **6.** Le responsable a demandé **que les salles soient nettoyées tous les jours**. – **7.** Les ouvriers ont obtenu **que leur salaire soit beaucoup augmenté**. – **8.** Les agriculteurs se plaignent **qu'il pleut sans cesse**. – **9.** On annonce **que le Président va arriver d'une minute à l'autre**. – **10.** Le ministre promet **que des postes d'enseignants seront bientôt créés**.

214. Nominalisation et prise de notes – Des vies

Voici la vie d'un couple ; chaque événement important est exprimé sous forme nominale car il s'agit d'une liste de notes, pas d'un texte. On ne peut pas non plus parler de cette manière.

a Soulignez tous les noms correspondant aux événements de leur vie.

1985 – Rencontre de Chloé et Laurent chez des amis communs. – Coup de foudre réciproque. Vie commune quelques mois.

1986 – Fiançailles au mois de mars. – Mariage en novembre à Meylan avec toute la famille.

– Voyage de noces aux Antilles. – Installation du couple dans un petit studio à Grenoble.

1988 – Naissance de Stéphanie. – Achat d'un terrain près de Grenoble.

1990 – Construction de la maison. – Adoption de Hissa. – Soutenance de la thèse de Laurent.

1995 – Nomination de Laurent et Chloé à Pontoise, près de Paris. – Vente de la maison. – Déménagement de toute la famille. – Installation à Pontoise dans un petit pavillon.

2005 – Demande de mutations faite par Laurent et Chloé. – Mutation obtenue. – Retour à Grenoble en juillet.

b Puis reformulez-les à l'oral (ou à l'écrit) en phrases verbales au passé composé.

Exemple : 1985 – Rencontre de Chloé et Laurent chez des amis communs.
→ **Chloé et Laurent se sont rencontrés en 1985 chez des amis communs.**

c Racontez au passé composé les grandes étapes de la vie d'autres personnes, puis résumez ce récit en notes chronologiques nominales. Vous pouvez travailler seul (vous rédigez les deux textes) ou à plusieurs : l'un raconte, les autres prennent des notes.

Phrases verbales, phrases nominales

B1.2
★★

215. Transformation : phrases verbales et titres de journaux

a Transformez les informations suivantes en titres de journaux (c'est-à-dire en phrases nominales).

Exemple : Le ministre va **diminuer les impôts.**
→ **Diminution des impôts** par le ministre.

Politique

1. Le nouveau gouvernement sera mis en place dans une semaine. – **2.** Le budget a été accepté par l'Assemblée. – **3.** Les critiques de la droite contre le parti socialiste se durcissent. – **4.** Le parti écologiste a pris position publiquement.

Social

1. 50 personnes vont être licenciées à l'usine chimique de Vénissieux – **2.** Les étudiants ont protesté violemment contre la loi travail. – **3.** Les travailleurs ont manifesté dans toute la France. – **4.** Les négociations entre les syndicats et le patronat ont échoué.

Économie

1. L'agriculture sera développée dans le département de la Lozère. – **2.** Le prix de l'essence va augmenter avant l'été. – **3.** La balance du commerce extérieur français est déficitaire de 5 milliards.

Culture

1. *La Joconde* aurait été vendue à un milliardaire inconnu. – **2.** Des cinéastes, des critiques et des intellectuels protestent contre les atteintes à la liberté d'expression. – **3.** Le nouveau roman de Virginie Despentes paraîtra au printemps prochain. – **4.** Le directeur de la Maison de la culture a démissionné.

Sports

1. La course de voiliers partira demain à 14 heures. – **2.** L'équipe de France a perdu le match. – **3.** Le champion du monde de cyclisme a abandonné dans la montée de l'Alpe d'Huez. – **4.** Les deux skieurs français ont sauté magnifiquement sur le nouveau tremplin inauguré à Chamrousse.

Faits divers

1. Le vieux pont sur l'Isère sera bientôt détruit. – **2.** L'autoroute Lyon-Marseille va être doublée. – **3.** Les auteurs du cambriolage de la BNP ont été arrêtés hier soir. – **4.** Un drone a atterri sur le campus universitaire.

Météo

1. Il pleuvra abondamment demain toute la journée. – **2.** Des nuages se formeront peu à peu sur les Alpes. – **3.** Les températures s'élèveront de quelques degrés demain dans la journée. – **4.** Les orages arriveront sur les reliefs. – **5.** Le soleil apparaîtra timidement dans l'après-midi après une matinée un peu perturbée.

b À partir des titres de journaux ci-dessous, écrivez une phrase verbale reprenant le nom en caractères gras (rajoutez d'autres verbes si c'est nécessaire).

Exemple : Ottawa. **Révision** de la Constitution
→ La constitution sera / va être / a été révisée.

1. Lyon. Grève des surveillants de prisons après **l'agression** de l'un d'entre eux.

2. Pakistan. Neuf blessés lors d'une **manifestation** des opposants au gouvernement.

3. Chômage partiel. **Négociations** pour la révision de l'indemnité journalière.

4. Agriculteurs en colère. **Saccage** de la préfecture à Saint-Étienne.

5. Paris-Rhône. **Rejet** des 1015 suppressions d'emplois par les syndicats.

6. États-Unis. Prochain **lancement** d'un satellite détecteur de sous-marins lance-missiles.

7. France. **Condamnation** d'un ancien Premier ministre.

8. Colombie. Dix morts au cours d'**affrontements de la garde nationale** avec les narco trafiquants.

9. Bordeaux. Un chirurgien jugé en appel pour **non-assistance** à personne en danger.

10. Politique. **Préparation** des élections municipales : les écologistes dans la mêlée.

« La plus grande couardise consiste à éprouver sa puissance
sur la faiblesse d'autrui. » Jacques Audiberti

« La fin de l'espoir est le commencement de la mort. » général de Gaulle, 1940

« Les 3 P – Prévention, Précaution, Protection – sont devenus trop dominants
dans nos sociétés développées. Il faudrait réinjecter un peu de risque. »
Pierre-Henry Tabayou, sociologue

B1.2
★★

216. Charte du développement durable – Le Grésivaudan

Les communes de la vallée du Grésivaudan*, près de Grenoble, s'engagent sur une liste d'actions à mener ensemble pour le développement durable du territoire. Cette liste est à l'infinitif (concret, facile à lire), mais on peut aussi utiliser des nominalisations d'action (plus administratif).

Reformulez chaque proposition de la charte ci-dessous en utilisant une nominalisation.

Exemple :
Renforcer la diversité économique par un soutien aux économies agricole, sylvicole et touristique.
Renforcement de la diversité économique par un soutien aux économies agricole, sylvicole et touristique.

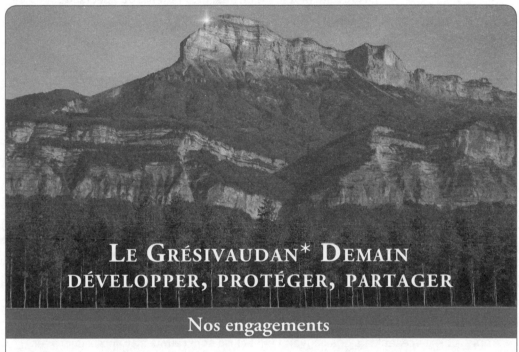

LE GRÉSIVAUDAN* DEMAIN
DÉVELOPPER, PROTÉGER, PARTAGER

Nos engagements

• Renforcer les équilibres territoriaux en s'assurant l'équité d'accès aux services et aux équipements.

• Maintenir le lien social en favorisant les échanges et les relations humaines.

• Réduire les nuisances et protéger les espaces naturels.

• Encourager les solidarités entre les générations et vis-à-vis de tous les publics quel que soit le type de difficultés rencontrées.

• Développer les synergies pour améliorer et faciliter le travail des professionnels de tous les secteurs : tourisme, industrie, agriculture, aide aux personnes, culture, etc.

---

* « Le pays du Grésivaudan » = vallée de l'Isère entre Grenoble et Pontcharra, regroupant 49 communes (90 000 habitants/700 km2).

« La faculté de rire aux éclats est la preuve d'une âme excellente. » Jean Cocteau

Nominalisations à base verbale et langue de la presse

B1.2
★★

217. Nominalisation à base verbale

En utilisant les nominalisations qui correspondent aux actions revendicatives suivantes, composez vous-même l'agenda social chargé de la semaine (du lundi au samedi inclus).

Ce mois de mars, le gouvernement va devoir affronter pas moins d'un ou deux mouvements sociaux par jour...

Exemple : **lundi 2 mars : – Journée d'action des salariés de la construction.**
                                 – Nouvelle mobilisation des intermittents du spectacle.

1. Les parents **marchent** silencieusement pour protester contre les violences au lycée.

2. Les chercheurs **menacent de démissionner**.

3. Les retraités **défilent pour** défendre leur pouvoir d'achat.

4. Les employés d'EDF **coupent le courant** pour **défendre** le service public.

5. Les routiers **bloquent les routes** pour **obtenir** de meilleures conditions de travail.

6. Les infirmières font la grève du zèle pour que les **effectifs soient augmentés**.

7. Les syndicats de policiers **protestent** contre la politique du rendement.

8. Les travailleurs et les jeunes **s'indignent** contre la modification du code du travail.

9. Les buralistes **grognent** après qu'on **a augmenté** le prix du tabac.

10. Les agriculteurs **se mobilisent** contre les importations.

11. Les intellectuels **appellent à l'action** pour défendre le droit d'asile.

B1.2
★★

218. Paragraphes avec reprise nominale

Terminez les paragraphes en utilisant la nominalisation qui correspond au verbe de la première phrase.

Exemple : Les représentants des pouvoirs publics **se sont réunis** hier après-midi pour une première séance de travail. **Cette réunion** était consacrée à la mise au point du programme.

1. Une femme, mère de deux enfants, a été inculpée d'assassinat pour avoir tué son mari qui l'avait battue violemment. ....

2. Alors qu'il circulait sur la route nationale 27, un camion a dérapé sur une plaque de verglas. Heureusement, ...

3. Une lycéenne de 15 ans a disparu depuis samedi dernier. ....

4. Depuis plusieurs mois, les groupes de sensibilité écologique s'opposent énergiquement à la construction d'un nouvel aéroport près de Nantes. ....

5. La pollution provoquée par les accidents des pétroliers tue peu à peu la faune et la flore des océans. ....

6. La population mondiale continue de croître : 78 millions de personnes de plus l'an dernier selon les dernières statistiques. ....

7. Moment de panique hier à la Bourse : les cours se sont effondrés brièvement. ....

8. La marine argentine a abandonné les recherches du Santa Isabella, un navire marchand, qui avait été signalé en difficulté il y a quatre jours au large de la Terre de Feu. ....

Nominalisation et organisation du discours

B2.1
★★★

219. Nominalisation et organisation du discours

a Organisez les éléments donnés en une seule phrase en utilisant les noms qui correspondent aux verbes en caractères gras.

Exemple : Des jeunes gens **manifestent**. On les **arrête**.
La société civile et la presse **réagissent** fortement.
→ **L'arrestation de jeunes manifestants a provoqué de fortes réactions dans la presse et la société civile.**

> **1.** On doit **chauffer** les locaux. On doit les **entretenir**. On doit les **nettoyer**. L'université **prendra** cela en charge.

> **2.** Les étudiants doivent d'abord **s'inscrire** et **payer** leurs cours, puis ils doivent **passer** un test. Ensuite ils pourront suivre les cours.

> **3.** On doit **étudier** le projet. On doit **acheter** les matériaux. On doit **construire** des équipements. Notre entreprise s'occupera de tout cela.

B1.1
★

b Rédigez un petit texte en deux ou trois phrases sur la fabrication du pain, en utilisant les noms qui correspondent aux verbes en caractères gras.

Le pain de tradition **a été sauvé** in extremis par la réglementation de 1993. Il était temps : on ne trouvait plus que des baguettes industrielles blafardes et sans saveur. La profession **s'est réveillée**. Les croûtes dorées et les belles mies **sont revenues**. Des boulangers stars travaillant à l'ancienne **sont nés. Ils pétrissent, façonnent et cuisent** dans le même lieu et ne **surgèlent** jamais le pain. Celui-ci est délicieux et se conserve très bien, comme autrefois.

B1.1
★

c Rédigez de petits textes de plusieurs phrases complexes utilisant les nominalisations correspondant aux verbes ou adjectifs en caractères gras.

> **1.** Le pape a appelé les élites mondiales à mieux partager les richesses. D'après lui, quand les élites **sont corrompues** et que les perspectives **manquent**, la jeunesse peut **se radicaliser** et **déraper** dans des actes violents. Pour que la société soit **paisible et prospère**, les puissants doivent se montrer **solidaires** et mieux **répartir** la richesse. Le pape invite à passer à l'action sans attendre.

> **2.** Les Français de Polynésie **protestent,** ils ne veulent plus être traités comme des Français de deuxième catégorie. La Polynésie **est très éloignée** de la Métropole, l'économie y est **moins développée** (les civilisations de pêcheurs **ont été déstabilisées**). Tout ou presque **est importé** de l'Hexagone, les prix **sont très élevés.** Ils demandent qu'on **améliore** les équipements et les liaisons maritimes et aériennes. Ils réclament aussi qu'on **indemnise** enfin les conséquences des essais nucléaires.

> **3.** Un sondage indique que les Français sont **las** face aux problèmes économiques et **moroses** après les attentats. Ils semblent à la fois **résignés** et **méfiants** envers la classe politique. Certains pourraient se montrer **violents** tant ils se sentent **frustrés** et **impuissants**. D'autres veulent que l'autorité **revienne**. Heureusement, en parallèle, des milliers de citoyens **élaborent** de nouvelles technologies, **créent** des entreprises, **expérimentent** de nouvelles façons de vivre, bref **innovent** et **participent** activement à construire le monde de demain. Et quelquefois, ce sont les mêmes personnes ! La France grogne, mais elle bouge aussi...

B1.2
★★

220. Synthèse – Tout, tout, tout et le reste

B1.2
★★

a Nous voulons tout

Regroupez deux à deux des désirs parfois contradictoires que nous pouvons avoir. Aidez-vous de la liste ci-dessous.

> amour   aventure   beauté   bien-être   convivialité   engagement
> études   expériences   gloire   innovations   intimité   intelligence   jeu
> liberté   plaisir   routine   sécurité   simplicité   stimulation   surprise
> temps libre   traditions   tranquillité   travail   variété

Exemples : *l'amour et le plaisir*
           le bien-être et la stimulation

B1.2
★★

B2.1
★★★

b Pensez à votre série télé préférée et énumérez les épreuves rencontrées par les personnages : déceptions, rupture, chômage... Puis, rédigez le récit de vie d'un des personnages en décrivant événements et sentiments avec des nominalisations.

Exemple : Après le départ de sa femme, il a traversé un grand moment de **découragement** et il est tombé dans l'**alcoolisme**. Heureusement, il a fait une nouvelle **rencontre** et il est sorti de sa **dépression**. Mais pas pour longtemps... La **maladie** a frappé sa nouvelle compagne, etc.

B2.1
★★

c Écrivez plusieurs phrases complexes pour **définir l'amitié**. Utilisez des nominalisations et introduisez des verbes et des articulateurs logiques pour les relier. Vous pouvez vous inspirer des éléments suivants (ou de ceux qui sont apparus dans une discussion de groupe préalable).

Réfléchissez : Dans une vraie amitié, qu'est-ce qui compte ? Dominer est-il essentiel ou secondaire ? Que doit-on savoir faire, manifester ou respecter ? De quelles qualités doit-on savoir faire preuve ?

L'amitié : sentiment réciproque, désintéressé, pas égoïste. Relation équilibrée, ni trop intime, ni trop distante, respectueuse et fluide. On sait écouter, comprendre et être patient, discret, confiant, fiable et fidèle. Échanger des plaisirs, des objets ou des services est moins important que d'être simplement ensemble.

> « Il faut allier le pessimisme de la raison à l'optimisme de la volonté. »
> Gramscsi, penseur politique italien

L'ESSENTIEL SUR...

Le présent de l'indicatif est très utilisé à l'oral comme à l'écrit. Il est important de bien savoir le conjuguer car il comporte beaucoup de verbes irréguliers. De plus, c'est à partir de ce temps que sont formés les radicaux d'autres temps.

● Les terminaisons du présent

Verbes terminés par : − ER (parler / manger / chanter, etc.) Et quelques autres verbes : (ouvrir / offrir / cueillir, etc.)			Verbes terminés par : − IR − RE − OIR (finir / prendre / devoir / venir / écrire, etc.)		
Je	parl / cueill	**e**	Je	prend / prend	**s**
Tu	parl / cueill	**es**	Tu	fini / prend	**s**
Il / elle on	parl / cueill	**e**	Il / elle on	fini / pren	**d** / **t**

Nous	parl	**ons**
Vous	offr / pren	**ez**
Ils / elles	écriv	**ent**

• Verbes irréguliers

Aller	il va / ils vont
Avoir	j'ai / il a / ils ont
Dire	vous dites
Être	nous sommes / ils sont / vous êtes
Faire	ils font / vous faites
Pouvoir	je peux / tu peux
Vaincre	il vainc
Valoir	je vaux / tu vaux
Vouloir	je veux / tu veux

« Le monde avec lenteur marche vers la sagesse. » Voltaire

● Particularités orthographiques de certains verbes

1. Verbes en -CER / -GER

Les verbes en -cer prennent une cédille devant les lettres **a** et **o**.
Les verbes en -ger prennent un **e** après le **g** devant les lettres **a** et **o**.

Exemples : commencer → nous commençons
plonger → nous plongeons

2. Verbes en E + consonne + ER

● **Les verbes en -eler** redoublent le **l** devant une syllabe contenant un **e** muet sauf : celer, ciseler, congeler, déceler, démanteler, écarteler, geler, marteler, modeler, peler qui changent le e muet de l'avant-dernière syllabe de l'infinitif en **è** ouvert.

Exemples : appeler → j'appelle, ils appellent, nous appelons
congeler → je congèle, ils congèlent, nous congelons

● **Les verbes en -eter** redoublent le **t** devant une syllabe contenant un **e** muet sauf corseter, crocheter, fureter, haleter, racheter qui changent le e muet de l'avant-dernière syllabe de l'infinitif en **è** ouvert.

Exemples : jeter → je jette, ils jettent, nous jetons
acheter → j'achète, ils achètent, nous achetons

3. Verbes en -YER / -AYER

Les verbes en -yer changent l'**y** en **i** devant un **e** muet.
Les verbes en -ayer peuvent conserver l'**y** devant un **e** muet.

Exemples : envoyer → j'envoie, ils envoient, vous envoyez
essuyer → j'essuie, ils essuient, vous essuyez
payer → je paie *ou* je paye, ils paient *ou* ils payent

● Verbes ayant plusieurs bases phonétiques

Verbes ayant deux bases phonétiques

Verbes	Formes du singulier	Formes du pluriel
mentir / partir / sentir / sortir... battre / mettre...	je **sor**s tu **sen**s il **met**	nous **sort**ons vous **sent**ez ils **mett**ent
lire / conduire / se taire / coudre / plaire / nuire...	je **li**s tu te **tais** il **cou**d	nous **lis**ons vous vous **tais**ez ils **cous**ent
connaître / naître paraître... finir / grandir / salir...	je **conn**ais tu **par**ais il **sali**t	nous **connaiss**ons vous **parais**sez ils **saliss**ent
attendre / entendre / descendre / répondre / perdre / mordre	j'**entend**s tu **descend**s il **répond**	nous **entend**ons vous **descend**ez ils **répond**ent

écrire / servir / suivre / vivre...	j'**écri**s tu **ser**s il **vi**t	nous **écriv**ons vous **serv**ez ils **viv**ent
convaincre / vaincre...	je **convainc**s tu **vainc**s il **vainc**	nous **convainqu**ons vous **vainqu**ez ils **vainqu**ent
craindre / peindre / éteindre / joindre...	je **crain**s tu **pein**s il **join**t	nous **craign**ons vous **peign**ez ils **joign**ent
savoir valoir mourir	je **sai**s tu **vau**x il **meu**rt	nous **sav**ons vous **val**ez nous **mour**ons / ils **meur**ent
résoudre s'asseoir	je **résou**s tu t'**assied**s / t'**assoi**s	nous **résolv**ons nous nous **assey**ons / **assoy**ons

Verbes ayant trois bases phonétiques

Verbes	Formes du singulier	Formes du pluriel
pouvoir	je **peu**x	nous **pouv**ons ils **peuv**ent
vouloir	tu **veu**x	nous **voul**ons ils **veul**ent
boire	je **boi**s	nous **buv**ons ils **boiv**ent
devoir	tu **doi**s	nous **dev**ons ils **doiv**ent
recevoir	il **reçoi**t	nous **recev**ons ils **reçoiv**ent
dire	je **di**s il **di**t	nous **dis**ons vous **dit**es ils **dis**ent
prendre apprendre comprendre...	je **prend**s tu **apprend**s il **comprend**	nous **pren**ons ils **prenn**ent vous **appren**ez ils **apprenn**ent nous **compren**ons ils **comprenn**ent
venir revenir...	je **vien**s je **revien**s	nous **ven**ons ils **vienn**ent vous **reven**ez ils **revienn**ent
tenir obtenir	je **tien**s il **obtien**t	nous **ten**ons ils **tienn**ent vous **obten**ez ils **obtienn**ent

Verbes ayant plus de trois bases phonétiques

Verbes	Formes du singulier	Formes du pluriel
avoir	j'**ai** tu **as** il **a**	nous **avons** vous **avez** ils **ont**
être	je **suis** tu **es** il **est**	nous **sommes** vous **êtes** ils **sont**
faire	je **fais** tu **fais** il **fait**	nous **faisons** vous **faites** ils **font**

● Les valeurs du présent

Le présent couvre une portion de temps plus ou moins grande par rapport au moment du locuteur.

1. Le présent d'habitude, de répétition

Il est, dans ce cas, presque toujours accompagné d'une expression comme *souvent, régulièrement, tout le temps, habituellement, toutes les semaines*, etc.

Exemple : je commence tous les jours à 8 h 30 sauf le jeudi où je commence à 10 h 30.

Faire un récit au présent d'un événement passé le rapproche de l'auditeur ou du lecteur. C'est un effet stylistique qui remplace systématiquement le récit du passé.

2. Le présent indiquant un passé très peu éloigné

Le présent indique quelquefois un passé très peu éloigné, surtout avec des verbes marquant une action qui ne dure pas (arriver, sortir, finir, commencer, etc.).
Le verbe est, dans ce cas, souvent accompagné d'une expression comme *juste, à l'instant*.

Exemple : Tu vas pouvoir le rencontrer, il arrive juste.

3. Le présent employé à la place du futur

L'idée du futur est alors donnée par une expression comme *demain, la semaine prochaine, dans huit jours, l'an prochain*, etc.

Exemples : *Je pars en vacances dimanche prochain. L'année prochaine, je visite la Turquie.*

4. Le présent à valeur universelle reconnue

Exemples : *Dans les pays nordiques, il fait plus froid que dans les pays méridionaux.*

5. Le présent du raisonnement

Exemple : *Votre enfant a de la fièvre, dans ce cas (donc) vous appelez le médecin.*

6. Le présent de narration

Il peut s'utiliser dans un récit normalement au passé. C'est un procédé expressif qui rapproche les événements.

Exemple : Dimanche dernier, je suis parti me promener à 10 heures ; je fais 20 kilomètres et je tombe en panne.

> **!** **REMARQUES :** Pour le présent, se reporter à *La Grammaire des premiers temps*, PUG.

LA GRAMMAIRE DES PREMIERS TEMPS
A1-A2

B1.2
★★

B2.1
★★★

221. Repérage – Un étrange événement

a Relevez les verbes au présent dans le texte écrit ci-dessous et indiquez-en l'infinitif.

C'est un vendredi soir de décembre, à Paris, sur les Champs-Élysées. La foule déambule sur les larges trottoirs de l'avenue, plus dense que d'habitude encore, car ce sont les illuminations de Noël. Soudain, sans qu'on puisse savoir pourquoi, se forme une file de gens qui se tiennent les uns à côté des autres, face à la chaussée, comme en un long serpent qui atteint rapidement une bonne centaine de mètres. Et à 20 heures précises, tous allument leur smartphone qu'ils brandissent à bout de bras. À ce curieux spectacle, les automobilistes ralentissent, les passants s'arrêtent et s'interrogent. Que se passe-t-il donc ? Une manifestation politique ? Certainement pas, car un long cri parcourt toute la file « Holà, Holà », qui ressemble à celui qu'on entend dans les stades, puis des applaudissements et des rires. Et aussi vite le silence retombe... C'était ce qu'on appelle un *flashmob*, mot nouveau qu'on pourrait traduire à peu près par *foule-éclair*, un rassemblement qui n'a rien de spontané, comme ceux qu'on peut voir autour d'un accident ou d'un bonimenteur. Non, tous ces gens, qui ne se connaissent pas, ont été avertis très peu de temps auparavant, par téléphone ou par mail, et sont venus là pour le simple plaisir, sans aucun but pratique.

b Pourquoi ce récit d'un événement est-il écrit au présent ? Qu'est-ce que cela apporte ?

B1.1
★

B1.2
★★

222. Conjugaison des verbes irréguliers – Au lycée

A. ILS...

Conjuguez les verbes proposés à la troisième personne du présent de l'indicatif. La plupart sont irréguliers. Si vous avez un doute, consultez la fiche *L'essentiel sur...*

Les élèves ne (venir) .... pas toujours en cours ou ils (partir) .... avant l'heure. Quelquefois, ils (sortir) .... même de l'établissement. Quand ils (être) .... présents, ils (arriver) .... souvent en retard. Ils (s'assoir) .... n'importe où, ils (aller et venir) .... dans la salle, ils (se tenir) .... mal. Ils (dire) .... des bêtises toute la journée, ils ne (se taire) .... pas quand on le leur demande, certains (répondre) .... avec insolence, quelques-uns (tenir) .... parfois des propos insultants.

Ils (connaître) .... tout, mais superficiellement, par les médias mais ils ne (savoir) .... pas répondre à une question de cours. Ils ne (suivre) .... pas bien en classe car ils (être)............ dans la lune en cours : ils ne (boire) .... vraiment pas les paroles du professeur...

Ils (pouvoir) .... réussir mais ils n'y (mettre) .... pas assez d'énergie. Ils ne (comprendre) .... pas qu'ils (devoir) .... travailler et ils ne (faire) .... pas leurs devoirs.

Ils (lire) .... mal, ils (écrire) .... encore moins bien et ils ne (finir) .... pas leur travail. Ils n'(apprendre) .... rien par cœur et certains jours ils ne (comprendre) .... rien à rien.

Et quand, pour finir, ils (obtenir) .... des mauvaises notes, ils (croire) .... que les profs ne (valoir) .... rien. Ou alors ils (être) .... déprimés et ils (dire) .... que c'(être) .... notre faute ! Après quoi, ils (envoyer) .... des messages horribles sur nous sur Internet. Je n'en (pouvoir) .... plus !

B. **ⓐ TU et VOUS – Préparer un questionnaire**

Reprenez les mêmes idées et les mêmes verbes pour préparer deux questionnaires pour les élèves. Faites des questions personnelles avec « tu » ou « vous » et des questions collectives avec « vous ».

Exemples :
Est-ce que...
... **tu es souvent** en retard ?
... **tu t'assieds** n'importe où ?

Est-ce que...
... **vous êtes** souvent en retard ?
... **vous vous asseyez** n'importe où ?

ⓑ TU et JE – Dialogues entre élèves

À l'oral ou à l'écrit, faires un dialogue entre deux élèves sur leur comportement en classe.

Exemple :
– **Est-ce que tu es souvent en retard ?**
– **Non, non, je suis presque toujours à l'heure, et toi ?**
– Euh, ben... ouais, c'est vrai, **je suis systématiquement en retard**.

C. **ⓐ VOUS et ON / NOUS – Dialogue entre proviseur et élèves délégués de classe**

Organisez un jeu de rôles dans votre classe. Celui qui jouera le proviseur posera des questions avec le « vous » collectif ou le « nous » de politesse. Ceux jouant les élèves délégués feront un effort pour parler bien et répondre avec « nous » (oral soigné), mais les plus spontanés utiliseront le « on » (oral informel).

Exemple :
Le proviseur : – Qu'est-ce que vous avez à dire ? **Vous êtes** en retard, c'est vrai ?
→ Non, M'sieur, c'est pas vrai, **on n'est pas tous** en retard !
→ **Nous ne sommes pas tous** en retard Monsieur.

> « Toujours l'inattendu arrive » André Malraux

b **VOUS et NOUS – Écrire un courrier**

Conjuguez les verbes proposés dans cette lettre que les meilleurs élèves ont écrite au professeur (mais ils ne savent pas s'ils vont la lui donner !).

Monsieur,

Nous ne (comprendre) .... pas pourquoi vous (être) .... en colère contre nous. Quelquefois, nous (avoir) .... l'impression que vous ne nous (aimer) .... pas ou que vous (détester) .... votre métier. Vous (savoir) ...., nous ne (être) .... pas des monstres. Nous (faire) .... ce que nous (pouvoir) .... mais nous ne (être) .... jamais aussi parfaits que vous (vouloir) ....

C'est vrai, nous (bavarder) .... souvent mais nous ne (dire) .... pas que des bêtises, nous (savoir) .... beaucoup plus que vous ne (croire) .... Ça nous (faire) .... de la peine que vous nous preniez .... pour des imbéciles. Peut-être n'(écouter) .... vous pas assez ce que nous (avoir) .... à dire ?

B2.1
★★★

223. Expressivité du récit au présent

Racontez un événement que vous avez vécu (ou non) de trois façons différentes.

a Rédigez un récit classique au passé.

c Écrivez un récit au présent, sur le modèle du texte de l'exercice 222.

b Imaginez un récit oral au présent, très expressif, avec beaucoup d'exclamations (« et alors, il s'approche de moi… et je recule parce que je meurs de peur ! »).

« Quand ça finit
ça finit
Quand ça finit
Ça n'est jamais fini
Quand ça finit
Quelque chose jaillit »
Philippe Katerine, chanteur

L'ESSENTIEL SUR...

Ce temps exprime une action ayant lieu dans un avenir plus ou moins proche. Si les terminaisons des verbes au futur ne varient pas (R + auxiliaire avoir au présent), attention au radical du verbe qui subit parfois des modifications.

● **Les terminaisons du futur**

Les terminaisons sont celles du verbe avoir au présent :

Formation régulière

$$R + \begin{cases} \text{-ai} \\ \text{-as} \\ \text{-a} \\ \text{-ons} \\ \text{-ez} \\ \text{-ont} \end{cases}$$

Verbe en	Infinitif		Futur
-ER **-IR**	arrive**r** chante**r** dorm**ir** fin**ir**	→	j'arriv**erai** tu chant**eras** il dorm**ira** nous fin**irons**
	Pour certains verbes, attention aux modifications de prononciation et d'orthographe (cf. celle du présent)		
	j'app**elle** tu am**ènes** il étud**ie**	→	j'app**ellerai** tu am**èneras** il étud**iera**
-RE	L'infinitif sert de radical mais perd son **e**. Exemple : *prendre̶ai* → *je prendrai*		
	comprend**re** croi**re** → viv**re**		nous comprend**rons** vous croi**rez** ils viv**ront**
-OYER **-UYER** **-AYER**	L'infinitif sert de radical avec une modification : **y** → **i**		
	nett**oyer** ess**uyer** p**ayer**	→	je nett**oierai** tu ess**uieras** je p**aierai** / p**ayerai**

Formation irrégulière avec variation du radical

Les terminaisons sont les mêmes (**-rai, -ras, -ra, -rons, -rez, ront**) mais le radical est irrégulier. Il est constant pour toutes les personnes.

Type de verbe	Infinitif	Futur
Six verbes prennent RR avant les terminaisons	envoyer voir acquérir courir pouvoir mourir	j'enver**rai** tu ver**ras** il acque**rra** nous cour**rons** vous pour**rez** ils mou**rront**
Certains verbes prennent DR avant les terminaisons	venir convenir tenir contenir valoir falloir vouloir	je v**iendrai** tu conv**iendras** tu t**iendras** tu cont**iendras** tu v**audras** il f**audra** nous v**oudrons**
Certains verbes prennent VR avant les terminaisons	devoir recevoir pleuvoir	je de**vrai** tu rece**vras** il pleu**vra**
Et pour finir...	avoir savoir faire être	j'**aurai** tu s**auras** il f**era** nous s**erons**

● Expressions de temps pour l'avenir

- Dans quelques secondes, minutes, instants.
- Tout à l'heure.
- Cet après-midi, demain, après-demain.
- Dans deux jours, une semaine, un mois.
- Samedi prochain, l'année prochaine.
- Dans les jours qui viennent.
- Dans les 24 heures.
- D'ici peu, dans peu de temps, bientôt.
- Dès ce soir, dès que possible, dès qu'il sera là.
- Dans quelque temps, un de ces jours, un jour ou l'autre.
- Désormais, dorénavant, à l'avenir, à partir d'aujourd'hui.
- En 2115.
- Après, (quelque temps) plus tard, par la suite.
- Incessamment, prochainement.
- À plus tard, à plus (fam.), à bientôt.
- Ensuite, postérieurement, ultérieurement.

● Les moyens d'exprimer l'avenir

Quelques autres valeurs des temps et modes utilisés

Présent	Futur proche	Futur simple	Futur antérieur	Conditionnel
La réalité	rattaché au présent = subjectif	détaché du présent = certitude	rattaché au futur	Mode de l'hypothèse
	La réalité domine mais il y a une part d'hypothèse			
	Prévisions d'actions futures *Degré de certitude*			
Vérité générale – *La Terre tourne autour du Soleil.*		**Aspect constant** *L'homme sera toujours l'homme.* **Certitude objective** (informations concrètes, calculables, prévues par le calcul) *La population continuera à diminuer en Europe.*		
Certitude subjective pour un avenir proche ou lointain				
L'action future est considérée comme sûre à cause de la situation présente. *Cet été, je navigue en Grèce.* *Dans dix ans, je suis champion de tennis.*	*Paul va se marier en mai.* *Dans les années qui viennent, la recherche va s'intensifier.*	Conviction personnelle que l'on veut communiquer *Nous résoudrons les problèmes de pollution.*		

| ||||►

« Un homme a son avenir devant lui et il l'aura dans le dos chaque fois qu'il fera demi-tour. » Pierre Dac, humoriste

« Ne demandez jamais au Français ce qui fonde son amour pour son pays, il vous entretiendra plutôt sur ce qu'il déteste le plus et, comme un malade imaginaire, il insistera sur le prétendu déclin de la France »
Alain Mabenckou, écrivain franco-congolais, professeur à l'UCLA

Présent	Futur proche	Futur simple	Futur antérieur	Conditionnel
Modalité de doute sur l'affirmation				
Légère : présent du verbe devoir + infinitif *L'avion doit décoller à 8 h.* **Plus forte :** présent des verbes croire, penser, compter, avoir l'intention de, avoir des chances de + infinitif *Il compte arriver le 8.*				**Sérieuse** : conditionnel présent du verbe devoir + infinitif *La fusée Ariane devrait rentrer dans l'atmosphère à 16 h.* **Très forte** : conditionnel de pouvoir + infinitif *Le président pourrait annuler la décision.*
Prévision hypothétique dépendant d'une condition				
Si tout se passe bien...		**Hypothèse sur l'avenir probable** *... la fusée décollera à 20 h.*	**Hypothèse explicative sur le passé** *S'il n'est pas venu, c'est qu'il aura eu un problème.*	**Hypothèse sur l'avenir possible** *Si la météo s'améliorait, la fusée pourrait décoller.* **Hypothèse sur l'avenir irréel** *Si un jour j'étais un poisson, je vivrais sous l'eau.*
Proximité temporelle				

Lien avec le présent		Rupture avec le présent	Lien avec une date future	
Futur immédiat				
Ce soir, je sors.	*Ce soir, je vais sortir.*	**Activité reportée :** *On verra plus tard.*	**Idée d'accompli :** *Tu auras fini ta thèse dans quelques mois.*	
C'est l'indicateur temporel qui marque le moment (je sors = tout de suite).			*Ce sera fini dans quelques secondes.*	
Futur moins immédiat		**Date imprécise :** *Je t'appellerai.*		
Il arrive dans quelques jours.	*Il va nous rendre visite.*			
Expressions : être sur le point de + inf., être à deux doigts de + inf. *Vous êtes sur le point de réussir.*				

Présent	Futur proche	Futur simple	Futur antérieur	Conditionnel
Enchaînement d'actions futures				
1. À 15 h je sors mais...	*2. je vais revenir à 16 h et...*	*3. je le verrai à ce moment-là.*		
	1. Le pilote va lancer le moteur,	*2. puis l'avion décollera.*		
		Au printemps, il ira à Londres. Après il partira pour Nice.		
		Je t'appellerai dès que je serai rentré. Dans le temps : – première action = *rentrer* – deuxième action = *téléphoner*		
				Il repartirait dès qu'il aurait mangé (conditionnel présent et passé = futurs dans le passé)
Valeur de promesse				
La vaisselle est pour moi.	*Laisse, je vais faire la vaisselle.*	*Je ferai la vaisselle.* **Promesse dépendant d'une condition** *Je ferai la vaisselle si tu descends la poubelle.*		
Valeur de prescription				
Ordre, interdiction				
Tu sors d'ici tout de suite. Tu ne sors pas.	*Tu vas faire ton lit immédiatement. Tu ne vas pas sortir comme ça.*	*Tu iras chercher le pain. Tu n'iras pas chez cette fille.*		
Conseil, souhait				
		Vous ferez attention au soleil, il est fort. Tu viendras m'embrasser en rentrant.		

Activité de repérage 18

Les extraits de presse suivants annoncent des actions futures.

a Soulignez les formes verbales qui traduisent cette idée de futur.

b Quels temps ou formes verbales permettent d'exprimer l'idée du futur ?

1. DOMOTIQUE

Des maisons intelligentes vont prochainement s'adapter aux habitudes de leurs occupants. Dès qu'elles auront analysé les variations climatiques, elles modifieront les températures, ce qui permettra aux familles de réduire leurs factures.

2. UN VESTIAIRE FABULEUX

Les nouveaux textiles connectés réguleront notre confort. Ils pourront même transmettre nos états physiques et émotionnels changeants. Très bientôt, un dispositif, déjà testé, permettra aux fans de ressentir la condition physique des joueurs sur le terrain.

3. CE N'EST PLUS DE LA SCIENCE-FICTION

L'exploration spatiale fait toujours rêver. Dans dix ans ou moins, l'homme marchera sur Mars et se préparera à explorer des exoplanètes. Est-ce que cela sera le début d'une migration interstellaire comme dans les nombreux films sur l'espace ?

4. NOURRIR LA PLANÈTE

Le défi est inquiétant. La population mondiale devrait atteindre 11,2 milliards en 2100 et, dès 2050 il faudra nourrir 10 milliards de personnes. Nous devrons produire autant de nourriture que l'humanité en a consommée pendant toute son histoire. Il sera probablement possible de nourrir tous ces estomacs à condition de changer rapidement nos habitudes : les 50 millions les mieux nourris devront accepter de consommer et gaspiller moins.

6. ARIANE DEVRAIT DÉCOLLER BIENTÔT

Bonne nouvelle de Kourou ! Les prévisions météo étant bonnes pour la Guyane française pour la semaine prochaine, la fusée Ariane pourrait s'envoler dès demain.

5. L'OMC SE RÉUNIT ENCORE DEMAIN

L'organisation mondiale du commerce doit débattre des déséquilibres mondiaux. Espérons un bon accord international dans un proche avenir.

7. CHANGER DE GOUVERNANCE

Pour faire face aux défis économiques et écologiques, une autre économie, plus collaboratrice, se mettra en place. Les réseaux horizontaux se multiplieront et les citoyens prendront dans un proche avenir plus d'initiatives pour contrôler le monde où ils vivent. On évoluera vers des systèmes de gouvernance plus démocratiques qui limiteront l'avidité des plus riches.

Futur simple

B1.1 **224. Futur simple**

★

Vous êtes un adolescent prolongé, trente ans et toujours chez papa-maman, paresseux, peu serviable et gardant tout votre salaire pour votre argent de poche. Vos parents, lassés, parlent de vous mettre à la porte. On les comprend ! Cette fois, vous aussi vous avez compris qu'ils sont sérieux et vous leur promettez tout ce qu'ils veulent pour ne pas vous retrouver à la rue.

a Rédigez ces promesses en vous aidant des éléments ci-dessous et en utilisant le futur simple.

1. Ne pas monopoliser la télévision. – **2.** Ne pas inviter cinquante copains sans prévenir. – **3.** Faire des économies en vue de s'installer un jour de façon indépendante. – **4.** Cesser d'utiliser la voiture familiale. – **5.** Être plus respectueux, etc.

b Dans un genre plus léger et sur le même principe, rédigez les promesses que font :

– le jardinier au jardin,
– le chat, amoureux du canari, à celui-ci, qui est un peu inquiet de son affection,
– et bien d'autres couples que vous pouvez imaginer.

B1.1 **225. Promesses au futur simple : Paris restera une fête**

★

Écrivez ce texte en conjuguant les verbes au futur simple.

> Comme dans toutes les villes blessées, on (ne pas oublier) .... mais on (cultiver) .... notre goût de vivre. On (se remettre) .... à s'asseoir en terrasse, on (se délecter) du spectacle de la rue métissée. Nous (blaguer) .... et (rire) .... encore dans la nuit festive, nous (retourner) .... danser et nous (écouter) .... de la musique.
>
> Les potes (se faire) .... la bise, les copines rieuses (s'embrasser) ...., les amoureux (échanger) .... des baisers. On (oublier) .... les croyances tueuses et on (admire) .... le ciel. On (s'émerveiller) .... des étoiles.

B1.1 **226. Promesses au futur simple**

★

Vous êtes un homme politique en campagne électorale. Votre parti a mis au point tout un programme, assez démagogique, pour obtenir le maximum de voix aux élections législatives. Ce soir, vous exposez, avec le maximum de conviction, votre programme pour les années qui viennent.
Pour vos promesses électorales, utilisez le futur simple et le « nous » : vous parlez au nom de votre parti.

1. Construire de nouvelles universités. – **2.** Permettre à tous d'aller à l'université. – **3.** Éduquer toute la population. – **4.** Réduire les armements. – **5.** Décentraliser l'administration. – **6.** Développer le parc des voitures électriques. – **7.** Mieux répartir les richesses mondiales. – **8.** Diminuer les impôts. – **9.** Encourager la création de petites entreprises. – **10.** Rénover le parc des HLM (habitations à loyer modéré). – **11.** Encourager le transport de marchandises par train. – **12.** Sanctionner les incivilités, etc.

227. Futur simple dans une offre d'emploi – Envie de bénévolat ?

L'Association «Amis du Monde» recherche des subventions et des bénévoles pour son action d'aide au tiers-monde:

Vous soutiendrez ou vous participerez à la construction d'une école.

Vous créerez une bibliothèque dans laquelle les élèves pourront consulter ou emprunter les ouvrages.

Vous installerez une cantine.

Vous coordonnerez une collecte de laine pour faire tricoter des vêtements neufs.

Vous organiserez la distribution de sacs de riz.

Renseignements : amisdumonde.org

Sur ce modèle, rédigez une autre offre d'emploi ou une autre publicité. Inventez-les de préférence, mais si vous manquez d'idées vous pouvez utiliser les éléments suivants :

Le Centre de langues pour étudiants étrangers (cours de langue et de civilisation françaises) cherche à recruter un animateur.

Expérience professionnelle souhaitée.

Tâches à assurer : visites de la ville, voyages dans des régions françaises, stages de ski, soirées dansantes, projections de films, etc.

Nécessité : avoir de l'initiative, de l'imagination, un bon contact humain, savoir diriger une équipe et gérer un budget.

**228. Rédaction de textes touristiques au futur simple
– Au pays des...**

a Vous travaillez dans une agence de tourisme. À partir des deux fiches de renseignements ci-dessous, élaborez des textes pour de futurs touristes. Vous pouvez utiliser des verbes de la liste proposée.

Exemple : Au pays des montagnes enneigées, dans les Alpes, vous **logerez** à Chamonix.
Vous **prendrez** le téléphérique et vous **monterez** au sommet de l'aiguille du Midi à 3 842 m, d'où vous **admirerez** les montagnes les plus hautes d'Europe. Le spectacle vous **plaira**. En été, vous **ferez** du parapente et vous vous **baignerez** dans le plan d'eau biotope à Combloux.

Liste de verbes :

accéder	(s')arrêter	déguster	gravir	monter	trouver
accueillir	assister	déjeuner	grimper	observer	visiter
admirer	atteindre	(re)descendre	loger	plaire	voir
apercevoir	commencer	emprunter	manger	(se)rendre	
apprécier	découvrir	être hébergé	marcher	(se)situer	

Séjourner

AU PAYS DES MONTAGNES ENNEIGÉES :
LES ALPES

Un panorama
à vous couper le souffle.

À VOIR, À FAIRE

L'aiguille du Midi par le téléphérique (3 842 m)
La mer de glace par le petit train du Montenvers.
Randonnées. Par exemple :
• Grand tour du mont Blanc en 8 jours.
• Ascension du mont Blanc (4 807 m) en 6 jours.
Nombreuses activités sportives (dont le parapente)
dans la vallée de Chamonix.
Baignade dans le plan d'eau biotope de 1 000 m²
régénéré en permanence par les plantes,
à Combloux.

DORMIR, MANGER

Hôtel des Ducs de Savoie avec piscine et
merveilleux panorama. 120 à 250 € la chambre
double.
Hôtel-restaurant Chalet Rémy, ancien chalet
d'alpage et bonne table. 100 € par personne
pour la demi-pension.
La petite Ravine en pleine nature, sur les hauteurs
de Combloux. Déjeuner à partir de 25 €.

Séjourner

AU PAYS DES CRIQUES SAUVAGES :
LA CORSE

Entre mer et désert, des criques
secrètes protégées par les falaises.

À VOIR, À FAIRE

Le parc des Agriates : 16 000 ha de roches et de
criques réservés aux cavaliers et aux amateurs
de grands espaces.
La réserve de Scandola : des milliers d'oiseaux
(accès en bateau : départ de Calvi ou Porto.) De
bonnes chaussures de marche sont nécessaires.
Le petit train des plages qui va de Calvi à l'Île
Rousse.
La citadelle de Calvi construite par les Génols
au XVe siècle.

DORMIR, MANGER

Le relais de Saleccia : belle vue sur le désert des
Agriates 100 à 150 € pour 2 avec petit-déjeuner.

Casa Oleanda à Calvi dans un joli jardin avec
piscine, 800 € la semaine pour 2.

Le Capuccino à Calvi, une pizzeria très agréable
sur le port.

b Choisissez une région ou une ville de votre pays et faites le même travail. Trouvez un titre et remplissez les rubriques : À voir, à faire et dormir, manger.

c Choisissez une idée et développez-la.

À quoi ressemblera le tourisme dans 20 ans ? En aurons-nous assez des chambres d'hôte de charme et des châteaux historiques ? Préfèrerons-nous dormir dans les arbres ou des hôtels de glace ? Irons-nous visiter des lieux abandonnés ou des sites de catastrophes ? Passerons-nous une semaine sur la lune ? Nous téléporterons-nous sur d'autres planètes ou continuerons-nous plus sagement à visiter le Futuroscope de Poitiers ?

229. Futur simple – Les villes du futur

a Mettez les verbes entre parenthèses au futur simple.

Si l'on en croit certains chiffres, la population de la planète (avoir) .... considérablement augmenté en 2050 : 10 à 12 milliards d'êtres humains (devoir) .... vivre ensemble et 60 % d'entre eux (résider) .... dans des villes et des mégapoles. Un sacré défi à relever ! À quoi (ressembler) .... ces villes ? Certaines villes, comme déjà nos tours d'aujourd'hui, (se dresser) .... dans les airs. Les Japonais, qui manquent de place, envisagent de construire une tour qui (culminer) .... à plus de quatre kilomètres de haut et qui (abriter) .... plus de 700 000 personnes (la population de Bordeaux et ses banlieues). Des trains-ascenseurs (permettre) .... de s'y déplacer, mais ils (devoir) .... s'arrêter régulièrement pour que les occupants s'habituent à l'altitude. Avantages : ces tours (offrir) .... une vue magistrale, elles (être inondées) .... de soleil et les étages supérieurs (planer) au-dessus des nuages. Inconvénients : elles (être sensibles) .... aux séismes et leur évacuation (poser) des problèmes.

b Sur ce modèle, développez en groupe un des projets du tableau suivant et imaginez les avantages et les inconvénients de ce type d'habitat.

Villes souterraines		Cités marines
Construire des gratte-ciel souterrains très profonds. Éclairer en lumière presque naturelle avec la fibre de verre. Chauffer avec la géothermie.		Agrandissement des villes côtières par des immeubles flottants. Utilisation de l'énergie des vagues. Dessalement de l'eau de mer. Chauffage avec les déchets recyclés.
Lancement de modules d'habitation dans l'espace. Alimentation facile en énergie solaire. Culture de plantes hydroponiques. Création d'atmosphère artificielle.		Utilisation exclusive de matériaux biodégradables. Intégration parfaite dans l'environnement. Toitures recouvertes de végétaux. Culture de potager sur les terrasses
Villes végétales		**Villes végétales**

c Vous préférez un projet de développement urbain participatif défini par les habitants. Élaborez-le en groupe et discutez-le avec les autres groupes.

« En urbanisme, nous connaîtrons le pire et le meilleur. Il faudra impérativement mêler urbanité et biodiversité. Espérons que nous aurons beaucoup d'autres Berlin, avec 40 % d'espaces verts. » Thierry Paquot, urbaniste

230. Prescriptions au futur – Les dix commandements

L'association citoyenne néerlandaise Urgenda lutte pour le développement durable avec de beaux succès. L'idée de base : les systèmes changent quand une minorité importante a déjà changé et donc : changeons nous-mêmes !

Voici quelques-uns de ses conseils, rédigez les suivants sur le même modèle.

LA MÉTHODE URGENDA

1. **Tu changeras** tes comportements, car les petits ruisseaux font les grandes rivières. En ville, **tu circuleras** à bicyclette ou en transports en collectifs.
2. **Tu préféreras** les voitures électriques ou le train.
3. **Tu éviteras** l'avion, si possible.
4. **Tu** (adopter) un fournisseur d'énergie renouvelable.
5. **Tu** (changer) de banque si la tienne n'est pas suffisamment éthique.
6. **Tu** (consommer) moins de biens matériels et tu (favoriser) les produits recyclables ou recyclés et le commerce équitable.
7. **Tu** (choisir) un emploi en accord avec tes valeurs.
8. **Tu** (boycotter) les entreprises qui ne respectent ni l'environnement ni les travailleurs.
9. **Tu** (soutenir) l'agriculture de proximité et tu (manger) des produits sains.
10. **Tu** (faire) des procès aux politiques qui ne tiennent pas leurs promesses !

Observez : Ici on utilise le « tu » à valeur générale.

231. Prescriptions au futur simple

ⓐ Voici une liste d'actions qui peuvent servir à faire les dix commandements du bon danseur ou du mauvais danseur. Rédigez-les au futur simple et en utilisant le « tu » à valeur générale. Attention, selon le cas, aux négations à mettre ou à enlever.

LES DIX COMMANDEMENTS

1. ÉCRASER LES PIEDS DE SA PARTENAIRE.
2. NE PAS SUIVRE EXACTEMENT LE RYTHME.
3. OUBLIER DE DIRIGER.
4. PORTER UN PARFUM TRÈS VIOLENT.
5. SERRER SA PARTENAIRE À L'ÉTOUFFER.
6. LÂCHER SA PARTENAIRE PENDANT UNE PASSE DE ROCK.
7. DRAGUER TOUTES SES PARTENAIRES.
8. MANGER DE L'AIL AVANT LA SOIRÉE.
9. PARLER DE PHILOSOPHIE EN DANSANT.
10. DANSER UN TANGO COMME UN PASO.

Le bon danseur	Le mauvais danseur
Exemples : *1. Tu n'écraseras pas...*	*1. Tu écraseras...*
....	....

ⓑ Si vous préférez imaginer vous-même des commandements, vous pouvez en faire pour les personnes suivantes.

les bons ou les mauvais   parents   enfants   séducteurs   présidents de la République   coiffeurs   musiciens   professeurs   cuisiniers   policiers   etc.

232. Projets d'avenir : présent ou futur simple ?

Léo est décidé à agir rapidement et fixe des dates précises. Dans sa tête, c'est déjà fait : il parle de ses actions futures au présent.

Mathis a bien envie, mais n'est pas vraiment décidé ; ou alors il est décidé, mais il ne sait pas quand il va agir. C'est encore loin dans son esprit : il parle au futur simple.

Faites parler Léo et Mathis en utilisant les éléments ci-dessous.

Exemples : Léo : « **Dès ce soir, j'arrête de boire** ».
Mathis : « **Bientôt, je ferai le tour du monde** ».

Pour Léo	Pour Léo et Mathis	Pour Mathis
Dès ce soir	Ne plus fumer	Dans quelque temps
Pendant les vacances	Se mettre au régime	Peut-être
Le week-end prochain	Arrêter de boire	Bientôt
Le mois prochain	Commencer à réviser	Un de ces jours
Dans deux mois	Se marier	Un jour ou l'autre
Aussitôt que possible	Prendre une année	Quand ce sera possible
Après les examens	sabbatique	Quand j'aurai le temps
Dès demain	Faire une grande fête	La semaine prochaine,
L'an prochain	Apprendre le chinois	qui sait…
Dans deux ans	Rester à Paris	Un jour
	Faire le tour du monde	Prochainement

Futur proche

233. Futur proche

Observez les phrases suivantes : les verbes en caractères gras sont au futur proche. D'après vous, comment fabrique-t-on un futur proche ?

– « *Qu'est-ce que **tu vas faire** cet été ?*

– ***Je vais aller** en Turquie. Sans ma copine…*

– *Ah bon ? Qu'est-ce qu'elle **va faire** ?*

– *Travailler avec son amie Samia. Elles **vont vendre** des frites sur une plage.* »

« Je vais réinventer le passé pour voir la beauté de l'avenir. » Louis Aragon, poète

B1.1 **234. Futur proche et futur**

★

a Répondez à la question ci-dessous en proposant au moins deux réponses. Si vous n'avez pas d'idées, utilisez les éléments entre parenthèses.

Un orage terrible vient d'éclater. Il pleut très fort. Que va-t-il se passer ?

– Le vent (casser les branches / emporter les parapluies) ....

– La pluie (inonder les rues / tremper les passants) ....

– Les passants (se mettre à l'abri / courir) ....

– La circulation (ralentir) ....

– Les pompiers (avoir du travail) ....

b Répondez ensuite à la question suivante, d'abord en utilisant le futur proche, puis en utilisant le futur.

> Les Blanc viennent d'acheter une maison à la campagne, une vieille ferme. Il y a beaucoup d'aménagements à faire, car ils veulent transformer le bâtiment en chambres d'hôtes Qu'expliquent-ils à leurs amis ?
>
> **AU FUTUR PROCHE**
>
> Nous avons beaucoup de projets pour cette maison, nous (planter) .... des arbres frui-tiers, nous (refaire) .... le toit ; nous (décorer) .... les chambres et y mettre la wi-fi.
>
> **AU FUTUR**
>
> Puis nous (installer) .... une cheminée dans le salon, (repeindre) .... le premier étage, (creuser) .... une piscine, (agrandir) .... la terrasse, ... les amis.
>
> Vous pouvez aussi varier les sujets : je   mon mari   nous   les enfants   les parents   les copains   vous

c Vous êtes un jeune qui montez une auto-entreprise. Que répondez-vous aux questions suivantes ?

Qu'est-ce que vous allez faire ?   Comment vous ferez-vous connaître ?

Comment allez-vous trouver des aides ?   Travaillerez-vous avec l'étranger ?

Futur proche et futur simple

Lorsque vous énoncez une série d'actions futures, vous pouvez le faire entièrement avec le futur simple, mais vous pouvez aussi marquer la succession en commençant par un futur proche et en continuant au futur simple.

Exemple : **Demain, je vais travailler jusqu'à 10 h du soir et après, je me coucherai.**

⚠ **ATTENTION :** ne continuez pas à mélanger ces deux temps. Dans le même texte, il est habituel de continuer au futur simple.

235. Futur proche et futur à l'oral – Projets de week-end

Nous sommes jeudi soir. Énoncez vos projets et ceux de vos amis pour le week-end.

Exemple : «Demain soir, je vais sortir : je vais aller voir Star Wars 7. Samedi, j'irai passer un moment à la campagne, chez ma sœur, mais je rentrerai pour passer la soirée chez des amis. Dimanche, je resterai tranquillement à la maison. »

– Vos projets : ....

– Les projets de vos amis : ....

236. Futur proche et futur simple dans les médias

a Lisez les entrefilets suivants et observez l'emploi du futur proche et du futur.

VENISE VA-T-ELLE DISPARAÎTRE SOUS LES FLOTS ?

Il y a un siècle, la ville avait les pieds dans l'eau une fois par an, aujourd'hui quarante fois par an. Et cela ne va pas s'arranger : la montée du niveau des mers s'accentuera encore dans les 100 ans à venir à cause du réchauffement climatique.

MÉTÉO

Le temps va se détériorer nettement demain mardi, car une dégradation pluvieuse touchera l'ensemble du pays jusqu'à mercredi soir. Une amélioration sensible se manifestera jeudi, mais attention ! gardez vos petites laines : le thermomètre restera à la baisse jusqu'à samedi.

NOUVELLES ÉNERGIES

Des centrales photovoltaïques gérées par les citoyens vont être installées dans plusieurs communes de l'Isère. Les maisons équipées fourniront de l'énergie à leur usage et en revendront aussi une partie. Ce système se multipliera probablement dans les années qui viennent.

b Écrivez d'autres entrefilets annonçant des événements futurs à partir des éléments suivants :

1. Projets du président de la République pour la semaine prochaine : se rendre en visite en Afrique, assister à une conférence inter-États, avoir un entretien avec les chefs de plusieurs États.

2. Une publicité de journal féminin annonce la sortie prochaine d'un nouveau produit miracle pour maigrir. Objectifs : transformer les gens en quelques jours, affiner la silhouette, faire s'envoler les kilos en trop.

3. Information d'EDF sur un projet de centrale solaire : implantation près de Lyon, début des travaux en décembre. Objectif : fournir de l'électricité à toute la région dans trois ans.

4. Ouverture demain de l'exposition *Voyages et Tourisme* à **Alpexpo**. Inauguration par le maire. Objectifs des agences de voyages : offrir toutes les informations possibles aux Grenoblois, faciliter les réservations, faire connaître des destinations lointaines.

Présent, futur proche ou futur simple

237. Synthèse : présent, futur proche ou futur ?

Pour exprimer l'idée d'avenir dans les phrases suivantes, choisissez entre le présent, le futur proche et le futur simple.

1. Ce jour-là, Annie était inquiète, elle craignait une catastrophe et elle n'arrêtait pas de répéter : « Il (se passer) .... quelque chose de terrible, je le sens. »

2. Vous discutez de mariage, certains sont pour et d'autres contre. Marie qui est très traditionaliste déclare soudain : « Moi, je (se marier) .... à l'église, et en blanc ! » Jacques, qui est très sérieux et très organisé, dit : « Moi, je (se marier) .... dans trois ans, après mes études. »

3. Vous demandez des nouvelles de Sophie, et on vous apprend qu'elle a des projets, sérieux mais pas définitifs, de séjour à Boston. Elle (partir) .... aux États-Unis en avril.

4. Vous voulez voir d'urgence MM. Dupont et Durand, mais leur secrétaire vous répond que c'est impossible : « Désolé, monsieur mais ils (prendre) .... le train dans une heure. »

5. Votre fils a oublié sa clé et, derrière la porte, il vous crie de lui ouvrir. Que lui répondez-vous ? « Je (ouvrir) ...., mon chéri. »

6. Vous dînez chez une amie qui a l'air très fatiguée. Au moment de faire la vaisselle, vous vous proposez : « Laisse, je (faire) .... »

7. Vous êtes journaliste à la météo, vous savez qu'on attend de la pluie pour demain. Comment l'annoncez-vous à la télé ? « Pas de chance demain : il (pleuvoir) .... sur toute la France. »

8. Votre mère, qui a écouté la météo, vous voit partir sans parapluie. Elle vous dit : « Prends ton parapluie, mon chéri : il (pleuvoir) .... »

9. M. Dupont ne vient pas chaque jour à la même heure au bureau. Personne ne connaît ses horaires précisément. Vous voulez le voir, et on vous répond : « Il n'est pas encore là, mais il (venir) .... dans la matinée. »

10. Vous attendez un coup de téléphone de votre mari qui est en voyage, mais votre fille veut aller au cinéma avec vous tout de suite. Vous lui dites : « Ma chérie, je ne peux pas sortir maintenant, ton père (téléphoner) .... »

Très en colère, elle vous répond : « Et après ? S'il ne te trouve pas, il (rappeler) .... »

11. Vous espérez un coup de téléphone de votre petit ami, avec qui vous vous êtes disputée. Votre amie Clémence est désolée de vous voir triste et elle dit : « Allons, ne t'inquiète pas, il (téléphoner) .... »

12. Votre amie Marine est furieuse que vous restiez là à attendre : « Tu ferais mieux de sortir, tu sais bien qu'il (ne pas téléphoner) .... »

13. Vous racontez à quelqu'un votre programme pour la soirée : « Je (aller) .... au cinéma, ensuite je (dîner) .... au restaurant avec des amis. »

14. Vous ne connaissez pas encore la Grèce, mais vous voulez la visiter un jour ou l'autre. « Je ne sais pas quand je (pouvoir) .... aller en Grèce, mais je (visiter) .... ce pays. »

15. Vous avez décidé depuis déjà longtemps votre programme pour vos prochaines vacances. Vous rêvez d'y être déjà. « Cet été, nous (partir) .... en Grèce. »

16. Vous avez des projets pour cet été ? « Oui, nous (voyager) .... en Grèce. »

17. Quelqu'un vous demande son chemin dans la rue. Vous le lui indiquez : « Vous (prendre) .... la première rue à gauche. Puis, vous (traverser) .... le jardin jusqu'à la fontaine, et là, vous (demander) .... à quelqu'un d'autre. »

B1.2
★★

238. Prétextes au futur antérieur

Votre mère veut vous envoyer faire les courses. Vous ne voulez pas y aller tout de suite et inventez toute une série de prétextes pour vous défiler. Complétez la liste des prétextes au futur antérieur.

Exemple : **J'irai quand j'aurai fini mes devoirs ; quand je me serai coiffé, etc.**

B1.2
★★

239. Emploi du futur antérieur

Mettez au futur antérieur.

a Chez le médecin

Vous irez mieux :

– quand vous (finir) .... ce traitement.

– quand vous (se reposer) ....

– quand vous (être opéré) ....

– quand votre angoisse (disparaître) ....

– quand vous (décider) .... de vous battre contre la maladie.

b Le monde ira mieux, un jour ou l'autre...

– quand les hommes (comprendre) .... que la guerre ne sert à rien.

– quand les maladies (être éliminées) ....

– quand les problèmes écologiques (être résolus) ....

– quand les grandes puissances (se décider) .... à faire la paix.

– quand les classes moyennes (obtenir) .... l'égalité sociale.

– quand la condition des femmes (s'améliorer) ....

– quand l'esclavage moderne (cesser) ....

– Quand tous les hommes (acquérir) .... les mêmes droits.

B1.2
★★

240. Actions au futur antérieur – Histoire en chaîne

Continuez ce récit de week-end (à Paris ou dans d'autres lieux). Ne répétez pas les mêmes verbes quand vous enchaînez les phrases.

PARIS HORS DES SENTIERS BATTUS

Samedi matin, je me lèverai avant l'aube. Quand je me serai habillé, je prendrai le train pour Paris. Lorsque je serai arrivé à la gare de Lyon, je me dirigerai vers la tour Eiffel. Quand j'aurai admiré Paris depuis le sommet de la Tour, j'irai boire un café dans un bistrot. Dès que je serai réchauffé, je repartirai au Louvre pour regarder les sculptures antiques. Quand j'aurai assez vu les sculptures, je déjeunerai dans une brasserie. Aussitôt que j'aurai bu mon café...

Futur simple et futur antérieur

B1.2
★★

241. Projets de vie au futur simple et futur antérieur – Je pourrai dire que j'ai bien vécu

Sur le modèle du projet de vie du grand peintre japonais Hokusai – écrit à 95 ans – formulez les projets de vie de Maxime et Annabelle en vous aidant des éléments entre parenthèses, puis le vôtre.

> **«** Je n'ai rien peint de notable avant 70 ans. À 73 ans, j'ai commencé à assimiler la forme des arbres, des oiseaux et d'autres animaux. À 80 ans, j'espère que je me serai amélioré et à 90 ans que j'aurai perçu l'essence même des choses. Si bien qu'à 100 ans, j'aurai atteint le divin mystère et qu'à 110, même un point ou une ligne seront vivants. **»**

a Maxime lycéen de 14 ans désire une vie simple et heureuse : aujourd'hui je suis lycéen et je désire avoir une vie agréable. J'espère qu'à 18 ans j'aurai réussi mon bac avec mention... (finir mes études supérieures, trouver le job de mes rêves, rencontrer la femme de ma vie, construire une maison, avoir des enfants, visiter une partie de la planète, etc.)

b Annabelle veut devenir riche avec les nouvelles technologies. Elle espère qu'à 15 ans, 17 ans, 20 ans, 25 ans, 30 ans, etc., (réussir son bac, créer un logiciel révolutionnaire, monter sa boîte, la revendre avec un gros bénéfice ; en créer une autre, etc. et sur le plan personnel : épouser un artiste, visiter tous les pays, acheter une île, etc.)

c Et maintenant, à vous ! Qu'espérez-vous avoir accompli à 20 ans, 30 ans, 40 ans... ?

B1.2
★★

242. Souhaits au futur antérieur – Et maintenant, un peu d'optimisme !

a Décrivez l'état futur du monde au futur simple en mettant la cause au futur antérieur.

<u>Exemple</u> : Il y **aura** moins de misère, car les pays pauvres **auront surmonté** leurs difficultés.

1. L'espérance de vie (augmenter) .... sur toute la planète, car on (trouver) .... le vaccin contre le sida.

2. Il (y avoir) .... moins de pollution, car on (remplacer) .... les moteurs à essence par des moteurs à hydrogène.

3. Le monde (être) .... plus paisible, car on (comprendre enfin) .... que les guerres sont inutiles.

4. Nous (vivre) .... plus simplement, car nous (revenir) .... à des besoins plus essentiels.

5. Les forêts (couvrir) .... de nouveau la terre, car nous (replanter) .... des millions d'arbres.

6. Les rivières (être) .... de nouveau transparentes, car nous (apprendre) .... à ne plus y déverser nos ordures.

7. Le monde (connaître) .... un plus grand équilibre, car l'Asie et l'Afrique (créer) .... des fédérations.

8. Les hommes et les femmes (prendre) .... les décisions à égalité dans tous les domaines, car les mentalités (définitivement changer) ....

b Si vous avez d'autres suggestions, continuez cette liste.

c Il se peut que vous soyez pessimiste. Proposez alors d'autres évolutions, en pire.

B1.2
★★

243. Futur antérieur et futur

Composez des phrases avec les éléments suivants.

Exemple : Paul – Quand – 1 : se laver – 2 : aller se coucher.
   → **Quand Paul se sera lavé, il ira se coucher.**

1. Elle – Lorsque – 1 : finir son travail – 2 : quitter le bureau.

2. Tu – Dès que – 1 : terminer la vaisselle – 2 : descendre la poubelle.

3. Les enfants – Aussitôt que – 1 : rentrer de l'école – 2 : faire leurs devoirs.

4. Nous – Tout de suite après que – 1 : revenir du parc Astérix – 2 : vous téléphoner.

5. Nicolas – Dès que – 1 : changer de vêtements – 2 : aller en boîte.

6. Je – Quand – 1 : retourner à la maison – 2 : terminer le dossier Dupont.

7. Il – Lorsque – 1 : rédiger sa thèse – 2 : retourner dans son pays pour travailler.

8. Elle – Dès que – 1 : reprendre un emploi – 2 : déménager.

9. Vous – Lorsque – 1 : se reposer un peu – 2 : recommencer le sport.

10. Ils – Quand – 1 : nettoyer l'appartement – 2 : le louer pour l'été.

Futur exprimé par des verbes

B1.1
★

244. Verbe devoir au présent

Pour parler d'un événement futur probable mais pas tout à fait certain (la certitude domine), on utilise le présent de devoir + infinitif.

Exemple : **Mon mari doit rentrer d'ici peu.**

a Répondez aux questions suivantes avec le verbe devoir au présent + infinitif.

1. « Le docteur sera bientôt là ?
– Oui, ... à 14 heures. » (arriver)

2. « Tu as des nouvelles de Jacques ?
– Oui, ... ce soir. » (passer à la maison)

3. « Ce n'est pas aujourd'hui qu'Annie revient de vacances ?
– Si, ... dans une heure ou deux. » (débarquer à Roissy)

4. « Les enfants sont là ?
– Non, mais entre quand même, ... dans cinq minutes. » (revenir)

5. « Alors, c'est bientôt les vacances ?
– Oui, nous .... lundi. » (partir)

6. « Tu peux m'accompagner à l'aéroport ?
– Non, le patron .... » (m'appeler)

7. « Mademoiselle, je peux disposer de ma matinée ?
– Non, Monsieur, la presse .... vers 10 heures pour une interview ». (venir)

8. « Je prends un imperméable ou un manteau ?
– Un manteau, car la température .... cette nuit. » (baisser)

9. « Tu viens avec nous au cinéma ce soir ?
– Non car mon mari .... à 21 heures, et il m'attendra à la gare. » (arriver)

b Voici le programme de la journée de deux présidents de la République, celui de la France et celui de l'Italie. Vous êtes le journaliste qui fait le journal radio de 7 heures du matin. Annoncez aux auditeurs le programme des deux chefs d'État.

Exemple :   Aujourd'hui à 9 h, le président italien arrivera à Orly.

* Arrivée à 9 h, à Orly, du président italien.
* Discours de bienvenue à 9h10 du président français.
* Départ pour l'Élysée, discussion de deux heures.
* Déjeuner à l'Élysée.
* Visite commune du nouveau Centre culturel italien.
* Nouveaux entretiens en fin d'après-midi.
* Dîner à l'Élysée en présence de nombreux artistes des deux pays.

B1.1
★

245. Expression de l'avenir : verbe devoir au conditionnel présent

Pour parler d'un événement futur qui n'est pas certain, ou s'il y a un doute sur sa vérité, sa date, son déroulement, ses conséquences (le doute domine), on utilise le conditionnel présent de devoir + infinitif.

Exemple : **L'avion devrait atterrir dans une heure. Tout devrait bien se passer.**

En utilisant le conditionnel présent du verbe devoir + l'infinitif de l'action évoquée, complétez les dialogues suivants.

Exemple : Les Jacquemin, qui partent en vacances, à leur femme de ménage :
   **« Nous devrions être de retour le 16 août. Peut-être le 17.
   Nous vous téléphonerons pour vous confirmer. »**

1. « Tu sors ? À quelle heure rentres-tu ? », demande madame Dumorest à son fils.
– Je ....

2. « J'aurai une bourse de 900 € par mois. Crois-tu que ce sera suffisant pour vivre ? » demande Sébastien, étudiant, à un autre étudiant.
– Tout est cher à Paris, mais tu ....

3. « Vous avez eu une réponse du ministère ? », demande un professeur au représentant syndical.
– Pas encore, mais normalement ....

4. « Alors, ton patron est d'accord pour nos dates de vacances ? », demande Vincent à sa femme.
– Je lui ai expliqué notre problème. Il .... demain.

5. « Il y a longtemps que nous n'avons pas de nouvelles des copains de Strasbourg ! », dit Victor à sa copine.

– Ils n'oublient jamais mon anniversaire. Nous .... bientôt.

6. « Le temps est bien bizarre aujourd'hui, bien orageux, vous ne trouvez pas ? », dit Catherine à son voisin paysan.

– Pour sûr ! Nous .... avant la nuit.

7. « Docteur, quand vais-je de nouveau me sentir en pleine forme ? », demande Marie à son chirurgien.

– Si vous vous reposez bien, vous .... d'ici trois semaines.

8. « Les petites ne sont pas encore rentrées de l'école », dit Christian, inquiet, à sa femme.

– Elles s'arrêtent toujours chez Valentine pour bavarder. Elles .... sous peu.

B1.2 ★★ ## 246. Être sur le point de + infinitif

L'expression « être sur le point de... » exprime un futur proche, mais ne peut pas s'utiliser avec une expression de temps.

Répondez aux phrases suivantes en utilisant le présent de « être sur le point de » et l'infinitif entre parenthèses.

Exemple : Le train de Paris est déjà parti ?
            – Non, mais il est sur le point de partir.

1. « Liam et Eva sont toujours ensemble ?

– Oui, ils (se marier) .... ».

2. « Vous avancez dans vos recherches sur le vaccin ?

– Oui, nous (découvrir la solution) .... ».

3. « Que pensez-vous de la situation internationale ?

– À mon avis, la guerre (éclater) .... ».

4. « Alors, quoi de neuf ?

– Je (changer de ville) .... ».

5. « J'aimerais parler à monsieur ou à madame Duchaussoy.

– Rappelez plus tard, ils (passer à table) .... ».

6. « On manque encore de locaux dans cette université !

– Du calme ! Le ministère (débloquer des subventions) .... ».

7. « C'est décidé, demain je donne ma démission.

– Ah non ! tu (faire une grosse bêtise) .... Réfléchis encore ».

8. « Martin, j'ai une bonne nouvelle pour vous.

– Quoi ?

– Vous (avoir une promotion) .... ».

« L'homme méritera vraiment le nom d'homo sapiens quand il aura éliminé la guerre et que l'argent servira au développement de tous. »
Alpha Blondy, chanteur africain francophone

B1.2
★★

247. Expression de l'avenir :
verbe devoir au conditionnel + infinitif

Sur le modèle de l'entrefilet suivant, composez des titres et de courts articles avec les éléments proposés. Ou inventez-en, si vous préférez.

Exemple :

ARIANE DEVRAIT ÊTRE OPÉRATIONNELLE EN JANVIER

L'équipe scientifique annonce que, selon toutes probabilités, la construction du nouveau prototype devrait se terminer courant novembre. « Nous devrions pouvoir lancer Ariane en janvier », a déclaré le responsable du projet, M. Gaffandie.

1. On annonce l'ouverture de la Lune aux touristes pour les années à venir. Les plus gros voyagistes essaient d'obtenir le marché. Voyages en tout genre semble le mieux placé pour l'obtenir.

2. Le climat est très perturbé ces dernières semaines. La météo nationale est de plus en plus prudente. Elle prévoit une amélioration relative sur le Sud-Est en début de semaine, sauf si le cyclone Robert change de route. Elle annonce un week-end acceptable.

3. L'actrice Mia Fabian se retirera bientôt de la scène en raison de son grand âge, d'après son entourage. Mais elle montera probablement une école de théâtre. Ses élèves seront sans doute d'excellents acteurs.

4. Les chefs d'État des pays développés se réunissent actuellement en conférence sur l'allégement de la dette du tiers-monde. Certains sont pour sa suppression pure et simple. Une amélioration de la situation des pays endettés sera vraisemblablement décidée.

5. L'écrivain André Mathuvut est candidat à l'Académie française. Il est soutenu par de nombreux académiciens, surtout les plus âgés. Son élection est probable.

6. Le projet du Grand Paris doit créer de nouveaux transports pour connecter les banlieues entre elles. Il faudra construire un nouveau réseau et ouvrir de nouvelles gares. On espère que cela favorisera le développement des zones concernées.

7. Le château de Vaux-le-Vicomte prend l'eau, il va falloir refaire entièrement le toit. Les travaux seront probablement longs et coûteux. L'état prévoit un budget de 5 millions d'euros. Normalement, les visites ne seront pas interrompues pendant les travaux.

B1.1
★

248. Présent de penser, compter + infinitif

Modélisez les affirmations suivantes sur l'avenir en utilisant les verbes penser, compter + infinitif.

Exemple : Il arrivera demain. → Il compte /il pense arriver demain.

1. Le Sénat modifiera le texte de loi. – **2.** Mon mari rentrera demain soir. – **3.** L'usine licenciera 100 personnes. – **4.** J'obtiendrai un crédit. – **5.** Nous déménagerons en août. – **6.** Tu viendras demain ? – **7.** Le patron ne recevra personne aujourd'hui. – **8.** Vous finirez bientôt ?

249. Avoir des chances de... Être à deux doigts de... + infinitif

Fabriquez des dialogues sur le modèle suivant.

<u>Exemple :</u> Ethan : obtenir l'autorisation de la préfecture.
« À ton avis, Ethan a **des chances d'obtenir** l'autorisation de la préfecture ?
– Oui, **il est à deux doigts de l'obtenir**. »

1. Martin : avoir le poste de Paris.

2. Anita : publier son roman.

3. Daniel : faire une exposition.

4. Guy : partir pour les territoires d'outre-mer.

5. Florian : devenir directeur.

6. Les Boutoille : trouver un sponsor.

7. Léa : décrocher un stage.

8. Les Maillet : réussir leur pari.

9. Adrien : avoir une chambre en résidence universitaire à Paris.

10. Magali : finir sa thèse.

250. Présent, passé ou futur ? – Donner des explications

Le futur permet de donner une explication. Vous ignorez les raisons d'un événement, mais vous avez une explication que vous trouvez tout à fait probable.

Vous pouvez donner cette explication avec :

– un futur simple

– un futur antérieur

– devoir + infinitif.

Si vous êtes tout à fait sûr de votre explication, vous utiliserez de préférence le présent ou un temps du passé.

<u>Exemple :</u> Le poisson rouge a disparu !
→ certitude :   **– Le chat l'a (sûrement) mangé.**
　　　　　　　　– C'est (sûrement) le chat !
→ probabilité : **– Ça doit être le chat.**
　　　　　　　　– Ce sera encore le chat, le coupable.
　　　　　　　　– Le chat l'aura mangé.

Donnez des explications sûres et des explications probables pour les situations suivantes.

1. Il est en retard d'une heure.

2. Elle est d'une humeur de chien, ce matin.

3. Il a perdu la course alors que tout le monde pensait qu'il la gagnerait.

4. Vous voyez vos enfants rentrer sur la pointe des pieds à la maison avec un gros paquet, en essayant de se cacher.

5. La fenêtre du salon est cassée.

6. Les trams ne fonctionnent pas.

7. Tu as remarqué, elle est blonde maintenant.

> « Qui vivra verra. » Sagesse populaire

Synthèse

B1.2
★★

251. Synthèse créative – Futurologie

Les futurologues sont rarement d'accord à propos des évolutions futures de notre monde.

a Observez les prédictions suivantes et les moyens linguistiques utilisés.

b Sont-elles réalistes ou fantaisistes ? Désirables ou inquiétantes ? Discutez-en.

c Développez une ou plusieurs prédictions parmi les thèmes proposés : amour, famille et procréation, éducation, arts, loisirs, tourisme, habitat, modes vestimentaires, équilibres politiques, religions et croyances, société connectée. Utilisez tous les moyens vus dans le chapitre.

ROBOTS

La robotisation aura remplacé les humains (50 % de plus d'ici 20 ans). Il faudra être débrouillard, un individu occupera une quarantaine d'emplois au cours de sa vie, la plupart en multi-activité. Les humains se spécialiseront dans les métiers non automatisables qui demandent créativité, sens artistique, intelligence sociale et contact humain. On sera obligé de créer de nouvelles solidarités pour éviter des écarts de richesse inacceptables. Des révolutions nous y obligeront peut-être. Nous aimerons plus les robots que les humains... Cette révolution est-elle imminente ? Ils vont nous ressembler comme deux gouttes d'eau, seront dotés d'émotions, de parole, d'intelligence. Efficaces et pas contrariants, ces humanoïdes vont d'ici peu combler nos désirs, car ils seront programmés pour nous plaire. Le problème commencera quand on croira que l'amour qu'on porte aux robots est réciproque.

MÉDECINE

Pauvres vieux ! D'ici 25 ans, les systèmes de retraite se seront effondrés et la crise de la dette menacera l'ensemble de l'économie. Le problème concernera vraisemblablement toute la planète. Les centenaires, encore alertes grâce aux progrès de la médecine, devront travailler pour compléter leur pension, s'il en reste encore une. Tout a un prix !

Les progrès foudroyants des technologies médicales font envisager un avenir vertigineux, avec un mariage intime entre la technique et le vivant. On parle de bébés parfaits, d'homme augmenté. L'immortalité, ce vieux rêve de l'humanité, est promise pour bientôt par certains. Cependant des virus inconnus pourraient bien réduire nos ambitions !

B2.1
★★★

252. Synthèse créative – Un autre monde est possible

L'avenir est par définition imprévisible, mais rien ne se réalise sans avoir été d'abord rêvé, et il y a tant à faire pour améliorer les choses...

Construisez un rêve d'avenir pour la planète : celui que vous désirez (une utopie réalisable) ou celui que vous craignez (une dystopie). Discutez-en.

253. Choix des temps / no(s) futur(s) – L'humanité a-t-elle un avenir ?

a Complétez avec le futur proche ou le présent en utilisant les verbes entre parenthèses.

OPTIMISTE OU PESSIMISTE ?

ENFIN LA PAIX...

Nous (vivre) .... une époque de boule-versements intenses. Ils (se multiplie) ...., mais cela (donner) .... la chance à des choses nouvelles de venir au monde. Nous (se réveiller) .... du vieux cauchemar de la violence et dire « ça suffit » ! Maintenant nous (faire) .... un monde qui (ressembler) .... à ce que nous (avoir de meilleur) ...., un monde vraiment humain. Nous (y croire) ...., nous (trouver) .... des solu-tions ! L'humanité (se diriger) .... vers un monde plus apaisé.

DEMAIN, LES CAFARDS...

Dans quelques dizaines ou centaines d'années, notre stupide espèce (dispa-raître) .... peut-être du grand concert de la vie, par sa faute. La vie (continuer) .... évidemment, sous d'autres formes. Les cafards (être) .... très résistants, dit-on. Ils (avoir) .... peut-être leur chance quand nous (quitter) .... les lieux. Et qui nous (regretter) .... ? Tant pis pour nous !

b Complétez avec le futur simple, le futur antérieur ou le présent en utilisant les verbes entre parenthèses.

« C'est embêtant, dit Dieu. Quand il n'y aura plus ces Français,
il y a des choses que je fais, il n'y aura plus personne pour les comprendre. »
Charles Péguy, écrivain (*Le mystère des Saints Innocents*)

« Anne, ma sœur Anne, ne vois-tu rien venir ? » Charles Perrault, *Barbe bleue*

« Quand le dernier des sociologues aura été étranglé avec les tripes
du bureaucrate, aurons-nous encore un problème ? » Slogan de Mai68

L'ESSENTIEL SUR...

Le français contemporain dispose principalement de trois temps pour exprimer le passé.
– Le passé composé indique une action antérieure au présent, souvent datée, terminée (valeur d'accompli); il peut aussi souligner les conséquences et les résultats actuels du verbe. C'est le temps du récit.
– L'imparfait est le temps de la description de personnages, de lieux, de sentiments ou d'habitudes. Il exprime une durée dont on ne connaît ni le commencement ni la fin et alterne souvent avec le passé composé.
– Le plus-que-parfait exprime une action plus lointaine, antérieure au passé composé, à l'imparfait, voire au présent. Il a la même valeur d'accompli que le passé composé.

! **REMARQUE :** Le passé simple, temps du récit appartenant à l'écrit litté-raire, n'est pas abordé dans ce manuel (cf. *L'expression française écrite et orale*, PUG).

● Le passé composé

1. Présentation du passé composé

Auxiliaire	Exemples de verbes	Construction du passé composé		
		Auxiliaire être ou avoir au présent	+	participe passé du verbe
ÊTRE	tomber	Je	suis	tombé(e)
	partir	tu	es	parti(e)
	venir	il / elle / on	est	venu(e)
	s'asseoir	nous nous	sommes	assis(es)
	se couvrir	vous vous	êtes	couvert(e)s
	mourir	ils / elles	sont	mort(e)s
AVOIR	manger	j'	ai	mangé
	finir	tu	as	fini
	courir	il / elle / on	a	couru
	comprendre	nous	avons	compris
	peindre	vous	avez	peint
	ouvrir	ils / elles	ont	ouvert

> « Une rumeur s'est répandue : on voudrait faire disparaître le passé simple. Il n'en est rien : ce temps, qui a toujours été fort rare à l'oral est bien présent dans les programmes scolaires. » Conseil supérieur des programmes

2. Être ou avoir

Être	Être et Avoir		Avoir
14 verbes aller, arriver, descendre, entrer, monter, mourir, naître, partir, passer, rester, retourner, sortir, tomber, venir. – *Elle est partie à 5 heures.* – *Ils sont nés à Nice.* – *Elles sont arrivées le samedi soir.* **Les verbes composés avec certains des 14 verbes** revenir, repartir, etc. – *Nous sommes revenu(e)s en avion.* **Les verbes pronominaux : « se + verbe »** – *Elle s'est promenée dans le parc.* – *Ils se sont levés à midi.*	descendre monter passer rentrer retourner sortir – *Elle est retournée dans son pays.* – *Nous sommes passés par Rennes.* – *Vous êtes rentré(e)s tard ?*	– *Elle a passé trois fois cet examen.* – *Nous avons monté toutes les valises au premier étage.*	**Verbes avec un complément d'objet direct** (verbes transitifs directs) – *Des gangsters ont dévalisé la banque.* **Verbes avec un complément d'objet indirect** (verbes transitifs indirects) – *Nous avons téléphoné à nos amis.* **Verbes qui ne peuvent pas avoir de compléments d'objets** (verbes intransitifs) – *Ils ont marché.* – *Vous avez dormi sous la tente.*

IL LUI A PASSÉ LE FLAMBEAU.

« Je voulais faire Elvis, je voulais faire James Dean, et je suis devenu moi. »
Johnny Hallyday, chanteur (1943-2017)

« Toute sa vie, il est resté insaisissable. » Jean-Pierre Raffarin,
ancien Premier ministre français, à propos de Johnny Hallyday

3. Les participes passés

Infinitifs terminés par :
Participes passés terminés par :

sons	graphies	– ER (tous les verbes)	– IR	– URE / – IRE / – AIRE	– DRE	– ENDRE	– TRE / – VRE	– OIR (la majorité des verbes) / – OIRE
[e]	é	aller → **allé** manger → **mangé**						
[i]	i		grossir → **grossi** finir → **fini** partir → **parti** maigrir → **maigri**	rire → **ri** suffire → **suffi**			naître → **né** être → **été** suivre → **suivi**	
[i]	is					apprendre → **appris** comprendre → **compris**	mettre → **mis** transmettre → **transmis**	s'assoir → **assis**
[i]	it			frire → **frit** interdire → **interdit** dire → **dit** conduire → **conduit** écrire → **écrit** séduire → **séduit** prescrire → **prescrit** traduire → **traduit**				
[y]	u		tenir → **tenu** courir → **couru** venir → **venu** survenir → **survenu** parvenir → **parvenu** parcourir → **parcouru**	lire → **lu** plaire → **plu** taire → **tu** conclure → **conclu**	moudre → **moulu** coudre → **cousu** résoudre → **résolu** confondre → **confondu** perdre → **perdu**	entendre → **entendu** attendre → **attendu** défendre → **défendu** descendre → **descendu** vendre → **vendu**	battre → **battu** paraître → **paru** vivre → **vécu**	avoir → **eu** pouvoir → **pu** boire → **bu** voir → **vu** devoir → **dû** vouloir → **voulu** falloir → **fallu** recevoir → **reçu** savoir → **su** pleuvoir → **plu** croire → **cru**
[y]	us			inclure → **inclus**				
[ɛ]	ait			faire → **fait** extraire → **extrait** distraire → **distrait**				
[ɛ̃]	eint				éteindre → **éteint** peindre → **peint** feindre → **feint** atteindre → **atteint**			
[ɛ̃]	aint				craindre → **craint** contraindre → **contraint**			
[œʀ]	ert		couvrir → **couvert** offrir → **offert** ouvrir → **ouvert** souffrir → **souffert**					
[ɔʀ]	ort		mourir → **mort**					

4. Accord du participe passé

Connaître la construction des verbes est indispensable car cela détermine en grande partie le choix de l'auxiliaire pour les temps composés du passé.

● Passé composé = ÊTRE au présent + participe passé

Verbes	Accord
• **14 verbes et les composés des verbes en caractères gras** : aller / arriver / **descendre** / **entrer** / **monter** / mourir / **naître** / **partir** / **passer** / rester / retourner / **sortir** / **tomber** / **venir** – *Ils sont venus avec leurs amis.* – *Ils sont revenus avec leurs parents.* • **Verbes pronominaux** Se lever / s'habiller / se promener / etc. – *Elles se sont promenées dans le jardin.* – *Nous nous sommes levés très tôt.*	Le participe passé s'accorde avec le sujet.

● Passé composé = AVOIR au présent + participe passé

Verbes	Accord
• **Tous les autres verbes** (autres que les 14 verbes et les composés de certains d'entre eux) – *Nous avons bien man**gé**.* – *Elles ont man**gé** les bonbons.* – *Elles les ont tous man**gés**.* • **Les verbes descendre, monter, passer, rentrer, retourner, sortir** (quand ils sont construits avec un complément d'objet direct). – *Avez-vous mont**é** les valises ?* – *Oui, je les ai mont**ées**.* – *Tu as pass**é** tes examens ?* – *Non, je ne les ai pas encore pass**és**.*	**Cherchez l'objet direct (COD).** – Pas de COD ou COD après le verbe → **Le participe passé reste invariable.** – Le COD est placé devant le verbe. → **Le participe passé s'accorde avec le COD.**

● Cas particulier : VERBES PRONOMINAUX

Passé composé = verbe pronominal (se + ÊTRE au présent + participe passé)

	Verbes	Accord
Sans COD	*Les verbes pronominaux non réfléchis (n'existant qu'à la forme pronominale)*	
	• **Le pronom fait partie du verbe** Exemples : *s'évanouir / s'enfuir / s'absenter* – *Elles se sont évanouies.* – *Ils se sont enfuis.*	Le participe passé s'accorde avec le sujet.

	Verbes	Accord
Un même sens	***Les verbes accidentellement pronominaux et qui prennent parfois un sens différent avec les pronominaux***	
	• Verbes pronominaux de sens passif Exemples : *se généraliser / se construire / se développer / se vendre / etc.* *– De nouveaux immeubles se sont construits dans ce quartier.* *= ont été construits.*	**Le participe passé s'accorde avec le sujet.**
	• Verbes réfléchis **→ Le verbe a un COD qui est le pronom réfléchi** Exemples : *se lever / se laver / se promener / se casser / se briser / etc.* *– Nous nous sommes levés à 8 heures.* **→ Le verbe a un COD autre que le pronom réfléchi** Exemples : *se laver / se casser / se creuser / etc.* *– Est-ce qu'ils se sont lavé les mains ? – Oui, ils se les sont lavées.* **• Verbes réciproques** **Le verbe est toujours au pluriel** Exemples : *se parler / se dire / s'embrasser / etc.* **→ Construction directe du verbe** *– Paul a embrassé Anne. Anne a embrassé Paul.* *→ Ils se sont embrassés.* (le pronom « se » est objet direct)	**Le participe passé s'accorde avec le complément d'objet direct lorsqu'il est placé devant le verbe.**
Changement de sens	**→ Construction indirecte du verbe** *– Paul a **parlé** à Anne. Anne a parlé à Paul* *→ Ils se sont parlé.*	**Le participe passé reste invariable.**
	• Verbes pronominaux avec changement de sens Exemples : *s'ennuyer / s'occuper de / se douter de, etc.* *– Elle ne s'est pas doutée de son erreur.*	**Le participe passé s'accorde généralement avec le sujet.**

B1.1 ★

254. Être ou avoir ? Telle est la question

Complétez les phrases suivantes avec l'auxiliaire qui convient.

1. L'avion .... décollé à midi. – **2.** Il .... arrivé avec beaucoup de bagages. **3.** Je n'............ pas bien compris la situation. – **4.** Elle s'............ réveillée de bonne heure. **5.** Nous .... vu de nombreux pays. – **6.** Elles se .... promenées dans la ville. – **7.** Les deux garçons .... voulu expliquer la situation, mais ils n'............ pas pu le faire. – **8.** Vous .... descendu tout seul ? – **9.** Je .... retourné à l'université. – **10.** Anna et Valentine .... venues en voiture. – **11.** Le ministre de l'économie .... mort hier soir d'une crise cardiaque. – **12.** Où est-ce que tu .... né ? – **13.** Mes amis et moi, nous .... revenus pour tout vous expliquer. – **14.** Le directeur .... été très content de l'accueil qu'il .... reçu dans ce pays. – **15.** Excusez-moi, je n'............ pas pu vous répondre tout de suite. – **16.** L'été dernier nous .... beaucoup souffert de la chaleur. – **17.** Quand est-ce que vous .... rentré ? Je .... revenu d'Oslo la semaine dernière. – **18.** Quand est-ce que tu .... allé faire ton dossier ? – **19.** Par où est-ce que vous .... passés ? Nous .... pris la route de Lyon. – **20.** Ce matin je n'............ pas entendu sonner mon réveil, je .... arrivé en retard.

255. Participes passés

Complétez les phrases suivantes avec le participe passé qui convient.

1. être : J'ai .... bien contente de recevoir ta lettre. – **2. quitter** : Le film était mauvais, il a .... la salle. – **3. finir** : Avez-vous .... les exercices ? – **4. rire** : Le spectacle était drôle, nous avons beaucoup .... – **5. suivre** : J'ai .... la conférence avec beaucoup d'intérêt. – **6. conquérir** : Son charmant sourire a .... tout le monde. – **7. apprendre** : Pourquoi n'avez-vous pas .... la leçon ? – **8. mettre** : Pour aller au mariage de sa sœur, elle a .... une jolie robe. – **9. s'asseoir** : Pour mieux suivre la conférence, je me suis .... au premier rang. – **10. dire** : Qu'est-ce que vous lui avez .... ? – **11. écrire** : Je suis déçue : il ne m'a jamais .... – **12. courir** : Il a .... le 100 mètres en 12 secondes. – **13. lire** : Il aime tellement Victor Hugo qu'il a .... toute son œuvre. – **14. attendre** : Vous avez .... longtemps ? – **15. vivre** : Nous avons .... 10 ans à Cannes. – **16. sauter/avoir** : Elle a .... en parachute et elle a .... très peur. – **17. savoir** : La secrétaire n'a pas .... me répondre. **18. boire** : Il est malade parce qu'il a trop .... – **19. pouvoir** : Est-ce que tu as .... joindre Léa ? – **20. vouloir** : Qu'est-ce qu'ils ont .... faire ? – **21. recevoir** : Avez-vous .... les nouveaux modèles ? – **22. raconter/croire** : Il m'a ...... une histoire bizarre, je ne l'ai pas .... – **23. craindre** : Elle n'a jamais .... le froid. – **24. ouvrir** : Elle n'aime pas la fumée, elle a .... la fenêtre. – **25. mourir** : Victor Hugo est ...... en 1885.

256. Accord du participe passé avec être

Mettez les verbes au passé composé (accord du participe passé des verbes conjugués avec être).

1. Quand il (mourir) ...., il était très âgé. – **2.** Pour aller à Lille, ils (passer) .... par Mâcon. **3.** Le petit village où elle (naître) .... est très joli. – **4.** Mes sœurs jumelles (naître) .... en 1990. – **5.** Antoine et Margaux, vous (partir) .... avec des amis ? – **6.** Quand je (entrer) ...., mon mari parlait avec son chef. – **7.** Oh là là ! Romain, où est-ce que tu (tomber) .... ? – **8.** Lucie a tellement aimé ce film qu'elle (retourner) .... le voir trois fois. – **9.** Les étudiants (venir) .... très nombreux pour la conférence. – **10.** Allô ! Pauline, bonjour. Tu (arriver) .... quand ? Et à quelle heure est-ce que tu (repartir) .... ? – **11.** Quand elles (entrer) .... dans la salle, tous les étudiants riaient. – **12.** Les syndicats (ne pas parvenir) .... à un accord.

257. Scénarios (cas des verbes conjugués avec être ou avoir selon leur emploi)

a Transformez le scénario suivant en mettant les verbes au passé composé.

RETOUR À LA MAISON

1. Il sort du bureau. – **2.** Il monte dans le bus. – **3.** Quelques minutes après, il descend du bus. – **4.** Il passe chez le boulanger. – **5.** Il sort avec du pain. – **6.** Il monte l'escalier. – **7.** Il rentre chez lui. – **8.** Il passe un coup de fil. – **9.** Il rentre le linge. – **10.** Il descend la poubelle. – **11.** Il sort le chien qui descend les escaliers en courant. – **12.** Il retourne chez le boulanger acheter des gâteaux. – **13.** Il passe un moment à discuter avec lui. – **14.** En revenant, il monte le courrier. – **15.** Il passe un moment devant la télé en attendant sa femme. **16.** Quand elle rentre, il sort les plats du frigo, et les passe au four.

---

b Écrivez au passé composé le scénario dont les actions vous sont données dans le désordre (vous pouvez en ajouter d'autres).

LES CRÊPES DE MORGANE

1. Passer le sucre glace dans le tamis. – **2.** Monter sur une chaise pour attraper la poêle. – **3.** Descendre chez l'épicier acheter des œufs et du lait. – **4.** Retourner une assiette sur les crêpes pour les tenir au chaud. – **5.** Retourner chez l'épicier acheter du sucre glace. – **6.** Rentrer à la maison. – **7.** Rentrer la poêle dans le placard. – **8.** Sortir le mixeur pour mélanger la farine, les œufs, le sucre et le lait. – **9.** Passer une demi-heure à faire cuire les crêpes. – **10.** Monter ses courses à la maison. – **11.** Sortir sur le palier accueillir ses invités.

c À votre tour, écrivez des scénarios sur les sujets ci-dessous. Utilisez uniquement les verbes descendre, monter, rentrer, sortir, passer, retourner, soit avec l'auxiliaire être, soit avec l'auxiliaire avoir.

1. Les déménageurs. – 2. Les cambrioleurs. – 3. La randonnée. – 4. La visite d'un château à l'occasion des journées du patrimoine.

B1.1 ★ 258. Accord du participe passé (être et avoir)

Mettez les verbes entre parenthèses au passé composé en respectant l'accord du participe passé.

1. Nous (manger) .... des poires. – **2.** Les poires que nous (manger) .... étaient très mûres. **3.** J'(aimer beaucoup) .... les fleurs que vous m'(offrir) .... la semaine dernière. – **4.** Ma mère et ma sœur (aller) .... en ville ; elles (faire) .... des courses. – **5.** Ces arbres que vous (voir) .... sont des chênes centenaires. – **6.** Ils (se rencontrer) .... chez des amis. – **7.** Où (mettre/tu) .... les livres que je t' (donner) .... ? – **8.** Excusez-moi, les robes de la nouvelle collection, où les (mettre/vous) .... ? – **9.** Quand ils (se marier) .... ils avaient vingt ans. **10.** Est-ce que tu m' (apporter) .... les livres que je t'(demander) .... ? – **11.** Alors ces dossiers, vous les (terminer) .... ? – **12.** Ma femme postera les lettres que j' (écrire) .... et que j' (oublier) .... sur la table.

B1.2 ★★ 259. Accord du participe passé (verbes avec avoir) – De toi à moi

Construisez des phrases selon le modèle.

Exemple : Me donner des livres /les lire... **Les livres que tu m'as donnés, je les ai lus.**

1. Acheter une voiture / l'adorer. – **2.** Faire des crêpes / les manger. – **3.** M'offrir des bijoux / les porter. – **4.** M'écrire des lettres / les garder. – **5.** M'enregistrer des chansons / les écouter. **6.** Construire une maison / la décorer. – **7.** Peindre des tableaux / les admirer. – **8.** Offrir des livres / les lire tous. **9.** Apprendre les pas de salsa / les oublier.

260. Verbes pronominaux – Mon petit cœur fait boum

a Dans les textes ci-dessous, relevez les verbes pronominaux et placez-les dans la bonne case dans les tableaux suivants, puis mettez-les à l'infinitif dans la colonne de droite.

1. Comment se sont-ils rencontrés ?

À trente ans, je me suis retrouvée célibataire mais j'avais envie de retrouver quelqu'un pour partager ma vie. Comment faire ? J'ai eu l'idée d'imiter mes amis Gaëlle et Jonathan qui s'étaient rencontrés lors d'un trajet pour Marseille organisé par un site de covoiturage. Ils s'étaient trouvés sept heures dans la même voiture, avaient eu le temps de se raconter leur vie et de se trouver mille points communs, puis ils s'étaient rapidement décidés à vivre ensemble. Aussi, quand Thibaut et moi nous sommes séparés, je me suis mise à chercher l'âme sœur sur les sites spécialisés. Je me suis heurtée à beaucoup de déceptions mais je ne me suis pas découragée : mon mari et moi nous sommes finalement découverts. Aujourd'hui, les rencontres se font souvent sur Internet.

2. Paris est une fête

J'ai rencontré Samira à une soirée pétanque au boulodrome. Je ne m'étais jamais intéressé à ce jeu que je trouvais ringard, mais avec mes amis, on s'était lassés de nos autres loisirs habituels. On nous a dit que ce qui se faisait maintenant, c'était les soirées DJ-pétanque en plein air. Nous nous sommes dit : pourquoi pas ?

Ainsi, le jeudi, nous nous sommes rendus à l'apéro-pétanque. Six cents personnes s'y étaient déjà rassemblées et s'adonnaient à l'art du lancer des boules sur le cochonnet… On s'est dispersés dans des équipes différentes. La musique, excellente, s'écoutait avec plaisir. Les boissons (peu alcoolisées) coulaient à flots. Les gens se parlaient joyeusement… bref on s'est beaucoup amusés. Samira ne s'était pas aperçue que j'avais un coup de cœur pour elle mais quand nous nous sommes revus la semaine suivante, nous nous sommes vraiment plu.

Depuis, nous sommes toujours ensemble. Demain, nous nous rendons à un apéro-terrasse dans le Marais ou sur une péniche ; on ne s'est pas encore décidés. Elle est pas belle, la vie ?

		Verbes au présent	Verbes au passé composé	Verbes au plus-que-parfait	Verbes à l'imparfait	Infinitif
Verbes pronominaux réciproques	Construction directe			s'étaient rencontrés		se rencontrer
	Construction indirecte					
Verbes pronominaux réfléchis	Construction directe		je me suis retrouvée			se retrouver
	Construction indirecte					

Verbes non réfléchis				
Verbes pronominaux de sens passif				

b À partir des éléments ci-dessous, construisez deux courts récits au pluriel pour chaque situation : un avec le pronom sujet « nous », l'autre avec le pronom sujet « ils ».

Des amis : se rencontrer / s'écrire / se téléphoner / se perdre de vue / s'oublier / se retrouver / etc.

Des hommes politiques à la télévision : se dire bonjour / se serrer la main / se poser des questions / se répondre / se disputer / s'expliquer leur point de vue / etc.

Les migrants : s'enfuir de leur pays / s'entasser dans des bateaux / se retrouver en panne en mer / se croire perdus mais s'entraider / se retouver sur l'île de Lampedusa par miracle / se débrouiller pour aller à Calais / se retrouver bloqués là-bas longtemps / enfin s'installer en Angleterre.

B1.1

★

261. Espionnage

Vous êtes Jane Band. Vous téléphonez à votre chef de réseau pour lui expliquer ce qui vous est arrivé au cours des dernières 24 heures.

Exemple : **Moi**   **Eux**
          recevoir mon ordre de mission   → l'apprendre
      → **« J'ai reçu mon ordre de mission, ils l'ont appris.**

Moi	Eux
aller à l'aéroport	
voir une voiture derrière moi	
apercevoir deux hommes à l'intérieur	
se garer dans le parking	→ me suivre
prendre mon billet	→ acheter aussi un billet
m'installer dans l'avion	→ s'asseoir derrière moi préparer un plan pour les semer
arriver à destination	
sortir rapidement de l'aéroport	→ me rattraper
crier et essayer de m'enfuir	→ m'obliger à monter dans une voiture
	→ me bâillonner et m'assommer
me réveiller dans une cave	→ entrer et m'interroger
refuser de parler	→ me frapper
faire la morte	→ sortir
	→ m'enfermer dans la pièce
attendre un moment	
forcer la serrure	
m'enfuir	
prendre une chambre d'hôtel sous un faux nom	

Ne vous inquiétez pas, je pense savoir qui <u>ils</u> sont.

262. Passé composé des verbes pronominaux – Quelle journée !

★

Racontez la journée de Sofia, star de télé-réalité. Utilisez le passé composé en respectant l'accord des participes passé.

Exemple : Se lever → **Elle s'est levée.**

> Se laver / se laver aussi les cheveux / se faire les ongles / s'habiller / se maquiller les yeux / se coiffer / se brûler l'oreille avec son lisseur / s'apercevoir qu'elle est en retard / se dépêcher / se précipiter vers sa voiture / s'installer au volant / se rendre au studio à toute vitesse / se faire arrêter par la police / se faire disputer par le metteur en scène à cause de son retard / se fâcher / s'enfermer dans sa loge / se mettre à pleurer / se calmer / se remaquiller / se décider à aller sur le plateau / se faire expliquer son rôle / se préparer à tourner / s'avancer dans le décor /se prendre les pieds dans les fils électriques / s'étaler par terre / se casser la cheville / se lamenter / se retrouver à l'hôpital / ... Quelle journée !

263. Récits au passé composé – Cinéma

★

Reconstituez une scène d'action d'un film au passé composé.

1. *Un western*
Le cowboy **est arrivé** *au grand galop ; il* **s'est arrêté** *devant le saloon ; il* **a sauté** *de son cheval et* **est entré** *dans le saloon ; il* **s'est accoudé** *au bar et a commandé un verre...*

2. Un film policier

3. Un film de science-fiction

4. Un film d'aventure

5. Une comédie

6. Un dessin animé

264. Récit au passé composé – Avez-vous un alibi ?

★

Vous êtes le juge et vous reprenez l'emploi du temps de Barbara, l'accusée. Utilisez le passé composé.

Exemple : **Midi**, sortir de chez vous → **À midi, vous êtes sortie** de chez vous.

12 h 30 : arriver au restaurant / dire au serveur que vous attendiez quelqu'un / attendre une heure / boire quelques verres / téléphoner trois fois / ne pas déjeuner / repartir vers **13 h 30** / prendre votre voiture / démarrer brusquement / rouler pendant une heure ou deux / vous arrêter dans un parc / ne rencontrer personne / vous promener un moment / vers **16 h** : aller chez votre ex-mari / discuter avec lui / vous disputer / repartir vers **17 h** / ne voir personne jusqu'à 18 h / vers **18 h** : rencontrer M. Brunel, un collègue de travail qui a témoigné que vous aviez l'air perturbé / **18 h 30** : rentrer chez vous / **19 h** : recevoir un coup de téléphone de la police / apprendre l'agression subie par votre mari à 17 h 30 / **19 h 30** : aller au commissariat / **20 h** : être interrogée par la police.

Avez-vous un alibi ?

> « Dans un adulte épanoui, je vois un enfant qui a réussi son coup et jubile. »
> Christian Bobin, poète

B1.2 **265. Récits chronologiques au passé composé – Histoires de dates**

★★ Reformulez les événements en utilisant le passé composé.

a L'année 2014

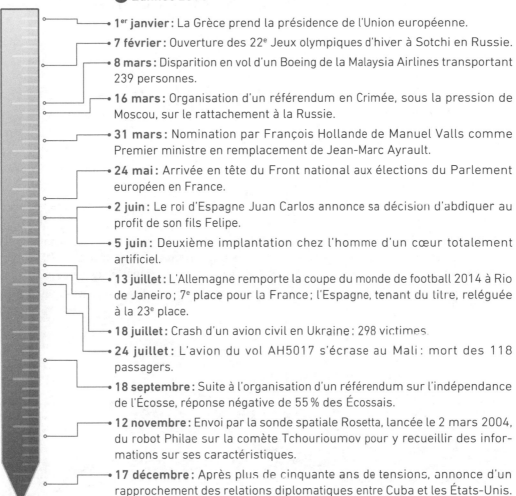

1er janvier : La Grèce prend la présidence de l'Union européenne.

7 février : Ouverture des 22e Jeux olympiques d'hiver à Sotchi en Russie.

8 mars : Disparition en vol d'un Boeing de la Malaysia Airlines transportant 239 personnes.

16 mars : Organisation d'un référendum en Crimée, sous la pression de Moscou, sur le rattachement à la Russie.

31 mars : Nomination par François Hollande de Manuel Valls comme Premier ministre en remplacement de Jean-Marc Ayrault.

24 mai : Arrivée en tête du Front national aux élections du Parlement européen en France.

2 juin : Le roi d'Espagne Juan Carlos annonce sa décision d'abdiquer au profit de son fils Felipe.

5 juin : Deuxième implantation chez l'homme d'un cœur totalement artificiel.

13 juillet : L'Allemagne remporte la coupe du monde de football 2014 à Rio de Janeiro ; 7e place pour la France ; l'Espagne, tenant du titre, reléguée à la 23e place.

18 juillet : Crash d'un avion civil en Ukraine : 298 victimes.

24 juillet : L'avion du vol AH5017 s'écrase au Mali : mort des 118 passagers.

18 septembre : Suite à l'organisation d'un référendum sur l'indépendance de l'Écosse, réponse négative de 55 % des Écossais.

12 novembre : Envoi par la sonde spatiale Rosetta, lancée le 2 mars 2004, du robot Philae sur la comète Tchourioumov pour y recueillir des informations sur ses caractéristiques.

17 décembre : Après plus de cinquante ans de tensions, annonce d'un rapprochement des relations diplomatiques entre Cuba et les États-Unis.

b **Condition des femmes en France : plus de progrès en cent ans qu'en mille ans.**

– **1774 :** Le marquis de Condorcet déclare : « **Je crois que la loi ne devrait exclure les femmes d'aucune place. Songez qu'il s'agit de la moitié du genre humain** ».

– **La Révolution** donne aux femmes le droit de se marier et de divorcer librement et d'hériter à égalité avec les hommes. Mais elle n'accorde le droit de vote ni aux esclaves, ni aux aliénés... ni aux femmes.

– Olympe de Gouges, femme de lettres révolutionnaire, rédige la « Déclaration des droits de la femme et de la citoyenne ». Elle s'oppose aussi à l'esclavage et aux massacres de la Terreur. Elle est guillotinée et tombe dans l'oubli, sauf pour les féministes.

– **Entre 1850 et 1924**, on met en place un système d'éducation pour les filles.

– **À la Libération, en 1945**, le nouveau gouvernement accorde (enfin) le droit de vote aux femmes. Trente-trois femmes entrent alors au Parlement (une proportion plus élevée qu'en 2017).

– **En 1946**, le Parlement inscrit « l'égalité entre les hommes et les femmes dans tous les domaines » dans le Préambule de la Constitution.

- **Les années 1960-1970** connaissent une grande vague de revendications pour plus de liberté. Dans de nombreux pays, les minorités se battent partout pour leurs droits : femmes, homosexuels, noirs, peuples autochtones. En France, une vague féministe sans précédent mène 15 ans de batailles pour le droit des femmes à disposer de leur corps. Le mouvement ouvre des consultations de contraception (illégales), aide les femmes qui veulent avorter (toujours illégal) ; des milliers de femmes manifestent dans les rues. Les débats font rage.
- **Finalement en 1970**, la contraception est autorisée.
- **1972** : un procès retentissant obtient la condamnation des violeurs d'une jeune femme. Une première !
- **En 1974** : on vote le remboursement de la contraception et en 1975, le Parlement vote la loi Veil qui autorise l'interruption de grossesse.
- **Années 1980-1990** : de nombreuses lois précisent encore ce que doit être l'égalité entre hommes et femmes dans la vie professionnelle.
- **Entre 1999 et 2011**, plusieurs textes sur la parité sont votés. Elle est inscrite en 1999 dans la constitution et devient obligatoire pour tous les mandats politiques en 2000.
- **En 2012**, pour la première fois dans l'histoire, une loi vise à combattre l'inégalité homme-femme dans tous les domaines.
- **En 2015**, deux résistantes, Geneviève De Gaulle Anthonioz et Germaine Tillon font leur entrée parmi les morts illustres du Panthéon (4 femmes pour 71 hommes !). Quant à la statue d'Olympe de Gouges qui doit être installée au Parlement, l'événement est reporté plusieurs fois.

« Le chemin vers la parité est encore long », constate Marisol Touraine, ancienne ministre de la Santé (2012-2017).

 L'ESSENTIEL SUR...

● L'imparfait

● **Conjugaison de l'imparfait**

Pour tous les verbes			
1re pers. radical du pluriel du présent de l'indicatif sans **-ons**		Terminaisons de l'imparfait	Imparfait
	chant -	**ais**	je chantais
	finiss -	**ais**	tu finissais
	pouv -	**ait**	il pouvait
	pren -	**ions**	nous prenions
nous voy -	voy -	**iez**	vous voyiez
	recev -		vous receviez
	buv -	**aient**	ils buvaient
	fais -		elles faisaient

! **EXCEPTION :** L'imparfait du verbe être est formé sur le radical de la 2e personne du pluriel du présent de l'indicatif : vous êtes... j'étais, tu étais...

B1.1
★

266. **Description et habitudes dans le passé (imparfait)**

a Décrivez comment vivaient les hommes préhistoriques.

– Habitat
– Nourriture
– Vêtements

b Que disent Pierre et Jacques ?

Pierre et Jacques, deux nouveaux amis, se racontent comment ils vivaient pendant leur enfance. La famille de Pierre était très pauvre. La famille de Jacques était très riche.

c Comment vivaient vos grands-parents et vos arrières grands-parents ?

B1.1
★

267. **Expression du regret (imparfait)**

a Complétez les phrases.

AH ! C'ÉTAIT LE BON TEMPS !

Quand j'avais cinquante ans de moins, toutes les filles me **tombaient** dans les bras.

1. Quand j'étais célibataire ....
2. Quand je n'étais pas à la retraite .... – **3.** Quand j'étais jeune et beau .... – **4.** Quand j'étais fort .... – **5.** Quand je faisais du vélo .... – **6.** Quand je voyais et que j'entendais bien .... **7.** Quand j'avais toutes mes dents .... – **8.** Quand je n'avais pas de rhumatismes ....

b À votre tour, exprimez les regrets des personnages ci-dessous.

1. une ancienne star. – **2.** un ancien joueur de rugby. – **3.** un professeur d'une cinquantaine d'années. – **4.** une danseuse des Folies-Bergère bientôt centenaire.

268. Suggérer une idée

Observez le dessin. De quelle façon la mère exprime-t-elle sa proposition ? Sur le même modèle, faites des suggestions.

1. Vos amis manquent d'idées pour occuper leur week-end. Vous, vous en avez beaucoup. Vous ne cherchez pas à les imposer, vous les suggérez.

2. Votre collègue Samuel a de gros problèmes avec ses enfants. Suggérez-lui délicatement des moyens, même difficiles, d'y faire face.

3. Avec une copine, vous avez envie de créer une petite entreprise. Chacun a des suggestions.

4. Vous avez rencontré des gens que vous trouvez très sympathiques et vous avez envie de les revoir. Que pouvez-vous leur proposer ?

5. Pour les trente ans de Pedro, ses amis veulent lui faire un cadeau original. Ils en discutent.

269. Habitude au présent / exception dans le passé ou dans l'avenir

Soulignez les expressions de temps utilisées puis complétez les phrases suivantes.

Exemples : – **D'habitude**, au petit-déjeuner, je **bois** du café ; **ce matin**, j'**ai bu** du thé.
– **D'habitude**, nous ne **buvons pas** de vin au dîner ; **ce soir**, nous **déboucherons** / **allons déboucher** une bonne bouteille pour nos invités.

1. Tous les étés, nous passons un mois à Belle-Île ; l'été dernier, ...

2. La plupart du temps, elle met des chaussures à talons ; pour cette promenade, ...

3. Le plus souvent, elle se maquille très discrètement ; mais à cette fête, ...

4. Il n'arrête pas de poser des questions ; pour une fois, à la dernière réunion ....

5. À Noël, ils vont chez leur grand-mère sur la Côte d'Azur ; exceptionnellement, l'année prochaine ....

6. Habituellement, je vais au travail à vélo ; demain, avec cette neige ....

7. Généralement, il ne voyage pas ; pourtant, dans quinze jours ....

8. Le matin nous avons cours à 8 heures, mais la semaine prochaine, ...

9. Chaque hiver nous passons une semaine au ski à Courchevel, mais cet hiver, ...

10. Normalement, elle prend le bus pour aller à son travail, mais mardi prochain, ...

11. D'habitude, il prend l'avion pour aller à Paris, mais la prochaine fois, ...

12. Mes parents m'invitent assez souvent au restaurant, mais la semaine dernière, pour mon anniversaire ....

13. Quand nous allons déjeuner chez notre copine Aïcha, elle nous fait toujours un couscous, mais dimanche dernier ....

B1.1
★

270. **Autrefois (imparfait) / Maintenant (présent)**

Regardez les dessins ci-dessous, puis faites des phrases en opposant la façon de vivre du couple autrefois et maintenant.

Exemple : **Ils ont beaucoup changé. Autrefois il avait les cheveux longs, maintenant il va régulièrement chez le coiffeur.**

Imparfait / Passé composé

B1.1
★

271. **Une habitude / Un changement**

Transformez les éléments suivants comme dans l'exemple en utilisant la personne indiquée entre parenthèses.

Exemple : Être enfant – vouloir être une star / changer d'avis – grandir **(je)**
Quand j'étais enfant, je voulais être célèbre. J'ai changé d'avis quand j'ai grandi.

1. Être petit – avoir peur du noir/ma peur disparaître – faire du camping avec des amis. **(Je)**

2. Être étudiant – sortir tous les soirs/changer de style de vie – avoir des enfants. **(Nous)**

3. Faire du ski – dévaler à toute vitesse/se mettre aux raquettes/prendre son temps – pouvoir apprécier la beauté des paysages. **(Il)**

4. Avoir de l'argent – tout dépenser/devenir plus économe – me retrouver au chômage pendant quelques mois. **(Je)**

5. Partir en week-end – dormir dans des hôtels/découvrir un jour les chambres d'hôtes – apprécier leur cadre original – faire connaissance de gens charmants. **(nous)**

6. Aller faire du running en montagne – ne pas regarder la nature – ne penser qu'à améliorer sa performance/suivre un cours d'herborisation – s'intéresser aux fleurs et aux plantes – en tirer un grand plaisir. **(tu)**

7. Être comptable – s'ennuyer dans son travail/changer de travail – avoir son deuxième enfant. **(Elle)**

8. Travailler dans cette entreprise – être démotivé/décider de faire un autre métier – retrouver la joie de vivre. **(Vous)**

272. Habitude au passé/Fin d'une habitude

a Observez l'usage des temps dans ce témoignage.

>> Je suis née dans la classe ouvrière et, malgré ma brillante réussite scolaire, j'avais un gros complexe culturel, je n'osais pas aller à l'opéra par exemple. Mais j'ai fait un gros effort pour y aller… Et voyez, aujourd'hui, en 2016, je suis ministre de l'Éducation. >>

Najat Vallaud Belkacem

b Les personnes suivantes ont changé d'habitudes ; racontez leurs histoires. Pour exprimer la fin de l'habitude, vous pourrez utiliser les verbes suivants :

changer d'avis   prendre de l'assurance   décider de

avoir le courage de   se mettre à   chercher à   s'efforcer de

essayer de   se lancer   sauter le pas   se jeter à l'eau

– **Ludovic :** « Je m'ennuie trop dans ce boulot inintéressant, j'aimerais mieux créer ma boîte ; mais en même temps, ça m'effraie. »

– **Éloïse et Bertrand :** « Vivre à paris, on n'en peut plus, trop bruyant, trop pollué. On voudrait créer une chambre d'hôte à la campagne mais on n'a pas le premier centime. »

– **Estelle :** « J'adore trop la mode ! mais je ne connais personne dans ce milieu… Si je faisais un blog, est-ce que ça pourrait marcher ? »

c Racontez un changement d'habitudes ou de vie que vous connaissez, vous-mêmes, une de vos relations, un héros de film…

273. Imparfait, passé composé ou présent – Changement de vie

Mettez les verbes entre parenthèses à l'imparfait ou au passé composé ou au présent.

>> Quand (arriver) .... l'âge de la retraite, je (tomber) .... dans un grand trou. Je (être) .... veuf et je ne (avoir) .... aucun projet. Alors je (partir) .... marcher trois mois sur le chemin de Compostelle. Je (vouloir) .... faire le bilan de ma vie, mes réussites et mes échecs. Arrivé à mi-chemin, je (constater) .... que je (être en train) de vivre une transformation totale, que la marche (soigner) .... mon corps et mon esprit. Puis je (rencontrer) .... deux jeunes délinquants belges qui (faire) .... le chemin comme peine alternative à la prison. Pour eux aussi la marche (être) .... un remède formidable. Là, je (savoir) .... ce que je (aller) .... faire en rentrant et je le (faire) .... Je (créer) .... une association pour jeunes en difficulté. Je (être) très heureux car, comme moi, ils (revenir) .... toujours transformés. >>

> « J'ai arrêté de me raconter des histoires ou je devais être un héros ;
> j'ai abandonné l'idée de la victoire. Ça ne me torture plus. J'ai vraiment changé. »
> Virginie Despentes, *Vernon Subutex 2*

B1.2
★★

274. Imparfait, passé composé ou présent – Dur dur, d'être parents

ⓐ Lisez le texte ci-dessous.

Au XIXe siècle, à l'époque de Freud, qui disait déjà qu'une éducation est de toute façon ratée, on élevait sa progéniture sans trop réfléchir. On imitait les générations précédentes. Les parents d'aujourd'hui, eux, sont inquiets, lisent tous les livres sur l'éducation, et s'interrogent à l'infini. C'est que le modèle familial classique a éclaté et qu'il n'a pas été remplacé par un modèle unique ; chacun vit avec le mythe du « tout est possible », beaucoup plus angoissant. Quand on faisait dix enfants dont plusieurs mouraient en bas âge, on investissait moins sur les enfants affectivement. Il était plus facile de les éduquer à la dure, c'était les préparer à un monde difficile.

Le monde industriel, les progrès de la médecine et de la psychologie ont tout chamboulé. Le taux de mortalité infantile s'est beaucoup réduit, on s'est mis à faire moins d'enfants et on a commencé à les considérer comme des personnes.

Aujourd'hui l'enfant-roi et même quel-quefois l'enfant-tyran est devenu le centre de la famille. On était là pour les éduquer, maintenant on veut qu'ils nous aiment, on a même parfois peur de leur déplaire.

Les parents en difficulté font tout de suite appel à des spécialistes : pédiatres et « psy » de toutes sortes, comme si un savoir-faire ancestral s'était perdu. Ce qui est le cas. Les familles d'autrefois étaient souvent tribales, plusieurs géné-rations vivaient sous le même toit. Il y avait toujours une grand-mère ou une tante qui savait soigner, écouter, gronder.

De nombreux enfants d'aujourd'hui passent beaucoup de temps seuls avec la télé ou l'ordinateur. Ils n'ont sans doute pas gagné au change. Les deux parents font de leur mieux, mais ils travaillent. Les divorces se sont multipliés et les familles monoparentales aussi (une famille sur dix).

En attendant, les « psys » ont de beaux jours devant eux. « Mais qu'est-ce que j'ai fait, Docteur ? » leur demandent de plus en plus de parents qui ne savent plus quoi faire face à l'attitude de leur enfant. Un seul conseil : parents, détendez-vous ! Admettez que vous ne pourrez pas être parfaits et, surtout, n'ayez pas peur de dire non.

ⓑ Complétez le tableau suivant avec les éléments du texte.

Avant	Entre-temps	Après
On imitait les générations précédentes.	*Le modèle familial classique a éclaté.*	*Les parents d'aujourd'hui sont inquiets.*
•	•	• ....
•	•	• ....
•	•	• ....
•	•	• ....

275. Verbes de changement – Le monde a tellement changé !

En utilisant le vocabulaire ci-dessous, énumérez les changements qui se sont produits depuis 100 ans dans les domaines suivants : Transports, Santé, Loisirs, Voyages, Femmes, Vêtements, Travail, Famille, Confort.

<u>Exemple</u> : **Autrefois** (avant, il y a 100 ans, etc.), on se déplaçait beaucoup à pied, mais **un jour** on a inventé les voitures, et **aujourd'hui** la marche à pied est un loisir.

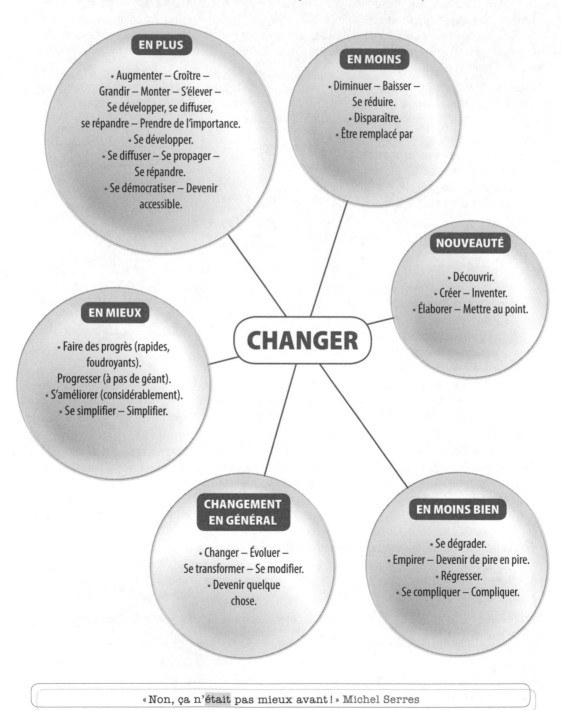

« Non, ça n'était pas mieux avant ! » Michel Serres

B1.1
★
276. Situation et événements – Et soudain...

Complétez le tableau suivant sur le modèle de l'exemple, en choisissant l'expression adaptée.

Exemple : **ils dansaient ; soudain il lui a marché sur les pieds**

a Faites une phrase complète avec les huit premières phrases.

b Inventez une suite pour les huit suivantes.

1. il traversait le carrefour	**tout à coup**	une voiture (surgir)
2. tout avait l'air normal	**soudain**	Il (remarquer) un détail
3. il méditait profondément	**brusquement**	le téléphone le (interrompre)
4. elle mangeait du nougat	**à un moment**	elle se (casser) une dent
5. ils se promenaient	**c'est alors que**	un orage (éclater)
6. elles regardaient les infos	**subitement**	elle (se mettre) à pleurer
7. il a menti mais moi	**à ce moment-là**	je (comprendre la vérité)
8. la nuit était très calme	**à ce moment-là**	un hélicoptère (passer)
9. elle était debout dans le bus	**soudain**	....
10. il la croyait partie	**c'est alors que**	....
11. elle faisait les vitrines	**tout à coup**	....
12. ils naviguaient	**à un moment**	....
13. le président parlait,	**soudain**	....
14. il travaillait à son livre	**c'est à cet instant**	....
15. la crise durait	**brusquement**	....
16. il était veuf	**c'est alors que**	....

B1.1
★
277. Situation ou événements ? – Quand...

Complétez les phrases suivantes en mettant les verbes entre parenthèses au passé composé ou à l'imparfait selon le cas.

1. Quand l'acteur est entré en scène, le public (applaudir) .... la jeune première qui sortait de scène. Quand l'acteur est entré en scène, le public (manifester sa joie) .... : il l'avait reconnu. – **2.** Quand je suis rentré chez moi, la radio (marcher) .... à fond. Quand je suis rentré chez moi, mon fils (me sauter) .... au cou : il était content que je rentre aussi tôt. – **3.** Quand le téléphone a sonné, je (sursauter) .... Quand le téléphone a sonné, j' (être) .... sous la douche. – **4.** Quand l'orage a éclaté, Lucie (fermer) .... les fenêtres pour éviter qu'elles claquent. Quand l'orage a éclaté, Lucie (jouer) .... au tennis depuis une heure. – **5.** Quand le TGV est arrivé, nous (faire) .... encore la queue au guichet. Quand le TGV est arrivé, nous (se précipiter) .... sur le quai. – **6.** Quand le champion a passé la ligne d'arrivée, le public (l'acclamer) .... : il venait de gagner le Grand Prix. Quand le champion a passé la ligne d'arrivée, son principal adversaire (être) .... loin derrière lui. – **7.** Quand ils ont appris l'arrivée du président, les journalistes (courir) .... vers le terminal n° 5. Quand ils ont appris la nouvelle, ses parents (dîner) .... tranquillement. – **8.** Quand l'heure du départ est arrivée, elle (discuter) .... encore au téléphone. Quand l'heure du départ est arrivée, elle (prendre) .... son sac et elle (partir) .... précipitamment. – **9.** Quand ils se sont mariés, ils (avoir) .... déjà un enfant. Quand ils se sont mariés, elle (s'évanouir) .... tellement elle était émue. – **10.** Quand la voiture est tombée en panne, nous (rouler) .... sur l'autoroute. Quand la voiture est tombée en panne, nous (pousser) .... la voiture.

278. Actions principales ou secondaires ?
– Un bon début de journée

a Analysez le tableau suivant.

La colonne A présente les actions qui font avancer le récit. Ces actions sont axées sur le personnage principal.

La colonne B présente les actions qui ne modifient pas le récit : ces actions introduisent d'autres éléments (cadre, situation, description des lieux ou des personnes).

A. Actions principales	B. Actions secondaires
Richard s'est levé	*pendant que sa femme, Marie, s'habillait,*
Et il est allé dans la salle de bains	*où sa fille, Emma, se lavait.* *Sa fille chantait à tue-tête.*
il l'a embrassée puis il s'est rasé.	*Pendant ce temps sa femme préparait le petit-déjeuner, tandis qu'Emma consultait ses SMS.*
Marie les a appelés.	*Marie, elle, préparait ses affaires à toute vitesse.*
Ils ont déjeuné ensemble et il est parti au travail,	*La journée commençait plutôt pas mal.*

b Dans le texte ci-dessous trouvez quelles sont les actions principales (dont l'héroïne est Justine) et les actions secondaires, puis écrivez le texte au passé.

> Justine sort du taxi avec ses deux grosses valises. Elle entre dans son immeuble et appelle l'ascenseur. Pendant qu'elle l'attend, elle entend des bruits bizarres dans les étages : on traîne des meubles, des casseroles tombent, un bébé hurle, des gens crient. Elle appuie à nouveau sur le bouton de l'ascenseur qui n'arrive toujours pas. Enfin elle se souvient : ses voisins déménagent. Elle monte à pied ses deux grosses valises pendant que les déménageurs descendent le lave-linge.

279. Récits à l'imparfait et au passé composé
– Situations festives

Seul ou en groupe, vous allez élaborer un récit en suivant les indications données ci-dessous. Choisissez une des propositions données dans le tableau B ou inventez-en une autre. Pour écrire votre récit, utilisez les tableaux A et C.

A.

À l'imparfait, décrivez le cadre, la situation :	Au passé composé, racontez les événements ponctuels qui se sont déroulés dans ce cadre situationnel.
– le temps qu'il fait, – l'atmosphère, – le lieu et son environnement, – les personnages (état physique, état psychologique, attitudes), – ce que ces gens étaient en train de faire.	

B.

Titre du récit	Cadre, situation	Événements ponctuels
Un mariage mouvementé	le printemps, le beau temps, beaucoup de fleurs, mairie ou église, beaucoup de monde, vêtements de fête, sourires, joie, appareils photos, embrassades, la mariée en robe blanche, le marié très ému, etc.	la mariée arrive en retard, elle se dépêche, elle tombe, elle déchire sa robe, elle pleure, on la console, sa mère répare la robe, la cérémonie commence, etc.
Un match de football (ou autre)	le stade plein de spectateurs, les cris des spectateurs, les drapeaux et les banderoles, les vêtements et l'allure des joueurs, le comportement de l'arbitre, etc.	un joueur fait une faute grave, l'arbitre ne le voit pas, le capitaine de l'équipe proteste, l'arbitre l'expulse, ses co-équipiers apostrophent l'arbitre, l'arbitre explique ses raisons, etc.
Un concert de rock	la scène, les écrans, le décor, la musique, les spectateurs, etc.	Les musiciens s'installent sur la scène, ils accordent leurs instruments. Le chanteur arrive, empoigne le micro, se prend les pieds dans le fil, n'arrive pas à se relever. Le guitariste jette son instrument au sol et le chanteur quitte sa chemise et la jette dans la foule. Le batteur se déchaîne, etc.

C. **Quelques outils pour vous aider**

Indicateurs temporels		Articulateurs du récit	Conjonctions
hier	à un moment	d'abord	• **de temps :**
soudain	il y a trois jours	tout d'abord	quand
avant-hier	un peu plus tard	puis	lorsque
tout à coup	il y a une semaine	ensuite	dès que
la semaine dernière	quelques minutes	alors	au moment où
tout d'un coup	après	enfin	après que
lundi dernier	en juillet dernier	finalement	• **de cause :**
brusquement	alors		– parce que
l'année dernière	en 2015		– comme
	etc.		

B1.1
★

280. **Actions principales / secondaires – Mini-récits**

Voici des successions d'actions principales au passé composé. Ajoutez les actions secondaires, des commentaires, des sentiments et des circonstances à l'imparfait.

> 1. Pour les vacances d'hiver, nous avons loué un studio dans une station de ski. Le premier jour des vacances, nous sommes donc partis en voiture mais, avec les bouchons, nous avons mis six heures pour faire 60 km. Nous sommes arrivés très fatigués à 22 heures.

2. Joseph a échappé trois fois à la mort en novembre 2014. Il a d'abord fait une chute, puis il a eu un accident de moto. Pour finir, on lui a découvert une maladie grave ! Ébranlé par tout ça, il a décidé de voir les Sept Merveilles du monde avant de mourir et il est parti quelques mois avec sa copine. Au retour, il était guéri et aujourd'hui il fait des conférences sur son expérience.

3. À 26 ans, je me suis installé à Hong Kong. Quelques mois plus tard, j'ai rencontré Wanlin. Un an après, nous avons pris un appartement ensemble dans le centre-ville. Et trois ans plus tard, notre premier enfant est né.

B1.1
★

281. Passé composé ou imparfait ? – État ou situation ?

a Observez :

Pourquoi est-ce que tu n'as pas invité ton cousin ?

→ **J'ai oublié** (le verbe au passé composé exprime un résultat accompli).

→ **Il était malade** (le verbe à l'imparfait exprime l'état de la personne au moment de l'action).

b Répondez aux questions suivantes avec une phrase au passé composé et une autre phrase différente à l'imparfait.

1. Maman, où est le chèque pour la cantine ? – **2.** Puis-je savoir pourquoi vous êtes arrivés en retard ? – **3.** Ton copain n'a pas dit un mot de la soirée, qu'est-ce qui lui a pris ? – **4.** Tiens ! vous voilà enfin, vous deux ! Où est-ce que vous aviez disparu tout l'après-midi ? – **5.** Qu'est-ce que j'ai encore fait de mes clés ? – **6.** Pour quelle raison n'as-tu pas fait ton travail ? – **7.** Pourquoi n'as-tu pas acheté de raisins ? – **8.** Comment est-ce que tu as pu te tromper de lunettes ? **9.** Quelle drôle d'idée de lui avoir offert un troisième portable !

Synthèses imparfait / passé composé

B1.1
★

282. Imparfait ? Passé composé ?

Mettez les verbes à l'infinitif au temps correct.

UNE PANNE MALENCONTREUSE

≪ D'habitude, je vais au travail en voiture (c'est loin de chez moi !). Hier, comme mon auto (être) .... chez le garagiste, je (vouloir) .... aller au bureau en bus. Pas de chance, tous les transports en commun (faire) .... grève ! À ce moment-là, je (essayer) de (avoir) un taxi : rien. Je (se demander) .... quoi faire ; je (devoir) .... aller travailler... Je (contacter) les sites de covoiturage : saturés. Finalement, je (décider) .... de m'y rendre à pied. Je suis arrivée avec deux heures de retard mais, pour une fois, mon patron (se montrer) .... compréhensif ! **≫**

« J'ai plus de souvenirs que si j'avais mille ans » Charles Baudelaire

LE CHIEN DE THOMAS

– Tiens ! Je (ne pas savoir) .... que tu (avoir) un chien.

– Ben oui, j'avais toujours dit que je (ne pas vouloir) .... de chien à la maison, mais, avec les enfants, on ne fait pas ce qu'on veut.

– Et alors ?

– Figure-toi qu'il y a une semaine, Thomas (revenir) .... de l'école en pleurant.

– Il (être puni) .... ?

– C'est ce que je (croire) .... moi aussi. Pas du tout. Il (venir) .... de croiser le voisin ; ils sont très copains tous les deux. Il (expliquer) .... à Thomas que sa chienne avait eu des petits et qu'il (devoir) .... s'en débarrasser. Tu imagines le désespoir du gamin.

– Tu (se laisser) .... embobiner !

– Et oui ! Comme d'habitude... On (aller) .... voir les petits chiens. Thomas en (choisir) .... un, trop mignon, noir avec juste les oreilles et les pattes blanches. Il le (appeler) .... Alto. Je quand même (refuser) .... qu'il dorme avec lui dans sa chambre. Mais au fond je (ne pas regretter) .... de lui avoir fait plaisir, son dernier bulletin (être) .... très bon.

B1.1

283. Imparfait ? Passé composé ?
– Les émotions du Tour de France

★

Mettez le texte suivant au passé (imparfait-passé composé).

《《 C'est le mois de juillet, on s'ennuie, on regarde le Tour de France à la télé... Soudain, mon oncle décide d'aller au col du Lautaret : il veut voir les coureurs grimper. Maman remplit la glacière, on prend nos affaires et hop ! tout le monde monte dans le minibus. On est huit ! Dès l'arrivée, mon père se précipite pour prendre une bonne place. On la partage avec une famille belge. Mon petit cousin, Thomas, tombe raide amoureux de leur fille. Soudain, on entend les voitures du Tour. Les coureurs arrivent ! Ils transpirent, les pauvres ! Brusquement, la petite Belge court vers la caravane pour avoir un cadeau publicitaire et, malheur, elle tombe... Mais mon cousin la rattrape. Que d'émotions ! Heureusement il reste une bouteille pour trinquer. **》》**

B1.1

284. Synthèse créative – Autoportrait en photos

★

a Réunissez les objets suivants.

– une photo de vous enfant ou plus jeune

– une photo d'un lieu qui a beaucoup compté pour vous

– une photo d'une personne (ou de plusieurs) qui a marqué votre vie

– une photo d'un monument que vous aimez particulièrement

– une photo d'un film qui vous a frappé, etc.

(Si vous n'avez pas de photos, faites des petits croquis.)

b Associez à chaque image un texte au passé.

– C'était quand ? Où ? À quelle occasion ? Que faisiez-vous ?

– Pourquoi étiez-vous habillé comme ça ? Qu'est-ce que vous pensiez ?

– Qu'est-ce que vous ressentiez ? Qu'avez-vous appris ?

– Pourquoi est-ce resté pour vous un souvenir précieux ?

Exemple :
C'est moi à 6 mois dans les bras de ma mère.
C'était dans le jardin de la maison de ma grand-mère à la campagne, au printemps.
Papa et Maman étaient encore ensemble.
J'aime beaucoup cette photo car elle a été prise avant leur divorce.
Elle me console quand je suis triste, je sais que j'ai été aimée.

 L'ESSENTIEL SUR…

● Le plus-que-parfait

● Construction du plus-que-parfait

Auxiliaire	Exemples de verbes		Auxiliaire ÊTRE ou AVOIR à l'imparfait +	Participe passé du verbe
ÊTRE	tomber	j'	étais	tombé(e)
	partir	tu	étais	parti(e)
	venir	il / elle / on	était	venu(e)
	s'asseoir	nous nous	étions	assis(es)
	se couvrir	vous vous	étiez	couvert(e)s
	mourir	ils / elles	étaient	mort(e)s
AVOIR	manger	j'	avais	mangé
	finir	tu	avais	fini
	courir	il / elle / on	avait	couru
	comprendre	nous	avions	compris
	ouvrir	vous	aviez	ouvert
	peindre	ils / elles	avaient	peint

 Activité de repérage 19 – Un petit mot sur la table…

Soulignez tous les verbes du texte suivant qui sont au plus-que-parfait.

❮❮ Pendant que je vais faire mon footing matinal, j'aimerais que tu lises attentivement ces quelques lignes. Hier soir, tu n'as rien vu. Un bisou distrait sur ma joue, puis tu as mangé le bon petit plat que je t'avais amoureusement préparé. Les enfants étaient déjà au lit, je leur avais fait prendre leur bain, ils avaient dîné, puis je leur avais raconté à ta place, puisque tu n'étais pas encore là, leur petite histoire traditionnelle. Bref, tout était pour toi absolument normal. Il ne t'a pas sauté aux yeux que la vaisselle avait été faite, que la cuisine était rangée et balayée. Puis tu as regardé je ne sais quelle stupide émission de variété à la télévision, sans te demander si j'avais envie de voir autre chose. Je n'ai pas eu le courage d'entamer une discussion aussi tard, car tu semblais hors d'état de parler calmement. D'où ce mot. Ne prends pas mal mes récriminations, tu sais que je t'aime, mais j'en ai parfois assez que tu me considères comme un domestique. Ton mari qui t'aime, *Olivier*. **>>**

B1.1
★

285. Imparfait, imparfait passif, passé composé ou plus-que-parfait ? – Rupture

Dans les phrases suivantes, les verbes sont-ils à l'imparfait, à l'imparfait passif, au passé composé ou au plus-que-parfait ?

1. Jean-Pierre est rentré à la maison.

2. Sa femme Nicole n'était pas là.

3. Il l'a cherchée partout.

4. Mais elle était partie avec son voisin, Bernard.

5. Elle lui avait laissé un mot :

6. « Chéri, j'étais exaspérée par tes absences répétées.

7. J'avais envie de m'amuser un peu.

8/9. Comme Lucas voulait sortir, il m'a proposé de m'accompagner.

10/11. J'ai été très contente et j'ai accepté. »

12. Gustave ne comprenait pas ;

13/14. Nicole lui avait pourtant toujours dit que tout allait bien.

15/16. Il découvrait qu'elle était déçue par son existence avec lui.

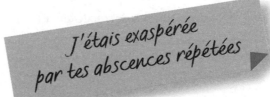

J'étais exaspérée par tes abscences répétées

17. Il était bouleversé par cette découverte.

18. Il n'avait rien remarqué.

19. Il avait été négligent.

20. Son bonheur avait pris fin...

21. « Coucou, chéri ! » Rêvait-il ?

22. Avait-il bien entendu la voix de Nicole ?

23. Mais oui, c'était bien elle.

24. Il n'était pas abandonné par la femme de sa vie.

25. Elle était seulement allée à la piscine...

> « Le 30 avril au matin, Yannick montait vers le camp 3
> quand il a entendu à la radio qu'un alpiniste était tombé au Nuptste.
> Il n'a pas été long à comprendre que c'était Ueli
> qui avait fait une chute de 700 mètres. »
> Charlie Buffet, *Annapurna, une aventure humaine*

286. Plus-que-parfait (relation avec l'imparfait)

a Il y a un mois, vous êtes arrivé en retard au travail (au lycée, à un rendez-vous important, etc.). Donnez des explications en utilisant l'imparfait (descriptions) ou le plus-que-parfait (actions précédant le retard).

Imparfait	Plus-que-parfait
J'étais fatigué	Je n'avais pas entendu mon réveil.
....	....
	....

b Donnez des explications aux situations suivantes en utilisant le plus-que-parfait.

1. Les divorcés (Tu/nous) (jamais)

Ils ont divorcé il y a cinq ans. Aujourd'hui, ils déjeunent ensemble et il (elle) explique pourquoi, il y a cinq ans, il (elle) a quitté l'autre.

Exemple : **Je suis parti(e) parce que, pendant tout notre mariage, nous n'étions jamais partis en vacances tous les deux en amoureux.**

2. Un état bizarre (Il)

Mardi dernier, notre ami Damien était dans un état très bizarre en arrivant au bureau. Depuis la veille, il avait eu des tas de problèmes. Que lui était-il arrivé à votre avis ?

Exemple : **il n'avait pas dormi de la nuit.**

3. Le voyage (Ils)

Ça y est ! Ils sont enfin partis faire le tour du monde pour deux ans. Mais avant de partir, ils s'étaient bien organisés. Dites comment.

Exemple : **Ils avaient consulté de nombreux sites et agences de voyage.**

c Rédigez les reproches au plus-que-parfait.

LA VISITE PRÉSIDENTIELLE (VOUS)

Quel événement extraordinaire ! La visite du président de la République dans votre ville. Vous étiez responsable de l'organisation. Malheureusement, la visite a été un vrai désastre parce que vous et vos subordonnés l'aviez mal préparée. Maintenant, vous faites des reproches à vos subordonnés.

Exemple : **C'est insensé ! Vous n'aviez pas pensé à bloquer la circulation devant le cortège !**

1. C'est incroyable ! (oublier de préparer mon discours d'accueil). – **2.** C'est impardonnable ! (ne pas amener les retraités et les enfants des écoles). – **3.** C'est stupide ! (ne pas vérifier la solidité de l'estrade). – **4.** C'est de la folie ! (ne pas convoquer la télévision). – **5.** C'est impossible à croire ! (ne pas s'occuper correctement de la connexion wifi). – **6.** C'est inouï ! (oublier que le président être allergique au gluten). – **7.** C'est impensable ! (ne pas se souvenir que sa femme déteste le vin rouge). – **8.** C'est scandaleux ! (ne pas faire d'essais avec le micro). – **9.** C'est absurde (ne pas penser à repeindre les toilettes). – **10.** C'est criminel ! (ne pas placer de policiers sur les toits).

L'ESSENTIEL SUR...

● Synthèse

			Antériorité au passé composé ou au plus-que-parfait			
Passé composé	1	Ce matin	il	tape va taper a tapé	le dossier qu'il	a préparé	Hier.
	2	Ce matin	il	tape va taper	le dossier qu'il	a préparé	il y a un mois.
			il	a tapé		avait préparé	il y a un mois.
Plus-que- parfait	3	Hier	il	a tapé	le dossier qu'il	avait préparé	avant-hier. il y a un mois. l'année dernière.
	4	La semaine dernière	il	a revu	la fille qu'il	avait rencontrée	la semaine d'avant.
		L'année dernière					l'année précédente.
		Il y a deux ans					un an plus tôt.
		En 1990					en 1989.
	5	Ce matin, il a enfin tapé le dossier qu'il a étudié hier, mais que son patron lui avait confié il y a six mois.					

B1.2
★★

287. Passé composé, imparfait et plus-que-parfait – Fêtes

A. Le mois dernier, vous avez organisé une très grande fête avec plusieurs centaines de personnes, un vrai succès.

ⓐ Racontez la fête en écrivant les actions au passé composé et les descriptions à l'imparfait.

PENDANT LA FÊTE

Actions : – Les gens ont dansé toute la nuit. – Le DJ .... – Les jeunes .... – Les adultes .... – Les journalistes .... – Nous .... – Etc.

Descriptions : – Tout le monde s'était mis sur son trente et un : les garçons ...., les filles .... – La musique .... – Les boissons .... – La nourriture .... – Les serveurs .... – Nous .... – Etc.

ⓑ La fête a été un vrai succès parce que vous aviez fait des préparatifs très soignés. Racontez au plus-que-parfait tout ce que vous aviez fait avant cette fête pour qu'elle se passe bien en vous aidant des propositions données ci-dessous. Utilisez « nous » dans vos réponses.

AVANT LA FÊTE

coller des affiches   prévenir la presse   faire des annonces à la radio   prévoir tous les

styles de musique   organiser la sécurité   offrir des billets aux gens les plus drôles

se préparer moralement et physiquement

c Heureusement que vous aviez tout bien préparé, car l'année précédente, vous aviez aussi préparé une fête, mais elle avait été vraiment ratée. Que s'était-il passé ? Racontez.

UNE FÊTE RATÉE

Peu de monde (venir) / Des jeunes (tout casser) / Les gens (pas vouloir danser) / Des excités (entrer de force) / L'orchestre (mal jouer) / La sono (tomber en panne) / La presse (ne pas se déplacer) / Le buffet (disparaître en une demi-heure) / Les gens (ne pas s'amuser) / Nous (s'écrouler de fatigue) / etc.

B. a Complétez le texte suivant, dans lequel Le styliste Fayçal Amor raconte ses deux plus beaux souvenirs de fête. Utilisez le passé composé, l'imparfait et le plus-que-parfait.

UNE FÊTE MÉMORABLE

« Une des fêtes les plus difficiles, mais la plus belle que j'aie jamais organisée, a été celle où j'ai réuni mes camarades dispersés dans le monde entier. On (être) .... une vingtaine, venus de partout, qui (se perdre) .... de vue depuis trois, cinq ou dix ans et personne ne (savoir) .... qui d'autre (venir) .... La surprise (être) .... totale.

Mais la plus belle (se passer) .... une année où j' (être) .... amoureux fou. Et heureux, et fier de l'être. J' (organiser) .... une grande fête de réveillon et soudain j' .... (avoir envie) d'être seul en tête à tête avec elle. J' (laisser) .... la fête à mes amis et nous (partir) .... tous les deux pour Londres avec une bouteille de champagne dans la valise. Il (faire) .... un froid de loup, il (y avoir) .... du brouillard, pas un seul taxi à l'aéroport. Finalement, nous (trouver) .... un hôtel, nous (ressortir) .... dans la rue. Arrivés dans un parc, Hyde Park je crois, nous (sabler) .... le champagne. **»**

b À votre tour, racontez votre plus belle fête. Comment s'est-elle passée ? Comment avait-elle été préparée ?

★★

288. Imparfait, passé composé ou plus-que-parfait ?

Mettez les verbes indiqués au début de chaque série au temps qui convient.

a RIRE

1. Quand je suis entrée dans la salle, les gens .... probablement parce que j'avais mis mon beau chapeau rose.

2. Quand je suis entrée dans la salle, les gens .... J'ai demandé pourquoi : c'était à cause du chapeau de la fille qui était entrée juste avant moi.

3. Je suis retournée à la réunion dans la même salle cette semaine, mais les têtes étaient tristes. Ils .... la fois d'avant, mais seulement à cause de ce chapeau ridicule, et comme la fille n'est pas revenue...

b APPLAUDIR

1. Quand je suis arrivé au théâtre, les gens .... On m'a dit que l'acteur venait juste d'entrer en scène. J'étais ravi, car j'avais eu peur d'avoir manqué le début de la pièce.

2. Quand l'acteur est entré en scène, les gens .... parce qu'ils l'attendaient avec impatience.

3. À la sortie, les gens étaient très contents du spectacle. Certains ont dit qu'ils avaient mal aux mains parce qu'ils .... trop longtemps.

---

c SORTIR

1. Je me suis aperçu que j'avais perdu ma montre, probablement devant le cinéma et j'ai commencé à la chercher sans la trouver. Comme tout le monde .... depuis cinq minutes, quelqu'un avait dû la prendre.

2. J'avais perdu ma montre devant le cinéma et j'ai commencé à la chercher, mais juste à ce moment-là, les gens .... et m'ont bousculé, et je ne l'ai pas trouvée.

3. J'avais perdu ma montre devant le cinéma et j'ai commencé à la chercher, mais comme c'était la sortie de la séance, les gens .... et me bousculaient. Je l'ai cherchée long-temps, je ne l'ai pas retrouvée.

---

d OUBLIER

1. « Je vous avais invités à venir dîner hier ! On vous a attendus, mais on ne vous a pas vus. Qu'est-ce qui s'est passé ? – Oh ! On .... »

2. « Tu te rappelles la soirée qu'on devait passer chez les Dupont ? Celle où on n'est pas allés ? – Oh là là ! Quelle histoire ! On .... Tu crois qu'ils nous ont pardonné ? »

3. « On est invités chez les Dupont la semaine prochaine. Marque-le dans ton agenda sinon on va encore oublier. – Pas la peine, l'an dernier, j'............ tout, mais cette année je fais attention, surtout avec eux. »

---

e OUVRIR

1. Le 31 décembre nous avons préparé un repas de fête. Nous avions presque fini et nous .... les huîtres quand l'un de nous s'est aperçu que nous manquions de pain.

2. Quand il est arrivé à la boulangerie, elle fermait. Il était encore tôt, mais la boulangère lui a expliqué : « Vous comprenez, Monsieur, nous .... pour le 24 décembre, alors aujourd'hui, nous faisons la fête. »

3. Pendant ce temps, nous étions drôlement excités : dans l'une des huîtres que nous ...., nous venions de trouver une perle !

---

f SE COUCHER

1. Vendredi nous étions assez fatigués. C'est normal, c'était une rude période au travail et nous .... généralement assez tard.

2. Samedi matin au bureau, nous étions dans un triste état, car nous .... très tard vendredi soir.

3. Samedi soir, au lieu d'aller au restaurant, nous .... à huit heures pour essayer de rattraper le sommeil perdu.

---

g S'ASSEOIR

1. Hier soir, ils étaient un peu tristes et quand ils sont arrivés en boîte, ils .... et ils n'ont pas dansé.

2. Ils s'étaient installés au fond, à leur table habituelle. Ils adoraient les rituels et ils .... toujours là.

3. Mais hier soir, le garçon est venu leur demander de se déplacer car, sans le savoir, ils .... à une table réservée par quelqu'un d'autre. Incroyable, non ? Ils étaient très fâchés.

B1.2
★★

289. Insistance sur l'accompli – Grande première !

Sur le modèle de l'exemple, transformez les phrases suivantes. Certaines phrases ont un seul pronom sujet, d'autres en ont deux.

Exemple : Il l'a emmenée à Capri. C'était la première fois qu'elle voyait la mer.
→ **Quand il l'a emmenée à Capri, elle n'avait jamais vu la mer.**

1. Il nous a offert des billets, c'était la première fois que nous allions à l'opéra. – **2.** Il m'a passé le volant, c'était la première fois que je conduisais de nuit. – **3.** Il vous a embauché comme vendeur. C'était la première fois que vous travailliez dans le commerce. – **4.** Elle nous a promenés en haute montagne. C'était la première fois que nous mettions un pied en altitude. – **5.** Ils ont émigré en Australie. C'était la première fois qu'ils partaient si loin. – **6.** Ils sont allés au bal du président. C'était la première fois qu'ils assistaient à une grande réception. – **7.** Nous les avons rencontrés dans la jungle. C'était la première fois que nous voyions des Pygmées. – **8.** Ils sont allés à ce safari. C'était la première fois qu'ils voyaient des lions. – **9.** Elle t'a invité au restaurant. C'était la première fois que tu goûtais de la cuisine indonésienne. – **10.** Tu as rencontré ces femmes à Paris. C'était la première fois que tu t'amusais autant.

B1.2
★★

290. Plus-que-parfait/Imparfait
– Habitude (insistance sur l'accompli)

Composez des phrases avec les éléments suivants d'après le modèle ci-dessous. Variez les sujets (attention aux combinaisons).

Exemple : **Quand il avait promené le chien, il prenait un bain.**

Sujets	Expressions de temps	Action n° 1	Action n° 2
		même sujet pour les deux verbes	
Elle	**dès que** **quand**	rentrer à la maison	faire un peu de yoga
		lire le journal	sortir faire un tour
		boire un verre	se mettre à chanter
		finir le ménage	s'offrir un petit gâteau
Je Nous	**toutes les fois que**	avoir une journée difficile	se détendre devant la télévision
		acheter une nouvelle robe	se sentir coupable
		faire un bon repas	se mettre au régime
Ils Vous	**quand** **aussitôt que**	rencontrer une personne intéressante	demander ses coordonnées
			le mettre en vente
		terminer un tableau	s'excuser
Ils	**chaque fois que**	être méchant	devenir agressif
		être trop gentil	tomber malade
Elles	**lorsque**	trop travailler	s'arrêter à la pâtisserie
		faire une promenade	se sentir détendu
		vider son sac	se sentir plus léger

B1.2
★★

291. Plus-que-parfait – Insistance sur l'accompli

Transformez les éléments proposés sur le modèle de l'exemple.

Exemple : Il a fini de manger. Je suis passé chez lui.
→ **Il avait déjà fini de manger quand je suis passé chez lui.**

TROP TARD !

1. Elle a brûlé les papiers. Il a voulu les récupérer. – **2.** Le train est parti. Il est arrivé à la gare. **3.** Elle a appris la nouvelle. Il lui a téléphoné. – **4.** Ils ont eu le temps de cacher l'arme. La police est arrivée. – **5.** Les jeunes se sont enfuis. Les gardiens sont entrés dans le magasin. – **6.** Les employés ont réglé le problème. Le patron a voulu s'en occuper. – **7.** Elle s'est mariée. Il est revenu d'Afrique pour l'épouser. – **8.** Le bateau a coulé. Les secours sont arrivés. – **9.** Les enfants ont mangé le gâteau. Les parents ont voulu se servir. – **10.** Tous les étudiants sont partis. Le professeur est arrivé.

B1.2
★★

292. Plus-que-parfait dans les relatives

Complétez les phrases suivantes en utilisant le plus-que-parfait (attention au sens et à la construction des verbes).

Exemple : **Quand il y est retourné, il n'a pas reconnu la ville où il avait fait ses études et qu'il avait adorée.**

1. Après cette expérience, il n'a jamais remis les pieds dans cette ville **où** .... **qui** .... **que** ....

2. Nous avons absolument voulu savoir qui était cette fille **qui** .... **que** .... **pour qui** ....

3. Dès que nous l'avons pu, nous avons examiné les photos **qui** .... **que** .... **au dos desquelles** ....

4. Les clients du café se sont tous précipités pour voir l'homme **qui** .... **que** .... **autour de qui** ....

B1.1
★

293. Plus-que-parfait / Subordonnées de cause

ⓐ Reliez les phrases données en utilisant « car » ou « parce que ».

Exemple : Gabriel a réussi brillamment son entretien d'embauche : il a eu un emploi.
→ **Gabriel a eu un emploi car il avait réussi brillamment son entretien d'embauche.**

UNE RÉUSSITE EXEMPLAIRE

1. Il a empêché la femme de son patron de tomber dans l'escalier : il a eu une promotion. – **2.** On lui a donné une information confidentielle : il a obtenu un très gros contrat. – **3.** Il a rencontré un homme d'affaires américain au golf : il a monté une entreprise aux États-Unis. – **4.** Il a rendu service à un magnat de la presse : il a épousé l'héritière d'un consortium de journaux. – **5.** Avec sa femme, ils ont acheté beaucoup de tableaux contemporains : ils se sont retrouvés à la tête d'une collection extraordinaire. **6.** Ils ont revendu leur collection : ils ont pu se retirer des affaires assez jeunes. **7.** Ils ont acheté une île privée : ils ont fini leur vie sous les cocotiers.

ⓑ Maintenant reformulez vos réponses avec « comme » (attention à l'ordre des éléments).

Exemple : **Comme il avait réussi brillamment son entretien, Gabriel a eu un emploi.**

★★★ **294. Passé composé, imparfait ou plus-que-parfait –
Donner une explication**

Sur le modèle de l'exemple, donnez des explications aux faits suivants. Attention certains verbes (mais pas tous, à cause du sens) admettent plusieurs constructions.

Exemple : – **J'ai très mal joué : j'étais fatigué** (état). – **J'avais mal dormi** (action antérieure).
      – **J'ai perdu confiance au milieu du match** (événement accompli).

1. Il a raté son examen (être angoissé / ne pas assez travailler / mal comprendre le sujet).
2. Elle a quitté son mari (en avoir assez / la battre la veille / se décider en une nuit). – **3.** Tu as cru ce qu'il t'a raconté ? (être convaincant / en avoir déjà entendu parler / avoir des doutes).
4. Je me suis mis en colère contre les enfants (être fatigué / être insupportables / perdre son contrôle). – **5.** Nous avons raté le train (être en retard / oublier l'heure / se tromper de gare).
6. Je ne vous ai pas téléphoné (batterie du téléphone être en panne / oublier de le noter sur mon agenda / ne pas avoir le temps). – **7.** Je n'ai pas été surpris de son départ au Canada (en rêver depuis longtemps / m'en parler / tout préparer avec lui).

Chronologie et ordre du récit

★★ **295. Plus-que-parfait – Antériorité dans le passé**

a Observez.

1. À 8 heures, je me suis levé ; à 8 heures 30, j'ai pris mon petit-déjeuner.
À 9 heures, je suis arrivé au travail.
→ On raconte trois actions qui se suivent dans le temps en utilisant le passé composé.

2. Je suis arrivé à 9 heures à mon travail. Avant, je m'étais levé et j'avais pris mon petit-déjeuner.
→ C'est la même histoire, mais racontée autrement : on commence par la fin (3) = action au passé composé, puis on remonte dans le temps (1 et 2) = actions au plus-que-parfait.

b Voici six histoires à rédiger. Faites deux récits de la même histoire (A puis B) en suivant les indications données.

> **⚠ ATTENTION :** Pensez à structurer votre récit en utilisant des expressions de temps : d'abord, ensuite, puis, après, enfin, finalement, juste avant, avant, auparavant, un peu plus tôt.

Récits A : 1, 2, 3, 4 1, 2, 3, 4 = passé composé	Éléments à utiliser	Récits B : 4, 1, 2, 3 4 = passé composé 1, 2, 3 = plus-que-parfait
Je	1. se réveiller très tôt 2. préparer les enfants 3. déposer les enfants à l'école 4. arriver au travail	**Je** ......
Nous (fém.)	1. se lever à l'aurore pour aller skier 2. prendre le car pour la station 3. s'amuser comme des folles sur les pistes 4. retourner très tard à Chambéry	**Nous** ......

Vous (m/pl.)	1. tomber en panne sur l'autoroute 2. laisser la voiture dans un garage 3. passer la nuit à l'hôtel 4. récupérer la voiture	**Vous** ......
Elle	1. voler dans un supermarché 2. casser des vitrines 3. insulter des agents de police 4. finir dans un centre de redressement	**Elle** ......
Ils	1. partir en vacances en voiture 2. perdre les clés, les papiers, l'argent et la voiture 3. dormir chez des gens rencontrés en route 4. rentrer en stop	**Ils** ......
Tu (masc.)	1. casser un joli vase 2. se faire mal en tombant 3. se disputer avec sa mère 4. éclater en sanglots	**Tu** ......

B1.2
★★

296. Temps et ordre du récit – Voyage

Faites deux récits de la même histoire en suivant l'ordre proposé. Attention aux temps.

1. Annelise et Théo décident d'aller aux États-Unis.

2. Ils travaillent dans une banque pendant leurs vacances.

3. Ils économisent de l'argent.

4. Ils achètent des billets pour New York.

Ordre du récit 1 : (1, 2, 3, 4) – Ordre du récit 2 : (4, 1, 2, 3)

Plus-que-parfait et texte de presse

B1.2
★★

297. Repérage – Entrefilets

Observez l'emploi des temps dans ces deux entrefilets. Pourquoi trouve-t-on de nombreux plus-que-parfaits ? Quel est l'ordre chronologique des événements ?

ESCROC EN JUPONS

Quand Berton Merrill a consulté ses comptes en mai 2015, pour effectuer une donation caritative, le banquier de la célèbre banque londonienne Goldman & Pepett a été quelque peu surpris par sa découverte. Et pour cause... Son assistante Douna Chérubin qui avait rejoint son service un an auparavant, et dont le procès vient de s'ouvrir à Londres, lui avait ponctionné pas loin de trente millions d'euros en falsifiant les comptes. Cette modique somme lui avait permis de s'offrir la belle vie : villa sur la côte, yacht et bijoux Cartier !

Mais le plus drôle, c'est que Madame Chérubin n'en était pas à son premier coup : elle avait dépouillé ses patrons précédents, également gérants de banque, sans même qu'ils s'en aperçoivent... Doit-on vraiment les plaindre ?

**DÉCÈS DE
BERTRAND PÉQUIGNOT**

Le fondateur des Éditions du Cercle, Bertrand Péquignot, est mort mercredi à Paris à l'âge de 70 ans.

Né le 20 octobre 1945, il avait fondé en 1980 les Éditions du Cercle dont le nom, trouvé par les auteurs, faisait allusion au cercle d'hommes de lettres qui entouraient l'éditeur.

Il était devenu une figure de l'édition parisienne en publiant des auteurs inconnus au style fracassant comme P. Dijanne et M. Gangot. Bertrand Péquignot devait diriger sa maison d'édition jusqu'en 1995, date à laquelle il avait démissionné car elle avait été rachetée par le groupe européen Splash.

Il avait d'autre part écrit de nombreux scénarios de films-catastrophe pour des cinéastes américains sous le pseudonyme de Michel Déluge, dont le plus célèbre est *Danse au-dessus du volcan*.

Ses obsèques seront célébrées ce matin à 10 h30 à l'église de Bourdonné (Yvelines).

B2.1
★★★

298. Rédaction d'article de presse

Sur le modèle des deux textes de l'exercice 297, écrivez, vous aussi, un article avec les éléments ci-dessous en suivant l'ordre demandé.

> **UNE ÉVASION QUI SURPREND TOUT LE MONDE**
>
> **1.** Monsieur Pamalin a mené une vie sans histoire jusqu'en 2011 : employé municipal efficace, époux discret, père de famille attentionné, pêcheur à la ligne le dimanche.
>
> **2.** 2011 : il décide bizarrement de devenir riche sans plus attendre pour pouvoir émigrer au Brésil (son rêve d'enfance). Il consulte différentes personnes de son entourage, néglige sa femme et ne s'occupe plus de ses enfants.
>
> **3.** 2012 : il passe une annonce surprenante dans la presse locale et régionale : « Devenez riche en un instant pour 10 euros ! ». Il reçoit des milliers de réponses et de billets de 10 euros. Il n'envoie rien en retour.
>
> **4.** 2013 : Quelques clients déçus portent plainte et monsieur Pamalin est arrêté pour escroquerie et placé en prison préventive, la veille de son départ pour le Brésil.
>
> **5.** 24 juin 2015 : Procès et condamnation à deux ans de prison.
>
> **6.** 30 juin 2016 : Évasion en hélicoptère de la prison de Fleury-Mérogis. On ne connaît pas encore ses complices.
>
> Ordre du texte : **6.**, **5.**, **1.** à **4.**
>
> Date de parution de l'article : 2 juillet 2016

B2.1
★★★

299. Rédaction d'article de presse

Sur le modèle des deux textes de l'exercice 297, écrivez, vous aussi, un article avec les éléments ci-dessous en suivant l'ordre demandé. L'ordre chronologique n'est pas le plus indiqué. Commencez par les phrases 16. et 15. puis reprenez l'ordre chronologique en groupant les grandes étapes de sa vie (par exemple). En conclusion, prenez sous une autre forme les éléments de 16. et 15. (et autres) qui vous semblent caractériser le mieux Simone Veil.

BIOGRAPHIE DE SIMONE VEIL

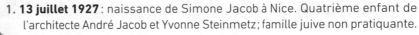

1. **13 juillet 1927** : naissance de Simone Jacob à Nice. Quatrième enfant de l'architecte André Jacob et Yvonne Steinmetz ; famille juive non pratiquante.

2. **3 septembre 1939** : début de la seconde guerre mondiale.

3. **4 octobre 1940** : perte du droit d'exercer une profession pour les Juifs ; mars 1944 : réussite de Simone au baccalauréat.

4. **30 mars 1944** : incarcération de la jeune fille au quartier général allemand ; arrestation du reste de la famille par la Gestapo puis déportation à Auschwitz.

5. **mars 1945** : mort de sa mère du typhus.

6. **15 avril 1945** : libération du camp par l'armée britannique ; retour en France.

7. **1945** : début de ses études supérieures à l'Institut d'études politiques de Paris ; rencontre avec Antoine Veil.

8. **26 octobre 1946** : mariage ; 3 garçons.

9. **1956** : concours de la magistrature ; poste de haut fonctionnaire au ministère de la Justice.

10. **1970** : secrétaire générale du Conseil supérieur de la magistrature.

11. **1974** : début de sa carrière politique : ministre de la santé publique ; présentation au Parlement de la loi sur l'interruption volontaire de grossesse (IVG).

12. **17 janvier 1974** : adoption de la loi malgré de nombreuses attaques et des menaces de l'extrême droite.

13. **17 juillet 1979** : présidente du Parlement européen.

14. **20 novembre 2008** : élection au premier tour à l'Académie française ; inscription de son numéro de matricule à Auschwitz sur son épée.

15. **2013** : réalisation d'un sondage par l'IFOP : Simone Veil, la femme politique la plus respectée, une icône pour tous les Français.

16. **30 juin 2017** : Décès de Simone Veil. Émotion unanime.

L'article est écrit le lendemain de l'annonce de son décès.
Ordre de l'article : 16 / 15 puis ordre chronologique en regroupant certaines étapes de sa vie et enfin, en conclusion, reprise de 15 et 16 sous une autre forme.

B2.1
★★★

300. Temps et ordre du récit – Manifestation pacifiste

Faites quatre fois le récit de cette manifestation en suivant les indications proposées. Attention aux temps ; ils changent selon l'ordre du texte.

MANIFESTATION PACIFISTE

1. Rassemblement place Victor Hugo à 17 h.

2. Discours de la présidente du mouvement pour la paix.

3. Défilé paisible par le cours Berriat et le cours Jean Jaurès.

4. Quelques incidents entre des jeunes incontrôlés et la police vers 18 h place de la Bastille.

5. Arrivée de la manifestation place de Verdun devant la préfecture à 18 h 30.

6. Discours des diverses associations représentées.

7. Dispersion dans le calme à 19 h 30.

Ordre du récit 1 : (1, 2, 3, 4, 5, 6, 7)

Ordre du récit 2 : (7, 1, 2, 3, 4, 5, 6)

Ordre du récit 3 : (1, 2, 3, 5, 6, 7, 4)

Ordre du récit 4 : (4, 1, 2, 3, 5, 6, 7)

Synthèses sur le passé

★

301. Histoires

Transformez ces histoires au passé en utilisant les temps du passé qui conviennent.

a Le faux motard

« Il m'arrive une drôle d'histoire : comme je roule en direction de Lyon, un motard m'arrête. Obéissant, je me gare sur le bord de la route et je lui montre les papiers de la voiture. Il a l'air très nerveux et il regarde tout le temps derrière lui. Je trouve ça plutôt bizarre. Puis il me demande de sortir de la voiture pour regarder les pneus et tout d'un coup il prend le volant et part avec ma voiture ! Je suis tellement étonné que je ne réagis même pas. Heureusement un autre motard arrive et je comprends ce qui s'est passé : c'est un faux motard qui a volé un uniforme et une moto pour s'enfuir… Ils l'arrêtent et je retrouve ma voiture, qui est en bon état. **»**

b Au secours, un lion !

« Nous marchons dans la rue et soudain nous entendons des cris sur la droite. Nous allons voir ce que c'est mais nous ne comprenons pas tout de suite. Il y a un gros camion aux portes ouvertes sur un trottoir et des gens qui courent partout. Ils essaient tous de rentrer dans les immeubles et, dans les magasins, nous voyons des têtes apeurées qui regardent la rue. Quelqu'un nous crie en courant de ne pas rester là si nous ne voulons pas nous faire manger : un lion s'est échappé du camion. Nous commençons à regarder autour de nous et nous ne voyons pas le lion. Où est-il ? Tout d'un coup, nous nous apercevons qu'il est juste derrière nous. Nous avons très peur mais il nous regarde gentiment, et au lieu de nous sauver, nous lui parlons. Il s'assied et nous écoute. Son maître arrive et le fait remonter dans le camion : il a simplement oublié de fermer la porte et est allé boire un verre au café. Les gens qui ont été si peu courageux avec le lion le sont maintenant beaucoup plus avec son maître et lui font des reproches. Assis sur son derrière, le lion regarde tout cela avec un air très calme… **»**

c Apprendre à recevoir

« Je (venir) de vivre une séparation difficile d'avec mon compagnon lorsque je (me faire) un lumbago qui me (paralyser). Ce (être) très difficile pour une personne aussi indépendante que moi. Je (être) vraiment touchée quand deux amies me (proposer) de venir chez moi pendant une semaine pour m'aider. Elles (faire) la cuisine et le ménage et (jouer) le rôle de mère pour moi : grâce à elle je ne plus (avoir) à prendre la moindre décision ou à penser aux autres ce qui ne me (arriver) jamais. Je (comprendre) que je ne pas (avoir besoin) de tout faire moi-même que je ne pas (pouvoir) porter tout le poids du monde sur mes épaules. Mes deux amies me (dire) qu'elles (être) heureuses de pouvoir enfin faire quelque chose pour moi ; en effet, jusque-là, je (vouloir) toujours (me débrouiller) sans aide et je y (parvenir). Je me (sentir) tellement soutenue ! Ce (être) absolument délicieux.
Cette passe difficile me finalement (apprendre) beaucoup et (changer) ma vision de la vie. **»**

302. Synthèse

Complétez les textes en accordant les verbes proposés avec les temps qui conviennent (présent compris).

ⓐ Qu'est-il devenu ?

Il y a vingt ans, il (être) .... boucher à Laval. Aujourd'hui, il (avoir) .... ses habitudes chez Maxim's. Jean-Claude Bouttier (faire son chemin) .... Il (ne pas être) .... le meilleur sur le ring : Carlos Monzon (lui prendre) .... le titre de champion du monde mais il (devenir) .... un très bon homme d'affaires. Il (installer) .... ses bureaux dans un quartier chic. Il (déjà vendre) .... 50 000 flacons de son eau de toilette. Sa collection de jogging (être exposée maintenant) .... dans des grands magasins. Il (décider) .... autrefois d'être boxeur : il (le faire) .... Il (rêver aussi) .... de gagner beaucoup d'argent : il (y arriver) .... Aujourd'hui, il (se considérer) .... comme un homme heureux. Son maître d'école (lui dire) .... qu'il (n'être) .... bon à rien. Cette déclaration (le traumatiser) .... à l'époque. Aujourd'hui, il (en rire) .... de bon cœur et il (déclarer) .... : « J' (peut-être réussir) .... à cause de ces paroles. Elles (me mettre en colère) .... et je (tout faire) .... pour donner tort à mon instituteur. Je lui (devoir) .... de grands remerciements. » Et il (éclater) .... de rire. Je vous (le dire) .... : c' (être) .... un homme heureux !

ⓑ Joséphine Baker

Cette chanteuse, danseuse et actrice, d'origine métissée afro américaine (naître) .... le 3 juin 1906 à Saint-Louis-Missouri. Comme il lui (falloir) .... aider sa famille qui (être) .... très pauvre, elle (passer) .... une partie de son enfance à alterner l'école et les travaux domestiques. Elle (avoir) .... à peine 15 ans quand elle (partir) .... tenter sa chance à Broadway où elle (obtenir) .... un petit rôle. Le 25 septembre 1925, elle (partir) .... pour Paris et (commencer) .... à danser au théâtre des Champs-Élysées où elle (connaître) .... un immense succès. À partir de 1927, période de son ascension, elle (mener) .... la revue des Folies Bergères ; elle (être) .... accompagnée d'un léopard et vêtue de son célèbre pagne de bananes. Après une tournée en 1936 en Amérique, elle (rentrer) .... en France où elle (acquérir) .... la nationalité française. Dès le début de la seconde guerre mondiale, Joséphine Baker (s'engager) .... dans les services secrets de la France libre – elle (dissimuler) .... des messages dans ses partitions musicales – ce qui lui (valoir) .... la Médaille de la Résistance et la Croix de guerre. En 1947 avec son quatrième mari, un célèbre chef d'orchestre, ils (adopter) .... 12 enfants qu'ils (accueillir) .... dans le domaine qu'ils (acheter) .... auparavant mais dans lequel elle (engloutir) .... toute sa fortune. En 1968, pratiquement ruinée, elle (recevoir) .... heureusement l'aide de Brigitte Bardot et surtout de Grace de Monaco qui lui (offrir) .... un logement à Roquebrune pour le reste de sa vie. En 1964, elle (retourner) .... aux États-Unis pour soutenir le mouvement du pasteur Martin Luther King. Le 12 avril 1975, victime d'une attaque cérébrale, elle (mourir) .... à Paris. Elle (être enterrée) .... à Monaco avec les honneurs militaires.

303. Synthèse – Récit de voyage

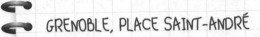

a Mettez le texte ci-dessous au passé.

GRENOBLE, PLACE SAINT-ANDRÉ

La Table Ronde, le plus vieux café de France après *Le Procope* à Paris.

Cela fait quatre heures qu'il est assis à la terrasse à observer le brassage des diverses tribus de la vie grenobloise. Il ne le regrette pas. Pendant l'après-midi, à la terrasse, il a sympathisé avec différents jeunes et chercheurs. Cela lui donne une impression à la fois intellectuelle et montagnarde de la ville.

19 heures. Son estomac réclame. L'envie fugitive de changer de lieu le traverse, mais il change aussitôt d'avis. Son guide ne décrit-il pas ce lieu comme une bonne table ? Il se contente donc de migrer à l'intérieur.

Une grande table réunit des employés municipaux. Il commande un gratin dauphinois et écoute leur conversation. Son image de la ville se précise : inventive, frondeuse, nostalgique de son beau passé social, et leader dans les industries de pointe.

La bouteille de Côtes-du-Rhône le détend délicieusement. Il est mûr pour finir la soirée au Grenier, cabaret spectacle au-dessus du restaurant.

Une bonne journée, somme toute.

b Sur le modèle ci-dessus, écrivez au passé un journal d'un voyage de trois jours.

304. Synthèse créative – Apprenons à nous connaître

a Préparez un questionnaire pour mieux connaître la vie des parents et des ancêtres de vos camarades. Utilisez les temps du passé.

Exemple : **As-tu connu ton grand-père paternel ?**
Portait-il le prénom d'un de ses ancêtres ? Comment s'appelait-il ?
Avait-il toujours vécu là ou avait-il changé de région ? Pourquoi ?

b En petits groupes, échangez oralement sur les épisodes marquants de la généalogie de vos ancêtres respectifs.

c Faites deux récits écrits :
– la chronologie de votre lignée ;
– le récit romancé d'un épisode particulièrement marquant de votre mythologie familiale.

B1.2 ★★ **305. Imparfait, passé composé, plus-que-parfait**

Dans le texte ci-dessous, mettez les verbes entre parenthèses aux temps du passé qui conviennent. Pour vous aider, rappelez-vous que les actions sont écrites au passé composé, les actions antérieures au plus-que-parfait, les descriptions, les états ou les durées à l'imparfait.

GÉNÉALOGIE, UNE PASSION FRANÇAISE

❮❮ – Avec mon cousin germain on (faire) .... l'arbre généalogique de la famille et on (avoir) .... quelques jolies surprises.

– Qu'est-ce qui vous (pousser) .... à faire ça ?

– Une conversation avec nos amis : ils (tous entendre) .... parler d'un ou plusieurs ancêtres qui (venir) .... d'ailleurs. Nous, on nous (parler) .... seulement d'une tante qui (épouser) .... un Allemand. Nos ascendants directs (migrer) .... des départements limitrophes ; ça ne nous (sembler) pas très aventureux ! On se (se sentir) .... presque vexés d'être si franco-français ce jour-là.

– Et alors, vous (trouver) .... des ancêtres vikings ? Ou mieux, vous (remonter) .... jusqu'à nos ancêtres africains ?

– Nous (découvrir) .... en effet des ancêtres italiens et espagnols, pas seulement des Gaulois aux yeux bleus... Nous (trouver) .... aussi deux oncles qui (émigrer) .... aux Amériques pour échapper à la misère. Nous (perdre) .... la trace de celui qui (s'installer) .... aux États-Unis. Mes recherches (montrer) .... que l'autre (tomber) .... malade en Argentine et y (mourir) .... aussi pauvre qu'à son départ.

– Donc vous (devoir) .... dire adieu à vos fantasmes d'héritage !

– Eh oui... Mais ce n'est pas tout : au XVIIIᵉ siècle, des cousins cévenols (fuir) .... en Suisse pour échapper aux persécutions religieuses et (s'exiler) .... finalement en Allemagne.

– Ah oui, c'est vrai, tu (être élevé) .... dans une vraie famille protestante !

– C'est ce que nous (croire) .... Les investigations (prouver) .... que c'(être) .... plus compliqué : certains (se convertir) .... pour sauver leur vie et (épouser) .... des catholiques. D'autres (se cacher) ...., (survivre) .... aux massacres et (rester) .... protestants. En fait, il y (avoir) .... encore pas mal de mariages mixtes par la suite.

– Je (oublier) .... ces sombres heures de notre histoire !

– Ben pas nous, tu vois ! Il n'y a pas de meilleur défenseur de la loi de 1905 sur la séparation de l'Église et de l'État qu'un protestant français. Nous (trop souffrir) .... d'être persécutés par un État catholique ! **❯❯**

« J'ai ôté ma chemise. Et c'est torse nu dans cette salle d'hôpital que j'ai accueilli ton petit corps nu et tiède entre mes bras. De ta bouche minuscule, tu cherchais mon sein, mais je n'en avais pas. » Christophe Ono-dit-Biot, *Plonger*

Le conditionnel

16

Le conditionnel est un mode qui, comme son nom l'indique, exprime une action ou un fait soumis à une condition mais aussi une hypothèse ou un souhait. Sa formation est proche de celle du futur mais les terminaisons sont celles de l'imparfait.

● Conjugaison

Formes du conditionnel présent

Racines du futur + terminaisons de l'imparfait						
Verbes	Futur			Imparfait		Conditionnel présent
venir	je	**viendr**	ai	je ven	**ais**	**je viendrais**
aller	tu	**ir**	as	tu all	**ais**	**tu irais**
finir	il	**finir**	a	il finiss	**ait**	**il finirait**
savoir	nous	**saur**	ons	nous sav	**ions**	**nous saurions**
être	vous	**ser**	ez	vous ét	**iez**	**vous seriez**
avoir	ils	**aur**	ont	ils av	**aient**	**ils auraient**
pouvoir	je	**pourr**	ai	je pouv	**ais**	**je pourrais**
faire...	tu	**fer**	as	lu fais	**ais**	**tu ferais**
aimer	j'	**aimer**	ai	j'aim	**ais**	**j'aimerais**
étudier	nous	**étudier**	ons	nous étud	**ion**	**nous étudierions**
comprendre	vous	**comprendr**	ez	vous compren	**iez**	**vous comprendriez**

« Pourquoi ne doterions-nous pas dès demain nos foyers de robots attentifs et attentionnés ? Ils prendraient soin de nous et veilleraient sur notre sécurité. Nous pourrions ainsi combler notre solitude. » Marcela Iacub, journaliste

Formes du conditionnel passé

Conditionnel présent de l'auxiliaire ÊTRE ou AVOIR		+	Participe passé du verbe	
Conditionnel présent de être ou avoir	Verbes	Passé composé des verbes	Conditionnel passé	
je serais tu aurais	**aller** **venir** **chanter** **faire** **voir** **écrire** **se lever**	je suis allé tu es venu il a chanté nous avons fait vous avez vu ils ont écrit ils se sont levés	**je** **tu** **il** **nous** **vous** **ils** **ils**	**serais allé** **serais venu** **aurait chanté** **aurions fait** **auriez vu** **auraient écrit** **se seraient levés**

● Valeurs du conditionnel

Le conditionnel présente l'action comme éventuelle, imaginaire, ou encore dépendant d'une condition (phrases avec si).

<u>Exemple :</u> L'acteur Niby Taibeau se serait marié la semaine dernière aux Antilles.

Dans la concordance des temps, le conditionnel est un temps et il exprime le futur du passé.

Cas général

Notion exprimée	Conditionnel présent	Conditionnel passé
Nouvelle incertaine Doute	**Sur le présent** La navette rejoindrait l'atmosphère à 16 heures. Aurait-il une nouvelle voiture ?	**Sur le passé** La navette se serait écrasée dans l'Antarctique. Se serait-il trompé ?
Imagination	**Le présent et le futur** Je serais le roi et tu serais la reine. Demain, nous partirions sur la Lune…	**Le passé** Elle aurait eu une robe de bal et elle aurait dansé toute la nuit.
Projet hypothétique	Il serait intéressant de construire des abris antiatomiques. Ils protégeraient la population.	
Futur du passé	**En relation avec un moment du passé** Il était fatigué. Dans cinq minutes il s'arrêterait de travailler.	**Futur antérieur du passé** *Après un moment du passé et avant une action à venir :* Il regarda sa montre : il aurait fini avant son arrivée.

> « Un jour par an, le mardi gras par exemple, les hommes devraient retirer leur masque des autres jours » Claude Aveline

● Formes de politesse : emploi limité à certains verbes

Notion exprimée	Conditionnel présent	Conditionnel passé
Ordre formel pouvoir, vouloir	Pourriez-vous me remplacer ? Voudriez-vous m'aider ?	
Demande atténuée avoir, connaître, pouvoir, être, savoir, permettre	Auriez-vous des géraniums ? Pourriez-vous me renseigner ? Vous serait-il possible de venir ? Sauriez-vous où je peux trouver Marie ? Me permettriez-vous de vous poser une question ?	*Les possibilités de verbes sont très nombreuses : elles correspondent à toutes les demandes possibles au passé composé, atténuées :* Auriez-vous connu un certain Martin ? Auriez-vous vu un petit chat noir ? Aurais-tu pris mon pull bleu ?
Conseil devoir, il faut À votre place, si j'étais vous...	Tu devrais sortir un peu. Il faudrait que tu sortes. À votre place, je partirais quelques jours. *Le conditionnel peut exprimer le conseil après certaines expressions.*	*A posteriori* Tu aurais dû lui parler. Il aurait fallu que tu sortes. À ta place, je l'aurais giflé !
Suggestion aimer, dire, plaire, pouvoir, vouloir	Aimeriez-vous sortir ? Ça te plairait de sortir ? Vous voudriez un verre ?	Ça vous aurait dit de sortir ? Vous auriez pu sortir.
Reproche devoir, pouvoir	Tu devrais te laver de temps en temps ! Tu pourrais me laisser tranquille !	Tu n'aurais pas dû dire ce que tu pensais. Vous auriez pu vous en occuper.

● Le souhait

Verbe employé	Conditionnel présent	Conditionnel passé
aimer, désirer, souhaiter, apprécier, préférer, vouloir,	Je préférerais un café. J'aimerais te voir.	

● Le regret

Verbe employé	Conditionnel présent	Conditionnel passé
aimer, souhaiter, apprécier, préférer, vouloir		J'aurais préféré un peu plus de temps libre. J'aurais aimé être un artiste.

Conditionnel présent

B1.1
★
306. Conditionnel présent – Le monde idéal

Mettez les verbes entre parenthèses au conditionnel présent pour montrer le côté souhaité et irréel (pour l'instant) des propositions.

1. L'idée du vice (ne pas exister) .... et par conséquent la vertu (être démodée). – **2.** On ne (chercher) .... plus le bonheur, car nous (être) .... satisfaits de nos vies. – **3.** La sagesse apportée par le malheur (sembler) .... étrange. Nous (préférer) .... la philosophie de la joie. – **4.** La jalousie et la haine qui ont causé tant de conflits (exister) seulement dans les livres d'histoire. Nous (discuter) .... à la place. – **5.** Il (ne plus y avoir) .... de jeunes gens qui (se tuer) .... pour des idées éphémères. – **6.** Dans ce monde-là, nous (ne pas avoir peur) ...., car nous (savoir) .... que nous sommes tous semblables.

B1.1
★
307. Futur passé

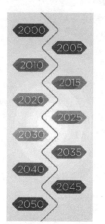

À la question «Qu'imaginez-vous pour l'an 2050 ?» les pessimistes de 2017 ont répondu :

– Les nouvelles générations vivront moins bien.

– On prendra sa retraite à 70 ans.

– On sera obligé de suivre des formations en permanence.

– La société sera plus injuste.

– Le climat sera plus brutal.

– La technique occupera trop de place.

– La mondialisation sera totale.

Qu'est-ce qu'ils pensaient en 2017 ? Transformez les phrases pour répondre à cette question.

Exemple : En 2017, ils **pensaient** qu'en 2050 on **vivrait moins bien**.

B1.1
★
308. Futur du passé – Récit

Mettez les verbes entre parenthèses au conditionnel pour exprimer le futur du passé.

❝❝ Avec mon frère Gabriel, nous attendions toujours le week-end avec joie. Nos parents nous emmenaient à la campagne, dans la maison de vacances familiale. Dès le jeudi soir, nous nous mettions à compter les heures qui nous séparaient de ces deux jours dont nous connaissions le programme par cœur et que nous nous répétions à l'avance : samedi matin, 9 heures, toute la famille (monter) .... dans la voiture, direction le Vercors. Pendant tout le trajet, Gabriel et moi (faire) .... des jeux sur nos tablettes. Bien entendu, nous (essayer) .... de tricher et nous nous (disputer) ...., cela faisait partie du jeu. Les parents (se fâcher) .... et nous (menacer) .... de nous interdire de faire du vélo. Nous (faire) .... semblant d'avoir très peur de cette punition et nous (être) .... sages comme des images jusqu'à l'arrivée, mais nous (rire) .... en cachette. Dès notre arrivée là-haut, nous nous (précipiter) .... vers nos bicyclettes et nous (partir) .... en exploration. Il y (avoir) .... de l'herbe et des fleurs, on (entendre) .... les oiseaux chanter. On (s'arrêter) .... à la ferme et les fermiers nous (donner) .... du pain encore tiède, nous (avoir) .... peut-être la chance d'assister à la naissance d'un petit veau ou alors ils nous (emmener) .... en forêt et ils nous (montrer) .... quels champignons on pouvait cueillir sans danger. Quand nous (rentrer) ...., couverts d'herbe et sentant la vache, maman (faire) .... semblant de nous trouver dégoûtants et elle nous (mettre) .... dans un grand bain bien chaud avec de la mousse. On (jouer) .... à la mer, l'eau (déborder) .... un peu. Papa (venir) .... nous sécher et nous (passer) .... tous à table, nous (manger) .... comme des ogres, nous nous (régaler) .... avec la tarte aux pommes. Et pour finir, quand nous (être) .... couchés, nous (envoyer) .... des photos et des SMS aux copains. ▶▶

B1.2
★★

309. Conditionnel présent – Projets hypothétiques

Léo-Paul, 8 ans, a une grande inquiétude : si un nouveau déluge se produisait ? Il s'inquiète beaucoup pour les animaux et fait la liste des espèces à sauver absolument. À Noël, il décide d'écrire au président de la République ; il prend soin de lui écrire en très bon français, aidé par ses parents.

> Cher Président
>
> J'ai huit ans et je n'ai rien demandé au Père Noël parce que c'est de vous que je voudrais obtenir une faveur. Quand je vois tous les problèmes écologiques et toutes les violences, j'ai peur que ça aille un jour jusqu'à un deuxième déluge.
>
> Pouvez-vous donc prévoir, à proximité du zoo de Vincennes, un énorme avion à réaction, stationné en permanence, pouvant emporter un exemplaire de chaque race d'animaux ? Le gardien et la gardienne du zoo représenteraient la race humaine et s'occuperaient de la nourriture et des soins pendant le voyage. Une piste d'atterrissage pourrait également être aménagée vers la mer de Glace, à proximité du mont Blanc qui, entre parenthèses, ne fait que 360 mètres de moins que le mont Ararat où Noé avait échoué avec son arche, ce qui fait que toute cette affaire resterait française. Bon, je vous quitte parce que je sais que vous êtes très occupé.
>
> Joyeux Noël, Monsieur le Président, et n'oubliez pas les animaux, s'il vous plaît.
>
> Léo-Paul Kovski

Un mois plus tard, Léo trouve la réponse dans la boîte aux lettres.

> Cher Léo-Paul,
>
> Je vous remercie pour votre lettre, dont j'ai pris bonne note, et je vous assure que je ferai tout ce qui est en mon pouvoir pour réaliser au mieux votre suggestion.
>
> Meilleurs vœux pour vous et soyez confiant en l'avenir, moi et mes ministres on travaille dur !
>
> Le président de la République.
> Réinterprété d'après Yves Simon

a Observez ce texte et en particulier l'usage du conditionnel dans la lettre de Léo-Paul.

b Complétez le texte suivant avec le conditionnel présent et observez sa structure.

UN MODÈLE ALTERNATIF DE DÉVELOPPEMENT DURABLE

Il devient nécessaire d'abandonner le modèle économique actuel qui met sur le marché des produits les moins chers possibles avec une durée de vie courte, car il est trop coûteux en termes d'environnement.

(Il faut) .... privilégier des produits plus chers, mais de meilleure qualité. Leur fabrication (demander) .... plus de savoir-faire, (utiliser) .... plus de main-d'œuvre et (consommer) .... moins de matières premières. Comme ces produits (durer) .... plus longtemps, on en (jouir) .... plus longtemps. Bien sûr, ils (coûter) .... plus cher à l'achat, mais le consommateur (s'y retrouver) .... à long terme, car il (devoir) .... les remplacer moins souvent. L'impact écologique (être réduit) .... d'autant plus que le recyclage (être prévu) .... dès la fabrication.

---

c Écrivez une lettre au président de la République, de l'Union européenne, du conseil régional... pour exposer un projet (par exemple remplacer les centrales nucléaires par des éoliennes).

PROJET POUR UN RESPONSABLE POLITIQUE

Introduction : Notre idée, c'est de... / dans le but de... / parce que...

Développement : votre texte doit utiliser le conditionnel présent de suggestion polie et d'hypothèse et répondre aux questions suivantes :

1. Qu'est-ce que ça serait ? – **2.** À quoi, à qui cela servirait ? – **3.** Qu'est-ce que ça apporterait ? À court terme ? À long terme ? – **4.** Combien ça coûterait ? – **5.** Comment on le financerait ? – **6.** Qui seraient les responsables et les exécutants ? Pourquoi ? – **7.** Dans quel délai ? – **8.** Quelles échéances devrait-on respecter ? – **9.** Quand est-ce que ce serait terminé, opérationnel ?

B2.1
★★★

d Avec les éléments ci-dessous, rédigez un scénario au conditionnel présent d'hypothèse sur le futur ou élaborez des scénarios en groupe et comparez-les.

UNE COLONIE SPATIALE

Situation : Votre engin spatial se retrouverait bloqué sur une exoplanète habitable, sans contact avec la terre. Vous et les autres membres de l'équipe (scientifiques et techniciens des deux sexes) ne pourriez compter que sur vos propres forces pour survivre et créer une société durable.

Comment vous organiseriez-vous ? Quelles seraient les priorités ? Qui ferait quoi ? Qui prendrait les décisions et comment ? Quelles règles choisiriez-vous pour votre communauté ? Comment cela se passerait-il au début ? Quelles difficultés rencontreriez-vous ? Quelle serait la situation 10 ans, 20 ans ou 30 ans plus tard ?

« L'admission de la femme à l'égalité parfaite serait la marque la plus sûre de la civilisation, elle doublerait les forces intellectuelles du genre humain et ses chances de bonheur. » Stendhal, *Rome, Naples et Florence*, 1817

Conditionnel passé

B1.2
★★

310. Repérage du conditionnel passé – Que de regrets !

ⓐ Observez les textes suivants et soulignez les verbes au conditionnel.

Autrefois, Marie et Jacques et ont failli se marier, mais Marie a préféré la sécurité que lui offrait Georges. Déçu, Jacques est parti barouder à l'autre bout du monde.

> Marie : « J'ai épousé Georges parce qu'il représentait la sécurité mais je n'aurais pas dû parce que j'aimais Jacques qui était aventureux. Avec Jacques, on aurait été heureux… J'aurais vécu une vie moins tranquille, mais je me serais plus amusée. On aurait pris des risques, on aurait voyagé, on aurait rencontré toutes sortes de gens. On aurait mené notre vie tambour battant comme une aventure… On se serait moqué du qu'en-dira-t-on… J'aurais pu être une autre femme… »

> Jacques : « J'aurais dû convaincre Marie de m'épouser au lieu de partir voyager. J'aurais eu une vie plus classique, mais plus calme. J'aurais connu la vie de famille, j'aurais eu un travail stable, elle m'aurait chouchouté, j'aurais été un papa-poule. On serait allés en camping toujours au même endroit retrouver nos vieux copains. J'aurais joué à la pétanque. J'aurais été totalement différent… »

ⓑ Formulez les regrets des personnages suivants en utilisant le conditionnel passé.

– **Un employé de banque** qui rêvait d'être artiste, mais qui n'a pas osé prendre le risque.

– **Un champion olympique** qui n'a pas eu de jeunesse à cause d'un entraînement intensif pendant des années.

– **Une victime de la mode** obsédée par les régimes, le look, la chirurgie esthétique et incapable d'avoir de vraies relations avec les autres.

– **Un artiste en difficulté financière** parce qu'il a toujours jeté l'argent par les fenêtres sans économiser un sou.

311. Conditionnel passé – Ils auraient pu...

Le conditionnel passé du verbe « pouvoir » permet d'exprimer une hypothèse sur le passé. Le jeune Malien Ali fait des hypothèses sur le passé de ses parents. Conjuguez les hypothèses proposées au conditionnel passé et ajoutez-en d'autres.

Exemple : quand j'y pense... **mes parents auraient pu rester au Mali...**

Complétez l'hypothèse en utilisant les éléments suivants, puis complétez avec vos idées.

1. Ils (vivre) comme des paysans pauvres. → ....

2. Ils (ne pas s'installer) à Paris. → ....

3. Ils (ne pas demander) la nationalité française. → ....

4. Ils (ne pas avoir) la même vie du tout. → ....

5. Ils (être) plus heureux ou malheureux, je ne sais pas. → ....

6. Je (ne pas naître) français. → ....

7. Je (ne pas grandir) à Paris. → ....

312. « Devoir » et « pouvoir » au conditionnel passé – Reproches

Les verbes « devoir » et « pouvoir » au conditionnel passé expriment une nuance de reproche, particulièrement à la deuxième personne du singulier et du pluriel.

Observez les reproches suivants, fréquents dans la vie quotidienne, et imaginez dans quelles situations il est possible de les dire.

> – **tu aurais pu** faire attention ! / mieux faire ! / y penser ! / m'aider !
>
> – **tu aurais dû** prévoir ! / prendre les choses en main ! / faire un effort !
>
> – **tu n'aurais pas dû** te laisser faire ! / te montrer agressif ! / dire la vérité !
>
> – **tu aurais mieux fait** de te taire ! / de me prévenir ! / de me demander mon avis !

Formes de politesse

313. Demandes polies au conditionnel présent

a Conjuguez à la deuxième personne du pluriel du conditionnel présent les verbes entre parenthèses selon le modèle suivant.

Exemple : – **Auriez-vous** cinq minutes à me consacrer ?
  – Est-ce que **vous auriez** cinq minutes ?

1. (Avoir) .... un stylo à me prêter, par hasard ? – **2. (Savoir)** .... où se trouvent les clés du garage ? – **3. (Pouvoir)** .... m'indiquer la marche à suivre pour ce dossier ? – **4. (Accepter)** .... de m'accompagner à la gare ? – **5. (Être)** .... assez aimable pour me déposer à l'aéroport ? – **6. (Avoir la gentillesse)** .... de m'attendre encore un quart d'heure ? – **7. (Avoir l'amabilité)** .... de me répondre rapidement ?

b Complétez les formules suivantes avec des demandes polies.

1. Est-ce que ça vous ennuie-rait… / gênerait… / dérangerait… de ………… ?

2. Vous serait-il possible ………… ?

c Réutilisez toutes ces formules pour demander des services à vos camarades de classe. (Remarque : ces formules peuvent aussi être utilisées de manière sarcastique : « Aurais-tu l'amabilité de faire moins de bruit quand je téléphone ? »)

B1.1
★

314. Proposer au conditionnel

a En utilisant les expressions suivantes, proposez à des personnes difficiles diverses idées pour le week-end, la soirée, un menu, des vacances, un lieu de rendez-vous.

> **Exemples d'expressions :**
>
> – **Aimeriez-vous…**   prendre un petit verre ?
> – **Voudriez-vous…**   un petit verre ?
>
> – **Désireriez-vous** prendre un petit verre ?
> – **Préféreriez-vous** aller au cinéma ?
>
> – **Que penseriez-vous** de dîner sur une péniche ?
> – **Que penseriez-vous** de prendre un petit verre ? d'un cocktail au Ritz ?
>
> – Un petit verre, **ça vous plairait** ?
> – **Ça vous plairait** de dîner à la tour Eiffel ?
>
> – **Non ?**   Alors préféreriez-vous   aller au cinéma ?
>   aimeriez-vous mieux
>
> – **Encore non ?**   Alors, on pourrait faire une balade à moto.
>
> – **Toujours non ?**   Quand même, j'aimerai / je voudrais vous revoir bientôt. J'aurais d'autres idées.

Idées de week-end :

les capitales de provinces, des villes européennes, un ressourcement dans la nature, des cures de bien-être, etc.

b Avec les mêmes expressions diplomatiques, faites parler un vendeur (de meubles, de livres, de tablettes, de robots ménagers ou autres) face à un client hésitant.

315. Conditionnel présent dans un sondage

★

a Élaborez un questionnaire à l'intention de vos camarades de classe concernant leurs désirs et leurs rêves en utilisant les expressions suivantes au conditionnel présent.

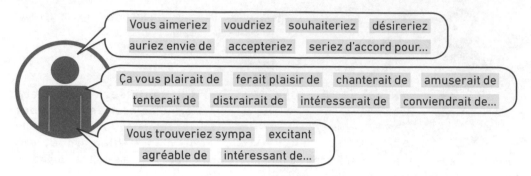

Vous aimeriez   voudriez   souhaiteriez   désireriez   auriez envie de   accepteriez   seriez d'accord pour...

Ça vous plairait de   ferait plaisir de   chanterait de   amuserait de   tenterait de   distrairait de   intéresserait de   conviendrait de...

Vous trouveriez sympa   excitant   agréable de   intéressant de...

Exemple : **Ça vous amuserait de faire du tourisme spatial ?**

Voici quelques idées possibles (mais toutes les vôtres sont les bienvenues).

- **être** beau comme un dieu, riche, célèbre, artiste, nomade, explorateur, gourou...
- **avoir** du pouvoir, de grosses responsabilités, une famille nombreuse, plusieurs maisons...
- **faire** un voyage spatial, le tour du monde, connaissance de personnes célèbres, du bien autour de nous...
- **vivre** sur une île déserte, dans le luxe, incognito, 140 ans
- **créer** une nouvelle forme d'art...

b Par groupe de deux (ou plus), répondez aux questionnaires. Utilisez les structures suivantes.

> - **ça me rendrait heureux**, fou de joie, malheureux...
> - **ça me ferait** un sacré plaisir, plaisir, de la peine...
> - **ça serait** drôlement bien, super, génial, fantastique, affreux, horrible...
> - **je serais** super content, satisfait, déçu...
> - **ça pourrait** être intéressant, m'amuser, me distraire...
> - **ça me conviendrait** bien, super bien...
> - **j'accepterais** volontiers, sans hésiter...
> - **qu'est-ce que ça me plairait** de..., serait bien de..., serait drôle de...
> - **ça m'amuserait**, me distrairait, me satisferait, me donnerait de l'assurance...
> - **ça m'apporterait** beaucoup, m'enrichirait, me ferait progresser, m'élargirait les idées...

B1.1

★

316. Conseiller au conditionnel – Formes atténuées du conseil

a Observez les formules utilisées pour donner des conseils aux parents du jeune Ludovic, en difficulté à l'école.

1. Il faudrait le féliciter quand tout va bien.

2. Vous devriez surveiller ses devoirs.

3. Vous pourriez lui suggérer des techniques de travail.

4. Vous ne voudriez pas lui offrir un ordinateur ?

6. Ce serait sans doute une bonne idée de récompenser les bons résultats.

5. Pourquoi ne lui feriez-vous pas prendre des leçons particulières ?

7. Ce serait certainement mieux de ne pas lui mettre la pression inutilement.

9. À votre place, je ne laisserais pas s'installer des lacunes.

8. Vous feriez mieux de dialoguer au lieu de le réprimander.

10. Si j'étais vous, je ne lui dirais jamais qu'il n'arrivera à rien.

11. Moi, j'irais régulièrement discuter avec ses professeurs.

b Réutilisez ces formules pour suggérer délicatement à un patron de petite entreprise, très stressé, qu'il pourrait un peu lever le pied.

• Réduire le café, fumer moins, manger mieux.

• Déléguer, débrancher le téléphone quand il dîne avec sa femme, ne pas consulter l'ordinateur après 21 heures, prendre un vrai week-end.

• Respirer, courir, méditer le matin, faire une semaine de thalassothérapie, aller au hammam, danser pour se défouler, passer deux heures en forêt, cultiver un hobby...

c Donnez des conseils à un ami, étudiant comme vous, qui a peur de rater ses examens. Inspirez-vous des idées proposées ou créez les vôtres.

• Assister à tous les cours, étudier davantage, être très attentif et prendre des notes très précises. Relire ces notes chaque soir. Faire tous les devoirs donnés par le professeur. Aller régulièrement en bibliothèque. Réviser avec des amis. S'inscrire à un MOOC. Consulter des sites en ligne.

• Faire moins la fête. Dormir huit heures par nuit. Manger sainement des fruits et légumes. Faire un peu de sport.

B1.2
★★

317. Conditionnel présent et conditionnel passé – Les prudences des médias

a Dans les textes ci-dessous, repérez les verbes au conditionnel. Pourquoi l'utilise-t-on ?

1. RÉHABILITATION

Cro-Magnon vient d'être innocenté du crime de génocide contre Néandertal ! Le vrai tueur serait une vague de froid glaciaire. Selon une équipe de Cambridge, Néandertal n'aurait pas su développer les outils nécessaires à la survie.

2. Karaoké-thérapie

Les Japonais étudient très sérieusement le karaoké comme thérapie de groupe dans des centres tout ce qu'il y a de plus officiels et très courus. Explication : le karaoké permettrait de libérer les émotions, il faciliterait l'expression des sentiments et il satisferait sans danger les impulsions narcissiques. D'autre part, la calinothérapie (prendre quelqu'un dans ses bras) aurait des effets positifs mesurables sur la santé… en dix secondes.

4. Autriche : crash

D'après la police de Rorshach, il n'y aurait aucun survivant dans l'accident d'avion de tourisme privé qui a eu lieu jeudi. Une défaillance technique aurait causé le crash.

3. FOURMIS EXPLORATRICES

Les fourmis auraient-elles inventé avant l'homme l'exploitation au travail ? Des scientifiques, stupéfaits, ont observé qu'une fourmi sur deux se tourne les pouces… et exploiterait le travail des autres.

5. BALZAC VISIONNAIRE

Balzac aurait été non seulement un grand écrivain mais aussi un visionnaire, selon l'économiste Thomas Piketty. Il aurait décrit dans le moindre détail le triomphe actuel de l'argent-roi et son personnage de Rastignac resterait le modèle parfait du jeune ambitieux contemporain. Relisons la *Comédie humaine* !

6. QUI ES-TU JEANNE ?

Selon une rumeur non confirmée par les historiens, Jeanne d'Arc n'aurait pas été une jeune bergère pauvre mais un homme de sang princier. Elle aurait été le demi-frère du roi et se serait appelée Philippe ce qui expliquerait sa connaissance des armes…

7. JAMAIS ASSEZ BEAU !

Être beau a toujours été un atout dans tous les domaines, mais l'apparence physique compterait de plus en plus dans la vie. De nombreux travailleurs auraient déjà eu recours à la chirurgie esthétique pour raisons professionnelles et les jeunes seraient de plus en plus complexés.

b Sur le modèle de ces entrefilets, développez les titres suivants en donnant des explications et des informations que vous considérez comme possibles mais pas certaines.

1. Découverte d'une nouvelle molécule antidouleur aux États-Unis.

2. Disparition de la femme du Premier ministre.

3. Déraillement du train Lyon-Paris.

4. Sophie Marceau abandonnerait le cinéma.

5. Réunion secrète de terroristes à Marseille.

BUZZ! BUZZ! BUZZ! BUZZ! BUZZ! BUZZ! BUZZ! BUZZ! BUZZ! BUZZ! BUZZ! BUZZ! BUZZ! BUZZ! BUZZ! BUZZ! BUZZ! BUZZ!

c
Avec les réseaux sociaux, les rumeurs courent très (trop ?) vite. Au lieu d'affirmer tout de suite à chaud avec l'indicatif, le conditionnel est utile pour exprimer du recul sur l'information. Connaissez-vous une rumeur sur une célébrité ou un événement ? Exprimez-la prudemment avec les moyens observés dans les exemples.

« De toutes les paroles tristes à dire ou à écrire, les plus tristes sont : "cela aurait pu être". » J.-G. Whittier, poète

« En d'autres temps, sous d'autres cieux, nous aurions cru à d'autres mythes et prié d'autres dieux. » Un professeur d'histoire au Collège de France

L'ESSENTIEL SUR...

Le subjonctif est un mode très souvent utilisé à l'oral comme à l'écrit. Il est utilisé pour exprimer une action qui n'est pas réalisée contrairement au mode indicatif qui exprime une action qui s'est réalisée, se réalise ou se réalisera. On le trouve principalement dans des propositions subordonnées avec « que » (sauf rares exceptions). Il est toujours précédé d'un verbe ou d'une conjonction exprimant la prescription, le but, le doute, le souhait, une opinion personnelle, un sentiment...

● Tableaux de conjugaison

1. Formation du subjonctif présent

● Verbes réguliers

Personnes concernées	Construction	Terminaison	Exemples
je tu il ils	3e personne du pluriel du présent de l'indicatif en enlevant **-ent**. aim finiss prenn (ils) voi perçoiv peign dis	e (1re sing.) es (2e sing.) e (3e sing.) ent (3e pl.)	1re, 2e, 3e pers. du singulier 3e pers. du pluriel du subjonctif que j'aime que tu finisses qu'il prenne qu'elle voie qu'ils perçoivent qu'elles peignent qu'ils disent
nous vous	1re et 2e personne du pluriel de l'imparfait sans changement. nous aimions nous finissions nous prenions vous voyiez vous receviez vous peigniez vous disiez	ions iez	que nous aimions que nous finissions que nous prenions que vous voyiez que vous receviez que vous peigniez que vous disiez

« Il n'y a pas de vérité qu'on puisse dire toute. » Jacques Attali

● Verbes irréguliers

Avoir	Être	Aller	Faire	Falloir
que j'aie	que je sois	que j'aille	que je fasse	
que tu aies	que tu sois	que tu ailles	que tu fasses	
qu'il ait	qu'il soit	qu'il aille	qu'il fasse	qu'il faille
que nous ayons	que nous soyons	que nous allions	que nous fassions	
que vous ayez	que vous soyez	que vous alliez	que vous fassiez	
qu'ils aient	qu'ils soient	qu'ils aillent	qu'ils fassent	

Pleuvoir	Pouvoir	Savoir	Valoir	Vouloir
	que je puisse	que je sache	que je vaille	que je veuille
	que tu puisses	que tu saches	que tu vailles	que tu veuilles
qu'il pleuve	qu'il puisse	qu'il sache	qu'il vaille	qu'il veuille
	que nous puissions	que nous sachions	que nous valions	que nous voulions
	que vous puissiez	que vous sachiez	que vous valiez	que vous vouliez
	qu'ils puissent	qu'ils sachent	qu'ils vaillent	qu'ils veuillent

2. Formation du subjonctif passé

...que + auxiliaire avoir ou être au subjonctif présent + participe passé du verbe					
que	j'aie	pris	que	je sois	parti
	tu aies	vu		tu sois	monté
qu'	il ait	accepté	qu'	elle soit	revenue
que	nous ayons	fait	que	nous soyons	allés
	vous ayez	souri		vous soyez	sortis
qu'	ils aient	dit	qu'	elles soient	arrivées

● Emplois du subjonctif

Le subjonctif exprime une action non encore réalisée ou une attitude subjective.

1. Après certains verbes

● Expression des sentiments

Le doute	La crainte
Je doute Je ne crois pas Il est possible Il se peut　　　　qu'il **vienne**. Il est impossible Il n'est pas possible Il est improbable	(on utilise le **ne** explétif) Je crains J'ai peur　　　　qu'il ne **vienne** trop tard. Il est à craindre Je tremble© Pour dire le contraire, on emploie 　la négation « ne... pas ». Je crains qu'il **ne vienne pas**.

> **!** **ATTENTION :** Il est probable qu'il **viendra**. (Indicatif)

Le souhait		Le regret	
Je souhaite J'aimerais Je prie Je voudrais Je désire	qu'elle **vienne**.	Je regrette Je suis désolé Quel dommage	qu'elle **ne vienne pas**.

 ATTENTION : J'espère qu'il viendra. (Indicatif)

L'ordre		Le jugement impersonnel et moral	
Je veux J'ordonne Je conseille Je permets Je demande J'interdis Je ne veux pas	qu'il **vienne**.	Il faut Il ne faut pas Il est regrettable Il est juste Il est temps Il est absurde	qu'elle **vienne**.

● Expression d'une opinion : indicatif ou subjonctif

Avec les verbes : déclarer, dire, raconter, annoncer, etc.

Phrases affirmatives, négatives ou interrogatives

Il déclare
Il ne dit pas   qu'elle est intelligente.
Il affirme

 ATTENTION :
Ne dit-il pas qu'elle est belle ? (Indicatif)

Avec les verbes : croire, penser, trouver, supposer, deviner, s'imaginer, compter, être sûr, être certain, espérer, etc.

Phrases affirmatives ou interrogatives avec « est-ce que » + indicatif

Il croit
Il pense   **qu'elle viendra**.
Il est certain

 ATTENTION : Est-ce qu'il pense qu'elle fera le voyage ? (Indicatif)

Phrases négatives ou interrogatives avec inversion du sujet + subjonctif

Il ne croit pas
Il ne pense pas   **qu'elle vienne**.
Il n'est pas sûr

Croyez-vous   **qu'elle fasse ce travail** ? (Subjonctif)
Pensez-vous

« Il faut qu'on se dise qu'on s'aime » Omar Sy

a. Il est important de comprendre qu'il existe une marge de choix réelle dans ce cas : toute nuance d'appréciation (donc personnelle) entraîne l'indicatif.

Exemple : « Je ne crois pas qu'elle viendra » signifie « Je crois qu'elle ne viendra pas. »

b. Certains verbes demandent une construction plus compliquée (verbes construits avec la préposition « à »).

Je m'attends
Je m'oppose   *à ce qu*'elle vienne.
Je tiens

c. Quand le sujet est le même dans les deux propositions, on met le verbe de la seconde à l'infinitif parfois précédé de « de » (lorsque la construction du verbe le demande).

Je souhaite *réussir*.
Je suis heureux *de partir*.

d. Après les verbes ordonner, demander, écrire, défendre, dire, empêcher, persuader, permettre à quelqu'un de faire quelque chose, on utilise aussi une construction infinitive.

J'ordonne à ma fille *de ranger* sa chambre.
Il lui a défendu *de sortir* samedi soir.
La grève les a empêchés *d'arriver* à temps.

2. Dans les propositions relatives

• **Après certains verbes comme chercher, vouloir, désirer...**
Quand l'antécédent est indéterminé ou précédé d'un indéfini, on utilise le subjonctif.

Exemple : Je **cherche** quelqu'un (un homme / une femme) qui **sache faire** la cuisine.

! ATTENTION : Quand l'existence de l'antécédent est certaine, on utilise l'indicatif.

Exemple : J'ai rencontré quelqu'un qui **sait** faire la cuisine.

• **Quand le pronom relatif est précédé d'un superlatif ou d'expressions comme seul, unique, premier, dernier... et que l'on veut exprimer une opinion subjective, on utilise le subjonctif.**

Exemple : C'est le plus bel homme que je **connaisse**. (opinion personnelle)

Mais si on constate une réalité reconnue par tous, on utilise l'indicatif.

Exemple : C'est le meilleur étudiant qui **a obtenu** la bourse.

« Que l'on soit du même avis ou pas, les points de vue d'autrui nous ouvrent d'autres horizons. » Christophe Sommet, directeur d'Ushuaïa TV

« Que je sois médecin, sportif de haut niveau, boulanger, cadre dans une grande entreprise ou éditeur, je dois me poser cette question "est-ce vraiment ça, au fond, mon chemin ?" » Jean-François Camille, président de Disney Company France

« Trouvez-moi une phrase brève et forte qui puisse servir en toutes circonstances » Anonyme

« Je m'en irai bientôt, au milieu de la fête, sans que rien manque au monde immense et radieux. » Victor Hugo

1

LE SUBJONCTIF

3. Après certaines conjonctions

Relations logiques / Conjonctions	Conjonctions toujours suivies du subjonctif	Conjonctions suivies du subjonctif si les sujets des deux verbes sont différents	Prépositions correspondantes + infinitif si les deux sujets sont les mêmes	Exemples
	1.	2.	3.	
But		Pour que Afin que De façon que De manière que De sorte que De peur que De crainte que	Pour Afin de De façon à De manière à De peur de De crainte de	2. Il explique la leçon **de façon que** nous comprenions. 3. Il explique la leçon **de façon à** être compris.
Opposition Concession	Bien que Quoique Quelque... que Si... que Pour... que Qui que Où que Quoi que Quel que Encore que	Sans que	Sans	1. Je l'aime **quoiqu'**il soit colérique. 2. Il est parti **sans que** ses parents s'en aperçoivent. 3. Il a sauté **sans** avoir peur.
Condition Hypothèse	À supposer que En supposant que En admettant que Pourvu que Pour peu que Si tant est que Pour autant que Soit que... soit que	À condition que À moins que	À condition de À moins de	1. 2. J'irai à la soirée **pourvu que / à condition que** tu viennes. 3. Je ferai ce travail **à condition** d'être bien payé.
Temps	Jusqu'à ce que D'ici à ce que Du plus loin que	Avant que En attendant que	Avant de En attendant de	1. 2. Je lirai **jusqu'à ce qu' / en attendant q**u'il vienne. 3. Je réviserai **avant de** passer l'examen.
Cause	Non que Soit que... soit que Ce n'est pas que			1. Je ne l'aime pas, **non qu'**il soit désagréable, mais parce qu'il est vulgaire.
Conséquence		Trop adj. Assez adv. **+** pour que	Trop de Assez de + adj. adv. **+** pour	2. Il est **trop** jeune **pour qu'**on puisse lui confier ce travail. 3. Il a **assez** d'argent **pour** acheter sa maison.

B1.1
★

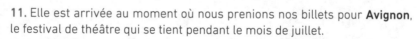

⊕ **Activité de repérage 20 – Festivals et festivités**

ⓐ Observez les phrases suivantes. Quels sont les verbes au présent et ceux à l'imparfait ? (Les autres sont au subjonctif.)

ⓑ Éventuellement, essayez de déterminer ce qui entraîne l'emploi du subjonctif.

1. Quand viennent-ils en France cette année ?

2. Il faut absolument qu'elle vienne pour la **fête de la Musique** en juin.

3. Elle doute que tu partes seul au **Carnaval de Lille** ?

4. C'est sûr que tu pars avec nous en août à **Jazz in Marciac** ?

5. Il est certain que les étudiants boivent trop les soirs de week-end.

6. Il faudrait que les supporters boivent moins pendant les soirs de match.

7. Mon père exige que j'aie fini ce résumé avant d'aller au concert.

8. Les fêtes trop arrosées finissent toujours mal.

9. Il est impossible que nous prenions la voiture pour aller à **Paris plages**.

10. Je ne pense pas que tu connaisses les **Francofolies**. C'est un festival de chanson francophone qui se tient en août à La Rochelle. Accompagne-moi !

11. Elle est arrivée au moment où nous prenions nos billets pour **Avignon**, le festival de théâtre qui se tient pendant le mois de juillet.

12. Depuis quand connaissiez-vous l'existence du **printemps des philosophes** ?

13. Il est douteux, dans ce cas, que vous fassiez le tour de toutes les festivités.

14. Je suis sûr qu'ils vont aux **Rencontres de la photo d'Arles**.

15. Je croyais que vous faisiez un saut au **marché de Noël de Strasbourg** en décembre.

16. Leurs parents veulent bien qu'elles aillent au nocturne du théâtre de rue.

17. En avril, il est indispensable que vous soyez au **festival de Cannes**.

18. J'étais persuadée que vous étiez encore en plein **festival de danse à Montpellier**.

19. **La chanson française à Bourges**, c'est génial ! Je regrette que vous n'ayez pas pu venir.

20. Pourquoi aviez-vous peur d'aller au **MuCEM de Marseille** ?

21. On peut y aller. Il semble que la foule soit déjà partie.

22. Je trouve improbable que les organisateurs nous mentent.

B1.1
★

318. Conjugaison du subjonctif présent

Mettez les verbes à l'infinitif au subjonctif présent.

1. Il est temps qu'il (apprendre) .... à se servir de cet appareil. – **2.** Je suis étonné qu'elle (craindre) .... autant la chaleur. – **3.** Il a recommandé que nous (ne pas ouvrir) .... les portes avant huit heures. – **4.** Il y a peu de chances qu'il (recevoir) .... un avis favorable. **5.** Je désire que tu (se mettre) .... au travail. – **6.** Le docteur a exigé qu'elle (voir) .... un autre spécialiste. – **7.** Cela me surprend que vous (ne pas connaître) .... encore votre voisine. – **8.** Il déplore que ses étudiants (se servir) .... si peu de leur dictionnaire. – **9.** Je crains qu'il ne (attendre) .... encore longtemps. – **10.** Je suis enchantée que ce bijou vous (plaire) .... – **11.** Pourquoi interdit-il qu'on (écrire) .... avec un crayon ? – **12.** Il vaudrait mieux que votre fille (s'asseoir) .... ; elle a l'air fatiguée.

 L'ESSENTIEL SUR...

● Mode du verbe subordonné

Si les sujets du verbe principal et du verbe subordonné sont différents, on utilise le subjonctif.
Si les sujets du verbe principal et du verbe subordonné sont les mêmes, on utilise l'infinitif.

Subjonctif présent : simultanéité/postériorité	Infinitif présent : simultanéité/postériorité
Verbes + subjonctif Elle veut que le repas soit prêt pour huit heures. Elle souhaitait que son fils revienne. Elle n'a pas voulu que nous partions ensemble. Elle sera heureuse que tu sois invité. Elle aimerait que son fils puisse faire ce voyage.	**Verbes + infinitif** Elle veut faire plaisir à tout le monde. Elle souhaitait acheter une nouvelle voiture. Elle n'a pas voulu revenir avec nous. Elle sera heureuse d'être invitée. Elle aimerait pouvoir faire ce voyage.
Conjonctions + subjonctif Il se dépêche Il s'est dépêché pour que le repas soit prêt. Il se dépêchait	**Prépositions + infinitif** Il se dépêche Il se dépêchait pour arriver avant l'orage. Il s'est dépêché
Subjonctif passé : antériorité	Infinitif passé : antériorité
Verbes + Subjonctif Il regrette Il regrettait qu'elle n'ait pas pu venir Il a regretté à son mariage. Il regrettera	**Verbes + Infinitif** Il regrette Il regrettait de n'avoir pas pu aller Il a regretté au mariage d'Irène. Il regrettera

« Il y a beaucoup plus de possibilités en France qu'ailleurs à condition que vous vous bougiez les fesses. » Un éducateur à ses jeunes de banlieues, 2016

319. Conjugaison (ou morphologie ?) du subjonctif présent

Mettez les verbes à l'infinitif au subjonctif présent.

1. Êtes-vous certaine qu'elle (pouvoir) .... venir ?

2. Malheureusement, je crains qu'il ne (faire) .... pas beau.

3. Il est possible que Cécilia (être) .... au courant.

4. Crois-tu qu'elle (avoir) .... entièrement raison ?

5. Les agriculteurs aimeraient bien qu'il (pleuvoir) .... un peu plus.

6. Il est douteux qu'elles (savoir) .... la vérité.

7. Elle voudrait que son mari (aller) .... consulter une voyante.

8. Il est peu probable qu'il (vouloir) .... lui rendre ce service.

9. Je ne suis pas sûr qu'il (falloir) .... être aussi intransigeant.

10. J'ai peur que vous (ne pas vouloir) .... me prêter votre voiture.

Subjonctif présent – Subjonctif passé
Infinitif présent – Infinitif passé

---

320. Subjonctif passé / Achèvement – Noël, jour J moins...

Toute la famille arrive le 24 décembre pour fêter Noël.

Quand ils arriveront pour la fête, il faudra que nous ayons terminé une longue série de préparatifs. Qui va faire quoi ?

Attribuez des tâches aux divers membres de la famille. (Grand-mère, Papa, Maman, Victor 15 ans, Sophie 13 ans, Yasmina 6 ans, Nous = tout le monde)

Liste de ce qu'il y a à faire :

– **pour la maison :** faire le ménage, ranger, faire les vitres, faire les lits.

– **pour le décor de Noël :** acheter, installer, décorer l'arbre de Noël, mettre en place la crèche, suspendre les guirlandes extérieures, accrocher la couronne de bienvenue, mettre des bougies partout.

– **pour la table de Noël :** sortir la belle vaisselle, frotter l'argenterie, repasser la nappe de fête, préparer le décor de la table avec du houx, mettre le couvert, écrire les menus.

– **pour la nourriture :** commander la dinde et la bûche de Noël, choisir le foie gras et le cuisiner à l'avance, ouvrir les huîtres, réchauffer les escargots, déboucher le champagne.

– **pour les cadeaux :** choisir, acheter, emballer, étiqueter les cadeaux.

– **pour nous-mêmes :** se laver, se coiffer, se parfumer, s'habiller joliment.

Exemple : Pour le 25, **il faudra** que Papa **ait acheté** le sapin, qu'il **l'ait installé** au salon, et que Grand-mère **l'ait décoré** avec les enfants.

B1.2
★★

321. Subjonctif passé, achèvement et prescription

Voici les consignes que le directeur de stage donne à ses étudiants en octobre : « La soutenance est fin juin, ce sera bientôt là. Soyez très organisés et respectez les étapes et les délais que je vais vous donner. »

Donnez les conseils du directeur de stage en transformant les phrases suivantes selon le modèle.

Exemple : Définissez précisément votre sujet d'ici 10 jours / **c'est impératif.**
→ **Il est impératif que vous ayez défini** votre sujet d'ici 10 jours.

1. Lisez tous les livres nécessaires avant Noël / **c'est vital.**

2. Sélectionnez les informations indispensables d'ici janvier / **je le veux.**

3. Terminez le plan de votre mémoire pour la fin janvier, dernier délai / **je l'exige.**

4. Rédigez la première version avant fin mars / **c'est indispensable.**

5. Montrez-moi votre texte avant mi-mars / **c'est préférable.**

6. Faites les corrections pour fin avril / **c'est important.**

7. Envoyez-moi votre texte définitif sur clé USB / **c'est essentiel.**

8. Rencontrons-nous pour les dernières mises au point avant la fin mai / **il faudra.**

9. Terminez votre exposé de soutenance avant le 15 juin / **il vaut mieux.**

10. Répétez-le plusieurs fois devant un public avant la soutenance / **c'est nécessaire.**

B1.2
★★

322. Subjonctif présent ou subjonctif passé ?

Complétez les phrases avec le subjonctif présent ou le subjonctif passé.

1. Je souhaiterais qu'elle (aller) .... à sa rencontre.

2. Je regrette qu'elle (ne pas encore finir) .... son travail.

3. Arthur doute que ses parents (rentrer déjà) ....

4. Vous n'avez pas encore été remboursés ? C'est scandaleux qu'on (mettre) .... si long-temps à le faire.

5. Faut-il que nous (prendre) .... le bus ou le métro ?

6. Il exige que vous (terminer) .... avant 17 heures.

7. Je ne pense pas que Marianne (partir déjà) .... Tu peux lui téléphoner.

8. Il est dommage qu'on (ne pas peindre) .... avant de poser la moquette.

9. – « Voilà ma nouvelle voiture ! » – Je suis contente que vous (pouvoir .... en changer.

10. Les vacances approchent, il est indispensable que vous (prendre) .... vos réservations.

11. Ses parents sont désolés qu'elle (échouer) .... à son examen.

> « Que l'état se charge d'être juste, nous nous chargerons d'être heureux. »
> Benjamin Constant

> « C'est une question de propreté, il faut changer d'avis comme de chemise. »
> Jules Renard

● Utilisation du subjonctif

L'expression de la permission, de la prescription, de l'ordre, de l'interdiction

	VERBES PERSONNELS Que + subjonctif À / De + infinitif		VERBES IMPERSONNELS (Portée générale) Il / c'est... que + subjonctif Il est / c'est... de + infinitif	
Permission	J'admets J'autorise Je concède Je consens (à ce)	*qu'*il sorte.	Il est permis, autorisé, admis – *que* cette formule soit employée. – *d'*employer cette formule.	
	Je permets Je veux bien	*qu'*il sorte avant les autres		
	Je l'autorise	*à* sortir avant les autres.		
	Je lui permets	*de* sortir avant les autres.		
Prescription / Conseil	Il a prescrit Il a recommandé Il a préconisé Il a prôné Il a conseillé	*qu'*elle parte un mois en altitude.	Il est prescrit recommandé conseillé Il est préférable Il vaut mieux	*de* boire beaucoup d'eau en été. *qu'*il prenne du repos.
	Il lui prescrit recommande	*de* partir.		
	Cela stipule [juridique]	*que* le bail soit renouvelé.		
Ordre	Le directeur... exige demande impose veut réclame commande est d'avis ordonne	*que* les ouvriers fassent 38 heures.	Il faut Il est nécessaire essentiel indispensable obligatoire vital fondamental capital	*que* vous preniez vite une décision.
	Il force oblige *les ouvriers* contraint	*à* faire / *à* faire 38 heures.	important utile primordial requis	*d'*avoir une bonne vue.
	Il les somme (litt.)	*de* faire 38 heures.	Il est inévitable inéluctable fatal	*qu'*il en soit ainsi.
Interdiction	Il ne veut pas Il a interdit Il a empêché Il a défendu Il s'est opposé (à ce)	*que* la vérité soit révélée.	Il est interdit défendu proscrit prohibé exclu	*de* faire des visites après 20 heures.

 REMARQUE : On trouve quelquefois des phrases exclamatives au subjonctif sans verbe introducteur. Cette forme stylistique donne de la force à des appels.

Ordres

B1.2
★★

323. Injonctions parentales au subjonctif

a Observez le tableau ci-dessous.

	Subjonctif	Infinitif
Ordonner	Je veux que J'exige que Je demande que	Je t'ordonne de Je te demande de
Accepter	Je veux bien que J'accepte que J'admets que	Je t'autorise à Je te permets de
Interdire	Je ne veux pas que J'interdis que Je refuse que Je n'accepterai pas que Je m'oppose à ce que Je ne tolérerai pas que Il faut que...	Je t'interdis de Je te défends de Il ne faut pas...

b Reformulez les injonctions parentales suivantes.

Exemples : – Tu dois aller te coucher. (je veux) → **Je veux que tu ailles** te coucher.
  – Tu ne dois pas jouer si tard. (je t'interdis) → **Je t'interdis de jouer** si tard.

1. Tu dois te laver les dents. (j'exige) – **2.** Tu ne dois pas frapper ta sœur. (je te défends) – **3.** Tu dois embrasser ta tante. (je veux) – **4.** Tu ne dois pas être grossier. (je t'interdis) – **5.** Tu peux regarder la télévision. (je t'autorise) – **6.** Tu peux dormir chez ta copine. (j'accepte) – **7.** Tu ne dois pas rentrer après 19 heures. (je refuse) – **8.** Tu peux emprunter mon écharpe. (je te permets) **9.** Tu peux amener ton copain pour goûter. (je veux bien) – **10.** Tu ne peux pas inviter toute la classe. (je m'oppose)

c La discussion est violente entre Anne, 16 ans, et son père. Elle a des idées très définies sur ce qu'elle veut faire ; elle veut le faire librement et sans contrôle. Son père, lui, est plus traditionnel et veut mettre des limites.
Imaginez le dialogue entre le père et la fille.

Elle veut :

– des vêtements très courts, une coiffure avant-gardiste, un maquillage marqué, des piercings, etc.

– des amis amusants, marginaux, artistes, routards, fêtards, etc.

– des sorties libres, tardives, sans prévenir, sans limite horaire, où ça lui chante, etc.

Il exige :

– des vêtements présentables, une coiffure correcte, un maquillage discret, pas de piercing, etc.

– des amis bien éduqués, sérieux, convenables, etc.

– des sorties limitées au samedi, avec une heure de retour fixe, un lieu connu des parents, etc.

324. Prescription → infinitif
→ subjonctif (vous et / ou nous)

Reformulez les conseils ci-après de deux façons différentes à l'aide des expressions suivantes.

il faut   il faudrait   il vaut mieux   il vaudrait mieux ; il serait (ce serait)

bien   bon   conseillé   indiqué   indispensable   préférable   recommandé

souhaitable   important   intelligent   utile   prudent   raisonnable

Exemples : – Conseil à valeur générale → **infinitif**
Il faut se préparer tout au long de l'année.
– Conseils adressés à des personnes spécifiques → **subjonctif**
Il faut que nous nous préparions tout au long de l'année.

MÉMENTO SÉCURITÉ MONTAGNE

– se préparer tout au long de l'année,
– consulter, si besoin, votre médecin,
– préparer l'itinéraire,
– choisir un itinéraire à votre mesure,
– évaluer correctement les difficultés,
– prévoir des itinéraires de repli,
– prévenir quelqu'un de votre départ et de votre destination,
– avertir de l'heure normale de votre retour,
– consulter la météo et tenir compte des conditions atmosphériques,
– emporter l'équipement adapté à votre objectif,
– s'équiper avec du bon matériel,
– surtout ne pas oublier la veste polaire, la cape de pluie
  et la crème solaire,
– prévoir de quoi s'hydrater pour éviter les coups de chaleur,
– emporter des aliments très énergétiques contre les coups
  de pompe,
– doser vos efforts,
– consulter régulièrement la carte,
– tenir compte du balisage,
– être prudents à proximité des cours d'eau (crues soudaines),
– rester groupés,
– savoir s'adapter, voire renoncer,
– faire demi-tour en cas de difficultés imprévues,
– se former aux gestes de premiers secours,
– avoir un chargeur pour le téléphone portable et une bonne
  assurance en cas d'accident.

325. Expressions impersonnelles de jugement normatif
+ infinitif (règle générale)
+ subjonctif (cas particulier)

À l'aide des éléments donnés ci-après, composez des phrases qui décrivent, selon vous, la situation en France et dans votre pays (règle générale et cas particuliers).

Exemples : – En France, **il est interdit de fumer** dans les lieux publics, mais **il est assez fréquent que les fumeurs ne respectent** pas la loi.
– En France, **il n'est pas autorisé de se promener nu** dans la rue, mais dans les camps de naturistes, **il est normal que tout le monde soit nu**.

Acteurs :

tout le monde – on – hommes – femmes – enfants – adolescents – jeunes – adultes – personne âgées – français – étrangers – immigrés – élèves – professeurs – employés – directeurs – vendeuses – clients – médecins – patients – certaines (quelques) personnes – quelques individus

Comportements plus ou moins courants :

Boire un pot à une terrasse – amener son chien au restaurant – manger avec ses doigts – doubler dans la file d'attente – laisser sa place dans le bus – lire le journal à table pendant le repas – boire du vin avec le repas – embrasser sa copine dans la rue – se faire la bise – parler très fort – parler une langue familière – répondre impoliment à une personne âgée – porter des vêtements sexy – cracher par terre – manger la bouche ouverte, etc.

Actions plus ou moins répréhensibles :

Ne pas payer le tram ou le train – voler chez un commerçant – tricher au jeu – se mettre en faux congé de maladie – tricher sur les horaires de travail – dépasser les limites de vitesse et faire sauter les contraventions – conduire en état d'ivresse – rouler sans assurance – travailler au noir – tromper son conjoint – ne pas payer la pension alimentaire de ses enfants – employer des gens au noir et les payer au-dessous du SMIC (salaire minimum) – tenir des propos racistes – se moquer des autres.

 BOÎTE À OUTILS

Adjectifs utilisables pour fabriquer des expressions impersonnelles de jugement :

Il est
– obligatoire, légal, autorisé
– indispensable, bon, convenable, bien vu, poli
– naturel, banal, commun, habituel, usuel, fréquent, répandu
– admis, toléré, pas vraiment condamnable
– peu fréquent, peu commun, inhabituel, rare, exceptionnel
– original, étrange, insolite, extravagant
– impoli, incorrect, mal vu, déplacé, inapproprié
– impardonnable, inadmissible, grossier
– condamnable, interdit, illégal…

326. Prescription à l'infinitif et au subjonctif – Pognon et Cie

Voici le nouveau règlement intérieur d'une agence bancaire. Le nouveau directeur général est beaucoup plus autoritaire que le précédent, et les employés d'un service se plaignent à ceux d'un autre service.

OBLIGATOIRE	*INTERDIT*	*AUTORISÉ*
Costume / tailleur	Fumer dans les bureaux	Fumer dans le patio
Allure impeccable	Pique-niquer dans les bureaux	Pique-niquer dans la salle de repos
Chaussures bien cirées	Emporter papiers, crayons, stylos, à la maison	Prendre une pause-café par demi-journée
Coiffure nette	Surfer sur Internet	Passer un coup de fil occasionnel en cas d'urgence médicale ou familiale
Maquillage, parfum	Donner des coups de téléphone personnels	Suggérer des idées en réunion
Toujours le sourire, aimable	Interpréter les règles	
Toujours garder son calme	Prendre des initiatives isolées	
Appliquer strictement les règles	Être ironique	
Se référer au chef en cas de doute		

Imaginez les réflexions de chacun.

Exemples : – **Il exige que nous portions** des costumes ou des tailleurs, tu imagines ! Moi qui ne porte que des jeans ! Et en plus, **il a refusé que je porte** un tailleur rose ! **Il m'a même défendu de mettre** un chemisier rose ! Au XXIᵉ siècle !
– Ma pauvre ! Moi, **il m'a interdit de porter** des cravates de couleur. **Il accepte que je mette** une chemise bleue mais pas une jaune. Il est malade, ce type !

Souhait : infinitif ou complétives

327. Infinitif ou subjonctif

Observez le sondage ci-dessous. Pourquoi le verbe « préférer » est-il suivi de l'infinitif dans le premier cas et du subjonctif dans le deuxième cas ?

Un magazine a publié en 2004 les résultats d'un sondage adressé aux femmes et aux hommes sur le travail des femmes.

Aux femmes :
Si vous aviez le choix, préféreriez-vous :
Travailler : **68 %**
Rester à la maison : **28 %**
Sans opinion : **4 %**

Aux hommes :
Si vous aviez le choix, préféreriez-vous que votre femme :
Travaille : **52 %**
Reste à la maison : **43 %**
Sans opinion : **5 %**

« Il est temps de renouer avec la terre avant qu'elle ne nous écrase de sa fureur à coup de catastrophes. » Exposition Sublime. *Les tremblements du monde*, Centre Pompidou Metz

B1.1 ★

328. Souhaits et subjonctif présent – Compatibles ?

 a Complétez les phrases du tableau suivant avec le subjonctif présent.

Bastien et Livia vivent ensemble, mais sont-ils vraiment assortis pour les vacances ? On pourrait en douter.

Bastien	Livia
J'aimerais que l'ambiance (être) .... calme.	Je préférerais qu'il y (avoir) .... une ambiance de fête.
Je voudrais bien qu'on (passer) .... des soirées tranquilles.	Ah ! Non ! J'ai envie que nous (aller) .... danser tous les soirs.
Ça me plairait qu'on (pouvoir) .... tout faire à pied, qu'il ne (falloir) .... pas prendre la voiture.	S'il te plaît, chéri... ça me plairait que nous (prendre) .... la voiture pour être plus libres.
J'aimerais bien que le climat (être) .... doux et qu'on n'(avoir) .... pas trop chaud.	Moi, je désire qu'il (faire) .... chaud, que nous (pouvoir) .... rester en tee-shirt toute la journée et qu'il ne (pleuvoir) .... jamais.
J'apprécierais que nous (camper) .... dans la nature, qu'on (entendre) .... les animaux la nuit, que ça (sentir) .... les fleurs.	Je rêve que tu (vouloir) .... bien aller dans un bon hôtel confortable, pour une fois !
Ça serait bien que nous ne (dépenser) .... pas trop.	Je voudrais que l'hôtel (valoir) .... très cher et que le service y (être) .... parfait.

b Continuez la conversation.

Bastien : se baigner dans une petite crique   éviter les coups de soleil   fuir la foule   s'habiller simplement   lire de bons livres

Livia : se baigner sur une plage privée   bronzer   bronzer   bronzer !   aller là où tout se passe   frimer sur le port   s'éclater en discothèque

B1.2 ★★

329. Espérer + indicatif. Attention ! Exception !

SI C'ÉTAIT UN GARÇON TU NOUS AURAIS TENU AU COURANT ?...

a Observez le texte suivant.

Les parents de Joséphine souhaitent que leur fille ne soit pas seule dans la vie, mais ils n'ont pas envie qu'elle fasse n'importe quoi avec les garçons, c'est pourquoi ils espèrent qu'elle ne ment pas quand elle dit qu'elle sort avec une amie.

Les vœux et les espoirs sont exprimés à l'aide de :

Souhaiter
Désirer   + subjonctif
Avoir envie

Espérer   + indicatif

b Faites des phrases avec les éléments donnés et les verbes cités en début d'exercice.

Exemple : **Je souhaite que** tu épouses ton copain et **j'espère que** ton mariage marchera.

1. Nous – les enfants – faire de bonnes études – trouver un bon emploi

2. Les étudiants – un examen facile – les professeurs – mettre – une bonne note

3. L'auteur – son livre – plaire – se vendre bien

4. Les enfants – le père Noël – être généreux – apporter beaucoup de cadeaux

5. Les agriculteurs – pleuvoir – ne pas y avoir d'inondations

B1.2
★★

330. L'expression du souhait – L'école idéale

Reformulez les affirmations ci-dessous concernant l'école en utilisant les verbes suivants.

attendre   souhaiter   désirer   vouloir

trouver souhaitable (préférable)   espérer (attention + indicatif)

Exemple : L'école doit avant tout enseigner des savoirs.
→ **J'attends que l'école enseigne avant tout des savoirs.**

1. Elle doit inculquer la discipline. → .... – **2.** Elle doit informer les élèves de leur avenir.
→ .... – **3.** Elle doit servir d'intégrateur social. → .... – **4.** Elle doit être égalitaire. → ....
5. Elle doit apprendre à vivre ensemble. → .... – **6.** Elle doit rendre les enfants curieux.
→ .... – **7.** Elle doit savoir enseigner à tous. → .... – **8.** Elle doit pouvoir compenser
les clivages sociaux. → .... – **9.** Elle doit permettre le brassage social. → .... – **10.** Elle
doit favoriser l'apprentissage d'un métier. → .... – **11.** Elle doit développer l'esprit critique.
→ .... – **12.** Elle doit être laïque et garantir un même enseignement à tous les citoyens.

B2.1
★★★

331. Le superlatif + pronom relatif + indicatif ou subjonctif

Mettez les verbes à l'infinitif au mode qui convient.

1. Vous êtes déjà allés en Bretagne ? Non, c'est la première fois que nous y (aller) ....
2. Ce millefeuille est le meilleur gâteau que je (avoir jamais mangé) .... – **3.** Le sentiment
de bonheur le plus intense qu'il (avoir éprouvé) ...., c'est à la naissance de ses jumeaux. –
4. Pour elle, *Les noces de Figaro* est le plus bel opéra que Mozart (avoir composé) ....
5. Marseille est la plus grande ville en bord de mer que vous (pouvoir) .... visiter en France. –
6. C'est le plus beau musée que nous (avoir visité) .... – **7.** C'est le dernier étudiant de la
liste qui (obtenir) .... la meilleure note. – **8.** C'est bien la seule occasion où il lui (avoir fait)
.... des compliments. – **9.** Le mot le plus long que vous (trouver) .... en français est
« anticonstitutionnellement ». – **10.** L'unique image de sa grand-mère dont elle (se souvenir)
.... était celle d'une petite dame voûtée et silencieuse.

B1.2
★★

332. L'expression du souhait par une subordonnée relative au subjonctif

Après avoir pris connaissance de la situation ci-dessous, formulez les demandes que monsieur et madame Legrand font à l'agence immobilière à l'aide des expressions suivantes.

Monsieur et madame Legrand cherchent un appartement pour leur famille (3 enfants : un bébé de 2 ans, une fillette de 7 ans et leur aîné de 13 ans). Ils vont dans une agence immobilière et demandent des renseignements en expliquant leurs besoins : surface, prix, tranquillité et qualité de vie du quartier, une chambre pour chacun, proximité de garderie ou crèche, école maternelle, collège, commerces, grande surface, terrain de sport, cinémas...

Verbes de souhait	Nom	Relatif	Subjonctif
« Nous cherchons Nous aimerions Nous voudrions Auriez-vous Existerait-il Pourrions-nous trouver Connaîtriez-vous Y aurait-il	une maison un appartement un logement	qui que où près duquel (de laquelle) dans lequel (laquelle) dont	+ subjonctif

B1.2
★★

333. Relatives – Indicatif de réalité ou subjonctif de souhait

ⓐ Sur le modèle de la situation 1., continuez les situations 2., 3., 4.

Vous décrivez la réalité → indicatif	Vous évoquez des souhaits → subjonctif
1. Mes voisins sont désagréables ! Ce sont des gens **qui** font beaucoup de bruit. **que** nous ne trouvons pas sympas. **dont** les enfants sont insupportables. **chez** qui on est jamais allés. **avec** lesquels je n'ai aucune affinité.	**Ah ! si je pouvais avoir des voisins** **qui** fassent peu de bruit. **que** nous aimions bien. **dont** les enfants soient adorables. **avec** qui nous nous entendions bien. **chez** qui nous allions avec plaisir.
2. Je suis **un pauvre petit garçon !** J'ai des professeurs...	Ah ! ce que je voudrais avoir **des professeurs...**
3. Je suis **un malheureux chef d'entreprise** qui a un gouvernement...	Vite, **un nouveau gouvernement**
4. Je n'aime pas beaucoup **ma vie actuelle**	Je désire **une vie...**

b Vous exprimez le désir :

• d'une chose réelle → indicatif

Exemple : Je voudrais la nouvelle Lamborghini qui fait du 250 kilomètres à l'heure.

• d'une chose imaginée → subjonctif

Exemple : J'aimerais une voiture qui ne fasse absolument aucun bruit.

Complétez le tableau suivant.

L'ÎLE DE MES RÊVES

1. Cette île existe dans la réalité.	2. Cette île n'existe que dans ma tête.
Je souhaite acheter **la jolie petite île** *Lola* **qui** ...... dans les Caraïbes (être). **où** on ...... du cheval sous les palmiers (faire). **sur laquelle** ...... les oiseaux migrateurs (venir). **que** peu de gens ...... (connaître). **dans laquelle** ...... une rivière (coule). **à laquelle** une belle Espagnole ...... son nom (donner). **que** j' ...... cet été (visiter). **dont** les agences ne ...... rien (dire).	Je souhaite acheter **une île qui** ...... dans une mer chaude (être). **où** il n'y ...... pas de serpents (avoir). **sur laquelle** ...... des orchidées (pousser). **que** personne ne ...... (connaître). **dans laquelle** ...... une ou deux rivières (courir). **à laquelle** je ...... donner le nom que je veux (pouvoir).

L'ESSENTIEL SUR...

● L'expression des sentiments

La liste des verbes dans le tableau ci-dessous – qui n'est pas exhaustive – est classée de gauche à droite du plus personnel au plus général.

	Verbes personnels + que + subjonctif + de + infinitif	ça me... que + subjonctif ça me ...de + infinitif	il / c'est + adjectif + que + subjonctif + de + infinitif
Étonnement	**Il était étonné**, surpris, ébahi, stupéfié, abasourdi, stupéfait, renversé (fam.), déconcerté, effaré *qu'elle n'ait pas réussi. de n'avoir pas réussi.*	**Ça me surprend**, ça m'étonne, ça me stupéfie, ça me renverse, ça me déconcerte *qu'il ait été élu. d'avoir été élu.*	**Il est étonnant**, incroyable, inimaginable, invraisemblable, inattendu *qu'il ait agi ainsi. de constater une telle violence.*
Colère Irritation	**Il était irrité**, en colère, en rogne (fam.), mécontent, furieux, furibond, courroucé, *qu'elle ne soit pas venue. d'avoir été trompé.* **Il rageait**, enrageait, fulminait *d'être le sujet perpétuel de leurs moqueries.* **Il n'admet pas**, ne tolère pas, n'accepte pas, ne supporte pas, *qu'on le contredise. d'être contredit.*	**Ça me met en colère**, ça m'énerve, ça m'irrite, ça me fâche, ça m'agace, ça m'exaspère, ça me mécontente *de ne pas être obéi. qu'elle n'obéisse pas.*	**Il est / je trouve inadmissible**, intolérable, inacceptable, insupportable, enrageant, exaspérant, irritant *que la moitié de la planète soit sous-alimentée. de constater une telle injustice.*

Regret Tristesse Douleur	**Nous regrettons**, déplorons *qu'il ait si mal agi.* *d'avoir été malcompris.* **Il était triste, navré**, désolé, au regret, chagriné, accablé *que son geste ait déplu.* *d'avoir tant déplu.* **Il était désespéré** atterré, consterné, effondré, catastrophé *que le diagnostic soit si grave.* *de lui annoncer ça.* **Elle souffre** *que sa fille soit seule.* *d'être seule.*	**Ça me navre**, ça me désole, ça m'attriste, ça m'afflige, ça m'accable *qu'il soit aussi malveillant.* *de n'être plus capable de l'aider.* **Ça me fait mal** *qu'il soit parti sans me dire adieu.* *de n'avoir pas pu le voir avant son départ.*	**Il est regrettable**, navrant, désolant, déplorable, lamentable, attristant, affligeant, pitoyable, consternant, atterrant, accablant, catastrophique *que cet enfant soit orphelin.* *de constater les terribles conséquences de la tornade.* **Il est douloureux**, pénible, difficile, cruel, éprouvant, dur, atroce, terrible, épouvantable, barbare, monstrueux *de séparer une mère de ses enfants.*

Joie Plaisir Amusement Amour	**Il se réjouit**, se félicite, jubile
	que sa fille ait le poste.
	d'avoir obtenu le poste.
	Il était heureux, ravi, aux
	anges, content, enchanté,
	joyeux, radieux, béat, gai,
	comblé, satisfait
	*que sa femme lui donne enfin
	  un fils.*
	d'avoir enfin un fils.
	Elle aimait, adorait, appréciait,
	préférait
	*qu'on lui fasse des
	  compliments.*
	Il aime aller au théâtre.
		Ça me fait rire, ça m'amuse,
		ça me réjouit, ça me distrait,
		ça me divertit, ça me délasse,
		ça m'est agréable
		d'aller voir des opérettes.
			Il est amusant, plaisant,
			agréable, divertissant,
			réjouissant, distrayant,
			délassant, drôle, comique,
			marrant, rigolo (fam.), hilarant,
			désopilant, burlesque,
			cocasse
			*que sa femme ne l'ait pas
			  reconnu avec ses cheveux
			  teints en rouge.*
			de revoir les films de Tati.

Peur	**La fillette avait peur**,
	redoutait, craignait,
	appréhendait, tremblait
	que le chien lui fasse mal.
	d'être mordue par le chien.
		Ça lui fait peur, ça l'effraie, ça
		la terrifie, ça l'épouvante
		de voir des chauves-souris.
			Il est effrayant, épouvantable,
			terrible, terrifiant, redoutable,
			horrible, atroce
			*d'être bloqué dans un
			  ascenseur quand on est
			  claustrophobe.*

Haine	**Il n'aime pas**, il n'apprécie pas, il déteste, il a en horreur, il exècre, il abhorre (litt.) *qu'on l'oblige à boire de l'alcool.*	**Ça ne lui plaît pas**, ça le dégoûte, ça lui répugne *de manger des huîtres.*	**Il est horrible**, détestable, exécrable, dégoûtant, répugnant *de devoir vivre dans une telle odeur.*

(!) REMARQUES :

a. Le choix entre le subjonctif et l'infinitif dépend de la règle générale de la présence d'un seul sujet ou de deux sujets différents :

Il est stupéfait que sa femme ait obtenu cette promotion (2 sujets différents : subjonctif).
Il est stupéfait d'avoir obtenu cette promotion (c'est lui qui est stupéfait et qui a obtenu la promotion. Un seul sujet : infinitif).
Cas particulier avec les pronoms : *Ça le stupéfie d'avoir obtenu cette promotion.*

b. Pour les tournures impersonnelles avec « il est » (en début de phrase) ou « c'est » (en reprise), l'infinitif renforce la valeur généralisante de la phrase.

c. Les verbes peuvent parfois être remplacés par leur nominalisation. Dans ce cas, le choix du mode suit les mêmes règles :

Quel bonheur qu'elle soit déjà revenue !
Quel bonheur d'être enfin en vacances !

d. Certains verbes de sentiment ne se construisent ni avec « que + subjonctif », ni avec « de + infinitif » : être coléreux, colérique.

Activité de repérage 21 – La fierté de l'Islande

a Dans ce témoignage d'un supporter de l'équipe de foot islandaise, soulignez les adjectifs qui expriment un sentiment ou une opinion.

b Puis, analysez les constructions de phrase qui accompagnent ces adjectifs : noms, infinitif, que + subjonctif, autre. Que remarquez-vous ?

« C'est vraiment magnifique cette victoire et même inespéré ! Une si petite équipe... Qu'elle ait vaincu un grand pays comme l'Angleterre, c'est vraiment incroyable de voir ça ! Je suis stupéfait que nous ayons gagné le match ! Et toute l'Islande est vraiment fière du résultat. Les gens sont fous de joie car c'est un honneur pour le pays. Ça nous prouve que, bien que nous soyons un petit pays, nous pouvons gagner. À condition que l'entraîneur et l'équipe se défoncent, bien sûr ! Vive l'Islande ! On se souviendra de l'Euro 2016 ! »

B1.1
★

334. L'expression des sentiments

Transformez ces phrases en utilisant le subjonctif présent (les sujets des deux verbes sont différents).

1. Quand on me fait des compliments, j'adore ça.

2. Il aime quand on lui fait des cadeaux.

3. Quand tu boudes, ça m'exaspère.

4. Tu me prends pour un imbécile. J'ai horreur de ça.

5. Viens près de moi... j'en ai envie.

6. Ne nous accompagne pas à cette conférence ; on aimerait mieux ça.

7. Dis-moi la vérité. Si, si, je préfère.

8. Quand on est gentil avec lui, il apprécie beaucoup.

9. Tu restes au lit toute la journée. Je n'aime pas beaucoup ça !

10. Ne t'en va pas, ça m'arrangerait.

B1.1
★

335. Simultanéité – Sentiment au passé + subjonctif présent

Faites une seule phrase avec les deux proposées en commençant par l'expression de sentiment.

Exemple : Maman était consternée que Papa ne veuille pas venir.

 1. Papa a pris une place de parking pour handicapés. Maman était consternée. **2.** Des photos gênantes de Léonard ont circulé sur Facebook. Ses parents étaient horrifiés. – **3.** Nous avons dit des gros mots. Ma tante était embarrassée. – **4.** Vous lui avez dit qu'elle avait mauvaise mine. Ça l'a vexée. – **5.** Ils ont voulu payer leur part et pas un centime de plus. Ça l'a écœurée. – **6.** Nous avons bâillé pendant tout le concert. Ils étaient vraiment mal à l'aise. – **7.** Il lui a dit de faire un petit régime. Elle s'est sentie humiliée. – **8.** Vous avez demandé son âge à ma mère. Ça l'a beaucoup gênée. – **9.** Mon copain ne m'a pas raccompagnée après le concert. Je me suis sentie insultée.

B1.2 ★★

336. Subjonctif présent ou infinitif

Transformez ces phrases en utilisant le subjonctif présent, ou l'infinitif présent si les deux sujets sont les mêmes.

1. Quand on fait les courses à ma place, je suis ravie ! – **2.** Je les taquine souvent ; j'adore ça. – **3.** Je suis en retard, je le regrette infiniment. – **4.** Il fait trop froid dehors, il le craint. – **5.** Elle est placée devant, elle aime mieux ça. – **6.** Il ne sait rien faire de ses dix doigts ; elle ne peut pas le supporter. – **7.** Tu me dis ça seulement maintenant ; je suis surpris. – **8.** Il veut toujours commander, ça m'exaspère. – **9.** Il pleut encore. J'en ai vraiment assez ! – **10.** Je ne peux pas vous aider, j'en suis désolée. – **11.** Vous êtes là, ça me fait plaisir. – **12.** Il faut partir ; c'est dommage.

B1.1 ★

337. Subjonctif passé et antériorité

Faites de ces deux phrases une seule phrase en utilisant le subjonctif passé.

<u>Exemple :</u> On ne t'a pas prévenu ? C'est regrettable.

→ Il est regrettable qu'on ne t'**ait pas prévenu**.

1. Vous avez décidé de changer de région. Nous en sommes très heureux.

2. Mon patron m'a refusé une augmentation. Je suis furieuse.

3. Vous avez gagné ce concours international. Nous en sommes impressionnés.

4. Tu m'as raconté des histoires ! Je n'apprécie pas du tout !

5. Ils ne sont pas venus. Finalement, j'aime mieux ça.

6. Elle lui a dit ses quatre vérités. Il est furieux !

7. On leur a fait une visite surprise. Ça leur a fait très plaisir.

8. Elle est arrivée encore en retard. Ses collègues étaient furieux.

9. On a encore égaré mon dossier. Je suis exaspéré.

10. L'université vous a accordé une bourse ? Je m'en réjouis.

B1.2 ★★

338. Subjonctif présent ou subjonctif passé ?

Transformez ces phrases en utilisant le subjonctif présent ou passé.

<u>Exemple :</u> Madame Chardin est ravie : son mari a obtenu une promotion.

(Les sujets des deux verbes sont différents.)

→ Madame Chardin est ravie **que son mari ait obtenu** une promotion.

1. Je suis désolée : mon mari a été grossier. – **2.** Ils sont désespérés : leur fils a disparu. – **3.** Il est fou de joie : sa femme est sortie de l'hôpital. – **4.** Je suis surpris : les enfants veulent venir avec nous. – **5.** Nous sommes honteux : la conversation a mal tourné. – **6.** C'est dommage : Pierre ne peut pas prendre de vacances cette année. – **7.** Nos parents sont satisfaits : nous avons réussi notre bac. – **8.** Nous sommes extrêmement inquiets : il ne nous a pas téléphoné depuis huit jours. **9.** Ta mère est très fière : tu as réagi comme il le fallait. – **10.** Il est fou de rage : elle lui a posé un lapin. – **11.** Elle est vraiment déçue : nous ne lui avons pas fait signe. – **12.** Le directeur est très fâché : les dossiers ne sont pas prêts.

B1.2
★★

339. Infinitif passé et antériorité

Faites de ces deux phrases une seule phrase avec l'infinitif passé. Attention ! Les deux sujets sont les mêmes mais il y a antériorité.

<u>Exemple</u> : J'ai oublié de lui souhaiter son anniversaire. Je suis ennuyée.
→ **Je suis ennuyée d'avoir oublié** de lui souhaiter son anniversaire.

 1. Je n'ai pas réussi mon permis de conduire. J'en suis désolée. – **2.** Elle n'a pas été sélectionnée pour le championnat national. Elle est très déçue. – **3.** Ils ont raté cette affaire. Ils sont fous de rage. – **4.** La police a déjoué un braquage. Elle en est heureuse. – **5.** La délégation a manqué son rendez-vous. Elle en est catastrophée – **6.** Ils ont menti aux actionnaires. Ils devraient en avoir honte. – **7.** Ils ont bouclé leur film à temps pour Cannes. Ils en sont très satisfaits. – **8.** Il a perdu son emploi. Il en est très choqué. – **9.** Il n'a pas été invité chez le ministre. Il est horriblement vexé. – **10.** J'ai pu me libérer pour cette soirée caritative. Je m'en réjouis.

B1.2
★★

340. Infinitifs et subjonctifs, synthèse

Faites de ces deux phrases une seule phrase. Vous devez choisir entre le subjonctif présent, le subjonctif passé, l'infinitif présent et l'infinitif passé.

1. Il prend de gros risques en escalade. Sa femme est angoissée.
2. Son employeur lui fait des compliments. Il adore ça.
3. Elle n'a pas obtenu le poste. Elle en est dépitée.
4. Revenez la semaine prochaine, Messieurs. Ce serait mieux pour moi
5. Nous ne changerons pas d'avis. La ministre le déplore.
6. L'entreprise a remboursé la machine défectueuse ? J'en suis ravie.
7. J'ai gagné le gros lot ? Je n'en reviens pas !
8. Vous m'envoyez sans arrêt des SMS. J'ai horreur ça.
9. Il sera réélu ? Ça m'étonnerait beaucoup.
10. Nous sommes stupéfaits. Nous pourrons quand même obtenir un prêt.

B1.2
★★

341. Trouver la complétive au subjonctif

Remplacez le nom par un verbe au subjonctif.

<u>Exemple</u> : Elle a apprécié l'augmentation de son salaire.
→ **Elle a apprécié que son salaire soit augmenté.**

1. Je suis heureux de son départ. – **2.** Nous souhaitons son bonheur. – **3.** J'ai peur du mauvais temps. – **4.** Nous regrettons l'échec de Lucas. – **5.** Je suis surpris par le beau temps. – **6.** Il est fier de la réussite de son fils. – **7.** J'appréhende son retour. – **8.** Elle craint la mauvaise humeur de son patron. – **9.** Il apprécie la modification du règlement. – **10.** Nous attendons avec impatience la vente de notre appartement.

« Maudit soit le bon goût ! » Festival des maudits films, cinémathèque de Grenoble

B2.1
★★★
342. Deux constructions possibles avec le verbe « trouver » + certains adjectifs

Exemple : Il a revendu mon cadeau de Noël sur Le Bon Coin ;
je trouve ça impardonnable.
→ Je le trouve impardonnable **d'avoir revendu mon cadeau de Noël sur *Le Bon Coin***.
→ Je trouve impardonnable **qu'il ait revendu mon cadeau de Noël sur *Le Bon Coin***.

a Mettez les phrases suivantes au subjonctif.

1. Je la trouve détestable d'avoir agi comme ça.

2. Je le trouve gentil d'avoir pensé à moi.

3. Je vous trouve aimable d'avoir répondu à ma lettre.

4. Il nous trouve dégoûtants de l'avoir laissé tomber.

5. Vous les trouvez injustes d'avoir critiqué Pierre.

6. Le patron vous trouve courageux d'avoir assumé cette responsabilité.

b Transformez les phrases suivantes à l'infinitif.

1. Je trouve très courageux que vous ayez plongé pour sauver cet enfant.

2. Je trouve gentil qu'ils aient pensé à inviter ta mère.

3. Il trouve détestable qu'ils se soient moqués de cette pauvre fille sur les réseaux sociaux.

4. Je trouve honnête qu'il ait reconnu son erreur.

5. Je trouve peu scrupuleux que vous ayez trompé notre client.

6. Je trouve grossier qu'elle soit partie sans prévenir.

c Utilisez les deux constructions.

1. Il a cru tous ces mensonges qui courent sur la toile. Je trouve cela méprisable.

2. Il t'offre des fleurs. Tu le trouves gentil.

3. Elle tient souvent compagnie à sa grand-mère. Nous trouvons cela sympathique.

4. Ils se sont mis en colère. Vous trouvez cela idiot.

5. Tu as démissionné ? Je te trouve insensé.

6. Ils ont insulté leur mère. Leur père trouve cela impardonnable.

« Il faut tout changer pour que rien ne change. » Comte de Lampedusa, *Le Guépard*

« Aimer, c'est se réjouir que l'autre soit heureux… même si ce n'est pas avec soi. »
Un thérapeute de couple

343. L'expression de l'opinion – Le bonheur de vivre en France

Reformulez les énumérations du texte ci-dessous à l'aide des moyens linguistiques suivants.

Apprécier Approuver Se réjouir		
Trouver Estimer Juger	satisfaisant, appréciable important, remarquable réjouissant, enthousiasmant rassurant, réconfortant plaisant, agréable, enchanteur	+ que + subjonctif

Exemple : **Il se réjouit que les Français vivent** sous la loi de 1905 qui sépare les Églises de l'État et **il juge important que cette loi garantisse** aussi le libre exercice de toutes les religions.

TÉMOIGNAGE

Il faut venir d'ailleurs pour apprécier vraiment le bonheur d'être Français. Ce bonheur existe bien qu'il soit menacé sur certains points. (Je ne parlerai même pas des merveilles du paysage ni du savoir vivre sur lesquels tout le monde est d'accord.) Voici mes remarques :

• Vivre sous la loi de 1905 qui institue la séparation des Églises et de l'État tout en garantissant la libre pratique de toutes les religions (mais la discussion reste animée concernant la place de l'Islam).

• Avoir une carte vitale et une Couverture maladie universelle. La Sécurité sociale pour tous est l'honneur de ce pays (mais on commence à parler d'une médecine à deux vitesses, une pour les riches, une pour les pauvres).

• Savoir que le service public s'étend aussi bien à l'éducation qu'à l'audiovisuel et aux transports (mais de nombreuses tâches sont désormais confiées au privé).

• Savoir qu'une partie de nos impôts sert à subventionner des productions culturelles ; (mais on essaie aussi de faire des économies budgétaires sur la recherche fondamentale).

• Voir le peuple de France se soulever massivement quand les assises de la démocratie et ses valeurs sont menacées (2002 contre le Front national, 2015 contre les attentats, 2016 contre la loi travail (mais des valeurs opposées gagnent du terrain°.

• Savoir que l'Assemblée nationale a voté à l'unanimité des lois contre le racisme et l'incitation à la haine raciale (mais on a perdu des mois avec le débat sur l'identité nationale et la déchéance de nationalité des terroristes).

• Savoir que cette même Assemblée a aboli la peine de mort en 1981 (contre l'avis de l'opinion dans les sondages, à l'époque).

• Pouvoir critiquer en toute liberté tout ce que fait le gouvernement, les syndicats, les partis politiques (mais il faut savoir où trouver les visions non dominantes).

• Savoir qu'il existe une identité culturelle française défendue contre les impérialismes (uniformisation, américanisation, mondialisation) mais de plus en plus attaquée.

L'ESSENTIEL SUR...

● L'expression de la pensée

La certitude → Indicatif		Le doute → Subjonctif	
Je pense Je crois J'estime J'affirme Je juge Je trouve Je considère J'imagine Je prévois Je suis sûr, certain Je suis persuadé Je suis convaincu Je suis d'avis J'ai l'impression Il est probable	**qu'il reviendra bientôt.**	Pensez-vous, croyez-vous, Estimez-vous, affirmez-vous Jugez-vous, trouvez-vous, considérez-vous	**que ce soit une bonne idée ?**
		Il ne pense pas Il ne croit pas Il n'estime pas Il n'affirme pas Il ne juge pas Il ne trouve pas Il ne considère pas	**qu'elle ait raison.**
Il est vraisemblable Il est plausible*, admissible* Il me semble Je suis d'avis*	**qu'il dit la vérité.**	Je ne suis pas sûr, pas certain, pas persuadé, pas convaincu	**qu'il veuille partir.**
		Il est peu probable, peu vraisemblable Il est possible, plausible, admissible, il semble	**qu'il réussisse.**

Les expressions avec un astérisque peuvent être suivies de l'indicatif ou du subjonctif selon la dose de réalité ou de doute que l'on veut ajouter.

B1.2

★★

344. Indicatif ou subjonctif ?

Mettez le verbe entre parenthèses au mode qui convient.

1. Croyez-vous qu'il (être) .... sage de partir en randonnée par un temps pareil ? – **2.** Je suis persuadée qu'elle (ne pas vouloir) .... vous choquer. – **3.** Est-ce qu'elle est certaine que ce train (avoir) .... des couchettes ? – **4.** J'ai l'impression qu'il (ne pas dire) .... la vérité. – **5.** Elle ne trouvait pas que l'hôtel (être) .... aussi confortable et agréable qu'on lui avait dit. – **6.** Il est peu probable qu'elle (pouvoir) ...... revenir avant votre départ. – **7.** Je ne suis pas convaincu qu'il (vouloir) .... vraiment vous aider. – **8.** Il est incontestable que cette loi ne (pouvoir) .... jamais être appliquée sans être modifiée. – **9.** Tu es sûre qu'elle (comprendre) ...... ce qu'on lui a dit ? – **10.** J'imagine que vous (devoir) .... le prévenir s'il y a un changement de décision. – **11.** Trouvez-vous vraiment vraisemblable qu'elle (avoir tous les torts) .... dans cette situation ? – **12.** D'après moi, il est peu plausible qu'il (revenir) .... à Paris.

345. Indicatif ou subjonctif ? – Une situation, deux opinions

Complétez les phrases suivantes avec le subjonctif ou l'indicatif.

1. Le gouvernement a promis de faire remonter la courbe du chômage. Va-t-il tenir sa promesse ?

– Je suis convaincu que ....   – Il est douteux que ....

2. Yvan a demandé à son réseau de cofinancer son tour du monde. Vont-ils le faire ?

– Je suis persuadé que ....   – Je doute fortement que ....

3. Ils sont très en retard et ils ne répondent pas au téléphone. Pourvu qu'ils n'aient pas eu un accident !

– Il est probable que ....   – Il est possible que ....

4. Les prix de l'immobilier ne cessent d'augmenter. Vont-ils redevenir raisonnables ?

– Il est vraisemblable que ....   – Il n'est pas sûr que ....

5. Est-ce que ma copine sera d'accord pour vivre avec moi ? Quelquefois, j'ai des doutes.

– Sois certain que ....   – Il n'est pas évident que ....

346. Indicatif ou subjonctif ? – Vrai, faux, crédible, peu crédible, etc.

MONSIEUR MARTIN A-T-IL TUÉ LE CHIEN ?

Situation : Le chien de monsieur Dupont a été tué samedi soir, vers 21 heures, d'après les experts. M. Dupont accuse M. Martin de ce forfait. Les enquêteurs essaient de comprendre.

a Mettez les verbes entre parenthèses à l'indicatif ou au subjonctif, suivant le cas.

POLICIER 1 : – M. Martin affirme que (ne pas sortir) .... après 20 heures, mais le patron du bistrot dit que (être au bar) .... jusqu'à 20 h 30 environ. Ne trouvez-vous pas suspect que M. Martin (ne plus savoir) .... où il était à 20 h 30 ?

POLICIER 2 : – Je ne sais pas... Il est exact qu'ils (ne pas dire) .... la même chose, mais cela ne prouve pas que M. Martin (mentir) .... Un samedi soir, après quelques bières, il est possible qu'il (faire) .... erreur, tout simplement.

POLICIER 1 : – Ouais... D'autre part, sa copine confirme qu'il (être à la maison) .... après 21 heures, mais je trouve curieux qu'elle (avoir l'air troublé) .... pendant l'interrogatoire. Il se peut qu'elle (ne pas dire la vérité) .... pour le protéger.

POLICIER 2 : – En effet, il n'est pas impossible qu'elle (cacher) .... quelque chose, mais quoi ? Ils prétendent tous les deux qu'ils (regarder) .... la télévision, mais je trouve peu plausible qu'ils (oublier) .... tous les deux le programme.

POLICIER 1 : – Vous voyez... Je ne sais pas ce qui (se passer) ...., mais je suis persuadé que M. Martin (ne pas être) .... si net que ça !

POLICIER 2 : – Tu es persuadé, mais tu ne peux rien affirmer. Examinons les autres aspects avant de dire que c'est lui le coupable.

b Sur le même modèle, continuez l'enquête en utilisant les expressions d'opinion du tableau ci-après.

Vérité, conviction	Mensonge, doute
Indicatif	*Subjonctif*
Pour faire une déclaration : Dire, répéter, raconter, déclarer, affirmer, prétendre, confirmer **Pour dire que quelque chose est vrai :** Nous savons, nous avons constaté Il est… sûr, certain, exact, vrai, confirmé, prouvé, incontestable, indubitable **Pour exprimer une conviction :** Je suis… convaincu, persuadé, tout à fait sûr J'ai la certitude, la conviction, je pense sérieusement **Pour exprimer une presque certitude :** Il est… probable, vraisemblable, je suis presque sûr, quasiment certain, il me semble	**Pour formuler une question :** N'est-il pas, ne trouvez-vous pas… étonnant, surprenant, curieux, bizarre, étrange, anormal, suspect, douteux ? **Pour formuler une hypothèse possible mais non confirmée :** Je trouve… possible, plausible, crédible Il se peut, il se pourrait, il semble **Pour exprimer un doute :** Il n'est pas… exact, confirmé, prouvé Je ne suis pas sûr, certain Il est… contestable, invraisemblable, incroyable, peu crédible, peu plausible

B2.1
★★★

347. Indicatif ou subjonctif ? – Info ou intox ?

a Utilisez les expressions du tableau « Vérité, conviction ; mensonge, doute » de l'exercice 346 pour discuter les affirmations suivantes.

1. D'après un responsable du comité d'organisation des Jeux olympiques, il ne faut pas être naïf : pour arriver à ce niveau de performances, tous les sportifs se dopent. Faut-il le croire ?

2. Selon une équipe de chimistes marseillais, le chocolat serait le meilleur antidépresseur du marché. Il contient tant d'éléments nécessaires au bien-être qu'il est nettement plus efficace que le pastis local. Encore une galéjade marseillaise ?

3. Toxiques des grands-parents ? D'après une équipe de chercheurs de Glasgow (qui a analysé les données de 56 études réalisées dans 18 pays), ces derniers auraient une influence négative sur la santé de leurs petits-enfants. Chez eux, nos chers bambins auraient tendance à mal se nourrir, souffriraient d'un manque d'activité physique et seraient exposés au tabagisme passif.

b À votre tour, faites un bulletin d'informations mélangeant des informations vraies et des absurdités.

Ensuite, discutez-en en groupe en utilisant les expressions du tableau « Vérité, conviction ; mensonge, doute » : faits vérifiés ou rumeurs ? réalité ou théories extravagantes ? info ou intox ? vérité ou contre-vérité ?

INFO

INTOX

« Qu'on cesse de prétendre que les gens sont naturellement méfiants ! Qu'on arrête de propager des rumeurs anxiogènes ! Qu'on consacre plus d'attention aux actes positifs ! » Matthieu Ricard, moine bouddhiste

⊕ **Activité de repérage 22 – Il faut bien que quelqu'un s'y mette**

a Observez cet appel à l'action lancé par l'association Bleu Blanc Zèbre pour accélérer le changement de la société. De nombreux éléments syntaxiques et lexicaux sont réutilisables dans d'autres appels similaires. Soulignez-les. Repérez aussi les subjonctifs et les expressions qui les précèdent.

Renonçons à désespérer ! Prouvons que la France est plus grande que ceux qui aspirent à la diriger. Le système est fatigué, n'attendons plus que nos dirigeants se mettent à écouter vraiment la société, passons à l'action !

Il faut que la confiance revienne ! Pour que cela se fasse, il faut qu'une société civile adulte entreprenne des actions d'intérêt général.

Nous tous, associatifs, maires, entrepreneurs, nous qui agissons déjà, nous portons chacun une part de la solution. Donnons aux Français les outils pour qu'ils écrivent ensemble un nouveau roman national.

Unissons par l'action civique les opinions les plus opposées avant que les passions tristes ne se réveillent. Il faut absolument que nous coconstruisions un avenir heureux pour nos enfants sans que des idées opposées nous bloquent.

Vous tous qui refusez la fatalité et êtes prêts à vous retrousser les manches, signez notre appel avant qu'il ne soit trop tard.

Association Bleu Blanc Zèbre, 2015
D'après le texte d'Alexandre Jardin, écrivain et cofondateur de l'association

b Faites le même exercice sur le dessin ci-dessous.

« La rancune, c'est boire du poison dans l'espoir que l'autre personne meure. »
Nelson Mandela

BOÎTE À OUTILS

Phrases impersonnelles d'opinion

Voici quelques expressions pour donner son opinion.

Pour s'indigner
Il est étonnant, surprenant, saisissant, stupéfiant,
Il est attristant, désolant, consternant, navrant, démoralisant, désespérant,
Il est inquiétant, terrifiant, effrayant, glaçant, choquant, révoltant,
Il est affreux, honteux, scandaleux,
Il est inacceptable, inadmissible, insupportable, intolérable,
Il est idiot, stupide,
Il est incompréhensible, inconcevable, inexplicable, inimaginable, insensé, inouï.

Pour proposer
Il serait bon, utile, bien, juste, souhaitable, équitable,
Il est (grand) temps, il est urgent,
Il faut, il est (absolument) nécessaire, (véritablement) indispensable, impératif,
Il est important, vital, essentiel, primordial,
Il est de la plus grande importance,
Il importe.

B1.2
★★

348. Impersonnelles d'indignation – Menaces sur la culture

ⓐ Reprenez les éléments surprenants et choquants contenus dans ce texte dans des phrases d'opinion, en vous aidant de la Boîte à outils ci-dessus.

Exemple : **Il est ahurissant que cette œuvre n'ait pas été protégée dès son installation, au moins par des caméras.**

> À Versailles, l'été 2015, une œuvre monumentale du sculpteur Anish Kapoor a été vandalisée par de grands tags antisémites qui n'ont pas été effacés tout de suite. La loi française est pourtant très claire : les œuvres ont droit à la protection ; le racisme et l'antisémitisme sont poursuivis en justice.
>
> Or, l'artiste n'a pas porté plainte ; la direction du château est restée muette ; la ministre de la Culture s'est tue ; le président de la République ne s'est pas ému ; les députés sont restés absents du débat ; les journalistes ne se sont pas scandalisés ; personne n'a protesté avec force ; le texte antisémite est resté sur l'œuvre trop longtemps. L'artiste ayant déclaré que les tags s'intégraient désormais à l'œuvre, la situation était ahurissante.
>
> Heureusement, pour finir, l'association Avocats sans frontières et un élu local ont porté plainte. Le tribunal a ordonné de masquer les tags antisémites sous le contrôle de l'artiste.
>
> D'après un article de Jacques Attali, *L'Express*, 23/09/2015

ⓑ Rédigez un paragraphe d'indignation contenant des tournures impersonnelles sur ce sujet ou sur une autre situation choquante liée à une œuvre d'art.

349. Opinion/phrases impersonnelles + que + subjonctif présent
+ que + subjonctif passé
+ de + infinitif
+ infinitif

a À l'aide des entrefilets ci-dessous, reformulez les informations sur les principaux problèmes de la planète selon le modèle suivant : mobile de révolte + une idée d'action.

A. Big data

Ordinateurs, tablettes, smartphones, GPS, autres objets connectés (montres, lunettes, chaussures) implants corporels (puces), drones, appareils d'espionnage ; grâce à eux, les multinationales du Web, les gouvernements (et les escrocs) peuvent nous suivre partout, stocker nos données à notre insu, les réutiliser à leur gré. Bien sûr, on peut jouer avec les pseudos, les codes, les identifiants, les appareils jetables, mais les moyens de percer ces défenses existent déjà aussi. Sans être paranoïaques ni technophobes, il y a quand même de quoi se préoccuper un peu pour les libertés…

Solutions

Lanceurs d'alerte, commissions de surveillance, lois restrictives, investigations dans les médias, associations de citoyens, plaintes, action politique, sanctions économiques, mesures de prudence personnelle… il y a de quoi faire.

B. Les menaces sur le milieu naturel

Au cours de ce siècle, la température devrait augmenter de 2 à 6 degrés à cause des émissions de gaz à effet de serre.

Le tiers des terres émergées dans le monde est touché par la désertification et cela concerne un milliard de personnes.

De nombreuses zones côtières peuplées sont, elles, menacées de disparaître sous les eaux.

La majorité des déchets produits dans le monde n'est pas traitée : terres stériles, eaux empoisonnées, air irrespirable, maladies, décès… Le plastique envahit les océans et menace la vie marine…

Les énergies fossiles continuent à tuer : guerres du pétrole, particules fines…

On détruit chaque année 10 millions d'hectares de forêts, 11 000 espèces d'animaux et de plantes sont menacées d'extinction d'ici peu (la race humaine aussi ?).

Solutions

Interdire les énergies fossiles, le plastique, le chauffage et la climatisation excessifs, traiter les déchets, recycler, équiper les maisons, limiter les transports polluants, etc.

C. Santé et maladie

Un tiers des décès annuels mondiaux est causé par le manque de soins.

90% de la mortalité par maladies infectieuses (paludisme, sida, tuberculose) affecte les pays les plus pauvres.

La malnutrition touche encore 15% de la population mondiale dont 200 millions d'enfants.

L'eau contaminée (choléra, malaria) tue chaque année 5 millions d'êtres humains ; 1,3 milliard de personnes n'ont pas accès à l'eau potable.

5 milliards d'êtres humains n'ont pas accès à la chirurgie même simple (fractures, accouchements difficiles).

63% des Français pensent que la Sécurité sociale fonctionne bien, mais 67% estiment que la protection de la santé s'est dégradée ces dernières années et, malgré la création de mutuelles complémentaires et de la Couverture maladie universelle, on est mieux soigné si on a de l'argent.

Solutions

Baisser le prix des médicaments, améliorer les systèmes d'assistance, financer les recherches médicales, économiser sur les dépenses inutiles, faire coopérer les équipes, les pays, subventionner les médecins sans frontières, former des médecins dans les pays pauvres, etc.

b Inspirez-vous de la liste des principaux problèmes de la planète pour créer un questionnaire d'enquête avec des questions avec inversion et expressions impersonnelles
+ subjonctif présent/passé.
+ infinitif.

Exemple : **L'espèce humaine risque de disparaître.**
→ **Je trouve consternant que l'espèce humaine risque de disparaître.**
→ **Il est effarant qu'on n'ait pas encore résolu ce problème au xxIe siècle.**
→ **On ne peut pas accepter que ce scandale continue.**
→ **Il est impératif de trouver des solutions.**

c Discutez en groupes, posez vos questions, répondez à celles des autres, discutez des solutions proposées. Pour ce débat, utilisez aussi les verbes d'expression de la pensée (je ne crois pas que..., ça ne me semble pas très réaliste..., etc.).

Exemple : N'est-il pas scandaleux   qu'un homme sur cinq meure de faim ?
Est-il acceptable
Trouvez-vous normal   qu'on n'ait pas encore résolu le problème de la faim ?
Ne trouvez-vous pas honteux

« Il faut que chaque individu, à chaque étape de sa vie, puisse rebondir. »
Philippe Aghion, économiste

B1.2
★★

350. Indicatif ou subjonctif ?

Mettez les verbes au mode qui convient.

1. J'espère que vous (être) .... satisfait de votre choix. – **2. Il est incontestable que** beaucoup de fausses rumeurs (courir) .... sur le Net. – **3. Il est possible qu'**il (se rendre) .... à Paris la semaine prochaine. – **4. Nous sommes tout à fait certains qu'**elle (pouvoir) .... faire ce stage. – **5. Il est remarquable que** vous (faire) ...... ce travail si vite et si bien. – **6. J'aimerais bien que** vous (demander) .... un autre devis. – **7.** Il **est fort probable qu'**il (ne jamais retrouver) .... un travail aussi intéressant. – **8. Nous croyons fermement que** notre collègue (être élu) .... président du comité de gestion. – **9. Heureusement que** nous (pouvoir) .... le prévenir à temps que la séance était annulée. – **10. La directrice a annoncé que** les examens (avoir lieu) .... la semaine prochaine. – **11.** Hier soir, **il lui a semblé que** le public (réagir) .... favorablement. – **12. Pensez-vous qu'**elles (pouvoir) .... faire une chose aussi abominable ? – **13. Il paraît que** tous les modèles défectueux (être retirés) .... de la vente dès demain. – **14.** J'aurais bien mangé un peu de chocolat. **Dommage que** tu (tout le finir) .... ! – **15. Je doutais que** cette couleur (plaire) .... à notre fille. – **16. Penses-tu qu'**il (être normal) .... que je (faire) .... tout ce travail toute seule ? – **17. Il est heureux que** l'heure du rendez-vous (convenir) ...... à tous. – **18.** Elle aime la vitesse ; **nous avons tous peur qu'**elle (avoir) .... un accident. – **19.** Je me trompe peut-être, mais **il est peu probable que** cette information (être confirmée) .... – **20. Ma mère est absolument certaine que** je (savoir) .... m'occuper de cet enfant. – **21. Le président a demandé que** tous les directeurs (venir) .... à l'heure au conseil d'administration. – **22. Les médecins recommandent que** tous les enfants (prendre) .... du lait tous les jours.

B2.1
★★★

351. Infinitif ou subjonctif ?

Terminez les phrases à votre manière en utilisant le mode qui convient (attention au sens des phrases).

Exemple : Il t'a envoyé des fleurs **pour que tu voies qu'il pense à toi**.
        Il t'a envoyé des fleurs **pour te faire plaisir**.

1. J'ai vraiment tout fait **pour que** .... / **pour** ....

2. Ne vous inquiétez pas pour les enfants, nous ferons ce qu'il faut **afin que** .... / **afin de**
....

3. J'irai te chercher à la gare **à moins que** .... / **à moins de** ....

4. Il s'est habillé chaudement **de peur que** .... / **de peur de** ....

5. Je lirai un livre **en attendant que** .... / **en attendant de** ....

6. Il a posé sa demande de naturalisation encore et encore **jusqu'à** .... / **jusqu'à ce que**
....

7. Il viendra **à condition que** .... / **à condition de** ....

8. Sébastien a fait un cadeau à Sofia **avant que** .... / **avant de** ....

9. Les policiers ont entraîné le ministre **de façon à** .... / **de façon à ce que** ....

10. Le voleur a ouvert le sac **sans** .... / **sans que** ....

352. Quel temps de l'indicatif ? Quel temps du subjonctif ?

Dans les phrases suivantes, mettez les verbes au temps et au mode qui convient.

1. Nous resterons près de toi jusqu'à ce que tu (retrouver) .... une bonne santé. – 2. Tu as dit des paroles injurieuses à Léa, je crains qu'elle (t'en vouloir) .... – 3. Nous pourrons partir dès que je (terminer) .... de faire mes bagages. – 4. Nous irons à Strasbourg en voiture pourvu que le garagiste (la réparer) .... – 5. L'année dernière, il a tellement travaillé et il était si fatigué qu'il (être obligé) .... de prendre un long congé. – 6. Le vin de Bordeaux est le seul que nous (acheter) .... et que nous (boire) .... avec plaisir. – 7. Je n'ai jamais rencontré un étudiant qui (savoir) .... parler plus de quatre langues. – 8. Veuillez parler plus fort que nous vous (entendre) .... mieux. – 9. Ils vous trouveront où que vous (être) .... et quoi que vous (faire) .... – 10. Existe-t-il quelque part un homme avec qui elle (pouvoir) .... être heureuse ? – 11. Tout médecin qu'il (être) ...., il n'a pas pu trouver de quoi elle souffrait. – 12. Mathis n'a pas été recruté, non qu'il (ne pas avoir) .... le profil, mais parce qu'il (exiger) .... un salaire trop élevé. – 13. Jennifer a enfin trouvé une voiture qui lui (plaire) ...... et qui (se conduire) .... facilement. – 14. Cette actrice ne voulait pas être importunée dans la rue, c'est pourquoi elle mettait toujours des lunettes noires et une perruque de sorte que personne ne (la reconnaître) .... – 15. Nous avons eu tant de travail que nous (ne pas pouvoir) .... vous rendre visite. – 16. Prévenez-les rapidement qu'ils (réagir) .... vite et bien. – 17. Il est fantastique que Paris (obtenir) .... les Jeux olympiques, mais c'est regrettable qu'ils (être) .... si coûteux.

353. Indicatif ? Infinitif présent ? Infinitif passé ?
Subjonctif présent ? Subjonctif passé ?

Remettez en ordre chaque phrase proposée et utilisez les modes et les temps qui conviennent.

1. être très contente – obtenir le poste – après – Sophie – deux entretiens – de – seulement

2. être très satisfaits – en juin dernier – que – réussir – les parents d'Axel – le bac – leur fils

3. être désolé de – Jonathan – samedi dernier – ne pas pouvoir – à ton anniversaire – venir

4. être accordées – que – il est – les subventions – probable – demandées

5. ne pas comprendre – regretter – de – le patron – de – le problème – sa secrétaire – en avril dernier

6. venir – Nadia– que – le week-end prochain – Hugo – être déçue – ne pas pouvoir

7. être interdit – cette piste – du ski – pourquoi –? – faire – de – sur

8. déclarer – ne pas être augmenté – le ministre du Travail – le salaire minimum – que – cette année

9. les salariés – le patron – le stage – que – permettre – faire – leur – être satisfaits – de

10. aux États Unis – assez d'argent – Maëlle – pouvoir – pendant ses vacances – gagner – pour – partir

11. regretter – partir – leurs meilleurs amis – si loin – que – mes parents – habiter

12. accepter – s'imaginer – sa proposition – les clients – que – peut-être – il

13. à Paris – prochain – visiter – pour – le musée d'Orsay – le mois – aller – ils

14. sortir – les parents – le soir – seule – que – interdire – leur fille – souvent

15. lui – l'institutrice – ses élèves – être très émue – scolaire – offrir – que – un cadeau – à la fin de l'année scolaire

16. étudier – devenir – Julien – avocat – dans le but de – le droit

17. votre décision – nous ne – avant que – pas – nous revoir – prendre

18. se remaquiller – l'actrice – avant de – refuser de – les journalistes – voir

19. Agathe – beaucoup – être admise – prestigieuse – travailler – afin de – dans cette université

20. assez d'argent – réunir – à – une petite fête – sa retraite – avant que – nous – organiser – notre – prendre – collègue – réussir – et

354. Synthèse créative – Prince des moralisateurs

Vous connaissez l'histoire de Robin des Bois et de sa tribu de voleurs qui pillent les riches pour nourrir les pauvres ?

Très bien. Alors, oubliez ce que vous savez des personnages pour ne retenir que la trame du scénario. Le shérif de Nottingham a finalement mis la main sur Robin et Petit Jean et les a jetés en prison. Marianne, la compagne de Robin, s'en va supplier le shérif de les libérer. Ce dernier lui propose un marché : si elle passe la nuit avec lui, il les libérera. Marianne accepte et, le lendemain, le shérif laisse partir Robin et Petit Jean. Étonné de ce revirement, Robin demande à Marianne des explications. Celle-ci lui révèle la vérité. Furieux, Robin lui dit qu'il ne veut plus jamais la voir. Petit Jean s'interpose, prend la défense de Marianne et lui propose de partir avec lui, lui promettant son amour éternel. Marianne accepte et ils quittent la forêt de Sherwood ensemble.

Philosophie magazine, février 2016

ⓐ Classez les quatre protagonistes de cette histoire selon votre propre échelle de moralité et trouvez des arguments pour défendre ou attaquer les uns et les autres. N'oubliez pas d'utiliser les structures de sentiment vues dans le chapitre.

ⓑ Discutez-en avec les autres et / ou rédigez un texte pour défendre votre point de vue.

ⓒ Connaissez-vous un autre cas moral à proposer pour un débat ?

> « Pourquoi voulez-vous que je meure pour une vérité à laquelle je ne croirai peut-être plus demain ? » Boris Cyrulnik, psychanalyste

> « Au creux de la fraîcheur épicée de l'hiver, j'ai prié...
> Que tous les êtres soient heureux et libres,
> Que toutes mes pensées, mes paroles et mes actes
> Contribuent au bonheur et à la liberté de toutes les créatures vivantes. »
> Prière bouddhiste

L'expression du temps

L'ESSENTIEL SUR...

On peut situer un fait par rapport à un autre en indiquant l'antériorité, la simultanéité ou la postériorité. Mais on peut également en préciser la date, la durée, la fréquence. Le choix du mode et du temps utilisé sera donc important.

● **Conjonctions et prépositions de temps avec l'indicatif, le subjonctif et l'infinitif**

	Antériorité	Simultanéité	Postériorité
Indicatif	Avant le moment où En attendant le moment où Jusqu'au moment où	**Moment précis** Quand Lorsque Au moment où Le jour où **Durée courte** Comme Alors que Tandis que **Durée longue** Nuance d'opposition : Pendant que Alors que Tandis que **Deux actions évoluent parallèlement** À mesure que **Deux actions durent ensemble** Aussi longtemps que Tant que **Habitude** (deux actions se présentent ensemble) Toutes les fois que Chaque fois que Quand + imparfait + présent **Point de départ de deux actions** Depuis que Maintenant que	**Succession de deux faits** Après que Une fois que **Succession rapide de deux faits** Dès que Aussitôt que Sitôt que
Subjonctif	Avant que Jusqu'à ce que En attendant que		
Infinitif	Avant de En attendant de	Au moment de	Après + infinitif passé
Gérondif		En	

● Prépositions de temps + noms et nominalisations

Antériorité	Moment précis	Point de départ d'un événement	Durée	Postériorité
Avant son arrivée	**À** midi / Noël	**Dès** son retour	**Dans** un mois	**Après** sa naissance
En attendant l'été	**En** hiver	**Depuis** leur déménagement	**Depuis** quelques jours	
Jusqu'à lundi	**Au moment de** l'accident	**À partir de** cette semaine	**Pendant, Durant** le voyage	
		D'ici à samedi	**Au cours de, lors de** ce voyage	
			Partir **pour** un mois	
			Finir **en** deux jours	

● Expression de la date

Nous avons rendez-vous	mardi. ce mardi. mardi 25 (janvier). tous les mardis. le mardi.
Elle est née	un mardi (de janvier). un mardi 25 janvier. le mardi 25 janvier. en janvier. au mois de février. en hiver, en été, en automne, au printemps. en 1968. au XIXe siècle.

● Marqueurs temporels

Par rapport au moment du locuteur		Par rapport à un autre moment (passé ou futur)	
jadis	aujourd'hui	jadis	ce soir-là
autrefois	en ce moment	autrefois	le lendemain
naguère	à l'heure actuelle	naguère	le surlendemain
il y a un(e) an(née)	actuellement	un jour	la semaine précédente / d'avant
l'an(née) dernier(ère)	ce mois-ci	l'avant-veille	la semaine suivante / d'après
la semaine passée	ce soir	la veille	l'année précédente / d'avant
l'autre jour	demain	ce matin-là	l'année suivante / d'après
avant-hier	après-demain	ce jour-là	
hier	la semaine prochaine	à ce moment-là	
ce matin	l'an / l'année prochain(e)	alors	
		ce mois-là	

« Je donnerai ~~demain~~ dès maintenant. » Campagne pour le don du sang

B1.2 ★★ ⊕ **Activité de repérage 23 – La journée de la plage**

ⓐ Le texte suivant comporte de nombreuses expressions de temps et du lexique associé qui en renforce le sens. Soulignez toutes les expressions que vous repérez, puis classez-les dans les grandes catégories du tableau ci-dessous (faites une feuille à part).

Une action	Deux actions en relation
se produit à ... (date, heure, moment)	se produisent en même temps
se répète	se passent l'une après l'autre
évolue progressivement	se passent l'une avant l'autre
suit une autre	progressent en parallèle
a une durée	

Toutes les journées d'été se ressemblent à la plage. Elle est occupée, jour après jour, vingt-quatre heures sur vingt-quatre, sans vraie pause, par les vagues humaines qui se succèdent.

Au lever du soleil quelques fêtards et SDF y dorment encore, mais pas pour longtemps ! Les agents municipaux feront le ménage entre 6 et 7 heures, avant l'arrivée de la foule. Quelques baigneurs amoureux du calme nageront une bonne heure sans être dérangés.

Après leur départ, l'animation s'installera peu à peu. À partir de 7 heures, les livreurs approvisionneront les petits cafés et, pendant environ deux heures, la vie sur la plage sera essentiellement pratique.

Ensuite, les vacanciers arriveront et, au fur et à mesure, la plage se couvrira de serviettes et de parasols. À 11 heures, les enfants (enduits toutes les heures de crème solaire par les parents) feront d'incessantes allées et venues dans l'eau, en poussant des cris de joie. Les jeunes passeront des heures à améliorer leur bronzage et feront de longues parties de ballon.

Après quoi, les pique-niques sortiront petit à petit des sacs et les mères obligeront les petits à se cacher à l'ombre une heure ou deux. La chaleur amollira l'ambiance jusqu'à 17 heures. Tout au long de l'après-midi, les vendeurs de plage proposeront glaces et boissons.

Vers 18 heures, les familles qui sont restées toute la journée repartiront passer la soirée ailleurs. D'autres tribus s'installeront alors pour quelques heures avec apéro et pique-nique. Les jeunes quitteront le bord de l'eau pour les boîtes après avoir joué de la guitare et bu des bières pendant 2 ou 3 heures.

La nuit descendra doucement et il y aura un moment de calme relatif avant les visiteurs du soir, moins nombreux mais pas toujours plus discrets. Les amoureux et les promeneurs de la nuit écouteront le rythme constant des vagues alors que d'autres joueront de la musique toute la nuit. Certains trouveront un coin où dormir quelques heures.

Et puis l'aube rose annoncera le début d'une nouvelle journée, semblable aux précédentes et aux suivantes, pour tout l'été... Comme chaque année.

ⓑ Sur le modèle de ce texte, rédigez à votre tour la journée d'un lieu public très fréquenté : place centrale, gare, aéroport, café bien placé. Avec un maximum d'expressions de temps bien sûr.

B1.1
★

355. Dates dans un CV

a Dans le texte suivant, repérez tous les éléments qui permettent d'organiser les événements dans le temps.

Une femme vient d'accéder à la direction d'un des meilleurs hôtels 5 étoiles de la capitale. Delphine Tatour, trente-quatre ans, a effectué toute sa carrière dans l'hôtellerie : elle débute au Trianon Palace, hôtel 3 étoiles de Paris, après un BTH passé à Bourges. Elle est ensuite nommée première attachée de direction féminine à l'hôtel Intercontinental où elle passe deux ans et demi avant de partir un an au Canada, à l'hôtel Bonaventure. Enfin, elle revient à Paris comme directrice adjointe au Georges V. Elle est présente à la réouverture du Scribe en 2014. Elle vient d'être choisie pour diriger le Ritz, le fleuron du luxe récemment rénové. Une ascension irrésistible dans un milieu portant peu réputé pour son féminisme !

b Rédigez un court article sur la carrière de Pierre Tronchet avec les éléments ci-dessous.

Date de naissance : 1961

Études : licence de droit, réussite au concours de la police : 1984.

Carrière :

– 1985 : inspecteur dans la police à Nevers.

– 1988 à 1989 : stagiaire dans la police new yorkaise.

– 1990 : inspecteur de la police criminelle à Dreux.

– 1991 : stagiaire à Paris.

– 1992 : inspecteur principal à Lyon.

– 1997 : chef de la police judiciaire au quai des Orfèvres à Paris.

– 2007 à 2010 : conseiller pour la sécurité au ministère de l'Intérieur.

– 2010 à 2016 : responsable de la police des polices.

– 2016 : retraité.

B1.2
★★

356. Dates dans la presse

Rédigez des entrefilets à partir des éléments donnés ci-dessous. Utilisez les expressions de temps adaptées. Cherchez la précision.

> **1. Publié le 17 avril 2016**
>
> Accident : voiture et moto – Campus – Devant le restaurant universitaire – 16 avril 2016 – 14 heures.

> **2. Publié le 2 mai 2016**
>
> Réunion du Conseil de l'Europe – Strasbourg – Objet : les surplus agricoles – Dates : 8 mai, 9 heures → 15 mai, 17 heures – Horaires : 9 heures-12 heures et 14 heures-17 heures.

3. Publié le 24 mai 2016

Procès du cambrioleur Pierre Jacquet : 25 mai 2016 – Arrestation : 8 novembre 2015 – Prison préventive : 10 novembre 2015 → 24 mai 2016 – Peine prévisible : 3 mois de prison.

4. Publié le 16 juin 2016

Syndicat CGT de la SNCF – Grève à la SNCF – Quand : le 20 juin – Durée : inconnue.

5. Publié le 28 juin 2016

Départs en vacances – Encombrements : 30 juin et 10 juillet – Heures les plus chargées : 9 h – 16 h – Conseils de Bison Futé : éviter de rouler à ces heures.

6. Publié le 15 février 2016

Annonce du syndicat intercommunal de l'agglomération grenobloise – Objet : la construction de la ligne 5 du tramway – Date de début des travaux : juillet 2020 – Durée prévue du chantier : 4 ans.

« Ô temps, suspends ton vol
Et vous, heures propices
Suspendez votre cours »
Lamartine

« On ne peut plus dormir tranquille lorsqu'on a une fois ouvert les yeux. »
Slogan de Mai 68

« Dix minutes de bonheur par jour, c'est déjà pas mal. » Édith Piaf

« Le temps d'apprendre à vivre, il est déjà trop tard… » Georges Brassens

« Car bien avant que je puisse parler, bien avant que je puisse moi-même
la questionner, et bien avant encore que ce soit moi qu'on interroge,
il avait fallu lui dire ce qui s'était passé. Et dès le début, ce qu'elle racontait,
ce n'était pas comment j'avais été brûlée, mais comment je m'étais brûlée. »
Anne Godard, *Une chance folle* (2017)

« C'était marrant au départ jusqu'à ce que qu'ils découvrent le premier os. »
C.-J. Tudor, *L'homme craie*

● Expression de la durée

Pour situer une action (date ou durée), on utilise «depuis que», «il y a», «il y a... que», etc.

1. Discours en référence à aujourd'hui

Expressions du temps	Voici l'histoire d'Ornella qui travaillait, a perdu son emploi et cherche un autre emploi aujourd'hui		Temps du verbe
	L'action ne continue pas aujourd'hui		
Il y a + une période de temps (deux heures, trois jours, quatre ans)	Il y a 3 ans	Ornella travaillait.	**imparfait** (Repère temporel donc une durée passée) ou **passé composé** (Événement à un moment précis du passé)
	Il y a 2 ans	Ornella a perdu son emploi.	
	L'action continue aujourd'hui		
Depuis + date Depuis + nom d'action Depuis que + passé composé	● on veut situer le début de l'action **Depuis** cette date... **Depuis** son licenciement... **Depuis** **que** son usine a fermé...	...Ornella cherche un autre emploi.	**présent** (l'action continue aujourd'hui)
Depuis Il y a + durée Cela fait	● on veut exprimer la durée de l'action **Depuis** **Il y a** 2 ans **qu'** **Cela fait**	...Ornella n'a pas retrouvé d'emploi.	**passé composé** (la situation n'a pas changé)

2. Discours à un moment du passé

Expressions du temps	Voici l'histoire de Jules qui a habité Lyon, puis s'est marié en 2007 et est allé habiter à Paris. (L'année 2009 sert de référence pour les exemples.)		Temps du verbe
Depuis + date Depuis + nom d'action Depuis que + plus-que-parfait	● on veut situer le début de l'action **Depuis** 2007... **Depuis** son mariage... **Depuis** **qu'**il s'était marié...	... Jules **habitait** à Paris. ...Jules **n'habitait plus** à Lyon.	**imparfait** (l'action continue au moment qui sert de référence dans le passé.)
Depuis... Il y avait... que Cela faisait... que + durée	● on veut exprimer la durée de l'action **Depuis** deux ans... **Il y avait** deux ans **que**... **Cela faisait** deux ans **que**...	... Jules **avait quitté** Lyon.	**plus-que-parfait** (On mesure la durée écoulée entre l'action et le moment référence du passé.)

B1.1
★

⊕ **Activité de repérage 24 – Depuis / il y a**

Dans le texte ci-dessous, le locuteur parle aujourd'hui, mais il y a plusieurs références temporelles dans le texte : passé (il y a deux ans), présent (aujourd'hui) et futur (demain).Observez les temps et expressions utilisés. Que remarquez-vous ?

Référence passé : Il y a deux ans, cela faisait (il y avait) bientôt dix ans que Patrice avait fondé sa boîte. Cela faisait (il y avait) aussi quelque temps qu'il s'ennuyait. Il a donc revendu l'entreprise.

Référence présent : Aujourd'hui, il ne s'ennuie plus du tout : depuis qu'il a vendu sa première boîte, il s'est lancé dans d'autres projets dont il rêvait depuis longtemps.

Référence futur : Demain, cela fera (il y aura) un an qu'il a fondé sa deuxième entreprise. Depuis quelques mois déjà, les résultats sont prometteurs et il fêtera cela avec ses collaborateurs.

B1.2
★★

357. Depuis / il y a / plus tôt

ⓐ Comparez les phrases suivantes et observez les changements d'expressions et de temps selon le repère temporel choisi par le locuteur dans le présent ou le passé. Complétez le tableau.

Phrases	Référence présent	Référence passée	Action finie	L'action continue	Expression de temps	Temps du verbe
Exemple : *Il y a une heure, il a plu.*	✗		✗		*il y a*	*Passé composé*
1. Il y a une heure, il pleuvait.						
2. La pluie a commencé il y a une heure.						
3. Il pleut depuis une heure.						
4. Il pleuvait depuis une heure.						
5. La pluie avait commencé une heure plus tôt.						
6. Une heure plus tôt, il avait plu.						
7. Une heure plus tôt, il pleuvait.						

ⓑ Justifiez le choix des temps.

B1.1
★

358. Depuis ou il y a ?

Complétez les phrases suivantes avec l'expression correcte.

1. .... deux ans, les jupes étaient bien plus courtes. – **2.** Ils ne vont plus sur la Côte d'Azur .... bien longtemps. – **3.** Je l'ai rencontré .... une dizaine d'années. – **4.** Il garde le lit .... plusieurs jours. – **5.** Le facteur a apporté une lettre recommandée .... une heure. **6.** Elle ne sortait plus car, ... plusieurs jours, il soufflait un vent glacial. – **7.** Quelle pluie ! Quand je pense que .... un mois nous étions sur la plage à nous faire bronzer. – **8.** On ne la voyait plus parce que .... trois semaines, elle était en cure à Luchon.

B1.2
★★

359. Depuis que + passé composé
+ plus-que-parfait

a Reformulez les phrases suivantes en remplaçant « depuis » + nominalisation d'action par « depuis que » + verbe conjugué au passé composé ou au plus-que-parfait (selon le contexte). Attention, certaines formes verbales devront être au passif.

Exemples : **Depuis** leur **divorce**, ils ne se parlent plus.
→ **Depuis qu'**ils **ont divorcé**, fiançailles, ils ne se parlent plus.
Depuis leur **séparation**, ils ne se voyaient plus.
→ **Depuis qu'**ils **s'étaient séparés**, ils ne se voyaient plus.

1. Depuis le retour du beau temps, les paysans passent leurs journées dans les champs. – **2.** Depuis sa chute à ski, Marielle marchait avec une canne. – **3.** Depuis l'enlèvement du milliardaire, la police est sur les dents. – **4.** Depuis le départ des voisins, la vie lui semblait bien triste. – **5.** Depuis son élection, le président voyageait beaucoup. – **6.** Depuis l'arrivée de son frère, Patrice est très nerveux. – **7.** Depuis son changement d'adresse, elle ne voyait plus ses anciens amis. – **8.** Depuis la construction de la tour, son appartement ne voyait plus le soleil. – **9.** Depuis la naissance du bébé, ils dorment très mal. – **10.** Depuis la rénovation de l'hôtel, la clientèle fortunée est de retour.

B1.1
★

360. Référence : présent de durée – il y a... que / cela fait... que/ voilà... que + présent

B1.1
★

a Reformulez à l'aide des expressions il y a... que / cela fait... que/ voilà... que + présent.

Exemple : Nous habitons ce quartier depuis 10 ans.
→ **Il y a / Voilà / Cela fait 10 ans que nous habitons ce quartier.**

1. Baptiste exerce la médecine depuis 8 ans. – **2.** Ils vivent ensemble depuis 5 ans. – **3.** Elle est à Paris depuis 24 heures. – **4.** Il fait beau depuis une semaine. – **5.** Nos frontières sont stables depuis le XVᵉ siècle. – **6.** Nous résidons à La Réunion depuis deux ans.

> « J'ai perdu le sens de l'humour depuis que j'ai le sens des affaires. »
> Luc Plamondon compositeur québécois

B1.2
★★

b Nous sommes arrivés dans ce quartier il y a dix ans (et depuis nous y habitons toujours). Cette phrase est presque synonyme de l'exemple précédent, mais elle choisit d'exprimer l'action brève (arriver) qui précède l'action d'habiter le quartier (qui dure toujours). C'est la même situation, mais on ne met pas en valeur la même chose.

Composez des phrases exprimant ces nuances avec les informations suivantes.

Exemple : Marine / 6 mois / être embauchée / travailler
      – Vous insistez sur le début. **→ Marine a été embauchée il y a six mois chez Renault.**
      – Vous insistez sur la durée. **→ Marine travaille chez Renault depuis six mois**
      (= cela fait, voilà six mois que Marine travaille chez Renault).

1. L'entreprise / 10 ans / s'informatiser / tout gérer par informatique. – **2.** Mes parents / cinq ans / rencontrer un maître spirituel / suivre ses enseignements. – **3.** Nous / deux ans découvrir / pratiquer régulièrement la danse africaine. – **4.** Vous / 25 ans / arrêter de fumer / ne pas fumer. – **5.** Tu / 5 ans / supprimer la télé / ne pas avoir la télé. – **6.** Je / deux ans / choisir le chauffage au bois / me chauffer au bois.

B1.1
★

361. Depuis / il y a, cela fait, voilà... que / depuis que / il y avait, cela faisait... que

Le 28 octobre 2013, un vol à destination de Casablanca a été retardé pendant des heures sans explications données aux passagers.

Remarques : a) est un récit de l'événement écrit en 2016 ; b) présente les commentaires faits le jour de l'événement par les passagers. Ceci explique les différences de temps.

Complétez **a** et **b** avec il y a... / cela fait... / voilà... que ou il y avait / cela faisait... que ou il y a, depuis, depuis que.

a 2016

Cela .... des heures .... les passagers avaient enregistré les bagages et .... ils attendaient l'embarquement pour leur vol à destination de Casablanca. L'heure du départ était passée .... longtemps et .... des heures .... ils réclamaient sans succès des informations. .... longtemps .... ils n'avaient ni bu ni mangé et l'angoisse et la colère montaient peu à peu. .... ils attendaient, chacun avait fait de nombreux commentaires.

b 2013

《《 **1.** .... le temps .... on attend, ce n'est pas normal ! – **2.** On aurait dû partir .... des heures ! – **3.** .... des heures .... ne nous dit rien ! – **4.** Je n'ai rien dans l'estomac .... ce matin ! – **5.** .... trop longtemps ...... ils nous laissent sans information ! – **6.** .... une heure .... le responsable a disparu du guichet ! – **7.** .... il est parti, on n'a plus personne à qui s'adresser ! – **8.** Dans cinq minutes, ... exactement six heures .... on attend ! – **9.** Je ne comprends pas, ... des années .... je vole avec cette compagnie sans problème. – **10.** .... nous sommes arrivés dans cette salle, ma fille a eu une crise d'angoisse ! **》》**

362. Référence dans le présent : Cela fait... que / voilà... que / il y a... que + passé composé (verbes sans durée) + présent (verbes de durée)

B1.2
★★

Observez cet exemple :

L'employé du service des passeports vérifie ses informations en questionnant Madame Dujardin :
« **Il y a deux ans que vous avez recueilli** les enfants de votre sœur et donc **qu'ils vivent chez vous** et **que vous les élevez** ; c'est bien ça ? »

→ La situation est identique, l'expression de temps de temps utilisée est la même, mais les verbes et temps sont différents. L'action ponctuelle accomplie dans le passé (recueillir) est le début de l'action longue durée qui continue aujourd'hui (vivre, élever).

Sur le modèle de l'exemple, pour chacune des situations suivantes, proposez une phrase au passé composé et une phrase au présent en fonction du sens du verbe utilisé.

1. Madame Arthaud / 2 ans	a) devenir PDG de Total	b) diriger Total
2. Mon patron / 3 ans	a) perdre sa femme	b) être veuf
3. Sa sœur / 1 an	a) épouser un homme plus jeune	b) vivre avec un homme plus jeune
4. Nous / 8 mois	a) créer un dispensaire à Haïti	b) s'occuper d'un dispensaire à Haïti
5. Les Chabert / 5 ans	a) quitter la France	b) résider à Bruxelles
6. Je / 20 ans	a) avoir les cheveux courts	b) se faire couper les cheveux

363. Référence dans le présent : cela fait... que / voilà... que / il y a... que / depuis + négation du passé composé

B1.2
★★

Dites ce qu'Amandine reproche à sa vie et Ludovic à sa secrétaire en utilisant les expressions cela fait... que / voilà... que / il y a... que / depuis.

1. La vie est difficile pour Amandine et César Lacoste : un seul salaire, des menaces de licenciement, un budget très serré, trois enfants, du mal à boucler les fins de mois. Plus de voiture, de sorties, de loisirs, de vacances, de vêtements neufs. Ce soir, Amandine n'en peut plus et elle se confie à son amie Rosalie.

Exemple : **Ça fait / il y a / voilà cinq ans qu'on n'est pas partis en vacances.**
On n'est pas partis en vacances depuis cinq ans.

2. Ludovic Parent est un chef bienveillant et patient, mais depuis un an, sa secrétaire est devenue impossible : le bureau est sale et mal rangé, les dossiers pas classés, le courrier pas ouvert, des mails sans réponse, des clients n'ont pas reçu leurs devis. Elle ne sourit plus et passe des heures en conversations privées. Ça suffit ! Elle doit respecter ses obligations sinon il la mettra à la porte.

Exemple : **Ça fait / il y a / voilà un mois que vous n'avez pas rangé votre bureau.**
Vous n'avez pas rangé votre bureau depuis un mois.

B1.2
★★

364. Référence dans le passé : il y avait (cela faisait)... que + plus que parfait

a Continuez sur ce modèle de l'exemple avec les éléments suivants.

Exemple : Quand Nouria est allée rendre visite à son vieux professeur de piano, c'était trop tard : **cela faisait / il y avait deux ans qu'il était mort.**

1. Quand j'ai rencontré mon pote Albert, le joyeux luron de nos années de fac, il était devenu très très sérieux :
arrêter de fumer, cinq ans / cesser de boire, trois ans / devenir végétarien, deux ans / se convertir au bouddhisme, dix ans / adopter un enfant, six mois / se raser la tête, deux mois

2. Quand la police a retrouvé leurs traces, les délinquants avaient quitté les lieux : s'enfuir en voiture, douze heures / traverser la frontière, neuf heures/ rejoindre l'aéroport de Bruxelles, huit heures / s'envoler pour l'Afrique, sept heures / disparaître après l'atterrissage à Kinshasa, quatre heures.

3. Le 2 décembre 2014, la petite Amélie a disparu. Malheureusement, à Noël, on ne l'avait pas encore retrouvée :
quatre semaines Amélie disparaître, s'évaporer, ne pas donner signe de vie, ne pas rentrer / la police, ne rien trouver, échouer à la retrouver.

b Composez librement des phrases sur le modèle suivant.

Quand j'ai eu des nouvelles de Muriel, cela faisait / il y avait cinq ans qu'elle était devenue pilote de l'air.

B1.2
★★

365. Référence dans le futur : il y aura, cela fera... que + présent ou passé composé

Ces expressions sont d'un usage moins fréquent, mais on les utilise pour anticiper des dates anniversaire importantes, personnelles ou collectives.

Exemple : En août prochain/ dans un mois,
→ **il y aura dix ans que j'étudie la médecine (durée jusqu'à aujourd'hui).**
→ **cela fera dix ans que j'ai choisi la médecine (commencement de la durée).**

a Complétez les phrases suivantes avec il y aura, cela fera... que en conjuguant le verbe entre parenthèses au temps qui convient.

1. Dans un mois, ... dix ans que Marie (travailler) chez nous. Ça mérite une augmentation.

2. Le 7 juillet prochain, ... cinq ans que mon fils (naître).

3. Dans quelques jours, ... un an que je (perdre) mon chien.

4. Le mois prochain, ... dix ans que notre fille adoptive (vivre) avec nous.

5. Dimanche qui vient, ... trente ans que nous (être) amis).

6. Fin août, ... cinq ans que le petit Grégory (mourir).

7. Demain .... deux ans que nous (vivre) dans cette belle région.

b Sur le modèle de l'exemple ci-dessus, évoquez des événements de votre vie (ou de votre pays) dont la date anniversaire approche.

B1.2
★★

366. Il y a / Il y a... que / Il y avait... que / Il y aura... que / depuis / depuis que / cela fait / cela faisait... que / cela fera... que / voilà / voilà... que + quel temps ?

a Complétez les phrases en mettant au temps approprié le verbe entre parenthèses.

1. En 1999, cela faisait quarante ans que Boris et Sarah (se marier) .... – 2. Nous (décider de quitter la capitale) .... il y a de longues années et nous ne l'avons jamais regretté. – 3. Le chat (ne plus sortir dans le jardin) .... depuis qu'il s'était mis à neiger. – 4. Il a eu cet accident début 2005 et, depuis, il (avoir beaucoup de mal à marcher) .... – 5. À Noël, cela fera cinq ans que le pays (être libéré) ...., on fera une fête formidable. – 6. Hacène regardait sa montre avec impatience car cela faisait presque une heure qu'il (attendre sa copine) .... – 7. À la fin du mois, cela fera dix ans que Maria (travailler) .... pour la famille Aichoun. – 8. Voilà un certain temps que je (ne pas recevoir) .... de nouvelles de ma sœur. – 9. Voilà des jours qu'il (se plaindre) .... du bruit. – 10. Cela fait des milliards d'années que le Big-Bang (avoir lieu) ....

b Complétez les phrases avec les expressions de temps qui conviennent.

1. .... quinze jours .... papa m'a promis un nouveau téléphone et je ne vois toujours rien venir.

2. Il n'était pas retourné à la messe .... il avait célébré sa première communion.

3. Quand il est tombé malade, ... très longtemps .... il négligeait sa santé.

4. .... ils avaient reçu cette mauvaise nouvelle, ils étaient effondrés.

5. Nous avons brusquement réalisé que nous n'avions pas vu nos cousins .... leur déménagement.

6. .... une semaine .... tu le sais et tu ne m'as rien dit ?

7. Il a arrêté de travailler .... cinq ans pour élever leurs enfants.

8. On ne te reconnaît plus .... tu fréquentes des gens importants !

B1.2
★★

367. Pendant / pour

a Complétez les phrases suivantes avec l'expression correcte, comme ci-dessous.

Exemples : Il s'est absenté **pendant** une semaine. (On évalue une durée terminée au passé.)
Il s'absente (s'absentera) **pendant** une semaine. (On évalue une durée qui se terminera dans le futur.)
Il s'absentait **pendant** une semaine. (Idée d'habitude dans le passé.)
Ils sont partis **pour** un mois. (On évalue le terme d'une durée. Le verbe peut être à un temps du présent, du passé et du futur. Seuls le verbe « être » et les verbes synonymes de « partir » acceptent cette construction.)

1. Ils s'en vont .... un semestre au Canada. – **2.** Elle te téléphonera .... la matinée. **3.** Je vous envoie .... un mois en stage dans une entreprise allemande. – **4.** Retéléphonez la semaine prochaine, ils sont .... quelques jours à Paris. – **5.** Nous allons jouer aux cartes .... la soirée ; voulez-vous vous joindre à nous ? – **6.** Il restait .... des heures immobile à la fenêtre à contempler le ciel. – **7.** Il est nommé .... une durée indéterminée au quai d'Orsay. – **8.** Chaque année, elle partait .... trois semaines au Club Méditerranée. – **9.** Il a été gardien .... plusieurs années dans cet immeuble. – **10.** Un incident technique s'est produit .... l'atterrissage.

b Indiquez celles où « pendant » pourrait être supprimé.

B1.2
★★

368. En / dans

Complétez les phrases suivantes avec l'expression correcte.

Exemples : • **La voiture sera prête dans quelques heures.**

(On évalue une durée future à partir du moment du locuteur.)

• **Le garagiste a réparé (répare, réparera) la voiture en trois heures.**

(On évalue la durée nécessaire à la réalisation de l'action.)

1. Je reviens .... cinq minutes. **2.** Il a fait l'aller-retour .... une heure. – **3.** Ce devoir doit se faire .... temps limité. **4.** Patiente un peu, j'aurai terminé .... quelques minutes. – **5.** Il avait réalisé ce film .... un temps record. – **6.** Je n'aurais jamais cru que .... si peu de temps il fasse tant de progrès. **7.** Il a pris cette décision .... trois secondes. – **8.** Il a bâclé son travail .... un quart d'heure. **9.** Autrefois, on allait à Paris .... une journée ; maintenant, on y va .... trois heures et demie ; .... quelques années, on s'y rendra sans doute .... moins de trois heures. **10.** On commence à construire ici et, ... une décennie, cet endroit sera sans doute méconnaissable.

Expression de la simultanéité

B1.2
★★

369. Gérondif – Tout en même temps !

Quelles activités faites-vous en même temps quand vous êtes : dans les transports en commun, au volant, au boulot, à la pause déjeuner, en rentrant à la maison, à la cuisine, à table, au restaurant, etc. ? Vous aussi vous êtes « multitâches », dites-nous tout !

Exemple : Je fais souvent plusieurs choses à la fois.
Par exemple, le matin : je bois mon café en lisant le journal et en écoutant de la musique tout en répondant aux questions de mon compagnon... Il m'arrive aussi de fumer en même temps.

370. Tant que / aussi longtemps que

Associez les éléments des colonnes A et B pour créer des phrases complètes.

Exemple : **Tant qu'il y aura / aussi longtemps qu'il y aura des hommes et des femmes, il y aura des histoires d'amour...**

A	B
1. Tu n'auras pas la nouvelle tablette... •	• a. aussi longtemps que tu voudras.
2. Tu peux pleurer tant que tu veux... •	• b. aussi longtemps que ce sera nécessaire.
3. Tant qu'il y a de la vie... •	• c. tant que je n'aurai pas trouvé la solution.
4. Reste chez moi... •	• d. je ne changerai pas d'avis.
5. Je continuerai à chercher... •	• e. il y a de l'espoir.
6. Il maintiendra ce régime •	• f. tant que tes résultats scolaires ne s'amélioreront pas.

371. Répétition simultanée

Lorsqu'on utilise les expressions « chaque fois que » et « toutes les fois que », deux actions (un sujet ou deux sujets) se répètent en même temps. Formulez deux phrases (un sujet puis deux sujets) pour chacune des idées qui suivent.

Exemples : **Chaque fois que je prends l'avion, j'ai peur.**
J'ai peur toutes les fois qu'il conduit de nuit.

1. J'ai le cœur qui bat .... – **2.** Il ne dort pas de la nuit .... – **3.** Tu dors comme un bébé .... – **4.** Ils ont le trac .... – **5.** Vous rougissez .... – **6.** Ils perdent leur calme ....

372. À mesure que, au fur et à mesure que

Sur le modèle ci-dessous, reformulez les phrases suivantes.

Exemple : **À mesure que / au fur et à mesure que le président parlait, les visages devenaient inquiets.**

1. L'éducation progressera et en parallèle la violence diminuera.

2. Le temps passe et les sauveteurs perdent progressivement l'espoir de retrouver les alpinistes vivants.

3. La population et la pollution augmentent, le réchauffement climatique aussi.

4. Les invités buvaient beaucoup et petit à petit les esprits se sont échauffés.

5. L'incendie se rapprochait et les habitants devenaient plus nerveux de minute en minute.

6. Certains philosophes disent que nous devenons plus sages en vieillissant. Est-ce bien vrai ?

« Il faut dire des mots jusqu'au bout, tant qu'il y en a. Il faut avancer encore, vers quoi je ne le saurai jamais, il ne faut pas s'arrêter avant la fin. » Samuel Beckett

B1.2
★★

373. Au moment où, à l'instant où, à la seconde où, le jour où, à l'heure où

Répondez aux questions suivantes en utilisant au moment où, à l'instant où, à la seconde où, le jour où, à l'heure où.

1. Quand est-ce que vous avez compris qu'on avait volé votre portefeuille ? – **2.** Quand est-ce que votre moto fait ce bruit bizarre ? – **3.** Quand la police a-t-elle bloqué la rue ? – **4.** Martine est ressortie furieuse de la pièce où étaient son fiancé et leur amie Françoise. Elle est sûrement arrivée à un mauvais moment ? – **5.** Quand t'es-tu aperçu que tu n'avais plus tes clés ? – **6.** Tu as eu une contravention injuste pour un feu rouge, je crois ? – **7.** Je dois donner l'argent pour acheter cette maison quand je signerai les papiers ? – **8.** Vous avez eu de la chance de tirer le premier... il avait une main sur le revolver ?

B1.2
★★

374. Simultanéité et opposition – Appréciez votre chance

a Continuez sur le modèle ci-dessous.

Exemple : **Quelle chance de bronzer au soleil pendant que / tandis que / alors que les autres travaillent !**

1. Vous avez beaucoup de chance : vous suivez des cours de langue, et, pendant ce temps, d'autres font des petits boulots.

2. Vous avez de la veine : vous jouez de la guitare et, pendant ce temps, d'autres sont gardiens de nuit.

3. C'est un bonheur : vous séjournez chez vos parents le week-end et, pendant ce temps, d'autres ont un job d'appoint.

4. C'est un plaisir : vous sirotez un apéro en terrasse et, pendant ce temps, d'autres finissent de taper un rapport.

5. C'est un délice : vous faites les boutiques et, pendant ce temps-là, votre mari travaille.

b Inversez les données en utilisant le vocabulaire suivant : malchance , déveine , malheur , punition , corvée .

Exemple : **Quelle malchance de faire des petits boulots pendant que d'autres se bronzent au soleil !**

c Créez d'autres phrases avec le même système.

« Les Français sont soit en retard soit en avance, rarement à l'heure des autres. Ils ne sont pas différents, mais ils semblent l'être car leur horloge est décalée. »
Théodore Zeldin

« Tant que l'homme sera mortel, il ne sera pas vraiment décontracté. » Woody Allen

Expression de l'antériorité et de la postériorité

375. Antériorité – Vaste programme...

a Voici la liste des envies d'Adrien : il s'engage à les réaliser en un an. Faites des séries de phrases pour les formuler en utilisant :

1. le futur antérieur

2. l'infinitif passé pour bien marquer que l'action doit être accomplie avant un an.

Avant un an
Dans un an   + futur antérieur
D'ici un an
Avant que l'année soit finie (se termine) + je veux que + infinitif passé

Vaste programme...

Exemple : **Avant un an / dans six mois / d'ici la fin de l'année**
           1. J'aurai essayé le deltaplane
           2. Je veux avoir essayé le deltaplane

LA LISTE DES ENVIES D'ADRIEN

- arrêter les somnifères
- simplifier son organisation
- quitter Facebook
- finir les travaux de la maison
- escalader le mont Aiguille
- dire « merde » au tabac
- emmener les enfants en Afrique

- devenir zen
- arriver à écrire sa thèse
- aller contempler les étoiles
- se raser le crâne
- se faire tatouer
- s'intégrer dans son nouveau quartier
- se mettre vraiment au bio

b Continuez avec votre propre liste d'envies :

D'ici un an je serai devenu / je veux être devenu végétarien...

et questionnez les autres : « Que veux-tu avoir réalisé / accompli/fait d'ici un an ? »

« Combien de gens meurent avant d'avoir fait le tour d'eux-mêmes ! » Sainte Beuve

---

« Mieux vaut prendre le changement par la main
avant qu'il ne vous prenne par la gorge. » Winston Churchill

B1.2
★★

376. Avant, avant que, avant de

Observez:

Le satellite a atterri avant le lever du soleil. / avant que le soleil se lève.

les deux sujets sont différents → subjonctif

le même sujet pour les deux verbes →infinitif

Reformulez les phrases suivantes en remplaçant « avant » + nom par « avant que »
+ subjonctif ou « avant de » + infinitif.

1. Je vous téléphonerai avant votre départ. – **2.** Avant l'augmentation des impôts, le Premier ministre a convoqué le Conseil. – **3.** Avant le démarrage, vous devez mettre au point mort. **4.** Il avait rassemblé toutes ses troupes avant l'invasion des Pays-Bas. – **5.** Avant l'évasion du prisonnier, son complice lui avait fait parvenir des armes. – **6.** Avant l'atterrissage de l'avion, les passagers bouclent leur ceinture. – **7.** Avant son aveu, personne ne le soupçonnait. – **8.** Avant la construction d'une maison, il faut demander un permis. – **9.** Avant son départ, le patron a pris soin de régler toutes les formalités.

B1.2
★★

377. Avant... Après

Observez ce tableau

Avant + nom + de + infinitif présent + que + subjonctif présent	*avant* la fin. *J'ai quitté la fête **avant** d'être fatigué.* *avant qu'elle (ne) devienne folle.*
Après + nom + infinitif passé + que + indicatif	*après* le champagne. *J'ai quitté la fête **après avoir mangé** le dessert.* ***après que** mon ex-mari m'a fait une scène.*

ⓐ Sur ce modèle, réécrivez la triste histoire d'Aurore et Victor qui se sont séparés.

Aurore a quitté Victor...
...**avant** son anniversaire, **avant** d'être trop engagée, **avant qu**'il ne la quitte.
...**après** qu'il l'ait / l'a négligée. (Le subjonctif est aujourd'hui d'usage dans la langue courante.)
...après son anniversaire / après avoir bien réfléchi.

Utilisez avant
Aurore a quitté Victor avant...

1. L'été approchait.

2. Aurore commençait à s'ennuyer

3. Elle commençait à le détester.

4. Victor commençait à devenir autoritaire.

Utilisez après
Aurore a quitté Victor après...

5. Ils ont voyagé ensemble en Sicile.

6. Aurore a rencontré Antonio.

7. Victor a trompé Aurore.

8. Aurore a compris que Victor ne changerait pas.

ⓑ Continuez les phrases suivantes avec « avant » ou « après » dans diverses structures.

1. Il a quitté la capitale...

2. Elle a quitté son travail...

3. J'ai quitté les lieux...

4. Il a quitté son pays...

Etc.

378. Dès que, aussitôt que, à peine... que, une fois que

Transformez les phrases suivantes.

Exemple : Quand le professeur entre dans la salle, les élèves arrêtent de bavarder.
→ **Dès que le professeur entre dans la salle, les élèves arrêtent de bavarder.**

1. Quand le film a commencé, les gens se sont tus.

2. Quand Océane sera arrivée, il cessera de bouder.

3. Quand le soleil brille, elle s'installe dehors pour bronzer.

4. Quand il avait trouvé des informations intéressantes, il les communiquait à ses collègues.

5. Quand Gilles parle politique, c'est la dispute dans la maison.

6. Quand le garagiste a remonté la roue, il a fait la facture

7. Quand il avait fini ses corrections, il partait se promener.

8. Quand il avait labouré et préparé la terre, il semait le blé.

Antériorité, simultanéité, postériorité

379. Antériorité ou postériorité ?

Reliez les deux actions par diverses expressions de temps marquant que l'une a lieu avant ou après l'autre dans le temps. Attention, on ne peut pas utiliser toutes les expressions de temps. Attention aussi aux modifications de structure. Utilisez des temps différents.

Exemple :
action 1 dans le temps : l'information / sortir lundi sur le réseau
action 2 dans le temps : la presse nationale / la reprendre mardi
→ **La presse nationale a repris l'information aussitôt après sa publication sur le réseau.**
→ **L'information a été reprise par tous les journaux après être d'abord sortie sur le Web.**
→ **Avant d'être en première page de la presse nationale, l'information était déjà sur le Web.**

Action 1 dans le temps	Expression de temps	Action 2 dans le temps
1. Le directeur / activer le système d'alarme	....	quitter la banque
2. les malfaiteurs / sortir de prison	....	commettre un nouveau braquage
3. L'alarme / se déclencher	....	la police / arriver sur les lieux
4. La disparition du petit Prosper / être signalée	....	l'alerte enlèvement / être déclenchée
5. L'identité des terroristes / être connue	....	les retrouver / devenir plus facile

Action 1 dans le temps	Expression de temps	Action 2 dans le temps
6. La grève des pilotes / commencer il y a cinq jours	....	la compagnie aérienne / annuler 900 vols
7. Le cycliste / être contrôlé positif au dopage	....	la fédération / l'éliminer de la compétition
8. Les négociations de paix / durer au moins une semaine.	....	se terminer par un accord
9. L'accord / être signé par toutes les parties	....	les casques bleus / se mettre en place
10. L'ex-président / se retirer de la vie publique	....	se lancer dans l'écriture de ses mémoires

Synthèses

B1.1
★

380. Phrases à terminer

Terminez les phrases suivantes avec diverses expressions de temps.

Exemple :

Elle l'a aimé

- **jusqu'à** sa mort.
- **trois jours**.
- **dès qu'**elle l'a vu.
- **avant de** le connaître.
- **au premier** coup d'œil.

1. L'avion a décollé .... – **2.** Je te raconterai tout .... – **3.** Il a fait du sport .... – **4.** Il écrivait une thèse .... – **5.** Nous ne passerons pas à table .... – **6.** Il n'a pas dit un seul mot .... – **7.** Il ne vous donnera pas d'autorisation de sortie .... – **8.** Il avait décidé de partir au Togo .... – **9.** Il faudra que vous suiviez un régime sévère .... – **10.** Elle s'était maquillée soigneusement.

B2.1
★★★

381. Phrases à compléter

Complétez les phrases avec l'expression qui convient.

1. Nous prendrons patience .... le magasin ouvre. – **2.** Je lirai un peu .... tu sois prête. – **3.** .... tu auras fini, nous pourrons partir. – **4.** Il a changé d'avis .... avoir étudié le dossier. – **5.** Il a dit n'importe quoi .... savoir quel était le problème. – **6.** Nous devrions tout ranger .... les invités arrivent. – **7.** Un peu de courage ! Tu sais bien que nous devons travailler .... six heures. – **8.** Il serait plus prudent de partir .... la nuit. **9.** J'ai compris ce qu'il voulait vraiment seulement .... Marie m'a expliqué sa pensée. **10.** J'ai horreur de sortir du lit tôt, surtout l'hiver .... le lever du soleil. – **11.** Ils sont sortis de la pièce .... nous sommes arrivés. – **12.** .... la voiture sera réparée, nous filerons dans le Midi. – **13.** .... arrivés à la maison, ils se sont précipités pour piller le frigo.

14. La jeune fille au pair gardera le bébé .... les parents reviennent du cinéma. – **15.** Je te le répéterai .... tu n'auras pas pris la décision d'arrêter de fumer.

B1.2
★★

382. Phrases à compléter – La course

ⓐ Complétez les phrases suivantes avec les expressions proposées. (Attention aux contraintes de sens et de syntaxe.)

après cinq minutes	à mesure que	au bout de
après avoir	avant de	chaque fois que
jusqu'au moment	pendant une demi-heure	
quand	tous les jours	une fois que

1. .... elle allait courir au parc .... aller au bureau.

2. .... elle courait, elle faisait provision de calme.

3. .... elle ne vivait plus que dans ses sensations.

4. Déjà, ... de course, son cerveau s'arrêtait de bavarder.

5. .... les muscles étaient vraiment chauds, une régularité s'installait.

6. .... le temps passait, elle perdait la sensation d'effort.

7. .... elle avait atteint son vrai rythme, le plaisir venait.

8. .... vingt minutes, l'euphorie la prenait.

9. Elle profitait pleinement de la beauté du parc .... où elle devait s'arrêter pour aller au bureau.

10. .... couru, elle se sentait sur un petit nuage et travaillait sans pression.

ⓑ Pendant qu'Amandine court, des pensées se déploient à partir de ses sensations et évoquent des souvenirs, des rêves, des peurs, des plaisirs... Complétez avec des expressions de temps respectant le sens et le contexte.

1. Cette forêt sent les pins, ça me rappelle .... j'étais petite dans les landes et que Mamy m'emmenait ...... à la plage. Et aussi .... on a rencontré ce drôle de type. J'avais eu peur et j'ai fait des cauchemars ....

2. Je me sens fatiguée, j'ai besoin d'un sucre .... ! mmm, je m'offrirai un gâteau en rentrant .... Oui, mais .... j'aurai encore grossi, je serai furieuse ! Bon, je boirai seulement une eau minérale...

3. Quelle heure est-il ? J'ai couru seulement .... ! Je ne suis pas du tout en forme, je m'arrêterai .... cinq minutes, exceptionnellement. Et cet après-midi, je ferai .... de sieste.

4. Ce petit air frais qui me chatouille .... je suis arrivé ici, c'est trop délicieux ! Travailler .... dans un bureau, ce n'est plus possible ! J'étudie .... un plan de reconversion ! Si je me débrouille bien ...., j'aurai des gîtes ruraux en Dordogne.

« Ça fait des années qu'on nous dit que demain sera pire qu'aujourd'hui...
Hum... je me méfie des experts. » Aymeric Duport, journaliste

B2.1
★★★
383. Création de phrases – D'autres vies que la mienne

a Racontez l'emploi du temps d'une de ces trois personnes en utilisant des expressions de temps.

Exemples :
1) Michel part au travail à 6 heures 30, une demi-heure après s'être levé.
2) Basile se couche enfin à l'aube, exactement à l'heure où Michel se lève.
3) À cette heure-là, Danièle est encore au lit pour deux heures.

Michel, ouvrier d'usine		Danièle, scénariste de films		Basile, *branché* parisien	
6ʜ	réveil	8ʜ	réveil en musique, zumba	6ʜ	coucher à l'aube
6ʜ30	départ au travail	8ʜ30	petit-déjeuner dans la salle de bains	12ʜ	premier réveil provisoire
7ʜ	entrée à l'usine			14ʜ	petit-déjeuner tardif au café-tabac du coin
7ʜ30	début du travail	9ʜ30	début du travail : rendez-vous par téléphone	15ʜ	échange intense de SMS et coups de fil
10ʜ	pause-café	10ʜ30	rendez-vous avec un metteur en scène	16ʜ30	choix difficile de LA bonne tenue
10ʜ15	reprise du travail				
12ʜ	déjeuner à l'usine	12ʜ30	déjeuner avec les enfants	18ʜ	pot dans un bar à jus avec un copain
14ʜ	reprise du travail	14ʜ	café avec une amie	19ʜ	vernissage d'une exposition de peinture
18ʜ	sortie de l'usine et pot au bistrot avec quelques collègues	14ʜ30	écriture de scénarios		
		18ʜ	séance de relaxation sur le tournage d'un film aux studios de Boulogne	20ʜ	apéritif avec des amis
18ʜ30	30 minutes de métro, retour			21ʜ	dîner (invité) dans un restaurant chic cinéma
19ʜ	arrivée à la maison, rangement, bricolage	19ʜ20	apéritif à la cafétéria des studios		
20ʜ	dîner chez lui, avec les infos ou chez sa copine	20ʜ30	courses chez le fleuriste d'un supermarché	22ʜ30	dans une fête branchée
20ʜ30	jeu vidéo, chat internet ou série télé			1ʜ 2ʜ30	dans une boîte de nuit dans un club privé
21ʜ	toilette	21ʜ	dîner chez des amis	4ʜ	retour par le premier métro
22ʜ30	au lit	24ʜ	au lit	5ʜ30	une bonne douche
23ʜ	sommeil sans rêves			5ʜ45	au lit
				6ʜ	ronflements

b L'emploi du temps d'un père divorcé

Bruno Dugard, père divorcé de deux enfants dont il a la garde le week-end, parle de son emploi du temps du lundi. Complétez ses paroles avec les expressions de temps suivantes.

postériorité : dès, dès que, à peine, une fois

simultanéité : en écoutant, en me dirigeant, tout en pianotant, pendant que, à la fois, en même temps que, quand

rapidité : deux minutes, cinq minutes d'affilée, en trente secondes, pas le temps de, à toute vitesse

jour : journée à venir, toute la journée, du jour

heure : d'ici à quarante minutes, à 7 h15

divers : déjà, souvent, encore, parfois

« .... mon réveil à ...., je consulte mails et SMS .... vers la salle de bains : ouf, tout va bien ! .... sorti de la douche, je réveille les enfants .... sur Autolib pour réserver une voiture .... J'avale un café .... mon fils m'explique une technique de concentration vue en cours. .... discuter de leur ......, chacun a .... pour préparer ses affaires. Nous dévalons l'escalier .... les enfants attachés dans le véhicule, je me faufile dans l'heure de pointe .... leur joyeux bavardage. .... ils sont à l'école, je troque la voiture pour un vélo. Je pédale .... et, ... je récapitule mon programme du .... j'arrive au travail, j'ai .... géré une petite centaine d'activités .... simultanées et cela continuera .... je me demande si je saurais .... me concentrer sur une seule activité .... pendant .... **»**

B2.1
★★★

384. Plusieurs façons d'exprimer la même idée

Reformulez les phrases suivantes en utilisant tous les procédés exprimant l'antériorité, la simultanéité ou la postériorité que vous avez appris dans ce chapitre :

conjonction + indicatif	préposition + nom
conjonction + subjonctif	préposition + infinitif

Exemple : Il a mangé **puis** il est sorti.
        Dès qu'il a fini de manger...
        Il est sorti **après** son repas.
                tout de suite après avoir fini son repas.

1. Le garagiste réparait les freins de la Peugeot ; pendant ce temps-là, Yves son ouvrier, changeait une ampoule du phare cassé. – **2.** Léa est partie en Inde ; avant, son mari avait demandé une année de congé sabbatique et sous-loué leur appartement à un ami. – **3.** Il a aperçu sa femme dans les bras d'un autre homme ; il a immédiatement demandé le divorce. – **4.** Tu loueras une voiture ; tu pourras tout de suite après partir visiter la région. – **5.** Elle a pris un somnifère, puis elle s'est endormie. – **6.** Je lui faisais une remarque ; à chaque fois elle se mettait en colère. **7.** Ils sont arrivés à la gare ; le train partait juste. – **8.** Les Dugrand étaient en voyage au Brésil ; c'est alors que leur villa a été cambriolée. – **9.** Elle a déménagé à Nice début mai ; depuis, il n'a pas plu. – **10.** Le ténor commençait son grand air ; le feu a alors pris dans les combles de la salle de concert. – **11.** Sonia n'est pas encore rentrée du marché ; en attendant, son mari fait le repassage. – **12.** Il s'est retourné pour voir si les enfants suivaient ; à cet instant, une voiture l'a renversé. – **13.** Le film se termine ; tous les spectateurs se lèvent et quittent la salle. – **14.** Bonne

nouvelle pour les fonctionnaires le premier janvier ; leur salaire va augmenter ce jour-là. – **15.** Il mange moins ; il a beaucoup maigri. – **16.** La Syldavie a rompu ses relations diplomatiques avec le Ravadjistan ; le gouvernement a tout de suite demandé à ses ressortissants de quitter le pays. – **17.** Carole est tombée dans l'escalier ; après ça, elle n'a plus pu faire de ski. – **18.** Ils vivaient heureux depuis dix ans ensemble ; ils ont décidé de se marier. – **19.** Aude et Sylvain Texier sont partis au Canada ; avant leurs amis avaient préparé en secret une fête en leur honneur. – **20.** Les charpentiers travaillaient sur le toit ; en même temps, les maçons montaient un mur autour de la propriété.

B2.1
★★★

385. Créativité – La vie n'est pas un long fleuve tranquille

ⓐ Dans une vie de citoyen moyen dans un pays développé et en paix (comme la France de 2017) la plupart des gens font, d'après les statistiques, la même chose au même âge.

6 ans = premier amour	43 ans= divorce (hommes)
14 ans = premier baiser	46 ans = mariage (gays)
16 ans = première cuite	50 ans = crédit immobilier remboursé
17 ans = premier rapport sexuel	52 ans = achat d'une résidence secondaire
19 ans et + = obtention du permis de conduire	54 ans = les femmes deviennent grand-mères
23 ans = premier emploi	56 ans = les hommes deviennent grand-pères
28 ans = premier enfant (femmes)	63 ans = départ à la retraite
30 ans = mariage (femmes)	75 ans = on a 5 petits-enfants
32 ans = mariage (hommes)	79 ans = mort des hommes
39 ans = création d'une entreprise	85 ans = mort des femmes
40 ans = divorce (femmes)	86 ans = les survivants entrent en maison de retraite
41 ans = mariage (lesbiennes)	Ils n'y vivent pas très longtemps

En utilisant le maximum d'expressions de temps, faites le récit d'une de ces vies « faciles ».

Exemples :
– **À 6 ans**, Olivier est tombé raide amoureux d'une copine de classe et **pendant des mois**, ils se sont tenu la main.
– Pour son premier baiser, il avait **14 ans** ; il croyait qu'il resterait seul **éternellement** mais heureusement, Stéphanie a pris **rapidement** les devants.

ⓑ Mais la vie est (rarement) un long fleuve tranquille : il y a beaucoup d'imprévus, de surprises, d'aléas, de complications... En groupe, faites une liste des imprévus possibles à chaque étape ou entre ces étapes. La personne s'est-elle trouvée au bon endroit au bon moment ou au mauvais endroit au mauvais moment ? Comment a-t-elle réagi ? A-t-elle fait les bons choix ?

Puis rédigez un deuxième récit de vie avec ces nouvelles données en introduisant un maximum de marqueurs temporels pour les structurer.

Exemple : Le mariage d'Arielle était prévu **pour le 25 mai**, mais son fiancé s'est tué la veille dans un accident de moto. Elle s'est retrouvée « veuve » avant d'être mariée : un vrai choc ! **Après** quelques mois difficiles, elle a retrouvé le goût de vivre et **deux ans plus tard**, elle a épousé Benoît qui était amoureux d'elle **depuis** leur enfance.

Le discours rapporté

 L'ESSENTIEL SUR...

Citer les paroles de quelqu'un peut se faire de deux façons : au style direct (on rapporte exactement les termes utilisés en les mettant entre guillemets) ou au style indirect. Dans ce cas, le rapport est moins objectif et plus complexe. Il implique la présence d'un énonciateur, le choix d'un verbe introducteur, la présence d'un mot de subordination, une modification éventuelle des pronoms et la prise en compte du temps et du lieu par rapport au moment de l'énonciation.

● Ordre des mots

	Style direct	Style indirect
Ponctuation	Le message est précédé par deux points et il est introduit et fermé par des guillemets. Le verbe introducteur peut se mettre avant, au milieu ou à la fin du message. Notez l'inversion du verbe par rapport au sujet dans ces deux derniers cas. *Sylvie dit à Fabien, l'instituteur : « Mon fils a de la fièvre et il n'ira pas à l'école. »* *« Mon fils a de la fièvre, dit Sylvie à Pierre, et il n'ira pas à l'école. »* *« Mon fils a de la fièvre et il n'ira pas à l'école », dit Sylvie à Fabien.*	Le verbe introducteur précède obligatoirement le message. Les deux points sont remplacés par un mot de subordination (ici : « que » et « si »). Les guillemets, les points d'interrogation ou d'exclamation disparaissent. L'inversion (ou l'expression « est-ce que ») de l'interrogation est remplacée par l'ordre normal des mots. *Sylvie dit à Fabien, l'instituteur, que son fils a de la fièvre et qu'il n'ira pas à l'école.*

« Certains disent que, pour améliorer l'humanité, il faut changer la société.
D'autres disent qu'il faut plutôt nous changer nous-mêmes.
Moi, je ne sais pas par quoi commencer. » André Gide, écrivain du XXe siècle

« Tout ce que je cherche, c'est le "carrousel" de tout ce qui peut être dit, pensé, chuchoté, crié, affirmé, suggéré par un terrien de passage. » Philippe Sollers, écrivain

● Modalité de la phrase et mot de subordination

	Style direct	Style indirect
Assertion	*Le directeur dit à ses employés :* *« les bureaux seront fermés* *la semaine prochaine ».*	**Le mot de subordination = que** *Le directeur dit à ses employés* *que les bureaux seront fermés* *la semaine prochaine.*
Question	*« Pourrez-vous rattraper votre travail ?* *« Quel moment vous conviendra le mieux ?* *« Qu'est-ce que vous préférez ? »*	**Le mot de subordination = si** lorsque la question porte sur le verbe. Sinon, on utilise le même mot interrogatif que dans la question : où, quand, comment, pourquoi, avec qui, etc. ⚠ **ATTENTION :** « qu'est-ce que » donne « ce que » « qu'est-ce qui » donne « ce qui ». *Il leur demande si elles pourront rattraper* *leur travail, quel moment leur conviendra* *le mieux et ce qu'elles préfèrent.*
Ordre	*« Avertissez le concierge. »*	**Le mot de subordination =** **que + subjonctif** **de + infinitif** *Il dit qu'elles avertissent le concierge.* *Il leur dit d'avertir le concierge.*

● Changement des pronoms personnels et des pronoms et adjectifs possessifs

Style direct	Style indirect
Bernard dit à son frère Luc : « J'ai perdu mes clés : peux-tu me prêter les tiennes ? »	*Bernard dit à son frère qu'il a perdu ses clés* *et lui demande s'il peut lui prêter les siennes.* Mais si c'était Luc qui rapportait les paroles de son frère, on aurait : *Bernard me dit qu'il* *a perdu ses clés et me demande si je peux lui* *prêter les miennes.* **Le changement dépend donc de la personne qui rapporte le message.**

● Changement de temps

	Style direct	Style indirect
Le verbe introducteur est au présent à l'impératif au futur au conditionnel présent	*Monsieur Martin demande à son voisin : « Est-ce que le facteur est passé ? »*	**Aucun changement de temps du verbe au style indirect.** *Monsieur Martin demande à son voisin si le facteur est passé.*
Le verbe introducteur est à un des temps du passé de l'indicatif ou au conditionnel passé	**Le verbe du message est : à l'imparfait au plus-que-parfait au conditionnel présent au conditionnel passé** *Sébastien a demandé à Irène : « C'était bien cette fête ? Tu avais prévenu les amis de mon absence ? Tu pourrais me dire qui était là ? J'aurais tant aimé être avec vous. »* **Le verbe du message est au présent au passé composé au futur au futur antérieur** *Valérie a téléphoné à ses parents : « J'ai raté mon train, il n'y en a plus ce soir, je reviendrai demain, j'aurai bientôt fini ces voyages. »*	**Pas de changement de temps.** *Sébastien a demandé à Irène si cette fête était bien, si elle avait prévenu les amis de son absence, si elle pourrait lui dire qui était là ; il a ajouté qu'il aurait tant aimé être avec eux.* **Le verbe du message rapporté est à l'imparfait au plus-que-parfait au conditionnel présent au conditionnel passé** *Valérie a téléphoné à ses parents qu'elle avait raté son train, qu'il n'y en avait plus ce soir-là, qu'elle reviendrait le lendemain, qu'elle aurait bientôt fini ces voyages.*
Cas de l'impératif	**Quel que soit le temps du verbe introducteur, si le verbe du message est à l'impératif, il change au style indirect.** *Le père dit à son fils : « Aide ta sœur. » Le père a dit à son fils : « Aide ta sœur. »*	**Le verbe du message rapporté se construit avec : de + infinitif que + subjonctif (rare)** *Le père dit / a dit à son fils d'aider sa sœur. qu'il aide sa sœur.*

« Il se répéta intérieurement d'une voix tremblante que dans trois semaines, il fêterait à la fois sa naissance, si lointaine, et sa mort, si proche ; qu'il célèbrerait une double fête. » Milan Kundera, *La fête de l'insignifiance*

● Adaptation des expressions temporelles dans le cas où le verbe introducteur du message est à un temps du passé

Style direct	Style indirect
Il y a un an	un an avant / auparavant
l'année dernière	l'année précédente / d'avant
la semaine passée	la semaine précédente / d'avant
avant-hier / hier	l'avant-veille / la veille
ce matin	ce matin-là
aujourd'hui	ce jour-là
en ce moment / actuellement	à ce moment-là
ce mois-ci	ce mois-là
demain / après-demain	le lendemain / le surlendemain
la semaine prochaine	la semaine suivante / d'après
l'année prochaine	l'année suivante
dans un an	un an après / plus tard
tout à l'heure	quelque temps avant / après
ici	là

● Variété et nuances des verbes du discours rapporté

Style direct	Style indirect
Le maire a déclaré : «De nouveaux bâtiments sociaux vont être construits.» Un adjoint a demandé : «La date est-elle déjà fixée ?» Le maire a répondu : «Nous allons la fixer au prochain conseil municipal.» Un membre de l'opposition a dit : «Il faudra que cette date soit respectée !»	Le maire a déclaré (affirmer, assurer, répéter, annoncer, attester, garantir, promettre...) que de nouveaux bâtiments sociaux allaient être construits. Un adjoint a demandé (interroger, questionner, poser une question, vouloir savoir...) si la date était déjà fixée. Le maire a répondu (préciser, expliquer, dire) qu'ils allaient la fixer au conseil municipal suivant. Un membre de l'opposition a dit (demander, vouloir, exiger, ordonner / souhaiter, être d'avis, proposer, suggérer, conseiller...) qu'il faudrait que cette date soit respectée.

> [!] **REMARQUE :** pour les niveaux **B1.2** ★★,
> il est préférable de faire d'abord les exercices 386 à 392.

> «Surtout, ne le répétez à personne, c'est un secret qui m'a été confié.»
> Gilles Guilleron, linguiste

B1.2
★★

B2.1
★★★

⊕ **Activité de repérage 25 – *L'étranger***

Ce texte littéraire rapporte au passé un dialogue qui s'est tenu au présent.

ⓐ Soulignez les passages en style indirect.

Le soir, Marie est venue me chercher et m'a demandé si je voulais me marier avec elle. J'ai dit que cela m'était égal et que nous pourrions le faire si elle voulait. Elle a voulu savoir alors si je l'aimais. J'ai répondu, comme je l'avais déjà fait une fois, que cela ne signifiait rien, mais que sans doute je ne l'aimais pas. « Pourquoi m'épouser alors ? » a-t-elle dit. Je lui ai expliqué que cela n'avait aucune importance et que, si elle le désirait, nous pouvions nous marier. D'ailleurs, c'était elle qui le demandait et moi je me contentais de dire oui. Elle a observé alors que le mariage était une chose grave. J'ai répondu : « Non. » Elle s'est tue un moment et elle m'a regardé en silence. Puis elle a parlé. Elle voulait simplement savoir si j'aurais accepté la même proposition d'une autre femme, à qui je serais attaché de la même façon. J'ai dit : « Naturellement. » Elle s'est demandé alors si elle m'aimait moi, je ne pouvais rien savoir sur ce point. Après un autre moment de silence, elle a murmuré que j'étais bizarre, qu'elle m'aimait sans doute à cause de cela, mais que peut-être un jour je la dégoûterais pour les mêmes raisons. Comme je me taisais, n'ayant rien à ajouter, elle m'a pris le bras en souriant et elle a déclaré qu'elle voulait se marier avec moi. J'ai répondu que nous le ferions dès qu'elle le voudrait.

Albert Camus, *L'étranger* © Éditions Gallimard

B1.2
★★

ⓑ Transposez les passages soulignés en discours direct au présent jusqu'à « J'ai répondu : non ».

ⓒ Observez les différences : verbes, structures de phrases, temps, ponctuation.

Discours indirect au passé	Discours direct au présent
Marie… m'a demandé si je voulais me marier avec elle. etc.	Est-ce que tu veux / veux-tu te marier avec moi ? etc.

ⓓ Jouez la scène.

« Kikadi ? C'est çui qui dit qui y est… »
Les enfants dans les cours de récréation

B1.1
★

386. Ordre des mots et ponctuation

Mettez les phrases suivantes au style indirect.

Exemple : Elle dit : « Le chat a mangé le camembert ».
> → **Elle dit que le chat a mangé le camembert.**

1. Arthur demande à son frère : « Est-ce que les voisins sont rentrés ? » – **2.** Clément dit : « Il fait très froid. » – **3.** Le passant demande : « Quelle heure est-il ? » – **4.** Le policier ordonne aux manifestants : « Dispersez-vous ! » – **5.** Elle demande : « Pourquoi ce bébé pleure-t-il tant ? » **6.** Il ordonne aux élèves : « Taisez-vous ! » – **7.** Il voudrait savoir : « Combien le client a-t-il payé la réparation de la voiture ? » – **8.** Madame Rouvel demande : « Qui est-ce qui a cassé la sonnette ? » **9.** Le pompier crie au public : « Évacuez la salle ! » – **10.** Il veut savoir : « Qu'est-ce que les enfants mangent à quatre heures ? » – **11.** Elle se demande : « Qu'est-ce qui a bien pu faire ce bruit ? »

B1.1
★

387. Changement de pronoms et d'adjectifs

Mettez les phrases suivantes au style indirect.

Exemple : Le concierge dit : « Je n'aime pas les locataires bruyants. ».
> → **Le concierge dit qu'il n'aime pas les locataires bruyants.**

1. Ils nous disent : « Vous devez partir. » – **2.** Elle me dit : « Tu me mens. » – **3.** Pierre me promet : « Mon patron essaiera de faire quelque chose pour ta fille. » – **4.** Ils nous font savoir : « Notre voiture est tombée en panne à quelques kilomètres de chez vous. » – **5.** Le ministre déclare : « Nous réglerons ce problème quand nous aurons étudié les dossiers. » – **6.** Elle leur affirme : « Vous réussirez certainement. » – **7.** Vous nous dites : « Nous ne pourrons pas venir vous aider. » – **8.** Ma mère me répète tout le temps : « Il ne faut pas que tu sortes seule le soir. » – **9.** Les étudiants déclarent au maire : « Nous ferons notre manifestation même si vous l'interdisez. » – **10.** Ethan me dit : « Je ne suis pas d'accord avec toi. »

B1.1
★

388. Variation des pronoms selon qui rapporte le message

Mettez les phrases suivantes au style indirect ; le verbe introducteur sera toujours au présent.

Exemple : Madame Brun à son fils Anatole :
> – Anatole, **tu** dois ranger **ta** chambre avant l'arrivée de **tes** amis ! Anatole tu entends ce que je dis ?
> – Mais oui, maman ! **Tu me dis que je dois ranger ma chambre avant l'arrivée de mes amis, je ne suis pas sourd.**

1. Le père à son fils : « Pourrais-tu mettre mes lettres à la poste ? » Le fils rapporte ces paroles à Juliette → ....

2. Nicolas à Blaise : « J'ai rencontré tes parents chez mon oncle. »
Blaise à Kévin → ....
Kévin à Luigi → ....

3. Madame Thibaud à sa fille : « Si tu vas au marché, rapporte-moi une laitue et une douzaine d'œufs. »
Madame Thibaud à sa voisine → ....
La fille à une amie → ....

4. Lucas à Sacha : « Tu te souviens du jour où je t'avais enfermé dans la cave ? »
Sacha à son père → ....
Lucas à Coline → ....

5. Raphaël à Bob : « J'ai oublié de souhaiter à Louise son anniversaire. Comment me faire pardonner ? »
Bob à Louise → ....
Louise à sa mère → ....

6. Le journaliste à la radio : « Tous les trains sont en grève ; évitez de prendre tous votre voiture. »
Un Parisien à sa femme → ....
Un Belge à un collègue → ....

B1.1
389. Message rapporté par différentes personnes
★

Madame Legrand explique à Ludivine, la jeune fille qui s'occupe des enfants, qu'elle doit s'absenter pour quelques jours avec son mari et elle lui laisse ses consignes avant de partir.

« Ce soir, vous irez chercher les enfants à l'école. Vous leur expliquerez que je dois partir quelques jours avec leur père pour notre travail. Je vous laisse ma voiture pour que vous perdiez moins de temps. Voici mes clés ; vous avez bien votre permis de conduire dans votre sac ? Rappelez à Océane qu'elle doit prendre ses médicaments : elle aurait tendance à les oublier. Charles doit penser à rapporter son survêtement. Je crois vous avoir tout dit. »

a En fait, Ludivine est tout à fait étourdie et deux heures après, elle ne se souvient plus de rien. Elle demande à Madame Martin, la femme de ménage qui était là quand Madame Legrand lui a laissé ses consignes, de lui rappeler ce qu'elle a à faire. Écrivez ces consignes.

Madame Legrand vous dit d'aller chercher...

b À présent, mettez le texte au style indirect pour dire les informations que Ludivine transmet aux enfants.

Votre mère me charge de vous dire qu'elle doit partir...

> « À l'encontre de ce que prétendent les marchands de bonheur, être heureux dépend infiniment moins d'un travail sur soi que de l'état du monde et du sort de ceux que nous aimons. » Luc Ferry, philosophe contemporain

B1.1
★

390. Discours indirect au présent → discours indirect au passé

Mettez la phrase complète au passé.

<u>Exemple</u>: Je crois qu'il arrive le 12.
→ **Je croyais qu'il arrivait le 12.**

1. Vous dites qu'il passait vous voir tous les soirs ? → ....

2. Vous savez qu'il est parti en voyage et qu'il ne reviendra pas avant huit jours ? → ....

3. Ils disent que les cyclistes sont arrivés en bus et qu'ils seront bientôt repartis. → ....

4. Il prétend qu'il avait tout de suite compris la vérité. → ....

5. On raconte que nous vendrons la ferme quand notre père sera mort. → ....

6. Je t'affirme qu'elle t'aime et qu'elle viendra à ton rendez-vous. → ....

7. Elle dit qu'elle préférerait des fleurs. → ....

8. Tu dis qu'il a réussi son permis de conduire et qu'il va s'acheter une moto. → ....

B1.1
★

391. Discours indirect au passé

Mettez les phrases suivantes au style indirect.

<u>Exemple</u>: J'ai répondu : « Je suis pressé ».
→ **J'ai répondu que j'étais pressé.**

1. Le fonctionnaire a expliqué à l'étudiant : « Il faut d'abord aller à la préfecture. » – **2.** Le graffeur a expliqué aux policiers : « Je ferai ce qu'il me plaira quand ça me plaira. » – **3.** La radio a annoncé : « On n'a pas retrouvé le tableau. » – **4.** Ce soir-là, les responsables disaient : « Nous ne serons pas absents longtemps. » – **5.** Le journaliste a écrit : « Les terroristes se sont enfuis avec une voiture volée, ensuite ils l'ont abandonnée. » – **6.** La radio a annoncé : « Les policiers ont cherché partout les enfants perdus mais ils ne les ont pas trouvés. » – **7.** Le ministre a déclaré : « Les habitants de ce village seront relogés. » – **8.** L'entreprise a affirmé : « Nous ne sommes pas responsables. »

B1.1
★

392. Discours indirect au passé

Reliez les événements proposés pour faire une phrase au discours indirect.

1. Il lui a affirmé : « Mais oui, Madame, j'embauche aussi des femmes. » **2.** Elle m'a dit : « Il vient dîner tous les soirs ici. » – **3.** Tu m'avais dit : « Il est venu et il est reparti tout de suite. » – **4.** Il me disait : « Gilles s'est levé à cinq heures, ensuite il est parti et on ne l'a pas revu. » **5.** Claude m'a dit : « Je n'ai pas osé avouer à ma famille que j'avais perdu mon emploi. » – **6.** Elle m'a expliqué : « Nous allons partir pour un mois à la mer quand Coline sera revenue de son stage. » – **7.** Sa mère m'a dit : « Ils ont décidé de ne plus se voir parce qu'ils n'avaient plus rien à se dire. » – **8.** Je crois qu'il a dit : « Quand maman aura consulté ses messages, elle pourra te donner un coup de main. »

B1.2
★★

393. Variations de temps et expressions temporelles

Lorsqu'on rapporte les paroles de quelqu'un le jour même, mais quelques heures après le moment où celles-ci ont été prononcées ou bien le lendemain de ce jour, certains changements (de temps, d'expressions temporelles) n'auront pas à être effectués. Par contre, si le décalage entre le moment de l'énonciation et l'instant où l'on rapporte le message est important, toutes les modifications devront être faites.

Complétez le tableau suivant. Attention à certaines expressions caractéristiques de l'oral et qui ne peuvent passer telles quelles au discours rapporté.

Exemple : – « Ça va ? »
　　　　　– « Bof ! »
　　　　　→ Il lui a demandé comment ça allait, et son ami lui a répondu que ça allait moyennement.

Message au style direct	Message rapporté peu de temps après	Message rapporté longtemps après
Exemple : 17 novembre 2011 à 9 heures Simon à Jean : « Ça y est, j'ai reçu ma nomination, je pars demain pour Paris. »	17 novembre 2011 à 18 heures Jean à sa femme : « Simon m'a raconté qu'il a enfin reçu sa nomination et qu'il part demain à Paris. »	25 juin 2017 à 12 heures Jean à un collègue qui lui demande des nouvelles de Simon : « Ce matin-là, Simon m'avait dit qu'il avait enfin reçu sa nomination et qu'il partait le lendemain à Paris. »
10 octobre 2012, le matin Dimitri à Nicolas : « J'en ai vraiment assez de ce travail. Hier, encore, rien n'était prêt pour la rentrée ; je vais changer de boulot ! »	10 octobre 2012, le soir Nicolas à Lise :	20 septembre 2015 Nicolas parle de Dimitri à Marc : ......
1er juin 2013 dans la matinée Sébastien à Nathalie : « Quelle histoire ! Le week-end dernier Jacques a failli être tué dans un carambolage sur l'autoroute. »	1er juin 2013 au dîner Nathalie parle de Jacques à son mari :	28 septembre 2016 Nathalie parle de Jacques à Marie : ......

« Mon père prétendait que je mourrais sur la paille. Il avait raison. » Marcel Proust

B1.1
★

394. Quel verbe et quel temps utiliser au style indirect ?

Transformez les phrases de la première colonne au style indirect en utilisant les verbes appropriés, d'abord avec un verbe introducteur au présent (il dit que, il demande si / de, il répond que), puis avec le verbe introducteur au passé (il a dit que, il a demandé si / de, il a répondu que).

Style direct	Style indirect Le verbe introducteur est au présent	Style indirect Le verbe introducteur est au passé
1. Paul à sa mère : « J'AIME LE CHOCOLAT. »	....	....
2. Emma à ses amis : « JE N'IRAI PAS AU CINÉMA. »	....	....
3. Alain à Yasmina : « TU VIENDRAS AVEC MOI ? » Yasmina : « NON, JE NE PEUX PAS. »	....	....
4. Yves à Corentin : « EST-CE QUE TA MÈRE EST ARRIVÉE ? » Corentin : « NON, PAS ENCORE. »	....	....
5. Philippe à sa sœur : « QUI EST-CE QUI EST VENU ? »	....	....
6. Jade à Sylvie : « QUI PARTIRA AVEC TOI ? »	....	....
7. Nathan à Rose : « QU'EST-CE QUE TU VEUX ? »	....	....
8. Arthur à Lucas : « QU'EST-CE QUI S'EST PASSÉ ET DE QUOI PARLIEZ-VOUS ? »	....	....
9. Camille à son mari : « NE PARS PAS TOUT DE SUITE. »	....	....
10. Yves à Marc : « À QUI A-T-ELLE TÉLÉPHONÉ ET POURQUOI A-T-ELLE FAIT ÇA ? »	....	....
11. Claude à Marc : « QUELLE ÉTAIT SA FLEUR PRÉFÉRÉE ? »	....	....

12. Rémi à ses amis : « ENTREZ VITE. »	....	....
13. Luc à ses voisins : « OÙ IREZ-VOUS EN VACANCES ? »	....	....
14. Aline à sa fille : « VEUX-TU M'APPORTER UN VERRE D'EAU ? »	....	....

B1.2
★★

395. **Choix du verbe introducteur**

Mettez les phrases suivantes au style indirect passé en choisissant le verbe introducteur approprié dans la liste suivante.

demander   exiger   prier   souhaiter   reconnaître   admettre   avouer   accepter

refuser   déclarer   annoncer   expliquer   répéter   confirmer   nier   promettre

garantir   certifier   assurer   inviter à   confier   évoquer   dire

1. Jonathan à son grand-père : « Tu vois, Papy, pour tes mails, tu dois cliquer sur cette icône. »

2. Un touriste à un passant : « Pardon, Monsieur, où se trouve la gare ? »

3. Adam à son frère : « Ben, c'est toi qui as raison en fait, pas moi. »

4. Léo à sa mère : « Oui, le vase, c'est moi qui l'ai cassé... C'est un accident. »

5. Un homme politique : « Je n'ai jamais fait de telle déclaration à la presse. »

6. Pierre à Anna : « Ce n'était pas lui, j'ai dû me tromper. »

7. Monsieur Blanc à son fils : « Non, non et encore non, je ne te prêterai plus la voiture. »

8. Le professeur aux élèves : « Silence, taisez-vous immédiatement ! »

9. Mathilde à ses amies : « Devinez quoi ? J'attends un bébé. »

10. Le président : « La séance est ouverte. »

11. Simone à son fils : « Bon, je veux bien que tu dormes chez ton copain. C'est d'accord. »

12. Thérèse au téléphone : « Nous revenons bien samedi, par le TGV de 21 h. »

13. Un serveur à un groupe de jeunes : « Dites, les jeunes, vous pouvez faire moins de bruit, s'il vous plaît ? »

14. Un commerçant : « Monsieur, comme je vous l'ai déjà dit, nous n'avons pas cet article. »

15. La vendeuse : « Pas de souci, Madame, cette machine est tout à fait silencieuse. »

16. Le moniteur d'auto-école au jeune homme : « Vous devez toujours regarder dans le rétroviseur avant de doubler une voiture. »

17. Le vieux mari à sa vieille épouse : « Cela fait soixante ans que nous vivons ensemble et je t'aime plus que jamais. »

18. Romain à son ami Florent : « Ça marchera jamais, Noémie et moi... J'arrive même pas à lui dire bonjour. »

19. Farida à sa mère : « Je n'ai jamais mis de rouge à lèvres dehors, je te jure. »

20. Romain, à la pause café : « J'espère que le week-end ne sera pas trop pourri ! »

21. Grand-mère : « Ah, c'était beau la Côte d'Azur dans les années cinquante ! »

22. Un petit garçon : « Ah non, ce n'est pas moi qui ai mangé le chocolat ! »

396. Discours rapporté et lexique – Qualifier des propos

Après toute une journée passée ensemble, Marc propose à ses amis : « Et si vous veniez tous dîner chez moi ce soir ? » Comment ont-ils accepté ou refusé ? Aidez-vous du vocabulaire présenté dans le tableau ci-après.

Exemple : **Matthieu s'est jeté sur l'idée avec enthousiasme.**
Matthieu, enthousiasmé, a accepté sans hésiter.
Matthieu, enchanté par l'idée, a sauté sur l'occasion.

MATTHIEU : – Ouais ! c'est une idée géniale.

HUGO : – C'est vraiment gentil de ta part. Je t'aiderai si tu veux.

PIERRE : – D'accord. Qu'est-ce que j'apporte ?

MICHEL : – J'ai un rendez-vous…

JEANNE : – Oh ! quel dommage, je dois aller voir ma mère ce soir.

SOPHIE : – Bof, pourquoi pas ?

ANNIE : – Non merci, ça ne me dit rien du tout.

LAURE : – Si ça te fait plaisir.

ROSELYNE : – Passer la soirée ensemble ? Ah ça non ! je vous ai assez vus !

ROLAND : – Ça, c'est l'idée du siècle !

Étaient-ils	Ont-ils	Se sont-ils
enchantés	sauté sur l'occasion	jetés sur l'idée
ravis	trouvé l'idée sympathique	excusés gentiment
enthousiasmés	accepté sans hésiter	maladroitement
contents	avec enthousiasme	sincèrement
sans enthousiasme	avec plaisir	avec un prétexte
froids	avec reconnaissance	sans délicatesse
gentils	par gentillesse	
de mauvaise humeur	par désœuvrement	
agressifs	chaleureusement	
embarrassés	refusé avec regret	
serviables	avec embarras	
reconnaissants	froidement	
désolés	sèchement	
sincèrement désolés	catégoriquement	
	proposé un coup de main	
	de participer	

« Mon gosse m'a demandé pourquoi aller voir ailleurs si les gens sont comme nous, tout ça pour revenir à la maison ! » Anne Brunet, reporter

Rapporter un dialogue

B1.2
★★

397. Rapporter un dialogue – Inquiétude

Charlotte est convoquée par son patron pour la première fois. Elle se confie à une collègue et amie, Léa.

CHARLOTTE : – Léa ! le patron veut me voir. Qu'est-ce que ça veut dire ?

LÉA : – Je ne sais pas, moi. Peut-être rien.

CHARLOTTE : – Non, non… je sens quelque chose de pas très clair dans cette histoire.

LÉA : – Je ne crois pas, tu dramatises toujours tout.

CHARLOTTE : – Tout de même, je ne me sens pas tranquille ! Il ne m'a jamais convoquée.

LÉA : – Allons, allons, ne t'affole pas. Il veut peut-être te confier d'autres responsabilités.

CHARLOTTE : – Tu crois ? J'ai plutôt peur qu'il trouve que je ne suis pas à la hauteur.

LÉA : – Tu ne vas pas recommencer à te dévaloriser. Tu fais du bon travail, tu le sais.

CHARLOTTE : – Tu sais bien que je n'en suis jamais sûre.

LÉA : – Cesse de te poser des questions inutiles, tu te fais du mal, du mal pour rien. Tu n'es plus une enfant, quand même !

À l'aide des éléments de lexique suivants, transcrivez en discours rapporté le dialogue de Charlotte avec Léa. Le verbe introducteur sera au passé.

Adjectifs :

– nerveuse, inquiète, craintive, paniquée
– peu sûre d'elle, incertaine, hésitante, sceptique
– calme, compréhensive, rassurante, maternelle
– ferme, décidée, catégorique.

Verbes :

– avoir l'impression, le sentiment, la sensation, une interprétation
– exprimer une inquiétude, de l'appréhension, de la crainte, de l'agacement
– se poser des questions, réconforter, remonter (parlé)
– désapprouver, blâmer, critiquer
– réprimander, sermonner, secouer (parlé), houspiller

Adverbes :

– gentiment, doucement, calmement, patiemment
– fermement, catégoriquement

★★

398. Rapporter un dialogue –
Un peu de folie dans la grisaille quotidienne !

Transposez ce dialogue entre Didier et sa copine Olivia en discours rapporté au passé en utilisant les procédés étudiés dans les exercices 386 à 398 et après avoir relu le texte de Camus de l'activité de repérage n°25.

OLIVIA : – Enfin le carnaval de Lille ! C'est pas trop tôt !

DIDIER : – Ah bon, t'aimes ça, toi ? Je croyais que tu n'aimais pas la foule.

OLIVIA : – Oui, mais c'est pas pareil, c'est la fête !

DIDIER : – Ça ne me dit rien, j'ai peur des alcooliques.

OLIVIA : – Bon, on boit un peu, c'est vrai, mais surtout on s'amuse : on se déguise, on se lâche et pour quelques heures, on est quelqu'un d'autre... Tu vas t'éclater, promis !

DIDIER : – Ouais... OK, je tente l'expérience. Tu ne me laisseras pas tomber, hein ?

★★

399. Compléter un dialogue puis le rapporter – Téoùlà ?

Ninon et Nathalie ont prévu d'aller au cinéma avec Karine. Elles craignent de rater le début du film car elles attendent depuis trente minutes Karine, qui n'arrive pas. Celle-ci appelle enfin Nathalie.

ⓐ Complétez le dialogue direct avec les répliques de Karine.

« – ....

– Ah, c'est toi ! T'es où là ?

– ....

– Bien sûr qu'on t'attend ! Comme d'hab, je te signale ! Qu'est-ce que tu fabriques, là ?

– ....

– Quoi ? Qu'est-ce qui t'arrive encore ?

– ....

– Arrête ! Tu te moques de moi là.

– ....

– Ah non ! On va y aller, au cinéma, avec ou sans toi ! Débrouille-toi sans nous. **»**

ⓑ Le lendemain, Nathalie rapporte la situation et le dialogue à Camille avec un ou deux commentaires plutôt énergiques.

> « On la fin du film, mais il n'a pas su s'en empêcher. » Un critique du masque et la plume, France Inter

B2.1
★★★

400. Rapporter un conflit – Ça chauffe !

a Lisez le dialogue ci-dessous.

Le grand frère, Grégory : – Regarde ce que tu as fait, tu as cassé ma tablette, t'es vraiment un pauvre petit *con*, un crétin ! Plus nul que toi, il n'y a pas !

Le petit frère, Nolan : – Mais c'est pas moi, j'ai rien fait ! Je te jure ! Et pourquoi tu m'insultes comme ça ? T'es trop méchant !

Grégory : – Tais-toi, imbécile ! Et arrête de pleurnicher… T'as toujours été nul et tu le seras toujours, c'est comme ça.

Nolan : – Maman, maman, maman ! Y'a Grégory qui…

La mère : – Qu'est-ce qui se passe là ? Vous faites quoi tous les deux ? C'est quoi ce cirque ?

Nolan : – J'ai peur ! Grégory est méchant avec moi ! Il dit que je suis nul. Il m'a dit « petit con » !

Grégory : – Ce crétin ment ! Je l'ai vu jouer avec ma tablette, et maintenant elle est *foutue* ! Il casse toujours tout, il est vraiment trop nul !

Nolan : – Maman, tu entends comme il me parle ? Il me déteste ! J'ai pas cassé sa tablette.

La mère : – ASSEZ ! Taisez-vous ! Je n'en peux plus avec vous deux, vous êtes vraiment impossibles !

Nolan : – Mais maman, il m'a insulté !

Grégory : – Il a cassé ma tablette !

La mère : – J'ai dit « assez » ! Je ne veux pas savoir qui a commencé. Je confisque la tablette. Toi, arrête de gémir, apprends à te défendre. Et toi, si tu le tapes, tu auras de sérieux problèmes. Allez, ouste ! Filez dans vos chambres. Je ne veux plus vous voir jusqu'au dîner.

b Rapportez les paroles, les actions, les sentiments et les attitudes des deux frères et de la mère à l'aide des éléments suivants :

1) la version de chacun des personnages, puis son résumé bref.

2) votre version détaillée de l'histoire (**partielle** et détaillée)

Pour Grégory (le grand frère) : agressif, de mauvaise foi, jaloux, méchant / attaquer, agresser, insulter, traiter de, prétendre

Pour Nolan, le petit frère : blessé, impuissant, stupéfait / se mettre à pleurer, sangloter, gémir / se plaindre, dénoncer

Pour la mère : en colère, furieuse, hors d'elle / se montrer ferme, se mettre en colère, sortir de ses gonds / faire des reproches à, passer un savon à, « engueuler »

Pour les 3 : déclarer, dire, expliquer, rappeler, répéter, répondre, rétorquer, critiquer, prétendre, insinuer, etc. / avec fermeté, force, colère, indignation, violence, mauvaise foi, des sanglots, etc.

Le discours rapporté et les textes de presse

 Activité de repérage 26

Dans les entrefilets suivants, soulignez et relevez les expressions qui servent à rapporter le discours.

1. ÉCONOMIE

Le ministre de l'économie a souligné hier dans une conférence de presse à Bercy, les bons résultats économiques des six derniers mois. Il a réaffirmé avec force la volonté du gouvernement d'aider les entreprises, et il a annoncé que des simplifications administratives étaient en préparation.

2. SOCIAL

Interrogé sur le volet social gouvernemental, hier à la chambre des députés, le Premier ministre s'est montré très discret. Aucune mesure nouvelle n'a été annoncée. Il s'est contenté d'indiquer qu'il avait créé un nouveau groupe d'études sur « la fracture sociale ».

3. SANTÉ DU CHEF DE L'ÉTAT

Le porte-parole de l'Élysée a démenti formellement les rumeurs de maladie concernant le chef de l'État. Certains députés de l'opposition s'étaient récemment inquiétés à ce sujet. Il a même souligné l'excellente forme physique du président de la République en racontant quelques anecdotes.

4. DÉMENTI

Le président du Sénat a fait savoir qu'il se retirerait de la scène politique à la fin de son mandat, mais pas avant… Certains avaient annoncé un peu vite que sa démission était imminente et la rumeur s'était emballée sur les réseaux sociaux.

5. INONDATIONS

Le chef de l'État a exprimé son émotion devant ce désastre et il a assuré les victimes de son soutien. Il a annoncé le classement en zone de catastrophe naturelle et s'est engagé à débloquer rapidement une aide financière importante pour les zones sinistrées.

6. CONSOMMATION

Tous consommateurs part en guerre contre les grandes surfaces : il dénonce leurs procédés commerciaux douteux, s'indigne que le gouvernement laisse faire, réclame une moralisation du secteur et appelle les consommateurs à agir.

7. SÉCURITÉ

Un communiqué du ministère de l'intérieur met en avant les bons résultats de la lutte contre la criminalité. Les syndicats de policiers ne partagent pas cet optimisme et certains contestent même les méthodes statistiques utilisées. La Ligue des droits de l'homme, quant à elle, déplore l'augmentation des bavures policières.

8. SERVICE PUBLIC

Les syndicats de fonctionnaires s'inquiètent de la politique actuelle (suppression de postes, fermeture de guichets) qui, selon eux, cache une volonté de privatiser tous les services de l'État. Ils alertent l'opinion sur cette évolution et exigent un débat parlementaire sur la question du service public. Le gouvernement affiche, lui, sa volonté de moderniser l'administration… Dialogue de sourds.

9. MARDI ROUGE

Les syndicats annoncent une grosse journée de mobilisation sociale pour le mardi 12 décembre. Ils appellent tous les secteurs de la société à manifester leur désaccord avec « la politique de casse sociale » du gouvernement. Les fonctionnaires sont invités à réclamer une hausse de salaire. Les enseignants ont déjà dit qu'ils allaient s'opposer à la nouvelle réforme. Les taxis protestent contre la concurrence des autres chauffeurs. Les contrôleurs du ciel, qui exigent le maintien de leur statut, ont déclaré qu'ils participeraient au mouvement… Un petit conseil : le 12, allez manifester ou restez à la maison !

10. VIVE L'EUROPE

Le ministre de l'économie a souligné hier dans une conférence de presse à Bercy, les bons résultats économiques des six derniers mois. Il a réaffirmé avec force la volonté du gouvernement d'aider les entreprises, et il a annoncé que des simplifications administratives étaient en préparation.

B1.2
★★

401. Rapporter des déclarations publiques

Transformez les phrases avec le verbe de discours rapporté proposé entre parenthèses.

Exemple : Nous serons bien de retour samedi. (confimer)
→ **Nous confirmons que nous serons bien de retour samedi.**

1. La direction est entièrement d'accord avec notre plan. (approuver) – **2.** Non ! malgré ce que dit l'article du *Monde*, je n'ai pas de compte en Suisse ! (nier) – **3.** Vous critiquez mes actions mais les vôtres sont détestables. (contre-attaquer) – **4.** Comme disait Ronsard « Cueillez dès aujourd'hui les roses de la vie. » (citer) – **5.** La rumeur dit que je suis candidate, mais c'est inexact. (démentir) – **6.** C'est absolument incroyable qu'on mette si peu d'argent dans ce projet essentiel ! (s'indigner) – **7.** Notre parti n'acceptera jamais d'alliance avec l'extrême droite. (refuser) – **8.** Il n'y a aucune raison de s'opposer aussi brutalement ; des compromis sont possibles. (calmer le jeu) – **9.** Votre association peut compter sur l'aide de la mairie. (manifester son soutien) – **10.** Le chômage régresse, c'est magnifique ! (se réjouir) – **11.** Fermez immédiatement la circulation sur l'autoroute. (décider sans hésiter) – **12.** Ce n'est pas la première fois que le problème se présente. (rappeler) – **13.** La centrale n'est absolument pas dangereuse d'après le Premier ministre. (rassurer) – **14.** Puisque tout le monde insiste, je veux bien prendre cette responsabilité. (accepter) – **15.** À cette époque, les rythmes de vie étaient moins rapides. (évoquer) – **16.** Les négociations n'ont pas beaucoup avancé, hélas ! (regretter) – **17.** Un employé de l'entreprise a fait connaître ses mauvaises pratiques. (dénoncer)

B2.1
★★★

402. Reformulations polémiques – Pas de cadeau !

Vous êtes un des candidats à la présidence d'une association, d'une entreprise, d'un parti, d'un pays. Vous faites campagne et vous attaquez vos adversaires selon le modèle suivant.

Exemple : « Il nous conseille de revenir à la simplicité, mais il porte un costume à 2 500 euros ! »

Vous pouvez utiliser les verbes suivants : promettre   proposer   proclamer   prétendre   assurer   répéter   s'inquiéter   recommander   nier   révéler

403. Reformulations de déclarations

Voici une série de dix déclarations. Reformulez chaque déclaration en faisant une phrase complète. Vous choisirez parmi les verbes proposés. Plusieurs formulations sont possibles mais pas toutes ; chacune apporte une nuance de sens, laquelle ?

Exemple : « C'est notre sensibilité qui change d'échelle. » (le directeur du musée Beaubourg)
→ **Le directeur du musée Beaubourg a assuré / affirmé que c'était notre sensibilité qui changeait d'échelle.**

Un professeur de science politique :

1. « C'est toute notre civilisation qui change à toute vitesse, comme à la Renaissance. » (professeur de sciences politiques)

annoncer / croire / estimer / raconter

2. « Faut-il changer la Constitution ? » (un député de l'opposition)

questionner / se demander / souhaiter / suggérer

3. « Il n'y a aucune excuse pour la discrimination, jamais. » (un militant des droits de l'homme)

dire / critiquer / s'élever contre / avertir

4. « Attention à ne pas sous-estimer l'angoisse des demandeurs d'emploi. » (le directeur de l'agence pour l'emploi)

être d'avis / attirer l'attention / conseiller / prétendre

5. « Surtout conservez votre emploi pendant la préparation du dossier. » (le président de l'APCE, Agence pour la création d'entreprise)

expliquer / recommander / s'inquiéter / croire

6. « Chez GO, j'ai fait tous les jobs, Ça aide. » (le PDG de GO voyages)

révéler / raconter / répéter

7. « La recherche médicale peut-elle rester compétitive sans aide publique ? » (un généticien, directeur de recherche à l'INSERM)

se demander / exprimer son inquiétude / critiquer / mettre en garde

8. « Nous ne parlerons pas que de crash et de manifs ; l'infocatastrophe, c'est pas notre truc. » (un PDG de télévision)

confier / prétendre / garantir / déclarer

9. « Le commerce équitable, c'est mettable. Loin du look baba cool, une ligne de vêtements éthiques envahit les boutiques. » (un membre de l'association Max Havelaar)

annoncer / rappeler / expliquer / suggérer

10. « Ce n'est pas en mettant des caméras partout qu'on recréera du lien social. » (un responsable associatif)

s'opposer à / déconseiller / juger / avertir

B2.1
★★★

404. Rapporter des déclarations

Faites une phrase complète pour rapporter les déclarations des personnes suivantes. Vous choisirez parmi les verbes proposés celui qui vous paraît le plus adapté à la situation. Pour certaines déclarations, plus longues, vous devrez utiliser plusieurs verbes. Plusieurs formulations sont possibles.

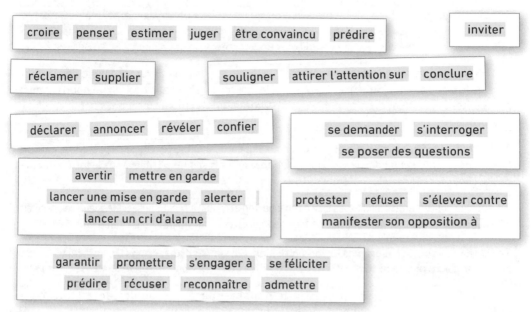

croire   penser   estimer   juger   être convaincu   prédire

inviter

réclamer   supplier

souligner   attirer l'attention sur   conclure

déclarer   annoncer   révéler   confier

se demander   s'interroger
se poser des questions

avertir   mettre en garde
lancer une mise en garde   alerter
lancer un cri d'alarme

protester   refuser   s'élever contre
manifester son opposition à

garantir   promettre   s'engager à   se féliciter
prédire   récuser   reconnaître   admettre

a

1. « La chaleur humaine permet l'ouverture. Vous découvrirez que tous les êtres humains sont comme vous, tout simplement. » (le Dalaï-lama)

2. « Nous devons de toute urgence agir pour protéger l'environnement. Demain, il sera trop tard. » (Hubert Reeves, un scientifique)

3. « Quand on voit la faible participation des électeurs à certains scrutins, on reste perplexe. Faut-il rendre le vote obligatoire ? (Julien Duchaussoy, député)

4. « Un homme qui frappe sa femme n'a aucune excuse, jamais. Il doit se faire soigner pour maladie mentale. » (Michel X… ; campagne contre les violences conjugales)

5. « Beaucoup de gens s'inquiètent des conséquences de la mondialisation, souvent à juste titre, mais ils ne sont pas toujours conscients de ses nombreux aspects positifs. » (Ludovic Barois, sociologue)

6. « Ce conflit armé a assez duré. Envoyons des casques bleus pour calmer le jeu. » (député écologiste)

7. « Pas question de laisser les mains libres aux extrémistes de tous bords. Je défendrai toujours la démocratie contre les fanatiques. » (Claude Daumon, militant des droits de l'homme)

8. « Un certain nombre de mesures de l'Union européenne vont être simplifiées pour en faciliter le fonctionnement, et je peux garantir qu'il y aura bientôt des améliorations importantes. » (le porte-parole de l'Union européenne)

9. « Mais non, le niveau du bac ne baisse pas ! Cette idée est très répandue mais elle est fausse ! On a fait passer le bac de 1920 à des élèves d'aujourd'hui, et ils ont été bien meilleurs que les élèves de l'époque en mathématiques et en rédaction. Seul petit bémol : leur orthographe est moins bonne. » (Valérie Suchard, inspecteur d'académie)

10. « Un voyage se suffit à lui-même. On croit qu'on va faire un voyage, mais, bientôt, c'est le voyage qui vous fait ou vous défait. [...] Le voyage ne vous apprendra rien si vous ne lui laissez pas aussi le droit de vous détruire. » (Nicolas Bouvier, écrivain voyageur)

11. « Stop au dopage des jeunes sportifs ! Il est en train de massacrer toute une génération. Certes, le dopage a toujours existé, sous une forme ou sous une autre, et on ne pourra jamais l'éradiquer totalement mais trop, c'est trop ! Protégeons au moins les jeunes ! » (un candidat à la primaire)

12. « Tout le monde aura bientôt sa puce sous la peau. Facultative, elle sera présentée comme tellement pratique et moderne que chacun voudra avoir la sienne. » (Maëva sur le forum « actu » de *Psychologies magazine*, septembre 2014)

13. Chaque gouvernement modifie les lois, ça change trop et ça nuit aux entreprises. Messieurs les députés, s'il vous plaît, arrêtez ! Si vous pouviez ne plus rien faire ; ce serait vraiment bien. (un patron de PME)

14. Une nouvelle série d'arrestations a démantelé un réseau terroriste. Les services de police ont renforcé leur activité et les résultats sont là. (le ministre de l'Intérieur)

15. Les gars n'y arrivent plus ! On leur demande des produits de qualité pour des prix ridicules. Ils travaillent comme des brutes pour gagner le tiers du SMIC, c'est ingérable. (le syndicat agricole)

16. La situation malheureuse dans laquelle nous nous trouvons est due à nos hommes politiques. Il serait temps de renouveler complètement les équipes en place ! Qu'est-ce qu'on attend ? (un représentant d'un groupe de citoyens)-

Synthèses

B1.2
★★

405. **Synthèse des procédés oraux et écrits – Entrefilet**

a Lisez l'entrefilet ci-dessous.

LEUR VOITURE HEURTE JEANNE D'ARC : DEUX MORTS

Un virage mal négocié, une voiture de grosse cylindrée lancée à toute vitesse, à 5h35, rue des Pyramides, Paris-1er, et c'est l'accident mortel. Les deux passagers de la C3, Jean-Marie Hugo, vingt-six ans, originaire de Cannes-La Bocca (Alpes-Maritimes) passager à l'arrière, et Roland Lelaidier installé à la place avant et domicilié dans le 17e, sont morts. Le conducteur du véhicule, lui, est sorti indemne de la voiture disloquée, immobilisée contre un pilier dans un angle de la place des Pyramides après avoir heurté, hier matin, le socle de la statue de Jeanne d'Arc. « J'ai entendu des crissements de pneus, raconte le concierge de l'hôtel Regina, tout proche. Instinctivement, je me suis dirigé vers la fenêtre. Je n'ai vu qu'un éclair de phare et j'ai entendu le bruit de la masse de tôle qui s'écrasait sur la colonne. Cela ressemblait à une explosion. Je me suis précipité et j'ai très vite compris. »

b Extrayez les informations suivantes sur l'accident.

Heure : ....
Lieu : ....
Conducteur : ....
Passagers : ....
Type de la voiture : ....
Cause de l'accident : ....

Déroulement de l'accident : ....
État de la voiture : ....
État du conducteur : ....
État des passagers : ....
Témoin : ....
Informations apportées par le témoin : ....

c Comparez le témoignage direct du concierge et sa version ci-dessous, en discours rapporté.

Le seul témoin, le concierge de l'hôtel Regina, tout proche des lieux de l'accident, s'est dirigé instinctivement vers la fenêtre lorsqu'il a entendu les crissements de pneus. Il n'a vu qu'un éclair de phare et a entendu comme une explosion au moment où la masse de tôle s'écrasait sur la colonne. C'est seulement après s'être précipité dehors qu'il a compris ce qui s'était passé.

d Mettez en scène l'interrogatoire du conducteur par la police. Prenez des notes et faites-en le rapport en discours rapporté.

e Vous êtes journaliste. Transcrivez en discours rapporté cette version du témoignage du conducteur.

« Je suis encore très choqué. Je ne sais pas ce qui s'est passé vraiment. On avait fait la fête, on avait un peu bu. Quand j'ai vu le virage, j'ai cru pouvoir le prendre correctement. C'est là que je me suis aperçu que j'allais trop vite, je n'ai pas pu redresser la voiture. Elle a dérapé. Il y a eu un premier choc, puis un deuxième. J'étais sonné. Ce n'est qu'en sortant de la voiture que j'ai compris. C'est affreux. Jamais plus je n'aurai de voiture aussi puissante. **»**

406. Étoffer un fait divers

Complétez ce fait divers d'accident en imaginant les détails qui manquent ; vous pouvez aussi insérer des témoignages en discours indirect et des citations.

Villefontaine

LEUR VOITURE ÉCHOUE CONTRE UN ARBRE

Peu avant 20 heures, mercredi, alors qu'il circulait rue du Bret à Villefontaine, un conducteur a perdu le contrôle de sa voiture. Celle-ci est venue s'échouer contre un arbre. le conducteur et sa passagère ont été très légèrement blessés. Pris en charge par les sapeurs-pompiers, ils ont été transportés à l'hôpital de Bourgoin-Jallieu.

Le Dauphiné libéré, 7 décembre 2016

407. Protestations en discours rapporté – Nocturnes agités

Pour limiter les nuisances sonores, la mairie a décidé de limiter l'ouverture nocturne des nouvelles terrasses de cafés du centre-ville. Les anciennes terrasses pourront rester ouvertes plus tard, comme auparavant. Tout le monde proteste : riverains, commerçants, clients des établissements... et la mairie a bien du mal à s'expliquer.

À partir de cette situation, rédigez un article intitulé : « Non, les terrasses ne vont pas toutes fermer à 22 heures ! », en indiquant quels sont les interlocuteurs que vous avez rencontrés. Introduisez dans votre texte une partie des déclarations suivantes, en discours rapporté et / ou en citations. Vous pouvez ajouter d'autres éléments.

Des riverains :
– Les commerçants font n'importe quoi, tous les riverains se plaignent.
– C'est terrible à voir, tous ces jeunes qui s'alcoolisent jusqu'à être malades.
– Le manque de sommeil répété est un vrai problème de santé publique.

Des commerçants :
– On a fait de gros travaux d'isolation de nos établissements, on fait la police et voilà le remerciement de la mairie.
– Les jeunes boivent moins chez nous que dans les appartements, car on les régule.
– Ils veulent la mort du centre-ville. Il faut annuler cette mesure idiote !

Des clients :
– Les jeunes sont les jeunes ! Ils ont besoin de s'amuser et de se défouler, c'est normal !
– Laissez-nous vivre ! Toutes ces contraintes pour tout, ça finit par rendre fou !
– Ce sera bientôt la prohibition totale, si ça continue ! On ne va pas se laisser faire !

La mairie :
– L'interdiction de servir après 22 heures concernera seulement les nouvelles terrasses.
– Il faut que le centre-ville reste un espace convivial, mais on ne veut pas ajouter de nouvelles nuisances.
– La plupart des commerçants respectent déjà les règles existantes ; seul un petit nombre pose problème.

> « Elle a dit qu'elle avait écrit ce livre à chaud, qu'elle ne l'avait pas retouché, qu'elle ne se souvenait pas de l'avoir rédigé. » Mélanie Thierry, actrice, à propos de *La douleur* de Marguerite Duras

B2.1
★★★

408. Expressivité dans le discours rapporté – Ça me tient à cœur

a Lisez à haute voix les déclarations suivantes, avec expressivité et sincérité.

Lucille, 45 ans

Noël... Ça m'amuse pas, Noël ! Aujourd'hui, c'est juste faire brûler la carte bleue ! Promos (et arnaques) sur Internet, marchés de Noël tous pareils et comptes bancaires à plat pour des « conneries » (ou des gadgets inutiles). Et, en plus, personne n'est jamais content de son cadeau. Ils revendent tout en ligne le soir même. J'en ai vraiment ras le bol. Allez, cette année je pars aux Caraïbes ou je donne tout au Secours populaire.

Mamadou, élève de collège après une discussion avec Thomas Pesquet, qui est le 10ᵉ astronaute français à avoir été dans l'espace.

Parler en direct de la terre avec Thomas Pesquet dans la station orbitale, c'est juste incroyable ! Quand on pense qu'il est si loin et qu'on l'entend si bien, waouh, ça fait réfléchir... D'habitude je m'embête *grave* (vraiment) en cours de sciences parce que c'est trop abstrait ; mais là, ça me fait comprendre les trucs géniaux qu'on peut réaliser... Ça me donne envie de faire comme lui, d'avoir des rêves.

Fabien, 38 ans

Ce qui motive mon engagement aux Restos du cœur, c'est les personnes qu'on aide, et puis les équipes de travail ; les bénévoles sont généralement des gens formidables. Les besoins augmentent terriblement, vous savez, et les actions publiques pas assez. Sans nous, beaucoup de gens ne mangeraient jamais correctement. Heureusement, on est 71 000 volontaires !

Irène Frachon, lanceuse d'alerte (auteur de **Médiator 150 mg, Combien de morts ?***)*
C'est une révolte tripale qui m'a transformée en guerrière, quand j'ai compris que ce médicament tuait depuis 30 ans. Un crime presque parfait, dans l'indifférence générale ! Il m'a fallu des années de combat pour que le scandale éclate au grand jour. Et je ne lâcherai pas le morceau, car le laboratoire refuse encore d'indemniser les victimes. C'est monstrueux, quand même !

b Reformulez ces déclarations orales expressives en discours rapporté. Pour garder de l'expressivité, faites attention au choix des verbes, adjectifs, adverbes, citations en discours direct. Une suggestion : transposez les déclarations de Lucille et Fabien au discours rapporté présent ; transposez celles de Mamadou et Irène au discours rapporté passé.

c Résumez chaque déclaration en une phrase ou deux ; ajoutez un commentaire.

b Les apprenants se mettent en petit groupe. Chaque personne fait une déclaration orale de quelques phrases sur un sujet qui lui tient à cœur ; les autres prennent des notes. Ensuite, le groupe reformule chaque déclaration en discours rapporté pour les transmettre au groupe-classe complet.

409. Écrire un article incluant discours direct et indirect – Démocratie participative

a Lisez l'entrefilet suivant.

> **Square Saint-Bruno**
>
> ## QUEL PROJET GAGNANT ?
>
> Dans le cadre de l'édition 2015 du budget participatif, plus de 600 habitants ont été consultés dans le choix de la structure qui occupera le centre du square Saint-Bruno. Celle qui a été retenue, une sculpture représentant un lapin rouge, a été révélée au grand public le 10 décembre à 11 heures square Saint Bruno.
>
> *Le Dauphiné libéré*, mercredi 11 décembre 2016

b Vous avez assisté à la cérémonie de dévoilement de la structure et aux animations qui l'accompagnaient (discours, concert, jeux pour les enfants, apéritif). Vous avez questionné une variété de participants (enfants, adultes, personnes âgées, opposants politiques) qui on exprimé divers sentiments (contents, perplexes, critiques ou joyeux).

Rédigez les questions et notez les réponses au style direct.

c Écrivez l'article qui rend compte de l'événement dans le journal local. Utilisez une variété de procédés de discours rapporté, dont ceux du tableau ci-dessous.

BOÎTE À OUTILS

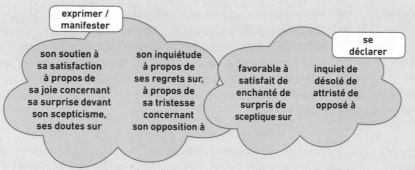

Les structures linguistiques «se déclarer»+ adjectif / «exprimer» + nom sont particulièrement utiles pour rapporter une variété de réactions.

<u>Exemples</u> : Le maire s'est déclaré favorable à la multiplication des projets participatifs.
Ses adversaires ont exprimé leurs doutes sur ce procédé de décision.

exprimer / manifester

son soutien à
sa satisfaction
à propos de
sa joie concernant
sa surprise devant
son scepticisme,
ses doutes sur

son inquiétude
à propos de
ses regrets sur,
à propos de
sa tristesse
concernant
son opposition à

se déclarer

favorable à
satisfait de
enchanté de
surpris de
sceptique sur

inquiet de
désolé de
attristé de
opposé à

410. Réemploi oral créatif – Il n'y a pas de dialogue impossible

Deux personnages, objets ou animaux qui n'auraient, en temps normal, aucune raison de se rencontrer, ont l'occasion de discuter. Seul ou à deux, choisissez vos personnages, faites les dialogues puis rapportez leur conversation au style indirect.

<u>Exemples</u> : – Georges discute toute la nuit avec un aspirateur. Que se sont-ils dit ?
  – Une grenouille se retrouve au bord d'une rivière avec un sac-poubelle.

La comparaison

20

Comparer, c'est mettre en relation deux termes de même nature (nom, verbe, adjectif) et établir par un mot grammatical un degré d'analogie hiérarchisé entre eux. Les comparatifs de supériorité, d'égalité ou d'infériorité et les superlatifs sont les procédés les plus fréquemment utilisés mais on peut également comparer à l'aide de verbes, d'adjectifs ou de conjonctions.

● Les comparatifs

Expression de	La comparaison porte sur		
	un adjectif / un adverbe	un nom (n)	un verbe (v)
la supériorité	**plus** **+ adjectif** **+ adverbe** **+ que** *Anne est plus grande que Nicole. L'avion va plus vite que le train.* **Attention aux irréguliers !** ● Les adjectifs **bon → meilleur que** **mauvais → plus mauvais que** **→ pire que** *Les champagnes sont meilleurs que les vins mousseux. Ses notes sont pires que celles de son frère.* ● L'adverbe **bien → mieux que** *L'équipe de football de Marseille joue mieux que celle de Lyon.*	**plus** **davantage** **de + n + que** *Nous avons davantage (plus) de travail que lui.*	**verbe + plus que** *Nous travaillons plus que lui.*

« Mieux vaut tête bien faite que tête bien pleine. » Montaigne

l'infériorité	**moins** + **adjectif** + **adverbe** + **que** *Il est moins attentif que son frère.* *Il comprend moins facilement que lui.*	**moins de + nom + que** *Ils cultivent moins de blé que leur voisin.*	**verbe + moins que** *Elle mange moins que moi.*
l'égalité	**aussi** + **adjectif** + **adverbe** + **que** *Cette robe est aussi chère que ce pantalon.* *Il conduit aussi brusquement qu'elle.*	**autant de + nom + que** *Elle achète autant de pain que nous.*	**verbe + autant que** *La Clio consomme autant que la 208.*
l'insistance	**encore** **beaucoup** } **plus** } **+ adj.** **+ que** **bien** **moins** **+ adv.** **tout aussi** *Ce problème est bien plus difficile que l'autre.* *Pierre court tout aussi vite que toi.*	**encore** **beaucoup** } **plus** } **de + n** **bien** **moins** **+ que** **tout autant** *Nous avons beaucoup plus de difficulté avec lui qu'avec vous.* *Nous aurons tout autant de soleil à Nice qu'à Sète.*	**encore** **v +beaucoup** } **plus** } **(+que)** **bien** **moins** **v + tout autant + que** *J'aimerais voyager encore plus.* *Il travaille tout autant que son père.*
la différence	**plutôt + adjectif + que** *Ce manteau est plutôt noir que gris.*	**un(e) autre + nom + que** *Elle a une autre allure que la tienne.*	**verbe + autrement que** *Elle travaille autrement que moi.*
l'identité		**le / la même / les mêmes + nom + que** *Il a les mêmes cheveux que sa mère.*	
la progression dans la comparaison	**de plus en plus** **toujours plus** **chaque fois plus** **adj.** **de moins en moins** + **adv.** **toujours moins** **chaque fois moins** *Elle est de plus en plus belle.* *Je prépare ce gâteau chaque fois plus vite.*	**de plus en plus** **toujours plus** **chaque fois plus** **de moins en moins** **de +** **nom** **toujours moins** **chaque fois moins** *Elle a toujours plus de charme.* *Nous avons chaque fois moins de problèmes.*	**de plus en plus** **v +** **toujours plus** **chaque fois plus** **de moins en moins** **v +** **toujours moins** **chaque fois moins** *Je travaille de plus en plus.* *Je comprends chaque fois moins.*
			plus **plus** **plus** **+ v (et)** **moins** **+ v** **moins** **moins** **moins** **plus** *Plus elle travaille, (et) plus elle est fatiguée.* *Plus elle apprend, (et) moins elle sait.*

| la ressemblance | **adjectif + comme**
Elle est jolie comme un cœur. | **ressembler à**
se ressembler
être égal à
      équivalent à
      pareil à
      semblable à
      identique à
      comparable à
Sa robe était pareille à un
  arc-en-ciel.
Jean ressemble à Jacques. | **comme + nom / pronom**
comme + phrase
comme si
    quand
    lorsque
    le jour où
    au moment où
+ phrase
comme pour + infinitif
nom / pronom
comme avec
      + nom / pronom
          avant
comme après + n
          pendant
Il mange comme quatre.
Il travaille comme il l'a
  toujours fait.
Il criait comme si on l'avait
  battu.
On fait la fête comme
  quand on était jeunes. |

« Et si la douceur était le plus vaillant des courages ? »

« Quand je m'observe, je m'inquiète. Quand je me compare, je me rassure. » Talleyrand
« Qui se regarde se désole : qui se compare se console. » Variante populaire

« L'éponge de mer est notre plus vieil ancêtre parmi les animaux vivants,
leur génome le prouve. » Université de Bristol

● Les superlatifs

	L'expression de l'intensité porte sur		
	un adjectif/un adverbe	*un nom*	*un verbe*
Les superlatifs absolus (le plus haut degré de qualité)	très + adjectif bien + adverbe super hyper extra archi + adjectif si extrêmement drôlement *Ce film était très drôle,* *super drôle, si drôle !*	beaucoup de beaucoup trop de bien trop de + nom énormément de *Il y a énormément* *(beaucoup) d'étudiants.*	beaucoup beaucoup trop verbe + bien trop si bien énormément *Elle chante si bien !* *Il mange beaucoup trop.*

Les superlatifs relatifs (degré de qualité le plus haut ou le plus bas dans un ensemble)	le plus + adj.
	la moins + adv. + (+ de)
	les moins
	C'est Alain qui court le plus
	  rapidement.
	Jean est le plus
	  sympathique (de tous).
	Ces livres sont les moins
	  intéressants (de ceux que
	  tu m'as prêtés).
	Attention aux irréguliers !
	• Les adjectifs :
	bon → le / la meilleur(e)
	    → les meilleur(e)s
	mauvais → le / la plus
	        mauvais(e)
	    → les plus
	        mauvais
	    → le / la / les
	        pire(s)
	• L'adverbe :
	bien → le mieux
		le plus de
		le moins de + nom
		Dans le groupe, c'est Léa
		qui a le plus de vitalité
		et Claude qui a le moins
		d'énergie.
			verbe + le plus
			       le moins
			C'est Sophie qui travaille
			  le plus.

! **REMARQUE :** certains adjectifs portent en eux l'idée superlative et ne peuvent donc pas se mettre au superlatif. Exemples : *excellent, unique, exquis, hideux, etc.*

« Il vaut mieux être riche et en bonne santé que pauvre et malade [sagesse populaire]
et il vaut mieux se chauffer au caviar que bouffer du charbon. » Coluche

« Après tant de changements, nous restons plus ou moins les mêmes. »
Paul Simon, *The Boxer*

⊕ **Activité de repérage 27**

ⓐ Soulignez les moyens de comparaison utilisés dans les citations suivantes et repérez l'idée exprimée (égalité, supériorité, infériorité, intensité).

1. « J'aime Fatima comme j'aime le pain. » Graffiti de rue.

2. « La proportion de gens intelligents et d'idiots est la même quel que soit le milieu social. » Germaine Tillon, ethnologue du XXᵉ siècle

3. « L'homme n'est jamais aussi sublimement lui-même que devant l'adversité. » Claude Lorius, explorateur des pôles

4. « Mourir, ce n'est rien. Commence donc par vivre. C'est moins drôle et plus long. » Jean Anouilh, écrivain du XXᵉ siècle

5. « Je t'aime ! oui je t'aime ! Tu es pour moi plus que l'air pour l'oiseau, plus que l'eau pour le poisson, plus que le soleil pour la terre, plus que la nature pour l'âme. » Laure de Berny, premier amour de Balzac

6. « Plus l'homme est puissant par la technique, plus il est fragile devant le malheur. » Edgar Morin, philosophe contemporain

7. « Nous sommes vraiment moins que rien devant les forces de la nature. » Sagesse populaire

8. « Un sourire coûte moins cher que l'électricité et il donne autant de lumière. » Abbé Pierre, icône nationale (1912-2007)

9. « Autant d'hommes, autant d'avis. » Sagesse populaire

10. « Plus ça change et moins ça change. » Sagesse populaire

11. « Dans ce pays, il y en a de plus égaux que d'autres. » Sagesse populaire

12. « Le mieux est l'ennemi du bien. » Sagesse populaire

13. « Nous ne sommes pas plus intelligents que les hommes du passé, mais nous avons plus de moyens et de meilleures armes. » Conférence d'ethnologie

14. « Oserai-je exposer ici la plus importante règle de l'éducation ? Ce n'est pas de gagner du temps, c'est d'en perdre. » Jean-Jacques Rousseau, philosophe (1712-1778)

15. « C'est le plus mauvais film que j'aie jamais vu. » Critique cinématographique

16. « Les choses vont de mal en pis, mais comme le pire n'est jamais sûr... » Sagesse populaire

17. « La bêtise est la chose la mieux partagée au monde. » Sagesse populaire

18. « Ce n'est pas une infamie de se conformer aux usages des gens : si vous êtes invités, la moindre des choses est de vous plier. » Sylvain Tesson, écrivain voyageur contemporain

19. « Les produits les plus chers ne sont pas toujours les meilleurs. » *Que choisir* (journal de consommateurs)

20. « Pour rester en bonne santé, évitez de manger trop de sucres et trop de graisses ! » Slogan de la prévention médicale

ⓑ Remarquez sur quel mot porte la comparaison (adjectif nom, verbe, adverbe) et notez vos remarques en continuant le tableau ci-dessous sur une feuille à part.

Citation n°	Moyen de comparaison utilisé	Sur quel mot porte la comparaison : adjectif, adverbe, nom, verbe
Exemple 1.	*comme*	*verbe*
2.		
3.		

Moyens grammaticaux pour exprimer la comparaison

B1.1
★

411. Comparaison avec « plus » ou « moins »

Faites des phrases comme dans l'exemple suivant.

Exemple : Alain travaille 8 heures par jour, Stéphane travaille 7 heures.
> → **Alain travaille plus longtemps que Stéphane.**
> → **Stéphane travaille moins qu'Alain.**

1. Une Ferrari peut rouler à 340 km/h, une Peugeot 208 peut rouler seulement à 230 km/h. – **2.** En France, il y a environ 67 millions d'habitants, en Espagne, il y en a environ 46 millions. – **3.** Stendhal est mort à 59 ans, Victor Hugo est mort à 83 ans. – **4.** Grenoble est à 600 kilomètres de Paris, Lyon est à 500 kilomètres. – **5.** Un sportif de haut niveau s'entraîne intensivement tous les jours, un sportif moyen s'entraîne deux ou trois fois par semaine. – **6.** Charles de Gaulle a été président de la République française de 1958 à 1969, Georges Pompidou, qui lui a succédé, a été président de 1969 à 1974.

B1.1
★

412. Expression de l'égalité

Complétez les phrases suivantes avec aussi que , autant... que , autant que , autant .

1. J'aime .... les films policiers .... les films poétiques. – **2.** Ils ont acheté .... boissons .... il est nécessaire. – **3.** Valérie court .... vite .... les autres. – **4.** Nous allons .... au cinéma .... au théâtre. – **5.** Ils se sont montrés .... désagréables .... leurs voisins. – **6.** Elle mange .... moi. – **7.** La Renault Clio coûte .... cher .... la Peugeot 107. – **8.** Elle fait la cuisine .... bien .... sa mère. – **9.** En été, il y a .... de vacanciers à Nice .... à Cannes. – **10.** Maintenant, Jacques travaille moins, mais il gagne ....

B1.1
★

413. Expression du comparatif de la supériorité

Complétez les phrases suivantes avec plus... que , plus de... que (de) , davantage de... que (de) , plus que .

1. Ma nouvelle voiture consomme .... la précédente. – **2.** Les Français mangent .... viande .... pain. – **3.** Il y a .... alcool dans le cognac .... dans le vin. – **4.** Mes enfants aiment .... les frites .... les épinards. – **5.** Les prix sont .... avantageux dans les grands magasins .... dans les petites boutiques. – **6.** Jean est intelligent et travailleur, il a .... chances de réussir .... Paul qui est paresseux. – **7.** Le TGV (Train à grande vitesse) est .... rapide .... un train ordinaire. – **8.** En France, il pleut .... en Bretagne .... en Provence. – **9.** Dépêchons-nous, nous aurons .... vite fini .... les autres. – **10.** Les stations de ski accueillent aujourd'hui .... vacanciers .... autrefois.

> « C'est vrai, nous serons vieux, très vieux, faiblis par l'âge
> Mais plus fort chaque jour je serrerai ta main
> Car, vois-tu, chaque jour je t'aime davantage,
> Aujourd'hui plus qu'hier et bien moins que demain. »
> *L'éternelle chanson*, poème de Rosemonde Gérard à son mari Edmond Rostand

B1.1 ★

414. Expression de l'infériorité

Complétez les phrases suivantes avec moins... que , moins de... que (de) , moins que .

1. J'achète .... fruits en conserve .... fruits frais. – **2.** Les roses se conservent .... longtemps .... les tulipes. – **3.** Les places de cinéma coûtent .... cher .... les places de théâtre. – **4.** Les légumes surgelés sont .... bons .... les légumes frais. **5.** Dans la ville, il y a .... circulation entre 9 heures et 11 heures .... entre 17 heures et 19 heures. – **6.** Elle a .... difficultés à parler anglais .... à parler allemand. – **7.** Nous mangeons beaucoup .... pain .... vous. – **8.** Mon fils dépense bien .... ma fille. – **9.** Pierre Corneille est .... connu .... Victor Hugo. – **10.** Elle vient me voir .... souvent .... sa sœur.

B1.1 ★

415. Expression de l'insistance

Toute la famille Atout, sauf le fils, a un complexe de supériorité ; ils sont les meilleurs et tout ce qu'ils ont est mieux que ce qu'ont les autres, en particulier leurs voisins, la famille Supin, auxquels ils se comparent sans cesse. Qu'est-ce qu'ils disent ?

Complétez librement les phrases suivantes en variant les moyens de comparaison.

LE PÈRE :

– Je travaille **beaucoup plus que** monsieur Supin.

– Je gagne ....

LA MÈRE :

– Madame Supin a **bien moins de** bijoux **que** moi.

– Les vêtements qu'elle porte ....

LA FILLE :

– Je suis **beaucoup plus** belle **que** leur fille.

– Mes résultats aux examens ....

LE FILS, lui, pense qu'il y a peu de différences :

– Le fils Supin est **tout aussi** intelligent **que** moi.

– Ses petites amies ....

416. Bon, bien et leurs comparatifs

Complétez les phrases suivantes avec bon, bien, meilleur, moins bon, mieux, moins mauvais, plus mauvais, pire.

ⓐ AU CONCERT

« J'adore ce morceau de jazz ! Il est nettement .... que le précédent.

– Tu as raison, le premier morceau était .... que celui-ci.

– Mais il était .... que celui qu'on a entendu l'an dernier. Tu te rappelles les couacs ?

– Oh, là, là : une vraie catastrophe. Mais je crois que la façon de jouer du groupe qui était venu à Noël était encore .... !

– Ceux-là, on devrait leur interdire de jouer. N'importe quel amateur joue .... qu'eux.

– Oh ! oui, on pourrait leur donner le prix du .... groupe de jazz français !

– On est un peu durs quand même, c'est difficile de .... jouer.

– Quand on ne joue pas .... on ne fait pas de concert ! »

ⓑ DANS LE BUREAU DU PATRON

« Cette année nous avons un .... bilan que l'année dernière, nous n'avons pas bien géré notre budget.

– C'est vrai, les ventes d'appareils photo ont été .... que celles de l'année dernière.

– Et c'est encore .... pour les téléviseurs ! Les ventes se sont effondrées. Seules les tablettes ont .... marché.

– À votre avis, quelle serait la .... solution pour améliorer notre chiffre d'affaires ?

– Il faut absolument .... anticiper l'évolution du marché. Nous sommes .... que nos concurrents sur Internet. Il faut faire .... et vite. Sinon les choses iront de .... en ....

– Il serait .... aussi d'engager de .... vendeurs et de .... les former ?

– Et un .... site, surtout, pour ne pas nous retrouver dans une situation .... encore l'année prochaine. »

« Moins l'on parle et, bien souvent, mieux l'on pense. » Sainte Beuve

« Vis comme si tu devais mourir demain.
Apprends comme si tu devais vivre toujours. » Gandhi

« Que le meilleur gagne ! » Devise des Jeux olympiques

« Peut mieux faire... » Appréciation dans un carnet scolaire

« Oublier mon texte en scène est toujours un de mes pires souvenirs
après 40 ans de scène. » Un acteur de théâtre

B1.2
★★

417. Comparaison avec plus ou moins + plus / moins / mieux / moins bien

Cette structure exprime un parallélisme. Plus , moins , mieux , et moins bien associés à deux verbes peuvent se combiner librement en fonction du sens de la phrase.

Exemple : – Plus je le connais, plus / moins je l'apprécie.

    – **Plus ce vin vieillit, meilleur / moins bon il est.**

Et n'oubliez pas les phrases paradoxales : « Plus ça change et moins ça change. Plus on en sait, moins on en sait. Moins il en fait, plus il est fatigué. »

Complétez les phrases suivantes.

1. .... et mieux je me porte.
2. Moins on mange et ....
3. .... et moins on a de chances de s'ennuyer.
4. Plus souvent on parle en public et ....
5. .... et plus on se sent seul.

B1.1
★

418. Divers moyens de comparaison – Différences et ressemblances

a Voici une liste de suggestions pour un futur plus raisonnable. Complétez avec les moyens de comparaisons ci-dessous.

  moins de plus de plus moins mieux meilleur plutôt que

Consommer moins pour vivre mieux

– Des maisons plus économes et .... isolées.

– .... voitures et .... vélos.

– .... bio et .... gaspillage.

– .... viande ! ou .... porc et .... bœuf.

– .... énergies renouvelables et .... énergies fossiles.

– Des appareils .... qualité à basse consommation.

– Des vacances dans l'Hexagone .... l'au bout du monde en avion.

– Des vêtements en lin .... en polyester.

b Faites des comparaisons sur les éléments donnés.

> **1. Un petit village / une grande ville**
> le cadre de vie – le prix des loyers, des maisons, des appartements – la pollution – les loisirs – les spectacles – les magasins – etc.

> **2. Une star du cinéma / une grande sportive**
> leur vie – leurs sorties – leur alimentation – leurs revenus – les soins donnés à leur corps – etc.

> « Chaque jour, à tous points de vue, je vais de mieux en mieux. » Méthode Coué

419. Remploi créatif – Le match voiture contre car

a À l'aide des informations données, rédigez des comparaisons entre la voiture et le car.

Marcel se rend cinq jours sur sept en voiture de Crémieu à Lyon pour son travail, soit une centaine de kilomètres aller-retour. Un ami lui a dit : « Moi, je prends le car, c'est bien mieux. » Alors ils ont comparé sept critères.

Critère	Voiture	Car
Temps de trajet	1 h 10	1 h 10
Prix	Carburant et autoroute : 236 euros / mois	Pass mensuel : 60 euros
Sécurité	Risque d'accidents Véhicule quelquefois mal entretenu Conducteur fatigué après le travail	Chauffeur professionnel Véhicule contrôlé régulièrement Voies réservées, rapides Respect des limitations de vitesse
Liberté d'utilisation	Horaires libres (disponible à toute heure du jour ou de la nuit)	Horaires fixes : fréquence élevée en journée, mais horaires peu satisfaisants pendant la nuit
Qualité de transport	Tension due à la conduite	Repos total, lecture, musique
Bagages	Possibilité de transporter du matériel	Difficulté pour transporter des objets encombrants ou lourds
Covoiturage possible	Oui : partage des frais mais organisation nécessaire	Non, il n'y a rien à organiser

Comparaison avec comme

420. Comparaison et expressions idiomatiques ou personnelles avec « comme »

Il existe en français de nombreuses expressions idiomatiques qui ont la structure verbe + comme + nom. Les comparaisons sont faites sur un verbe ou sur un adjectif suivis de « comme » et d'un élément donnant une sorte d'image. Beaucoup de ces images sont données par des noms d'animaux.

a ANIMAUX : associez les verbes et adjectifs suivants aux noms d'animaux proposés. Aidez-vous des définitions.

Verbes : dormir , chanter , siffler , être fait , courir , sauter , souffler

Adjectifs : têtu , gai , paresseux , bavard , frisé , rusé , sale

Dormir	comme un loir	**Loir :** petit animal rongeur qui se niche dans le creux des arbres ou des rochers et qui ne sort pas de tout l'hiver.
....	comme un rat	**Rat :** petit mammifère rongeur à très longue queue que l'on attrape avec un piège.
....	comme un rossignol	**Rossignol :** petit oiseau passereau qui charme par ses mélodies très harmonieuses.
....	comme un cabri	**Cabri :** petit de la chèvre qui se déplace presque toujours en faisant des bonds.
....	comme un merle	**Merle :** oiseau passereau au plumage noir qui émet un son aigu et modulé.
....	comme un phoque	**Phoque :** mammifère amphibie aux membres courts et palmés, au cou très court et au pelage ras.
....	comme une gazelle	**Gazelle :** mammifère d'Afrique à longues pattes fines qui se déplace très vite.
Têtu	comme une mule	**Mule :** hybride de l'âne et de la jument qui a la réputation de ne pas bien obéir.
....	comme une pie	**Pie :** oiseau à plumage noir qui chante toujours beaucoup.
....	comme un pinson	**Pinson :** petit oiseau passereau qui chante tout le temps.
....	comme un lézard	**Lézard :** petit reptile qui aime rester immobile au soleil.
....	comme un cochon	**Cochon :** animal domestique souvent malpropre.
....	comme un renard	**Renard :** mammifère carnivore sauvage à pelage très fourni qui a une réputation d'adresse et de fourberie.
....	comme un mouton	**Mouton :** animal domestique à toison laineuse et bouclée.

b DIVERS : associez les verbes ou les adjectifs de gauche aux éléments de droite. Chaque comparaison donne une idée de forte intensité.

Exemple : « **Être rouge comme une tomate** » signifie « être très rouge »

1. mentir ●	comme	● **a.** un ogre
2. fumer ●		● **b.** un cœur
3. manger ●		● **c.** un Turc
4. rire ●		● **d.** un coquelicot
5. fort ●		● **e.** Hérode
6. riche ●		● **f.** un arracheur de dents
7. vieux ●		● **g.** ses pieds
8. pauvre ●		● **h.** Crésus
9. heureux ●		● **i.** Job
10. jolie ●		● **j.** un roi
11. bête ●		● **k.** un bossu
12. maigre ●		● **l.** le jour
13. blond ●		● **m.** un pompier
14. rouge ●		● **n.** les blés
15. belle ●		● **o.** un clou
16. pâle ●		● **p.** un linge

c Complétez les situations données avec les expressions idiomatiques suivantes.

être rouge comme une tomate

être accueillant comme une porte de prison

crier comme un putois

être comme un coq en pâte

manger comme un oiseau

parler comme une vache espagnole

être muet comme une carpe

arriver comme un cheveu sur la soupe

pousser comme un champignon

être bête comme chou

se voir comme le nez au milieu de la figure

Exemple : Arrête de courir, repose-toi un peu, regarde ton visage, **tu es rouge comme une tomate**.

1. Imagine comme il est bien : il vit encore chez ses parents, sa mère prépare ses repas, lave ses vêtements, range sa chambre, il .... – **2.** C'est un secret, d'accord, je ne dirai absolument rien, je .... – **3.** Écoute-le protester, il n'est vraiment pas content, il .... – **4.** Il est en France depuis longtemps, mais il ne fait pas d'efforts pour apprendre la langue, il .... **5.** Comme elle est grande, votre fille ! Eh oui, elle a beaucoup grandi, elle .... – **6.** Tu n'y arrives pas ! Et pourtant cet exercice est très simple, il .... – **7.** Elle a été très malade, elle est encore très fatiguée, elle ne peut presque rien avaler, alors elle .... – **8.** Cette secrétaire n'est pas sympathique, on n'ose pas aller lui demander des renseignements, elle .... – **9.** Il ment, c'est évident, ça .... – **10.** Tu te rends compte le culot qu'elle a ! Hier soir, c'était notre anniversaire de mariage ; j'étais tranquillement avec mon mari en train de dîner, elle .... et elle est restée à nous raconter ses problèmes jusqu'à minuit.

d En utilisant des expressions idiomatiques étudiées en **a**, **b** et **c**, imaginez le portrait des personnes suivantes.

votre père

un vieux monsieur très sympathique

une amie à vous

votre mère

un enfant que vous aimez bien

un jeune homme

un professeur

B1.2
★★

421. Adjectif + comme – C'est l'Européen

a Observez bien la bande dessinée ci-contre. Que montre-t-elle ? À votre avis, pourquoi le dessinateur fait-il ces comparaisons ?

b En choisissant un trait caractéristique des habitants de chaque région de votre pays, rédigez le portrait de ce que pourrait être l'habitant type de votre pays.

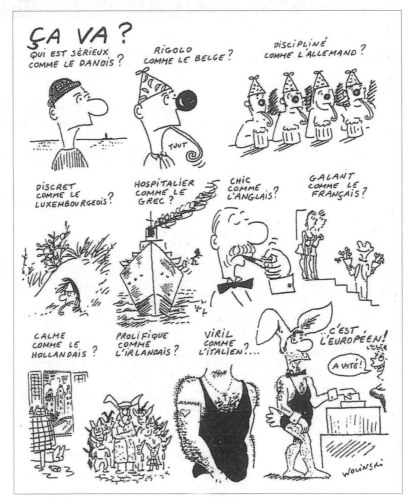

B1.2
★★

422. La comparaison idiomatique ou personnelle avec « comme » – Un peu d'imagination

Complétez les phrases suivantes avec des expressions idiomatiques courantes dans la langue française. Vous pouvez aussi laisser libre cours à votre imagination ou utiliser des comparaisons de votre culture.

1. **Cette femme est belle comme le jour, comme un camion** (populaire) ou comme .... ?

2. **Il travaille comme un fou** ou comme .... ?

3. **Elle marche comme un canard** ou comme .... ?

4. **Il parle comme une mitraillette** ou comme .... ?

5. **Elles se ressemblent comme deux gouttes d'eau** ou comme .... ?

6. **Elle danse comme un pied** ou comme .... ?

« Entre deux solutions, opte toujours pour la plus généreuse. » Proverbe indien

Comparaisons et autres notions

423. Comme si + plus-que-parfait = comparaison + hypothèse

Complétez les phrases suivantes avec «comme si» suivi du plus-que-parfait.

Exemple : On entend un bruit de pas dans la maison ; un voleur est peut-être entré.
→ On entend un bruit de pas dans la maison **comme si un voleur était entré**.

1. Leïla court très vite ; on a l'impression qu'elle a entendu un bruit bizarre.
→ Leïla court ....

2. L'homme a avalé son repas en cinq minutes ; il n'a peut-être pas mangé depuis deux ou trois jours.
→ L'homme ....

3. C'est la première fois qu'il s'occupe du bébé et pourtant on a l'impression qu'il a fait ça toute sa vie.
→ Il s'occupe ....

4. Murielle agit très mal ; on dirait qu'elle a perdu la tête.
→ Murielle ....

5. Elle a sauté en parachute, elle a eu peur et elle nous a insultés, pourtant on ne l'a pas forcée.
→ Elle nous a insultés ....

6. Il fait très chaud, les enfants transpirent énormément ; on dirait qu'ils ont couru pendant plusieurs kilomètres.
→ Les enfants ....

424. Comme + expressions de temps

a Terminez les phrases suivantes en tenant compte de la situation donnée, et en utilisant les expressions de temps parmi comme quand , comme lorsque , comme le jour où , comme avant , comme après , comme pendant + nom .

1. La première fois que j'ai vu ce tableau, j'ai été très émue. Je l'ai revu la semaine dernière et mon émotion a été la même. J'ai été émue .... – **2.** Pendant sa jeunesse, il allait à l'université et il étudiait beaucoup. Dernièrement, il a fait un stage et, là aussi, il a dû beaucoup étudier. Il a étudié .... – **3.** Le 30 juin 1995, il a obtenu son diplôme d'ingénieur et il a été très satisfait. La semaine dernière, il a été élu député et il a eu la même satisfaction. Il a été satisfait ....

b Terminez les phrases librement en utilisant comme et une expression de temps.

Exemple : Le mois passé, j'ai fait du bateau **comme pendant mes vacances d'été 2003**.

1. Hier soir, il était heureux .... – **2.** Quand je l'ai rencontré, il avait l'air fatigué ....
3. Dimanche dernier, il a gagné la course, il était fier .... – **4.** Mardi prochain, elle passe l'oral de son concours, elle est stressée ....

B1.2 ★★ **425. Comme pour + infinitif = comparaison + but**

Terminez librement les phrases comme dans l'exemple suivant.

Exemple : Elle faisait ses courses le samedi, elle s'habillait **comme pour aller danser**.

1. Chaque dimanche, elle se préparait .... – **2.** Il court deux heures par jour .... – **3.** Cette jeune femme travaille beaucoup .... – **4.** Il a pris beaucoup de photos .... – **5.** Le député s'est installé devant le micro .... – **6.** Quand il se disputait avec sa femme il prenait sa valise ....

Le superlatif

 Activité de repérage 28 – Dans le genre raté, c'est moi le meilleur ! (autodérision)

Dans les citations suivantes, observez les superlatifs et soulignez-les.

> **1.** « J'ai caché à mes parents la majeure partie de mes aventures pendant ce voyage, sinon ils auraient eu une attaque ! » Alain, 21 ans

> **2.** « Ce tournage a été une des expériences les plus dures que j'ai jamais faites. » Leonardo DiCaprio pour le film *The revenant*

> **3.** « Une jeunesse attristée de l'avenir, il n'y a rien de plus grave. » Professeur d'histoire

> **4.** « La réussite scolaire est le pire des critères pour prédire si un enfant deviendra un adulte heureux, contrairement au développement émotionnel. » Nations unies, 2015

B1.1 ★ **426. Synthèses : questions – La meilleure des vies...**

ⓐ En petits groupes, répondez aux questions suivantes.

1. Quelle est la chose la plus importante du monde ? – **2.** Qu'est-ce que vous aimez le moins faire ? – **3.** Quel est, à votre avis, le pire événement de l'année ? – **4.** Où aimez-vous le mieux passer vos vacances ? – **5.** Qu'est-ce qui vous fait le plus rire ? – **6.** Quel est votre meilleur souvenir d'enfance ? – **7.** Qu'est-ce qui vous met le plus en colère ? – **8.** Quel est pour vous le pire défaut ? – **9.** Quel est le livre qui vous a fait le plus de bien ? – **10.** Quelle personne admirez-vous le plus ? – **11.** Pour quel type de chose dépensez-vous le plus d'argent ?

ⓑ À votre tour, faites des questions sur ce modèle et posez-les à vos camarades.

427. Emploi créatif des superlatifs – Le meilleur de la ville

En visite touristique dans une nouvelle ville, vous voulez tout savoir : comment se déplacer, que visiter, où manger, où dormir, qu'acheter, qui rencontrer… Bien sûr, vous pouvez consulter des applis sur votre smartphone, mais vous préférez demander des renseignements à des amis qui habitent là-bas, ou à des habitants de la ville que vous visitez. Vous voulez le meilleur !

QUESTIONS
– Quel est l'endroit où l'on mange le mieux ?
– Quel est le restaurant qui sert les plats les plus typiques ?
– Quelle est la spécialité gastronomique la plus prisée ?

RÉPONSES
– Le meilleur restaurant, c'est probablement Le bistrot, qui offre le plus grand choix de plats typiques.
– Le moins cher du moins cher, c'est Chez Toto, mais attention ! C'est aussi là-bas qu'on mange le moins bien.
– Vous trouverez le meilleur rapport qualité-prix chez Bidulos. Personnellement, je trouve que c'est le restaurant le plus classe de la ville.
– Chez moi on adore l'ail. Allez à L'Aigo Boulido, c'est là que vous trouverez une des meilleures soupes à l'ail du pays.
– Surtout évitez les restaurants qui sont sur le quai, ce sont les pires. Et, en plus, les plus chers.
– Il n'y a pas de meilleurs restaurants ici. Ils sont tous aussi mauvais les uns que les autres.

a Sur ce modèle, et en vous basant sur la liste des attentes ci-dessous, élaborez des questions sur les autres aspects de la vie du touriste.

HÔTELS : Un hôtel central et bien desservi par les transports en commun – Un hôtel récent et bien équipé – Un hôtel tranquille – Un hôtel sympathique et bon marché

DISTRACTIONS : Un bistrot sympa pour boire un verre après minuit – Un bon bar à musique – Une discothèque très fréquentée – Un endroit agréable pour lire au soleil – Un lieu paisible pour se promener – Une rue commerçante pour faire les boutiques

VISITES : Un musée intéressant – Un monument ancien – Une construction intéressante – Un bâtiment original

CULTURE LOCALE : Les personnages historiques célèbres et remarquables – Un moment fort de la vie de la ville – Les personnalités en vue (aimées ou détestées) du moment

b Échanges : questionnez vos camarades sur la ville ou le village où ils habitent.

B1.2
★★ **428. Superlatifs, phrases à compléter**

Terminez les phrases suivantes en utilisant le / la plus… , le / la meilleur(e)… , le / la moins… , le / la pire .

Exemple : Mon accident de voiture a été le pire moment de mon existence.
  restera le plus mauvais souvenir de ma vie.
  a été le moins dramatique de tous mes ennuis.

1. Le jour de son licenciement .... – **2.** L'arrivée du premier homme sur la Lune ....
3. La destruction de la nature .... – **4.** L'invention de la voiture antipollution ....
5. La pièce que nous avons vue samedi dernier .... – **6.** La naissance de ma fille ....
7. La destruction du mur de Berlin .... – **8.** L'ouverture de l'Europe en 1992 ....

B1.1
★ **429. Superlatifs – rédiger une publicité**

a Analysez la publicité ci-dessous : comment le téléphone portable est-il mis en valeur ?

AMITEL
Le portable le plus **performant**
le portable le plus **petit**
le portable le plus **léger**
le portable le plus **compétitif** et…
le portable **le moins cher**

Achetez
le portable

b À votre tour (seul ou en groupe), élaborez une publicité pour un produit à la mode : un téléphone portable, un vélo urbain, un nouveau parfum, un lieu multiactivité (restaurant, boutique, sport, concerts…).

B1.2
★★ **430. Expression de l'intensité**

Complétez les phrases suivantes avec très , trop , beaucoup , beaucoup trop .

1. Elle voulait voir le directeur, mais elle est arrivée .... tard, il était déjà parti. – **2.** Du champagne ? Mais oui j'en veux, je l'aime .... – **3.** Vous êtes .... jolie, mais votre robe est un peu .... longue. – **4.** Mon mari a .... mal à la gorge parce qu'il a fait son exposé en parlant .... fort. – **5.** Pendant trois heures, tout le monde s'est ennuyé ; je pense que son discours était .... long. – **6.** Qu'est-ce qu'il y a pour le déjeuner ? J'ai .... faim. – **7.** Je vais vite prendre quelque chose à manger, je ne peux plus attendre. J'ai .... faim. – **8.** Cette voiture est très chère, mais il peut l'acheter, il a .... d'argent. – **9.** Vous travaillez tous les soirs jusqu'à 20 heures, le samedi, le dimanche, et vous êtes fatigué ? Ça ne m'étonne pas, vous travaillez .... – **10.** Le lait est .... bon pour la santé, il faut en boire ....

« La lucidité est la blessure la plus proche du soleil. » René Char, poète

« Ils avaient des goûts communs et des méthodes différentes.
C'est la recette même de l'amitié. » André Maurois, écrivain du xxᵉ siècle

B1.2
★★

431. Comparer des données statistiques – Les Françaises d'aujourd'hui

a Lisez les informations ci-dessous et dites si les phrases proposées sont vraies ou fausses.

VIE

+ Elles vivent plus longtemps.
Il y a aujourd'hui 31,7 millions de Françaises (1,7 million de plus que d'hommes) qui vivent plus longtemps (82,9 ans contre 75,9 ans pour les hommes). En moyenne, elles se marient pour la première fois à 28,8 ans.

– Elles divorcent à 36-40 ans.
On divorce après cinq ans de mariage et d'abord entre 36 et 40 ans. Les Françaises sont les plus fécondes en Europe, derrière les Irlandaises. Elles enfantent à 29,5 ans en moyenne. On compte 1,6 million de familles monoparentales. 15 % des femmes vivent seules (10 % des hommes).

SANTÉ

+ Moins alcoolisées.
20 % des femmes boivent de l'alcool trois fois par semaine (deux fois moins que les hommes).

– Plus souvent chez le docteur.
Les femmes consultent plus souvent. 4 % des femmes meurent d'un cancer du sein chaque année. Un quart des morts sur la route sont des femmes. Un quart des femmes déclarent fumer tous les jours (pour un tiers des hommes). Elles sont deux fois plus nombreuses que les hommes à recourir à des médicaments psychotropes.

ÉTUDES

+ Meilleures à l'école.
Une Française qui entre en maternelle aujourd'hui peut espérer 19 ans d'études (18,6 pour les garçons). Elles ont le meilleur taux de réussite au bac, 81 % contre 75,8 % chez les garçons. 56 % des étudiants sont désormais des filles.

– Mais pas dans les grandes écoles.
Elles sont en revanche deux fois moins présentes dans les grandes écoles. De plus en plus de femmes travaillent. Sur les 27,1 millions d'actifs, 46 % sont des femmes. Elles sont plus nombreuses dans le secteur public, surtout dans l'enseignement.

MAISON

+ Plus cultivées.
Plus religieuses (17 % des femmes pratiquent), elles sont aussi plus citoyennes : les femmes votent plus que les hommes. Elles regardent aussi davantage la télévision, lisent plus de romans (les hommes lisent davantage le journal). Théâtre, concerts, expositions, musées sont des pratiques très féminines.

– Moins de détente.
La femme s'occupe davantage de la maison et des enfants (4 h 30 par jour contre 2 h 30 pour les hommes). L'homme préfère le jardinage et le bricolage. Les hommes ont 40 minutes de plus par jour pour se détendre.

	V	F
1. L'espérance de vie des Françaises est plus grande que celle des Français.	❏	❏
2. Les hommes vivent cinq ans de moins que les femmes.	❏	❏
3. Le nombre de divorces est plus important dans les cinq premières années du mariage.	❏	❏
4. La plupart des gens divorcent entre 35 et 40 ans.	❏	❏
5. Les Irlandaises ont plus d'enfants que les Françaises.	❏	❏
6. La majorité des Françaises enfante à environ 29 ans.	❏	❏
7. Il y a moins d'hommes seuls que de femmes seules.	❏	❏
8. Les femmes boivent plus fréquemment que les hommes.	❏	❏
9. Les femmes et les hommes fréquentent autant les cabinets des médecins.	❏	❏
10. Il y a beaucoup plus d'hommes qui meurent sur la route que de femmes.	❏	❏
11. Plus de femmes que d'hommes déclarent fumer tous les jours.	❏	❏
12. Les hommes consomment beaucoup moins de médicaments contre l'anxiété.	❏	❏
13. Les hommes et les femmes font des études d'une durée voisine.	❏	❏
14. Les filles réussissent mieux au bac que les garçons.	❏	❏
15. Plus de la moitié des étudiants sont des garçons.	❏	❏
16. Les garçons sont deux fois plus nombreux dans les grandes écoles.	❏	❏
17. Presque la moitié des travailleurs en France sont des femmes.	❏	❏
18. Les femmes sont minoritaires dans l'enseignement.	❏	❏
19. Un nombre très important de femmes a une pratique religieuse régulière.	❏	❏
20. Plus de femmes que d'hommes pratiquent une religion.	❏	❏
21. Les femmes votent moins que les hommes.	❏	❏
22. Les hommes lisent davantage de romans que les femmes.	❏	❏
23. Les femmes sont plus nombreuses que les hommes dans les activités culturelles.	❏	❏
24. Les hommes passent deux fois moins de temps que les femmes à s'occuper de la maison.	❏	❏

Selon les chiffres mondiaux cumulés pour 2016 : les femmes fournissent 70 % du travail et reçoivent 10 % des rémunérations... sans commentaire !

432. Moyens lexicaux et grammaticaux de la comparaison

Dans chacun des entrefilets suivants, relevez tous les moyens utilisés pour faire des comparaisons.

ADMINISTRÉS ULTRA SATISFAITS !

Voilà qui bouscule les idées reçues : la grande majorité des habitants de la région sont satisfaits de leur administration. 81 % pour 2 000 usagers interrogés se sont déclarés plus que satisfaits. La palme revient à la qualité de l'accueil téléphonique (89 %). La compétence des agents arrive aussi en tête (89 %). Le moins bon résultat est la capacité à résoudre la situation en cas d'erreur dans un dossier (51 %).

DEUX FOIS PLUS DE LIVRES PUBLIÉS EN 25 ANS, MAIS DEUX FOIS MOINS LUS !

La production éditoriale bat des records en France. Selon les chiffres du Syndicat national de l'édition, en 25 ans, le nombre de nouveaux titres a été multiplié par deux, et, ceci alors que les livres publiés ne représentent qu'à peine 1 % des manuscrits déposés… Paradoxalement, cette profusion éditoriale peine à trouver son public, les Français lisent de moins en moins. Du coup, les tirages et les ventes ont été divisés par deux sur la même période. En moyenne, un titre est imprimé à 6 000 exemplaires et se vend à 4 000 exemplaires. Un paradoxe de plus dans un pays qui est roi des prix littéraires (1 500 !) et où tout le monde ou presque souhaite écrire et être publié…

Pic de pollution

Automobilistes, encore un effort ! Plus d'un véhicule sur deux ne respecte pas la limitation à 70 km/h obligatoire dans tout le département, rappelons-le. Les températures record de ces derniers jours (la semaine la plus chaude depuis 10 ans) ont aggravé la situation et le taux d'ozone dépasse nettement les normes acceptables. Et le pire est à venir ! Météo France annonce une hausse de deux degrés pour demain. Le plus sage serait de rester à la maison, et sinon, levez le pied.

PALME DU NOMBRE DE PATRONYMES DANS LE MONDE

La France compte un million de patronymes différents pour 67 millions d'habitants. Cinq patronymes bien connus (Martin, Bernard, Thomas, Robert ou Petit) arrivent en tête du palmarès des noms les plus portés du pays. Mais 8 noms sur 10 sont partagés par moins de 50 citoyens ; un patronyme sur deux est porté par 10 personnes maximum. Mieux, plus de 25 000 personnes sont les seules à porter leur nom. Les raisons de cette variété ? Les patronymes dérivent de surnoms personnels, par définition illimités, car l'imagination des Français est sans bornes dans ce domaine.

LES MÉDICAMENTS GÉNÉRIQUES, C'EST PLUS MALIN

Les Français sont de plus en plus nombreux à accepter les médicaments génériques. Rappelons que ces médicaments sont identiques aux autres, car ils utilisent rigoureusement les mêmes principes actifs et sont soumis aux mêmes contraintes. Ils sont par ailleurs remboursés comme les autres médicaments. Autre point positif, leur prix est inférieur d'environ 25 %. Dernier avantage mais non le moindre : leurs effets sont absolument identiques.

Alors, effets égaux et moindre coût…

Synthèses

B1.2 ★★

433. Commenter un sondage – Europe

Observez les informations ci-contre sur l'Europe et faites des phrases de comparaison utilisant des moyens variés.

Exemple : en 2015, il y avait beaucoup plus d'habitants dans l'Union européenne qu'en Russie.

Un territoire plus peuplé que la Russie et les États-Unis réunis

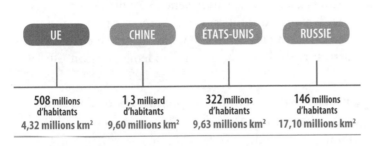

UE	CHINE	ÉTATS-UNIS	RUSSIE
508 millions d'habitants	**1,3** milliard d'habitants	**322** millions d'habitants	**146** millions d'habitants
4,32 millions km²	9,60 millions km²	9,63 millions km²	17,10 millions km²

Une défense encore insuffisante

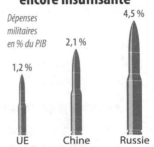

Dépenses militaires en % du PIB

1,2 % UE
2,1 % Chine
4,5 % Russie

La première puissance économique du monde

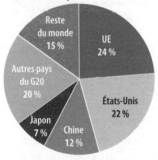

Reste du monde 15 %
UE 24 %
Autres pays du G20 20 %
États-Unis 22 %
Japon 7 %
Chine 12 %

Part du PIB mondial, en % en 2013

Le budget de l'Union reste faible

145 milliards d'euros
Europe

373 milliards d'euros
France

plus de **1 000** milliards d'euros
États-Unis

Montant du budget public en 2015

Les pays du Sud travaillent plus que ceux du Nord

44,2 heures	Grèce
41,6 heures	Espagne
41,5 heures	Allemagne
41 heures	Moyenne
40,5 heures	France
40 heures	Finlande
38,8 heures	Danemark

Temps de travail hebdomadaire moyen

Pas assez de dépenses de recherche

4,15 % Corée du Sud

3,47 % Japon

2,81 % États-Unis

2,08 % Chine

2,03 % Union européenne

Erasmus est une des rares réussites de l'Europe

Nombre d'étudiants de l'UE partis dans un autre pays de l'Union avec le programme Erasmus, sur une année scolaire

270 000

125 000

3 000

1987–1988   2002–2003   2013–2013

434. Synthèse – Au travail !

a Lisez cet article et relevez tous les moyens utilisés pour faire les comparaisons (comparatifs, superlatifs, lexique...).

AIMONS-NOUS ENCORE LE TRAVAIL ?

« Le travail tient-il encore la plus grande place dans nos préoccupations ? Est-il plus ou moins important pour nous que d'autres activités ? Mais une récente enquête de l'INSEE (Institut national de la statistique et des études économiques) et de l'institut de sondage IPSOS, « La nouvelle donne des salariés français », révèle que le travail n'est pas – ou n'est plus – notre préoccupation majeure. Un petit tiers des personnes interrogées pensent encore qu'il vient « à égalité avec d'autres choses », tandis que les deux tiers jugent qu'il est « assez important, mais moins que d'autres choses », en particulier la vie familiale qui est citée en tête par 86 % d'entre elles, le travail n'arrivant péniblement qu'en deuxième position (46 % des réponses).

Quels enseignements peut-on tirer de ces chiffres au premier abord alarmants ?

Le premier et le moins réjouissant est que le travail a perdu son rang de valeur sociale, personnelle et éthique, que le fabuliste La Fontaine avait déjà mise en avant au XVIIe siècle : « Travaillez, prenez de la peine, c'est le fonds qui manque le moins. » (dans la fable *Le Laboureur et ses enfants*). Et au moment de la révolution industrielle du XIXe siècle, un ministre lançait ce mot d'ordre : « Enrichissez-vous par le travail et par l'épargne. »

Le deuxième enseignement est peut-être plus réconfortant : c'est que les jeunes, à 80 %, placent ailleurs leurs priorités : s'ils sont moins attirés par la réussite au travail, c'est aussi parce qu'ils n'ont pas le même respect que leurs aînés pour la fortune et l'argent.

Enfin, le dernier enseignement est que les réponses diffèrent selon la nature pénible ou non du métier, les facultés intellectuelles qu'il exige ou développe, les rémunérations qu'il offre. Les professions pour lesquelles l'attachement au travail est le plus fort sont naturellement celles des arts, du spectacle, de l'information, ou encore celles qui concernent les cadres supérieurs du commerce et de l'artisanat. Les hommes et les femmes sont ici à égalité, avec quelques nuances : les pères de famille voient leur intérêt croître en fonction du nombre de personnes qu'ils ont à nourrir, tandis qu'on constate une baisse de dix points chez les femmes qui élèvent un ou deux enfants.

Faut-il donc regretter le « bon vieux temps » ? Si notre rapport au travail a changé, c'est bien que notre société a changé : avec les progrès technologiques, une plus grande prospérité, l'abaissement du temps de travail rendu possible, il est normal que d'autres centres d'intérêt – comme le goût des loisirs – aient pris la place que le travail les empêchait d'occuper jusque là.

b Relevez les trois enseignements tirés des enquêtes de l'INSEE et d'IPSOS et dites si vous êtes d'accord avec cette analyse.

c Choisissez votre slogan économique préféré parmi ceux qui suivent. Développez une argumentation pour le défendre, en utilisant divers moyens de comparaison. Puis dialoguez avec quelqu'un qui a fait un choix différent ; vous avez le droit d'avoir de l'humour !

> Travailler plus pour gagner moins

> Travailler autant pour gagner moins

> Travailler mieux pour produire mieux

> Travailler moins pour vivre mieux

> Travailler moins et gagner autant

> Travailler autrement pour vivre autrement

> Ne pas travailler et vivre aux crochets de la société

Exemple : **ne pas travailler semble la meilleure option, mais je ne suis pas sûr d'être plus heureux comme ça... Moins de stress, mais plus de temps pour s'ennuyer, etc.**

B2.1
★★★

435. Expressions orales – On vaut mieux que ça !

a Ces expressions sont courantes à l'oral. Faites des hypothèses sur leur sens et leurs situations d'emploi.

1. C'EST TOUT COMME…

2. COMME DE JUSTE !

3. C'EST COMME ÇA.

4. ET PLUS VITE QUE ÇA !

5. TU MOURRAS MOINS BÊTE.

6. TU CONNAIS LA MEILLEURE ?

7. AUTANT POUR MOI !

8. ET CE N'EST PAS LE PIRE…

b Les phrases ci-dessous sont des clichés de la sagesse populaire. Placez-les dans des situations.

1. Il vaut mieux agir que réagir. – **2.** Le mieux est l'ennemi du bien. – **3.** On n'est jamais si bien servi que par soi-même. – **4.** Le pire n'est jamais sûr. – **5.** Autant pisser dans un violon. – **6.** Il faut prendre le meilleur et oublier le pire. – **7.** Faites pour le mieux. – **8.** Autant que je sache…

> « Ma vie appartient au tout et je veux avoir été totalement épuisé lorsque je mourrai, car plus je travaille dur, plus je vis. » Georges Bernard Shaw, dramaturge anglais

La condition – L'hypothèse

 L'ESSENTIEL SUR...

La condition et l'hypothèse sont deux notions très proches qui reposent sur le fait que la réalisation d'un événement dépend de la réalisation d'un autre. Pour la condition, cette réalisation est probable, voire certaine ; mais pour l'hypothèse, nous entrons dans le domaine du possible, du douteux, ou de l'irréel. Dans le premier cas, les temps utilisés sont le présent + futur ou futur antérieur de l'indicatif (avec « si »), le subjonctif présent avec les autres conjonctions mais aussi à l'aide de prépositions ou de noms. Dans le cas de l'hypothèse, les temps utilisés sont l'imparfait ou le plus-que-parfait de l'indicatif + conditionnel présent ou passé (avec « si »), ce qui montre bien que nous ne sommes plus vraiment dans le domaine du réalisable. D'autres conjonctions suivies du subjonctif ou du conditionnel expriment aussi cette notion.

● Comment exprimer la condition

Par « si »	
si + présent → **présent** **passé composé** → **impératif** → **futur** → **futur antérieur**	**Si** tu es prêt, nous partons. **Si** tu es prêt, partons. **Si** tu es prêt, nous partirons. **Si** c'est prêt, tu auras fini ce travail rapidement.
sinon = condition négative **présent** + **sinon** + **futur** **impératif** **futur proche**	Il faut faire vite **sinon** nous raterons le train. Dépêche-toi **sinon** nous allons rater le train.
Par des conjonctions + subjonctif	
• **+ subjonctif** à condition que pourvu que pour peu que (= il suffit que)	Nous partirons **à condition qu'**il n'y ait pas de grève. J'irai te chercher à la gare **pourvu que** tu me fasses savoir l'heure d'arrivée de ton train. **Pour peu qu'**on lui fasse un compliment, elle se met à rougir.

« Si un homme qui se croit un roi est fou, un roi qui se croit un roi ne l'est pas moins. »
Jacques Lacan, théoricien de la psychanalyse

« Si vous pensez que l'aventure est dangereuse, essayez la routine : elle est mortelle... »
Paulo Coelho, auteur brésilien

Par des prépositions	
• **+ infinitif** à condition de faute de à défaut de	Nous irons en Chine **à condition d'**avoir un visa.
	Faute de trouver une chambre d'hôtel, **à défaut de** trouver une chambre d'hôtel, vous pourrez toujours aller dans un camping.
à moins de (= sauf si) au risque de	**À moins d'**avoir un travail de dernière minute, je serai chez vous à 7 heures précises.
	Au risque de te vexer, je n'aime pas beaucoup ta robe.
• **+ nom** avec sans moyennant	**Avec** un peu de patience, tu y arriveras.
	Sans lunettes, je n'arriverai pas à lire.
	Vous obtiendrez ce service **moyennant** un pourboire.

Autres moyens	
• **+ gérondif + verbe au futur**	**En travaillant** davantage, tu réussiras à ton examen.
• **+ verbe au présent** **+ et + présent** **futur**	Tu lui fais une remarque anodine **et** elle pleure/pleurera.

● Comment exprimer l'hypothèse

Par « si »	
• **+ présent / présent ou futur**	**Si** tu veux, tu peux. **Si** tu viens, tu verras la mer.
• **+ si + imparfait / conditionnel présent**	**Si** tu mangeais moins, tu maigrirais.
• **+ si plus-que-parfait / conditionnel présent**	**Si** tu avais travaillé davantage, tu aurais ton diplôme.
• **+ si plus-que-parfait / conditionnel passé**	**Si** tu avais travaillé davantage, tu aurais réussi.
• **+ sinon + conditionnel** (= autrement)	Elle n'avait pas dû pouvoir venir, **sinon** elle aurait laissé un mot.

« Si nous n'apprenons pas à échouer, nous échouerons à apprendre. »
Fabrice Midal, philosophe

« Si tu n'as pas été nul dans ton enfance, tu n'as aucune chance de réussir ! »
Nagui, animateur télé

Par des conjonctions

• **+ subjonctif**
à supposer que
en supposant que
en admettant que
soit que... soit que
à moins que (+ ne) = sauf si

> Nous pourrions aller faire une promenade en montagne, **à supposer qu'**il fasse très beau.

> **Soit que** tu veuilles voir une pièce de théâtre, **soit que** tu préfères l'opéra, je pourrais te prendre des places.

> C'est Pierre qui t'accompagnera, **à moins que** cela ne te déplaise.

• **+ conditionnel**
au cas où
dans le cas où
pour le cas où
dans l'hypothèse où

> **Au cas où** il aurait un malaise, il faudrait le faire hospitaliser.

Par des prépositions

• **+ infinitif**
faute de / à défaut de
à moins de
(le verbe principal est au conditionnel)

> **Faute de** revenir le vendredi soir, vous devriez être là le samedi avant midi au plus tard.

> **À moins de** prendre un train rapide, vous ne pourriez pas être présent à la réunion.

• **+ nom**
avec
moyennant
sans
en l'absence de
faute de
à moins de
en cas de
→ **Le verbe qui suit est au conditionnel.**

> **Avec** (moyennant) 500 € de plus, vous auriez un travail beaucoup plus soigné.

> **En l'absence des** locataires, il faudrait laisser le paquet au concierge.

> **À moins d'**un travail inattendu, il pourrait vous emmener à l'aéroport.

> **En cas de** retard, nous n'aurions pas la correspondance.

Autres moyens

• **+ gérondif + verbe au conditionnel**

> **En revenant** une semaine plus tôt, tu lui ferais plaisir.

• **+ verbe au conditionnel + verbe au conditionnel**

> **Tu me l'aurais dit**, je serais allé te chercher.

> « Si les extraterrestres nous rendaient visite, nous nous retrouverions dans la situation catastrophique des Indiens d'Amérique après l'arrivée de Christophe Colomb. »
> Stephen Hawking, scientifique anglais

> « Si tout le monde faisait un effort, ce serait plus facile d'en faire un aussi. »
> Tout un chacun

● Phrases avec si

Hypothèse ou condition de réalisation située	dans	Conséquences situées	dans	Exemples	Valeurs
Possible					
si + présent	présent immédiat	+ impératif + présent	avenir immédiat	Si ton voisin est bruyant, appelle la police. Si tu m'embêtes, je te quitte! Si vous avez de l'argent, nous pouvons déjeuner.	Conseil Menace Proposition soumise à condition
si + présent	avenir	+ futur + conditionnel présent	Avenir	S'il fait beau demain, j'irai à la piscine. Si tu veux, la semaine prochaine, nous pourrons aller au théâtre. Si tu veux, la semaine prochaine, nous pourrions aller au théâtre.	Projet ferme sous condition Forte probabilité Éventualité
si + passé composé	passé	+ présent + impératif	présent	S'il a réussi, il doit être content. Si tu as fini ton travail, viens avec nous.	On ne sait pas s'il a réussi : hypothèse Condition accomplie, conséquence immédiate
si + passé composé	passé	+ passé composé	passé	S'il a réussi, il a sûrement fêté ça.	On ne sait pas ce qui s'est passé.
si + passé composé	passé	+ futur + futur antérieur	avenir	S'il a réussi, il réussira tout le reste ! Si tu as fini avant quatre heures, tu auras fait vite.	Condition passée remplie, conséquence future certaine. Condition et conséquence
Irréel					
si + imparfait	avenir présent	+ conditionnel présent	avenir présent	Si je rencontrais un gentil garçon, je me marierais. Si j'étais martien, je parlerais martien.	C'est possible, mais ce n'est pas certain du tout : éventualité – souhait Mais je ne suis pas martien et je ne parle pas martien : hypothèse – irréel « Si » + imparfait marque ici l'habitude. Elle continue après la réalisation de la conséquence. (rare)
si + imparfait	passé	+ conditionnel passé	passé	Si je ne te connaissais pas aussi bien, je ne t'aurais rien demandé.	
si + plus-que-parfait	passé	+ conditionnel passé + conditionnel présent	passé présent	Si nous avions étudié, nous aurions réussi. Si tu avais été gentil, j'aurais passé une bonne soirée. Si nous avions étudié, nous serions diplômés.	Mais nous n'avons pas étudié : regret, reproche. Mais nous n'avons pas étudié (hier) et nous ne sommes pas diplômés (aujourd'hui).

> **! REMARQUE**
> Le verbe placé tout de suite après « si » est toujours à l'indicatif.

> **• Condition ou hypothèse ?**
> **C'est la situation et le sémantisme qui déterminent l'hypothèse ou la condition, et non pas seulement les temps employés.**
>
> Exemples :
> – *Si tu me donnes ton pull, je te donne ma robe.* (à condition que...)
> – *Si tu vois de jolies cerises, tu en prends un kilo.* (au cas où...)
> – *Si tu n'es pas gentil, je te donne une gifle.* (sois gentil, sinon...)
> – *S'il fait beau le dimanche, je vais à la campagne.* (quand, chaque fois que...)

> **! ATTENTION**
> **Quand il y a deux imparfaits d'habitude, la phrase exprime une habitude répétée dans le passé.**

> **• Autres sens de « si »**
> – **Oui**, après une question négative : *Tu n'aimes pas le vin ? – Si !*
> – **Discours rapporté** : *Il m'a demandé si j'aimais le vin.*
> – **Conséquence** : *Il fait si froid que nous avons les pieds gelés.*
> – **Concession** : *Si gentil soit-il, il n'est pas capable de réussir.*

 Activité de repérage 29

Quels temps sont utilisés dans ces phrases avec « si » ?

1. Si on ne m'avait pas cambriolé, j'aurais pu écouter la radio, j'aurais su que le métro était en grève, je n'aurais pas perdu la journée à courir partout et je serais de meilleure humeur maintenant.

2. Si vous avez acheté cet ordinateur, vous avez fait une mauvaise affaire et vous le regretterez longtemps...

3. Si nous étions en vacances, en ce moment nous aurions les pieds dans l'eau et nous jouerions au volley...

4. Si les grands de la classe t'ennuient, dis-le-moi. Et si les petits ne veulent pas jouer avec toi, je suis là pour t'aider.

5. Si je décroche le rideau, il va tomber sur le radiateur et il fondra à cause de la chaleur, ce sera l'incendie et il faudra appeler les pompiers...

6. Si vous étiez un nuage, vous planeriez au-dessus des plus beaux paysages du monde.

> « Si le livre que nous lisons ne nous réveille pas d'un coup de poing,
> à quoi bon le lire ? » Franz Kafka, écrivain tchèque

> « Si vous voulez être original, soyez humain, plus personne ne l'est. »
> Max Jacob, poète

B1.1 ★

436. Si + présent + impératif

Sur le modèle de l'exemple, donnez des conseils aux personnes ci-dessous.

Exemple : Le quartier devient difficile, délinquance, agressions (déménager).
→ **Si le quartier est trop dur, déménage !**

1. Je suis trop gros, je voudrais maigrir. (manger moins de féculents, faire du sport, voir un nutritionniste, oublier les gâteaux, les glaces et les sucreries)

2. J'ai peur de perdre mon emploi. (se secouer, explorer de nouvelles voies, demander conseil, faire des formations, écouter son cœur et surtout ne pas se cramponner à son ancien métier)

3. Mes voisins sont odieux et sont trop bruyants (leur parler, trouver des alliés dans l'immeuble, faire une pétition, appeler la police)

4. Mon fils se drogue. (chercher un spécialiste pour l'aider, se renseigner sur les causes et les traitements, le changer d'établissement scolaire, changer de ville. Mais avant tout, lui parler !)

B1.1 ★

437. Si + présent + impératif – Les fugitifs

Un homme est poursuivi par la mafia, car il connaît trop de secrets gênants. Il est obligé de prendre de grandes précautions et de donner des consignes très précises à sa famille, en danger comme lui.

Exemple : « J'arriverai normalement à la gare à cinq heures. **Si je ne suis pas là à cinq heures, ne m'attendez pas, fuyez immédiatement.** »

Sur ce modèle, et en utilisant les éléments proposés, complétez les déclarations de notre homme.

1. Je téléphonerai à dix heures. (quitter la ville)

→ Si .... !

2. Vous recevrez la lettre dont je vous ai parlé demain. (déménager)

→ Si .... !

3. Je reviendrai dans trois jours. (contacter la police)

→ Si .... !

4. Vous aurez un télégramme dimanche. (changer d'hôtel)

→ Si .... !

5. Je vous apporterai de l'argent demain. (se réfugier chez maman)

→ Si .... !

6. Je frapperai trois coups, puis deux coups. (fuir par la fenêtre)

→ Si .... !

B1.1
★

438. « Si » + présent + présent – Menace : si tu me frappes, je m'en vais !

Complétez librement les phrases suivantes en menaçant l'autre.

Exemple : **Si tu me prends mes affaires, je te pique les tiennes !**

1. Si tu me réveilles à minuit, ... – **2.** Si tu oublies de m'écrire, ... – **3.** Si tu tombes amoureux d'un(e) autre, ... – **4.** Si tu ne fais rien pour m'aider, ... – **5.** Si tu n'es pas plus gentil, ... – **6.** Si tu me frappes, ...

B1.1
★

439. « Si » + présent + présent = hypothèse sur le futur immédiat

SI JE GAGNE LE GROS LOT...

✔ Je change de boulot, de ville de fringues et même, pourquoi pas, de famille.
✔ Je place la moitié de la somme dans une fondation pour l'éducation des orphelins.
✔ Je m'achète une propriété à la campagne et j'y mets plein d'animaux.
✔ Je prends le temps d'étudier tout ce qui m'intéresse.

Dites-nous vos projets si vous gagnez au loto. Vous êtes confiant, donc vous utilisez « si » + présent + présent pour montrer que vous allez gagner.

B1.1
★

440. « Si » + présent + futur

a Réagissez aux déclarations suivantes, en utilisant les indications entre parenthèses.

Exemple : – « Je vais demander une augmentation à mon patron. » (Il – refuser – tu – faire)
→ « Et s'il refuse, qu'est-ce que tu feras ? »

1. J'ai décidé de quitter mon emploi et de monter une boîte d'électronique. (Tu – se casser la figure – devenir)

2. Nous allons vendre notre appartement, acheter un bateau et partir faire le tour du monde. (Vous – perdre le bateau – vivre où ?)

3. Ils veulent partir en voyage sans argent ou presque. (Ils – avoir des problèmes – revenir comment ?)

4. Elle pense que la carrière est plus importante que la vie de la famille. (Son fiancé – penser le contraire – accepter cela facilement)

5. Il pense qu'une femme doit suivre son mari partout pour l'aider dans sa carrière. (Sa femme – refuser de déménager – Il – divorcer)

6. Vous devez dîner avec moi ce soir, Mademoiselle. (Je – refuser – vous – licencier)

b Sur ce modèle, faites un dialogue entre un ami aventureux qui veut émigrer au Canada et trouve toujours des solutions à tout et son copain, très prudent, qui imagine toutes les complications possibles.

441. « Si » + présent + futur

Sur le modèle ci-dessous, proposez plusieurs actions possibles en réponse aux phrases suivantes. Utilisez les suggestions proposées.

Exemple : – Ta petite amie t'est infidèle, je crois. Que vas-tu faire ?
→ **Si elle me trompe vraiment, je la quitterai !**
→ **Si c'est vrai, je serai très triste.**
→ **Si ce n'est pas vrai, je te casserai la figure !**
→ **Si tu me racontes des histoires, tu auras des problèmes.**

1. Les étudiants sont difficiles cette année, Monsieur le Directeur. Qu'allons-nous faire ?

→ être inquiets – les rassurer, etc.

→ avoir des propositions constructives – les appliquer, etc.

→ manifester – essayer de les calme, etc.

→ tout casser – faire appel aux forces de l'ordre, etc.

2. La situation est très grave, Monsieur le Président : notre ennemi principal est sur le point de nous attaquer. Que devons-nous faire ?

→ Eux : augmenter la pression / Nous : utiliser le téléphone rouge, etc.

→ Eux : refuser la négociation / Nous : se mettre en état d'alerte rouge, etc.

→ Eux : devenir menaçants. Nous : envoyer les sous-marins, etc.

→ Eux : envoyer des chasseurs / Nous : déplacer des troupes au Nord.

Et la suite ?

442. « Si » + présent + futur

TU SERAS UN HOMME, MON FILS

Si tu peux voir détruit l'ouvrage de ta vie
Et sans dire un seul mot te mettre à rebâtir
Ou perdre en un seul coup le gain de cent parties
Sans un geste et sans un soupir
Si tu peux être amant sans être fou d'amour
Si tu peux être fort sans cesser d'être tendre
Et, te sentant haï, sans haïr à ton tour
Pourtant lutter et te défendre
Si tu peux supporter d'entendre tes paroles
Travesties par des gueux pour exciter des sots
Et d'entendre mentir sur toi leurs bouches folles
Sans mentir toi-même d'un mot
Si tu peux rester digne en étant populaire
Si tu peux rester peuple en conseillant les rois
Et si tu peux aimer tous tes amis en frère
Sans qu'aucun d'eux soit tout pour toi
Si tu sais méditer, observer et connaître
Sans jamais devenir sceptique ou destructeur
Rêver, mais sans laisser ton rêve être ton maître Penser sans n'être qu'un penseur
Si tu peux être dur sans jamais être en rage
Si tu peux être brave et jamais imprudent

Si tu sais être bon, si tu sais être sage
Sans être moral ni pédant
Si tu peux rencontrer Triomphe après Défaite
Et recevoir ces deux menteurs d'un même front
Si tu peux conserver ton courage et ta tête
Quand tous les autres les perdront
Alors les Rois, les Dieux, la Chance et la Victoire
Seront à tout jamais tes esclaves soumis.
Et, ce qui vaut mieux que les Rois et la Gloire
Tu seras un homme, mon fils.

Poème *If*, de Rudyard Kipling.

En vous inspirant du très beau texte de Rudyard Kipling, formulez les conseils que vous voudriez donner à votre fils ou à votre fille pour qu'ils deviennent, par exemple, un excellent médecin, un merveilleux chanteur, un peintre de talent, un père de famille attentif, un chercheur de haut niveau, un musicien talentueux, un président de la République inspiré.

B1.2
★★

443. « Si » + passé composé + passé composé ou présent ou futur

Sur le modèle de la publicité ci-après, répondez aux phrases suivantes avec les éléments proposés. Faites bien attention au sens pour choisir le temps qui convient le mieux, et à la personne.

TASK FREDUSR 2

Si vous avez tapé ça,
vous venez de faire une erreur,
vous avez perdu du temps,
dépêchez-vous de jeter votre vieil ordinateur,
vous apprécierez la simplicité de nos ordinateurs.

1. Gabriel à son ami Théo : « Rose est sûrement déjà arrivée à la maison, et je suis encore chez toi, oh ! là ! là ! »

Théo : « Si elle ....

→ (se dépêcher de rentrer) ....

→ (devoir commencer à s'inquiéter) ....

→ (devoir être déçue de ne pas te trouver) ....

→ (te chercher bientôt partout) ....

2. Arthur à un ami mécanicien : « Je viens d'acheter une diesel ».

L'ami mécanicien : « Si tu ....

→ (ne pas être bien malin) ....

→ (avoir bientôt des problèmes) ....

→ (la revendre tout de suite) ....

→ (faire une grosse erreur) ....

3. Un employé venant de découvrir un secret d'état, à son chef : « Chef, regardez le joli scandale que je viens de découvrir. »

Le chef : « Si vous ....

→ (l'oublier aussitôt) ....

→ (être en danger) ....

→ (être bientôt poursuivi) ....

→ (avoir signé son arrêt de mort) .... »

B1.2
★★

444. Si + présent, Si + passé composé + présent impératif (futur) – SOS assistance

Reformulez les promesses d'Inter assistance figurant sous les images en utilisant des phrases avec « si ». Attention, vous devrez imaginer une partie des éléments nécessaires.

Envoi plombier
<u>Exemple :</u>
→ Si vous avez des problèmes de plomberie, nous vous enverrons un plombier.
→ Si votre lavabo est bouché, nous avons des plombiers à votre disposition.
→ Si vous avez laissé tomber une bague dans la tuyauterie, nous vous enverrons un plombier.

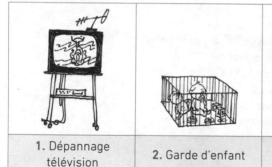

| **1.** Dépannage télévision | **2.** Garde d'enfant | **3.** Urgence santé | **4.** Aide ménagère à domicile |

   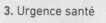  

| **5.** Envoi d'un proche à votre chevet | **6.** Informations juridiques | **7.** Dépannage serrurerie | **8.** Inondations |

> « <u>Si je partais</u> droit devant moi sans me retourner, je me perdrais rapidement de vue »
> Jean Tardieu, poète

Si + imparfait + conditionnel présent

B1.2
★★

445. « Si » + imparfait + conditionnel présent – Possible

a Sur le modèle de l'exemple, construisez des phrases en prenant les idées dans les propositions des deux colonnes suivantes. Faites des phrases avec « il » et « nous » (ou « vous » et « nous » ou encore « vous » et « je ». Dans ce cas, attention aux modifications de pronoms).

UN CARACTÈRE DE COCHON

Exemple : **S'il ne se mettait pas en colère toutes les cinq minutes, nous lui dirions plus souvent des gentillesses, nous n'aurions pas peur de ses réactions...**

Lui	Nous
Ne pas se mettre en colère toutes les cinq minutes	Avoir moins souvent envie de l'étrangler
Ne pas être de mauvaise humeur le matin	Être plus à l'aise avec lui
Être plus tolérant	Ne pas avoir peur de ses réactions
Accepter plus facilement les défauts des autres	Lui parler avec moins de précautions
Ne pas crier quand on le contrarie	Se disputer moins souvent avec lui
Sourire plus souvent	Le trouver plus agréable
Parler moins agressivement	Lui offrir plus de cadeaux
Avoir plus de patience avec les autres	Lui faire plus de bisous
Se fâcher moins souvent pour rien	Lui dire plus souvent des gentillesses
Accepter de temps en temps d'avoir tort.	Ne pas partir en claquant la porte.

b Une partie des éléments du deuxième ensemble peut servir à inverser le raisonnement. À vous de trouver les combinaisons qui ont un sens.

Exemple : Si nous lui faisions plus de bisous, il se fâcherait moins souvent pour rien.

B1.2
★★

446. « Si » + imparfait + conditionnel présent – Le portrait chinois

a Sur ce modèle, faites votre portrait.

– Si j'étais ....

– Si j'étais ....

PORTRAIT CHINOIS **?**

Si j'étais Dieu, je serais bien embêtée !

Si j'étais une fleur, ça ne serait pas le myosotis !

Si j'étais une rivière, je roulerais sur le monde !

Si j'étais un brin d'herbe, je ferais gaffe aux vaches !

Si j'étais Superman, je ne voudrais plus jamais redescendre !

Si j'étais un platane, j'en aurais marre des voitures !

b Écrivez des questions pour les autres étudiants.

– Que feriez-vous si vous étiez une voiture ?

– Que ferais-tu si tu étais un chien ?

– Comment vivriez-vous si vous étiez un grand artiste ?

– Comment vivriez-vous si vous étiez français ?

447. « Si » + imparfait + conditionnel présent – Quelles seraient les valeurs d'une société où vous aimeriez vivre ?

a Parmi les valeurs possibles de la liste ci-après, choisissez :

– les cinq qui vous semblent essentielles,

– les cinq qui vous semblent les moins importantes.

L'amitié — Le courage — La discipline — Les droits de l'homme — La tolérance — La famille — La générosité — L'égalité — La fidélité — L'optimisme — Le patriotisme — La politesse — La réussite matérielle — L'honneur — L'honnêteté — La responsabilité — L'humour — Le respect de l'environnement — Le goût du travail — La liberté — La justice — La sincérité

b Écrivez des justifications pour vos cinq premiers choix selon les modèles suivants.

Exemples :
Je crois que l'honnêteté est tout à fait indispensable :
– **Si l'honnêteté était une valeur respectée, on ne verrait plus toutes ces histoires de corruption.**
– **Si chacun de nous était un tout petit peu plus honnête, cela ferait une grosse différence.**
– **Si l'honnêteté devenait notre valeur dominante, nous pourrions vraiment faire confiance aux autres.**
– **Si les personnes malhonnêtes n'étaient pas montrées comme des héros dans les films de gangsters, moins de gens essaieraient de les imiter.**
– **S'il n'y avait plus de voleurs ni d'escrocs, on pourrait vivre portes ouvertes et ce serait bien agréable.**

c En groupes, comparez et discutez vos choix.

d Si vous connaissez des Français ou des francophones, continuez ces échanges avec eux.

B1.2
★★

448. « Si » + imparfait + conditionnel présent – Moi, président...

On demande à des personnes dans la rue quelles mesures elles mettraient en place si elles étaient président de la République. Voici leurs réponses.

– **Droits de l'homme** : « Je souhaiterais faire abolir la torture dans tous les pays. Je ferais en sorte que mon pays soit un modèle dans ce domaine. »

– **Droits de l'enfant** : « Je lutterais énergiquement contre le travail des enfants. »

– **Égalité** : « Je ferais mon maximum pour mettre en place l'égalité pour tous. Il faudrait instaurer un système qui transfère les surplus des pays riches vers les pays pauvres. »

– **Écologie** : « Je rendrais obligatoires les énergies renouvelables et je supprimerais le nucléaire. »

À votre tour, si vous étiez président de la République, imaginez quelle seraient vos mesures sur les thèmes de société suivants : école, social, santé, transports, humanitaire, insécurité, international, vie politique.

B2.1
★★★

449. Avenir, fictions – Paris-sur-Seine ou Paris sous la Seine ?

a Ce texte décrit un événement à venir, possible mais pas certain, pour la ville de Paris. Soulignez tous les éléments qui montrent qu'il s'agit d'une hypothèse (structures, temps, lexique).

Il ne reste plus de Parisiens pour se souvenir de l'inondation de 1910 (8,62 mètres), quand on circulait en barque sur les grands boulevards... Cela pourrait bien se reproduire d'après les experts. Nos prestigieux musées ont déjà enlevé de leurs caves certains tableaux fragiles, le RER a été fermé en janvier 2018... Alors que se passerait-il si une crue semblable arrivait à nouveau ?

Certains adoreraient cette rupture de la routine : Paris ressemblerait à Venise, la pyramide du Louvre émergerait des eaux, on visiterait les monuments en barque ou avec des équipements de plongée, on circulerait en bateaux-mouches.

Mais plus probablement, ce serait une catastrophe, non seulement pour la ville et ses habitants mais aussi pour la Nation tout entière : les pouvoirs politiques et économiques, très concentrés à Paris, seraient désorganisés ; les dégâts seraient énormes et les coûts de remise en marche aussi...

Alors, d'après vous, que ferions-nous ?

B1.2
★★

b Répondez aux questions en utilisant « si » + imparfait + conditionnel présent.

– Que se passerait-il si, tout d'un coup, l'argent disparaissait ?

– Que se passerait-il si la vie se déroulait à l'envers (nous naîtrions vieux et nous mourrions nourrissons) ?

– Que se passerait-il si nous ne pouvions plus mentir ?

– Que se passerait-il si les animaux prenaient le pouvoir ?

– Que se passerait-il si les serveurs et les câbles de transmission internet étaient sabotés et devenaient inutilisables sur tout la planète ?

– Que se passerait-il si on découvrait un sérum d'immortalité ?

– Que se passerait-il si... (Tout autre thème de scénario est le bienvenu.)

B2.1
★★★

C Imaginez des questions concernant l'avenir de notre planète et de notre espèce. Rédigez un texte en utilisant le maximum d'expressions d'hypothèse et de condition pour décrire ce qui se passerait dans ces circonstances. Envisagez les conséquences dans tous les domaines : politique, économie, relations humaines, conditions matérielles, changement de valeurs.

Exemples :
– Et si le climat se réchauffait / se refroidissait brutalement ?
– Et si on n'avait plus besoin d'êtres humains pour la production industrielle ?
– Et si on n'avait plus besoin d'hommes / de femmes pour faire des enfants ?
– Et si on découvrait une planète habitable proche de la Terre ?

Si + plus-que-parfait + conditionnel présent ou passé

B1.2
★★

450. Si + plus-que-parfait ... conditionnel présent ou passé – Histoire et fictions

L'histoire avec un grand H s'est déroulée d'une certaine façon et nous ne pouvons plus rien changer aux faits passés ni à leurs conséquences. Toutefois, on peut imaginer des scénarios différents. Par exemple :

Si les Français n'avaient pas guillotiné le roi Louis XVI, la France aurait un système démocratique avec un roi, comme en Angleterre.

> **conséquence actuelle → conditionnel présent**
> **conséquence dans le passé → conditionnel passé**

Choisissez un des événements suivants ou un épisode historique de votre pays et imaginez ce qui se serait passé s'il n'avait pas eu lieu ou avait eu une autre conclusion.

– Que se serait-il passé si Christophe Colomb n'avait pas découvert l'Amérique ?

– Que se serait-il produit si la Révolution française n'avait pas eu lieu ?

– Que serait-il arrivé si l'humanité n'avait pas inventé l'industrie ?

– Que serait-il arrivé si les dinosaures avaient survécu ?

– Que se serait-il passé si les Indiens d'Amérique avaient conquis l'Europe ?

– Que se serait-il passé si on n'avait pas découvert la pomme de terre ?

B1.2
★★

451. Irréel du passé, deux sujets, une négation

Faites une seule phrase avec les éléments proposés en utilisant « si » + plus-que-parfait + conditionnel passé.

Exemple : Je ; naître au XVIIIᵉ siècle / Tu ; ne pas avoir la joie de me connaître.
→ **Si j'étais né au XVIIIᵉ siècle, tu n'aurais pas eu la joie de me connaître.**

1. Les Gaulois ; être plus disciplinés / Les Romains ; les vaincre. – **2.** La police ; arriver plus vite / La bagarre ; devenir générale. – **3.** Ce film ; être vraiment nul / Le public ; se précipiter pour le voir. – **4.** Le conducteur du bus ; respecter le code de la route / La police ; l'arrêter. – **5.** Les enfants ; faire moins de bruit / Leur mère ; les punir. – **6.** Les amis de Zoé ; arriver plus tôt / Le rôti ; brûler.

B1.2
★★

452. Irréel du passé, un sujet, une négation

Reliez les éléments suivants en une seule phrase.

Exemple : Hugo ; rater son train / Il ; obtenir le contrat.
→ **Si Hugo n'avait pas raté son train, il aurait obtenu le contrat.**

1. La manifestation ; être interdite / rassembler plus de monde. – **2.** Ce spectateur ; sortir avant la fin / voir la meilleure partie du spectacle. – **3.** Ce film avoir autant de publicité / attirer moins de spectateurs. – **4.** L'autoroute ; être détournée / détruire une des plus belles zones naturelles de la région. – **5.** Nathan ; avoir un grave accident en 2012 / émigrer en Australie. – **6.** Nous ; fermer toutes les fenêtres / souffrir de la chaleur

B1.2
★★

453. Irréel du passé, double négation, un seul sujet

Reliez les éléments suivants en une seule phrase selon le modèle suivant.

Exemple : Einstein ; être génial / Il ; découvrir la théorie de la relativité.
→ **Si Einstein n'avait pas été génial, il n'aurait pas découvert la théorie de la relativité.**

1. Ce spectateur ; sortir de la salle / manquer la prodigieuse scène finale. – **2.** Picasso ; être un artiste exceptionnel / peindre une œuvre aussi gigantesque. – **3.** Steve Jobs ; être aussi inventif / révolutionner l'informatique. – **4.** Napoléon ; aimer autant le pouvoir / essayer de conquérir l'Europe. – **5.** Brigitte Bardot ; abandonner le cinéma / se consacrer à la cause animale. – **6.** Marilyn Monroe ; mourir si mystérieusement / devenir une star aussi mythique.

B1.2
★★

454. Irréel du passé, double négation, deux sujets

Reliez les éléments suivants en une seule phrase selon le modèle suivant.

Exemple : Les parents ; ne pas construire le mur de Berlin / Les enfants ; ne pas être obligés de le démolir.
→ **Si les parents n'avaient pas construit le mur de Berlin, les enfants n'auraient pas été obligés de le démolir.**

1. Le système d'alarme ; tomber en panne / Les malfaiteurs ; voler des toiles irremplaçables. **2.** Les savants ; inventer la bombe atomique / L'humanité ; se mettre à craindre la mort de la planète. – **3.** La médecine ; trouver le remède de la lèpre / De nombreux malades ; guérir. – **4.** Les Indiens d'Amérique du sud ; être divisés / Les Espagnols ; les vaincre aussi rapidement. – **5.** Vous ; nous inviter / nous ; voir ce magnifique spectacle. – **6.** Vous ; nous inviter / Nous ; s'amuser beaucoup ce soir-là.

« Si on nous enlevait tout ce qui nous fait mal, que resterait-il ? » Henri Barbusse

« Avec des si, on pourrait mettre Paris en bouteille... »
Sagesse populaire

455. « Si » + plus-que-parfait + conditionnel présent ou passé

Reliez les éléments donnés pour faire une phrase avec une hypothèse portant sur le passé. Vous utiliserez « si » + plus-que-parfait + conditionnel présent ou conditionnel passé.

Exemple : Les enfants se sont couchés à quatre heures du matin, hier.
– Ce matin, ils se sont endormis en classe.
– Ce soir, ils sont encore fatigués.
→ Si les enfants **s'étaient couchés** plus tôt / moins tard, **ils ne se seraient pas endormis** en classe ce matin.
Si les enfants **ne s'étaient pas couchés** si tard, ils **ne seraient pas fatigués** ce soir.

1. Jacques a trop bu. Ce matin, il a été malade. Ce soir, il a encore mal au foie.

2. Marie a beaucoup dansé. Elle s'est beaucoup amusée pendant la soirée. Elle a des courbatures aujourd'hui.

3. Les premiers arrivés ont mangé tout le buffet. Les derniers arrivés n'ont rien eu à manger. Les premiers arrivés ont mal au ventre aujourd'hui.

4. Les musiciens ont chanté toute la nuit. La fête a été superbement réussie. Ils ont une extinction de voix aujourd'hui.

5. Paul est resté dans son coin timidement. Il s'est ennuyé. Il a le cafard aujourd'hui.

6. Sébastien et Annette se sont plu. Ils ont passé la soirée ensemble. Ils ont l'air très heureux aujourd'hui.

456. Si + plus-que-parfait + conditionnel présent ou passé – Avec des si...

Transformez les éléments suivants en phrases avec :

– Si + plus-que-parfait + conditionnel présent (conséquence actuelle).
– Si + plus-que-parfait + conditionnel passé (conséquence dans le passé).

Attention au sens et aux négations nécessaires à enlever ou à ajouter.

Exemple : Il a réussi sa thèse.
– Il a trouvé un travail passionnant.
– Il est professeur d'université aujourd'hui.

→ S'il **n'avait pas réussi** sa thèse, ⎤ il **n'aurait pas trouvé** un travail passionnant.

→ S'il **n'avait pas réussi** sa thèse, ⎦ il **ne serait pas** professeur d'université aujourd'hui.

1. Il n'a pas fini sa thèse.

– Il est au chômage.

– Il n'a pas pu avoir le poste à Paris.

2. Elle a beaucoup voyagé.

– Elle connaît bien le continent asiatique.

– Elle a rencontré toutes sortes de gens.

3. Il a émigré en France.

– Il a changé de nationalité.

– Il n'est plus turc.

4. Elle a rencontré un séduisant Espagnol.

– Elle a émigré en Espagne.

– Elle parle espagnol couramment.

5. Il a raté son bus le mardi 14 décembre 2004.

– Il a rencontré Marie dans le métro.

– Il n'est plus célibataire.

6. Elle s'est fâchée avec ses parents l'hiver dernier.

– Elle a dû déménager.

– Ils ne l'aident plus financièrement.

7. Les enfants se sont gavés de bonbons tout l'après-midi.

– Ils ont eu mal au cœur.

– Ils n'ont plus faim ce soir.

8. Il a eu un grave accident en janvier.

– Il a raté un contrat important.

– Il boite un peu aujourd'hui.

9. Ce matin, ma voiture n'a pas démarré.

– J'ai attendu le bus pendant une heure.

– Maintenant je suis en retard à mon rendez-vous.

B1.2
★★

457. « Si » + plus-que-parfait + conditionnel présent ou passé

UNE VIE DE DÉLINQUANCE

En novembre 2005, Christophe a été condamné à 20 ans de prison pour une succession de braquages de banques. Depuis toujours, il avait tendance à être violent et il n'en était pas à son premier exploit :

– **Déjà bébé**, il criait la nuit dans son berceau.

– **À deux ans**, il mordait ses frères et sœurs.

– **À trois ans**, il a jeté le petit dernier à la poubelle.

– **À l'école primaire**, c'était un enfant intenable et bagarreur. Il volait les goûters des autres enfants, tapait les plus petits, insultait la maîtresse.

– **Au collège**, il rackettait les autres élèves, volait blousons et vélomoteurs, terrorisait les plus faibles, vendait de la drogue.

– **À seize ans**, un jour au collège, son professeur d'éducation physique voulait l'obliger à faire des exercices qu'il trouvait trop difficiles, alors il a mis le feu à la salle de sport. Il a été renvoyé du collège et il a commencé les vols de voitures et les cambriolages.

– **À partir de là**, sa vie n'a plus été qu'une succession de braquages, condamnations, années de prison, tentatives d'évasion.

– **Sa dernière condamnation, en 2005**, est la plus lourde de la série. Il semble un peu calmé.

Il a repris des études de sociologie et s'occupe de l'informatisation de la bibliothèque de la prison.

On ne peut pas refaire le passé, mais on peut faire des hypothèses : si ses expériences, ses rencontres, ses choix avaient été différents, il n'aurait peut-être pas fait tout ça et ne serait pas en prison aujourd'hui.

a Vous êtes l'avocat de Christophe et vous voulez absolument le sauver. Reprenez les étapes de sa biographie en essayant de comprendre.

Exemple : Il criait la nuit dans son berceau.
> – Christophe **n'aurait peut-être pas crié** la nuit **s'il n'avait pas eu faim**.
> – Si ses parents **avaient été** plus attentifs, il **n'aurait peut-être pas crié**.
> – Si sa mère l'**avait nourri** au sein, il **aurait été** plus calme.

b Et maintenant, continuez.

Si Christophe…, si son père…, si sa mère…, si le juge…, si la société…, si ses frères… Si l'institutrice…, si ses copains…, si la chance…, si la police…, si les voisins…, si sa copine…, si son avocat…

● Valeurs des phrases avec si

VALEURS	si + imparfait + conditionnel présent	si + plus-que-parfait + conditionnel passé	si + présent / impératif / présent futur	si + passé composé / présent + passé composé / futur	VALEURS
Excuse	Si je savais où trouver des produits péruviens, il y en aurait sur la table.	Si j'avais su que tu étais malade, je ne t'aurais pas dérangé.	Si je te dérange, excuse-moi.	Si je t'ai réveillé, je suis désolé.	Excuse
Hypothèse	Si j'allais à cette soirée, je rencontrerais peut-être le prince charmant.	Si tu n'étais pas allé à cette soirée, nous ne nous serions jamais rencontrés.	Si je vais à cette soirée, je vais rencontrer des gens nouveaux.	S'il est allé à cette soirée, il a dû la rencontrer.	Hypothèse
Justification	Si les gens étaient gentils avec moi, je serais gentil avec eux.	Si elle m'avait souri une seule fois de la soirée, je ne l'aurais pas laissée tomber.	Si on me cherche on me trouve !	Si je l'ai frappé, c'est qu'il m'avait provoqué.	Justification
Déduction	S'il voulait lui parler discrètement, il ne l'emmènerait pas dans le plus grand café de la ville.	Si elle était repassée chez elle, elle aurait pris son imperméable : ce jour-là, il pleuvait.	Si elle veut échapper à la police, elle évitera les gares et les aéroports.	Si elle a retiré tout son argent de la banque, c'est qu'elle veut s'enfuir.	Déduction
Regret Souhait	Si mon mari était plus gentil, je serais plus heureuse.	Si j'avais été plus gentil avec ma femme, elle n'aurait pas divorcé.	Si je gagne ce voyage, je reste là-bas. Si je n'ai pas de billet d'avion, je prendrai le train.		Souhait Décision
Remerciement	Si tout le monde faisait la cuisine aussi bien que toi, ce serait super.	Si tu n'avais pas été là, je n'aurais pas réussi à déplacer ce meuble.	Si tu ne me donnes pas un coup de main, je n'y arriverai pas.	Si tu as fini, est-ce que tu peux aller faire les courses ?	Demander de l'aide
Reproche	Si tu arrivais quelquefois à l'heure, ce serait gentil pour moi !	Si tu ne m'avais pas dérangé dix fois, j'aurais déjà fini !	Si tu ne fais pas attention, tu vas te faire écraser.	Si tu as fait ça, tu vas avoir des problèmes !	Avertissement mise en garde menace

---

B2.1
★★★

458. Phrases avec « si » : valeurs

Utilisez des phrases avec « si » pour répondre aux phrases suivantes.

1. – Tu aurais pu acheter du pain.
– (Vous vous excusez) ....

2. – Tu ne fais jamais de gâteaux.
– (Vous vous justifiez) ....

9. – Tu achètes encore un billet de loto ! Tu ne gagnes jamais…
– (Vous vous justifiez) ....

10. – Est-ce qu'il y a encore quelque chose à faire ?
– (Vous demandez de l'aide) ....

3. – Tu n'as pas été très aimable avec mes invités. – (Vous répondez par un reproche)	**11.** – Allez, ma petite dame, donnez-moi votre sac. – (Vous menacez) ....
4. – Finalement, je n'ai pas envie d'aller à la fête de la musique. – (Vous faites une hypothèse)	**12.** – Heureusement que j'étais là l'autre jour, quand les cambrioleurs ont voulu entrer chez vous. – (Vous remerciez) ....
5. – L'assassin a dû passer par la fenêtre, pourtant, elle est minuscule ! – (Vous faites une déduction)	**13.** – Lucas perd le moral depuis qu'il est au chômage. – (Vous faites une prévision) ....
6. – Et voilà, les enfants sont prêts à aller se coucher : propres, en pyjama et ils ont mangé ! – (Vous remerciez)	**14.** – Je ne trouverai peut-être pas de place libre pour Athènes le 29 juillet, Madame. – (Vous formulez une décision) ....
7. – Regarde comme ces chaussures sont belles ! – (Vous faites un souhait)	**15.** – Dimanche à 17 h, nous avons été pris dans un embouteillage, en rentrant sur Paris. – (Vous formulez une hypothèse) ....
8. – Toujours aussi beau, ton ex-mari ! – (Vous émettez un regret)	**16.** – Vraiment, je n'aime pas beaucoup te voir travailler aussi dur dans un bar... – (Vous exprimez un souhait) ....

Synthèse

B1.1
★

459. Synthèse

Complétez les phrases suivantes en conjuguant les verbes aux temps qui conviennent.

1. Si la météo (être) .... bonne, la course en solitaire partira demain. – **2.** Si le vent (être) .... bon, nous aurions avancé plus vite. – **3.** Si le vent (rester) .... bon, toute la semaine, nous pourrions gagner la course. – **4.** Si tu (vouloir) ...., nous pouvons aller dans le Lubéron. **5.** Si tu le (vouloir) .... vraiment, tu pourrais devenir ingénieur. – **6.** S'ils (se montrer) .... plus accrocheurs, ils auraient pu intégrer l'école d'ingénieurs. – **7.** Si Arthur (ne pas encore arriver) ...., c'est qu'il est toujours chez le toubib. – **8.** Si vous (continuer) .... à me casser les pieds, attention à vous ! – **9.** Si tu (ne pas me pousser à bout) ...., je ne t'aurais pas passé un savon ! – **10.** Si on (ne pas lui voler) .... son sac hier, elle ne serait pas obligée de faire toutes ces démarches administratives. – **11.** Si tu aimes vraiment le théâtre, tu (adorer) .... le festival d'Avignon. Promis ! – **12.** Si j'avais su la vérité, je (ne pas l'épouser) .... **13.** Si tu avais plus de respect pour toi, les autres (te respecter) .... aussi – **14.** Si tu veux qu'elle t'aime, (apprendre) .... à sourire. – **15.** S'ils n'avaient pas pris l'autoroute, ils (ne pas avoir) .... cet accident. – **16.** Si tu crois que tous les hommes français sont romantiques, tu (avoir) .... des surprises ! – **17.** S'ils s'étaient parlé, ils (ne pas se brouiller) .... **18.** Si vous avez appris quelque chose de nouveau, votre journée (ne pas être perdue) .... **19.** Si vous avez rigolé au moins cinq minutes aujourd'hui, vous (être) .... un homme heureux ! – **20.** Si nous n'étions pas allés à la folle journée de Nantes, nous (ne pas découvrir) .... tous ces magnifiques musiciens.

460. Phrases avec « si » – Et si nous refaisions le monde ?

Reliez les éléments pour faire des phrases complètes. Attention aux temps et au sens !

1. Si la médecine n'avait pas inventé les vaccins…

2. Si l'éducation des filles était plus répandue…

3. Si les hommes apprennent à protéger la nature…

4. Si on autorisait la consommation des drogues douces…

5. Si les liaisons internationales s'améliorent encore…

6. Si les progrès techniques avaient été moins rapides…

7. Si la couche d'ozone continue à diminuer…

8. Si les richesses étaient mieux réparties…

9. Si les scientifiques avaient pensé aux conséquences…

10. Si l'ONU avait plus de pouvoir…

11. Si on n'avait pas inventé l'électricité…

12. Si les Indiens d'Amérique avaient eu des armes à feu…

13. Si votre gouvernement vous déplaît …

14. Si l'intolérance augmente…

a. … certaines civilisations auraient peut-être été préservées.

b. … on s'éclairerait toujours à la bougie.

c. … comment résisterons-nous aux radiations ?

d. … la terre deviendra un village.

e. … les conflits se régleraient plus rapidement.

f. … les Espagnols les auraient moins facilement décimés.

g. … il y aurait peut-être moins de drogués.

h. … les sociétés progresseraient plus vite.

i. … il y a encore de l'espoir pour l'humanité.

j. … les épidémies auraient tué beaucoup plus.

k. … ils n'auraient peut-être pas mis au point les manipulations génétiques.

l. … il y aurait moins de misère.

m. … un conflit mondial éclatera.

n. … élisez-en un autre.

Autres moyens d'exprimer la condition et l'hypothèse

461. À condition que / pourvu que

Transformez les phrases sur le modèle suivant.

Exemple : Si vous me téléphonez, nous pourrons manger ensemble.
→ Nous pourrons manger ensemble **à condition que** vous me téléphoniez.
→ Nous pourrons manger ensemble **pourvu que**…

1. Si vous arrosez beaucoup votre pommier, il va reverdir. – **2.** Si votre mari suit un régime sévère, il pourra éviter les médicaments. – **3.** Si tu mets bien ton adresse au dos de l'enveloppe, on te répondra. – **4.** Si elle a fini son travail avant 6 heures, je l'emmènerai au cinéma. – **5.** J'irai faire des courses avec toi si, bien sûr, tu peux te libérer. – **6.** Si tu sais quels sont les outils nécessaires, mon mari te donnera volontiers un coup de main. – **7.** Si elle veut faire un effort, tout ira bien. – **8.** S'il a compris comment se rendre au rendez-vous, nous le suivrons.

B1.2
★★

462. À condition que / à condition de

Terminez les phrases suivantes avec « à condition que » + subjonctif (si les sujets des deux verbes sont différents) ou « à condition de » + infinitif (si les sujets des deux verbes sont les mêmes).

Exemples : – Tu peux utiliser ces médicaments **à condition**, bien sûr, **qu'ils** ne **soient** pas **périmés**.
– **Ils** ne feront plus d'heures supplémentaires qu'**à condition d'être augmentés**.

1. Nous arriverons à la gare à temps .... – **2.** Nous danserons jusqu'à cinq heures du matin .... – **3.** Il reviendra .... – **4.** Elle a accepté ce travail .... – **5.** Vous aurez des horaires plus souples .... – **6.** Les ouvriers cesseront la grève .... – **7.** Ils vous prêtent l'appartement .... – **8.** Tu auras une voiture ....

B1.2
★★

463. Au cas où

Reformulez les phrases suivantes en remplaçant « si » ou « peut-être » par « au cas où ».

Exemples : Si je ne suis pas là, demande la clé à la voisine.
→ **Au cas où je ne serais** pas là, demande la clé à la voisine.
Il viendra peut-être ; je vais lui laisser un mot.
→ **Au cas où il viendrait**, je vais lui laisser un mot.

1. Si tu n'as pas assez d'argent, tu peux en demander à Grand-mère. – **2.** Si tu décides de venir, tu trouveras la clé sous le paillasson. – **3.** S'il téléphone pour moi, voici ce qu'il faut lui dire. – **4.** Vous souhaitez peut-être regarder la télévision, je vais vous montrer comment elle marche. – **5.** La manifestation se dirigera peut-être sur l'Élysée ; les policiers ont bloqué les rues. – **6.** Marie voudra peut-être rentrer plus tôt ; nous allons prendre deux voitures. – **7.** Elle n'a peut-être pas bien compris les consignes ; il vaudrait mieux les laisser par écrit. – **8.** Vous ne recevrez peut-être pas votre mandat assez tôt ; je vous avancerai l'argent.

B2.1
★★★

464. Avec / Sans / Si / Encore

Reformulez les phrases suivantes en utilisant « si » + présent ; « si » + imparfait ; « si » + plus-que-parfait. Attention aux verbes que vous serez obligés d'ajouter et à leurs temps.

Exemples : – Avec un peu d'ail, ta salade sera plus relevée.
→ **Si tu ajoutes** un peu d'ail, ta salade sera plus relevée.
– Sans une explication, cette lettre aurait été inacceptable.
→ **S'il n'y avait pas eu** d'explication, cette lettre aurait été inacceptable.

1. Sans chapeau, tu risques d'avoir une insolation.

2. Avec un peu plus de sucre, tes fraises auraient été meilleures.

3. Avec davantage d'attention, tes résultats seront améliorés.

4. Avec de la gentillesse, tu obtiendras tout ce que tu voudras.

5. Sans ponctuation, ce texte serait incompréhensible.

6. Sans l'aide des jeunes du quartier, les enfants seraient morts dans l'incendie.

7. Avec un collier multicolore, ta robe noire sera moins triste.

8. Avec quelques lignes de moins, ton devoir serait parfait.

9. Sans l'aide de son oncle, le député, il n'aurait jamais obtenu ce poste.

10. Encore une remarque de ce genre et je quitte la salle.

465. Au cas où / en cas de – Les bons conseils

Prolongez les phrases suivantes avec « au cas où »
+ conditionnel ou « en cas de » + nom.

<u>Exemple</u> : voici notre numéro de téléphone au cas où vous en
auriez besoin / en cas de besoin.

1. Avalez un comprimé d'aspirine .... – **2.** Prenez des
contacts avec un autre employeur .... – **3.** Soyez prudents
sur la route .... – **4.** Prends ta carte bleue .... – **5.** Pars
bien en avance .... – **6.** Prends ton imperméable ....

466. Sinon : menace ou alternative ?

Trouvez une suite aux phrases suivantes en utilisant « sinon » pour exprimer soit une
menace soit une alternative à la situation indiquée.

<u>Exemples</u> : – Laisse ton frère tranquille, **sinon** tu vas recevoir une paire de claques. (menace)
– Nous téléphonerons **sinon** nous laisserons un message au gardien. (alternative)

1. Le policier à l'automobiliste : je vous conseille de vous calmer, sinon .... – **2.** Les parents :
nous essaierons de revenir avant vendredi, sinon .... – **3.** La couturière : je pense pouvoir
faire des manches longues, sinon .... – **4.** Le père d'Anne : tu rentreras avant minuit, sinon
.... – **5.** Le docteur au malade : il faut faire un régime, sinon .... – **6.** Le voisin : en
juillet, mon fils va essayer de travailler à la banque, sinon .... – **7.** Le plombier : on peut
mettre la douche dans cet angle, sinon .... – **8.** La mère de Nicolas : tu t'occuperas de ton
chien, sinon ....

467. À moins que – À moins de

Reformulez les phrases suivantes en remplaçant « sauf si » par :

– « à moins que » + subjonctif (si les sujets des deux verbes sont différents),

– « à moins de » + infinitif (si les sujets des deux verbes sont les mêmes).

<u>Exemple</u> : Nous reviendrons à pied, sauf s'il pleut / sauf si nous sommes trop fatigués.
→ Nous reviendrons à pied, **à moins qu'il ne pleuve** / **à moins d'être** trop fatigués.

1. Je serai libre à cinq heures, sauf si, au dernier moment, mon patron veut me faire taper des
lettres urgentes. – **2.** Attends-moi devant la poste, sauf s'il fait trop froid. – **3.** Il ne sera pas
à la réunion, sauf s'il est prévenu aujourd'hui. – **4.** Sauf si nous trouvons un raccourci, nous ne
serons jamais de retour pour le dîner à l'heure. – **5.** Nous nous reverrons donc le 28 octobre,
sauf s'il y a grève des trains. – **6.** Il va être obligé d'abandonner ce projet, sauf s'il reçoit une
aide de la région. – **7.** Je préférerais la semaine prochaine, sauf si cela vous dérange. – **8.** Elle
ira l'année prochaine à l'université, sauf si elle a raté son bac.

> « Si Roméo s'était pris un coup de poing pour harcèlement tandis qu'il chantait
> sous le balcon de Juliette, nous aurions peut-être dû nous passer
> d'une des plus belles histoires de la littérature. » Le Point, 2017

B2.2
★★★★

468. Gérondif (les sujets des deux verbes doivent être les mêmes)

Reformulez les phrases suivantes en remplaçant « si + verbe » par un gérondif.

Exemple : Si tu es aussi bavarde, tu risques de fâcher tes amis.
→ **En étant** aussi bavarde, tu risques de fâcher tes amis.

1. Si tu marches trop vite, tu tomberas. – **2.** Si elle avait réfléchi, elle aurait trouvé la solution du problème. – **3.** Si vous mettiez un miroir sur ce mur, vous éclairciriez la pièce. – **4.** S'il parlait un peu plus distinctement, il se ferait mieux comprendre. – **5.** Si nous plantions un arbre devant la terrasse, nous aurions plus d'ombre pour manger l'été. – **6.** Si ton père prenait un fortifiant, il retrouverait son dynamisme.

B1.2
★★

469. « Si » + présent / imparfait / plus-que-parfait

Reformulez les phrases suivantes en remplaçant le gérondif par « si » + présent / imparfait / plus-que-parfait, selon le temps du verbe de la proposition principale.

Exemple : En se teignant les cheveux, elle paraîtrait dix ans de moins.
→ **Si elle se teignait** les cheveux, elle paraîtrait dix ans de moins.

1. En relisant plus soigneusement, tu éviterais bien des fautes. – **2.** En y allant en voiture, nous aurions perdu moins de temps. – **3.** En étant un peu plus sociable, tu te ferais des amis. – **4.** En traversant ainsi, tu risques d'être renversé par une voiture. – **5.** En arrivant en avance, tu auras les meilleures places. – **6.** En ajoutant de la cannelle, elle aurait donné plus de goût à sa compote.

B2.1
★★★

470. Et si je changeais de point de vue ? Juste pour voir ?

Un dicton sioux assure qu'il faut marcher au moins une journée dans les chaussures d'un autre pour le comprendre…

Imaginez trois personnes très différentes de vous (un vieux paysan, une réfugiée, un jeune sportif, un banquier…). Si vous étiez eux, quelle serait votre vie ?

• **Dans quel contexte seriez-vous né ?** (époque, lieux, type de famille, d'éducation)
• **Quelles expériences vous auraient formé ?** (école, difficultés personnelles ou collectives)
• **Quelles conclusions en auriez-vous tiré ?** (sur vous, les autres, le monde)
• **Quelles actions auriez-vous entreprises ?**

Rédigez les trois portraits avec les conditionnels et les phrases avec « si » nécessaires.

471. Les différents emplois de « si »

Dans quelles situations, d'après vous, peut-on dire les phrases suivantes?

1. Si c'est comme ça...

2. Si c'est comme ça que tu le prends...

3. Si j'avais su...

4. Si tu ne te tiens pas tranquille...

5. Si j'avais su, je ne serais pas venu...

6. Si on avait pu se douter...

7. Si c'était à refaire...

8. Si je pouvais choisir...

9. Si seulement tu me l'avais dit...

10. Si, par hasard, vous n'aviez rien de mieux à faire...

11. Si jamais tu changeais d'avis...

12. Si je ne l'avais pas vu de mes propres yeux...

13. Si on m'avait dit ça il y a six mois!

14. Si jeunesse savait, si vieillesse pouvait!

15. Si je peux me permettre une remarque...

16. Si ça ne vous dérange pas ...

17. Si vous pouviez lui glisser un petit mot pour moi...

18. Si tu y tiens...

19. Alors, si ça se fait...

20. S'il n'y a que ça pour te faire plaisir...

« Je te préviens, Kévin, si tu ne laisses pas ma sœur tranquille,
je dis à tout le monde que tu fais encore pipi a lit ! » Nolan, élève de primaire

« Si j'avais su, je ne serais pas venu » *La guerre des boutons*, de Louis Pergaud

« Que saurions-nous, que serions-nous, si des millions d'êtres humains
n'avaient pas pris la peine d'étudier et de transmettre ? » Sage anonyme

La cause – La conséquence 22

L'ESSENTIEL SUR...

La cause et la conséquence sont liées par une relation logique indissociable. Toute proposition exprimant la cause entraîne obligatoirement une conséquence et vice versa. C'est le mot grammatical choisi qui mettra en évidence la notion choisie. Mais du point de vue temporel, la cause précède toujours la conséquence ; le choix des temps doit donc être adapté à ce décalage temporel. Le mode indicatif est presque toujours utilisé. Le français dispose de nombreux moyens grammaticaux pour exprimer cette relation : des conjonctions, des prépositions, des verbes, des adverbes.

● L'expression de la cause

Expression	Suivie de...	Nuance	Place dans la phrase	
Parce que		Cause inconnue de l'interlocuteur	après la principale	Tu viendras **parce que** je le veux.
			en début de réponse	– Tu viendras ? – Oui **parce que** Papa le veut.
			forme emphatique	**C'est parce que** tu le veux que je viens.
Car		Dans une argumentation	après la principale	L'interdiction du tabac est justifiée, **car** il est mauvais pour la santé.
En effet	Indicatif	Explique ce qui est juste avant	après la principale / après une virgule, un point-virgule, un point	Le directeur a démissionné ; **en effet**, on lui a proposé un poste plus intéressant.
Puisque		Cause présentée comme connue de l'interlocuteur	après la principale	J'irai à ta place **puisque** tu ne te sens pas bien.
			en début de réponses dans des phrases stéréotypes	Tu m'embêtes ! **Puisque** c'est comme ça, je pars !
Comme		Intensité sur la cause Cause connue de tous	au début de la phrase	**Comme** c'est le 1er mai, personne ne travaille.
Étant donné que		La cause est un fait constaté.	au début de la phrase	**Étant donné que** le chômage augmente, vous aurez des problèmes pour trouver un emploi.

Expression	Suivie de...	Nuance	Place dans la phrase	
D'autant plus (moins) que	Indicatif	Deux causes s'ajoutent.	après la principale après une virgule	Il travaille dur, **d'autant plus** que sa femme est infirme.
Sous prétexte que		Cause contestée : le locuteur n'y croit pas.	après la principale	La direction a augmenté le temps de travail **sous prétexte que** les commandes sont importantes.
Sous prétexte de	Infinitif			Il s'absente le vendredi soir **sous prétexte d'**aller au club.
Ce n'est pas parce que... mais	Indicatif	La première cause est contestée, la seconde est affirmée.	au début de la phrase, puis au milieu	**Ce n'est pas parce qu'**il était ivre qu'il a eu un accident, **mais parce qu'**il pensait à autre chose.
(Si)... c'est que				**Si** je ne suis pas venu, **c'est que** j'étais malade.
Ce n'est pas que... mais	Sujonctif	Cause contestée	après la principale	Il n'est pas allé à sa fête, **ce n'est pas qu'**il soit fâché, **mais** il avait oublié.
Pour	Infinitif passé	Récompenses	après la principale	Les étudiants ont reçu des félicitations **pour avoir bien réussi** leur examen.
Pour		Punitions		Tu es puni **pour** insolence.
À cause de		Sens général ou défavorable	après la principale en début de réponse forme emphatique	Il a déménagé **à cause de** son travail. Pourquoi il est parti ? **À cause de toi.** C'est **à cause d'**elle qu'il est tombé.
En raison de	Nom	Cause technique juridique, scientifique	après la principale	Les routes sont bloquées **en raison du** mauvais temps.
Du fait de				Il n'a pas pu participer à la course **du fait de** son grand âge.
Grâce à		Cause positive, conséquence favorable	après la principale en début de réponse forme emphatique	Il a trouvé un emploi **grâce à** son père. Comment il a trouvé ? **Grâce à** son papa ! C'est **grâce à** son père qu'il a trouvé son job.

Expression	Suivie de...	Nuance	Place dans la phrase	
À force de	+ Nom + Infinitif	Cause répétée avec insistance	après la principale	Il est devenu riche **à force de** travail.
			forme emphatique	C'est uniquement **à force de** travail qu'il a réussi.
Faute de	+ Nom + Infinitif passé	Cause manquante	après la principale	Ils ne sortent jamais **faute** d'argent.
			en début de phrase	**Faute d'**argent, ils ne sortent jamais.
Participe présent		Écrit soutenu	en début de phrase	**Étant** fatigué, je ne pourrai me rendre à votre invitation.

Cause exprimée par une conjonction ou une préposition

B1.1
★

472. Pourquoi ? parce que / car

Complétez librement les phrases suivantes avec « parce que » ou « car ».

Exemple : Il court tous les matins **parce que / car** cela est bon pour la santé.
                                                                           il aime le sport.

1. Les Delteil vont déménager plus au sud .... – **2.** J'adorerais vivre à Paris ....
3. L'avenir de mes enfants nous inquiète .... – **4.** Ils ont choisi de se passer de voiture
.... – **5.** Elle gagne moins que ses collègues hommes .... – **6.** Mes cousins ne partent
jamais en vacances .... – **7.** Nous ne savons pas pour qui voter cette année ....
8. Il fait un stage de désintoxication d'internet ....

B1.1
★

473. Comme – Au régime !

Transformez les phrases suivantes selon le modèle.

Exemple : Martin est fin gourmet, alors il ne mange que des produits naturels.
          → **Comme Martin est fin gourmet**, il ne mange que des produits naturels.

1. Patrick a fait un régime amaigrissant, alors il a changé ses habitudes alimentaires.
2. Les Martinaud sont végétariens, alors ils ne consomment pas un gramme de protéines
animales. – **3.** Les Achard sont devenus écologistes, alors ils ont changé leurs habitudes de
consommation. – **4.** Martin refusait de manger des produits industriels, alors il n'a pas pu
manger à la cafétéria aujourd'hui. – **5.** Sa femme avait acheté des produits surgelés, alors il
a refusé de passer à table. – **6.** Les invités avaient expliqué leur régime, alors leur hôtesse leur
a préparé un menu spécial.

> « Dieu se rit des hommes qui déplorent les effets dont ils chérissent les causes »
> Bossuet

474. Puisque (cause connue de l'interlocuteur ou présentée comme connue)

Sur le modèle de l'exemple, complétez les phrases suivantes.

Exemple : – Je suis affreusement fatigué, je n'ai pas envie de sortir.
– Bon, d'accord, restons à la maison **puisque tu es fatigué**.

1. – Cela me ferait plaisir de vous voir pour mon anniversaire ; c'est possible ?
– D'accord maman, nous viendrons ....

2. – Papa, j'aurai 18 ans le mois prochain. Est-ce que je pourrai partir en Espagne cet été ?
– Tu feras comme tu voudras ....

3. – Je pense que je vais réussir mon permis. Tu peux me réserver la voiture pour dans 15 jours ?
– D'accord, ma fille, ...

4. – Je suis plus intelligent que toi !
– Ah bon, alors trouve la solution à ce problème .... !

5. – Mon papa, il est plus riche que le tien.
– Ah oui ? Quand est-ce que tu nous paies des bonbons .... ?

6. – Tes amis ne sont pas intéressants.
– Ah bon... Alors je ne t'emmènerai pas chez eux samedi soir ....

7. – C'est simple comme bonjour !
– Parfait ! Répare la machine à laver toi-même ....

8. – Les comiques ne me font pas beaucoup rire.
– Dommage... Je ne vais pas t'emmener au spectacle de Djamel ...., n'est-ce pas ma chérie ?

475. En effet

Transformez les phrases suivantes selon le modèle. Attention aux temps !

Exemple : La majorité des lecteurs continuent à préférer le livre papier. Le livre électronique reste minoritaire.
→ Le livre électronique reste minoritaire ; **en effet**, la majorité des lecteurs continue à préférer le livre papier.

1. M. Durand a dû partir pour une urgence. Il ne pourra pas présider le conseil. – **2.** Le comptable n'a pas pu rassembler les documents. La réunion est annulée. – **3.** Le conseil d'université n'a rien décidé. Le déménagement de la bibliothèque est reporté. – **4.** Le ministère débloquera des fonds en juin. L'université pourra bientôt construire de nouveaux locaux. – **5.** Le secrétaire général a oublié le dossier. Il n'a pas transmis les informations au ministre. – **6.** Chaque discipline veut plus de pouvoir que les autres. Toutes les sections se disputent constamment. – **7.** Le ministère projette une nouvelle réforme. Les deux premières années seront bientôt réorganisées. – **8.** La majorité a voté contre. La proposition du conseil a été refusée.

B1.1
★

476. À cause de + nom

Complétez les phrases suivantes selon le modèle ci-dessous.

Exemple : La Savoie attire de nouveaux résidents **à cause de la beauté de ses montagnes** et de ses lacs.

1. Je suis très fier de mon fils .... – **2.** Le centre-ville redevient agréable .... – **3.** Les animaux sauvages disparaissent très vite .... – **4.** Les agriculteurs ont bloqué les routes .... – **5.** Elles se sont disputées .... – **6.** Il n'avait jamais voyagé .... – **7.** Le village va s'agrandir .... – **8.** L'usine sera fermée en décembre ....

B2.1
★★★

477. En raison de

Transformez les phrases suivantes selon le modèle.

Exemple : **En raison d'une réparation de la canalisation**, l'eau chaude sera coupée le jeudi 10 novembre.

1. Le réseau interne de l'entreprise est contaminé par un virus. Il est impossible d'utiliser les ordinateurs. – **2.** Le président de la République est très occupé. Il ne peut pas recevoir tout le monde. – **3.** Le chanteur est gravement malade. Il a dû annuler sa tournée. – **4.** Il y a des coupures d'électricité pour travaux. Il est recommandé de ne pas prendre l'ascenseur. – **5.** Il y a un problème à régler dans une filiale. Le directeur annule la conférence du vendredi matin. **6.** Il y a des difficultés techniques. Nous ne pourrons livrer les tablettes dans les délais prévus.

B2.1
★★★

478. Du fait de / du / des / d' (fait reconnu, cause constatée) – À la suite de / du / des / d' (cause connue ou inattendue) – En raison de / du / des / d' (cause technique, scientifique, juridique, officielle)

Complétez les phrases suivantes.

CONTRETEMPS

1. La visite officielle du chef de l'État en Nouvelle-Calédonie est retardée .... troubles dans la région.
2. Le TGV Paris-Marseille a pris deux heures de retard .... une manifestation inattendue des vignerons.
3. Michelin a annoncé le licenciement de 3 000 ouvriers en deux ans .... la récession économique mondiale. – **4.** La dérivation de la circulation sur l'autoroute du soleil était inévitable .... inondations constatées depuis plusieurs jours dans le midi. – **5.** Un accident ferroviaire, heureusement sans gravité, s'est produit .... passage d'une biche sur la voie. – **6.** La fermeture de la discothèque était indispensable .... non-respect des règles élémentaires de sécurité. – **7.** Un important stock de morphine a été découvert .... un contrôle de routine à la gare de Lyon. – **8.** La catastrophe aérienne de la semaine dernière était prévisible .... la saturation de l'espace aérien.

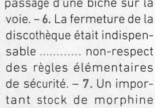

« La poésie ne doit pas mourir car, alors, où serait l'espoir du monde ? »
Léopold Sedar Senghor

479. Parce que / car / en effet / comme / à cause de – Une croisière de rêve

De nombreuses célébrités mortes ou vivantes (artistes, sportifs, politiques, religieux ou autres) se retrouvent à bord du Neptune, magnifique paquebot, pour une croisière dans le Pacifique.

ⓐ Choisissez des personnages qui pourraient être à bord du Neptune et faites-les parler. Pourquoi sont-ils sur le paquebot ?

Exemples : – Je suis Bob Dylan et j'ai été invité **parce que** j'ai eu le prix Nobel.
– Je suis Angela Merkel. **Comme j'ai eu beaucoup de travail** avec l'accueil des réfugiés, j'ai besoin de repos.
– Je suis le peintre Cézanne. D'habitude je ne peins que la Provence. J'ai choisi de venir **à cause de mon amour des belles lumières...**

ⓑ Dites qui, parmi ces passagers, rencontre qui, et pourquoi ? Vous pouvez utiliser les éléments ci-dessous.

tomber amoureux de   se prendre d'amitié pour   se disputer avec   insulter

avoir de l'intérêt pour   danser avec   refaire le monde avec...

Exemple : Le commandant Cousteau a discuté avec Cézanne toute une nuit.
En effet, lui aussi peint, mais en secret.

ⓒ Certains quittent le Neptune, d'autres restent ; imaginez pourquoi.

Exemples : – Le missionnaire a quitté le navire **car il ne supportait pas la musique électro**.
– Bob Dylan est resté à bord **en raison de la projection d'un film sur lui** dans le salon numéro 3.

ⓓ Tous les passagers restés à bord décident de s'installer définitivement dans le Pacifique. Pourquoi ? Vous pouvez utiliser les éléments ci-dessous.

s'installer   changer de vie   abandonner la civilisation   ne pas revenir

laisser tomber le passé   se reconvertir   devenir

Exemple : Le Premier ministre japonais a décidé de s'installer dans les îles **à cause de la douceur de vivre.**

480. À force de (cause répétée avec insistance)

ⓐ Observez et précisez quelles nuances expriment les expressions en gras.

Les célèbres couteaux Laguiole ont failli perdre leur nom d'origine **faute de** protection suffisante dans les accords commerciaux internationaux. Mais ils ont fini par le récupérer à **force de** patience et **à la suite** de plusieurs procès.

b Michel était clochard ; il est devenu milliardaire. Ça n'a pas été facile, mais il s'est obstiné, il a tout fait pour que cela se produise. Transformez les phrases suivantes selon l'exemple ci-dessous pour expliquer comment il a réussi.

Exemple : Il a travaillé comme un fou.
→ Michel est devenu milliardaire **à force de travailler comme un fou**.

1. Il a ramassé de vieux journaux et il les a vendus.

2. Il a rendu service à des policiers et à la mafia.

3. Il a prêté de l'argent à un taux d'intérêt élevé.

4. Il a placé son argent.

5. Il a racheté des petits magasins en faillite.

6. Il a exploité ses employés.

c Serge était milliardaire, mais il est devenu clochard. Lui aussi a fait tout ce qu'il fallait pour ça. Qu'a-t-il fait ?

B1.2
★★

481. **Faute de + infinitif / nom**

Transformez les phrases suivantes selon l'exemple ci-dessous.

Exemple : Il n'avait pas de bourse : il a dû travailler pendant toutes ses études.
→ **Faute d'avoir une bourse**, il a dû travailler pendant toutes ses études.

1. Elle n'avait pas noté son rendez-vous chez le dentiste. Elle l'a oublié. – **2.** Le constructeur n'avait pas prévu la concurrence étrangère. Il se retrouve en faillite. – **3.** Ils ne s'étaient pas assez bien habillés. Ils ont été refoulés à l'entrée de la discothèque. – **4.** Nous ne nous sommes pas présentés à l'heure. Nous n'avons pas été reçus par le directeur. – **5.** Les joueurs ne s'étaient pas assez entraînés. Ils ont perdu le match. – **6.** Vous ne vous êtes pas décidés à temps. Vous avez perdu une belle occasion.

> **!** **NB :** Pour les phrases **3.**, **4.** et **5.** il est possible d'utiliser « faute de » + nom. Refaites-les.

B1.2
★★

482. **Grâce à (cause positive ou présentée comme positive)**

Reformulez les éléments proposés en utilisant « grâce à » + nom.

Exemple : Le bon carnet d'adresses de l'ancien ministre lui a permis de retrouver facilement un emploi dans le privé.
→ L'ancien ministre n'a eu aucun mal à retrouver un emploi dans le privé **grâce à son bon carnet d'adresses**.

1. Un héritage familial inattendu leur a permis de s'acheter enfin une maison. → Ils ont pu ....

2. Un concours de circonstances rocambolesque a permis à mes parents de se rencontrer. → Mes parents ont pu ....

3. L'action du Conservatoire du littoral a permis de préserver 18 % des côtes. → 18 % des côtes ....

4. Les visites de Julien, bénévole de 18 ans, rendent la vie de Marie (87 ans) beaucoup plus agréable. → La vie de Marie ....

5. Mon gendre avait un grave problème administratif sans solution apparente, mais le médiateur national est intervenu avec succès. → Le problème de mon gendre ....

6. Les dons généreux des fidèles et l'autorisation de la mairie ont rendu possible la construction de la mosquée. → La mosquée ....

7. Le financement participatif permet à de nombreuses associations de lancer des projets caritatifs. → Des projets caritatifs ....

8. Le fils de Véronique avait besoin d'un traitement médical extrêmement cher aux États-Unis. Les voisins l'ont aidée à rassembler l'argent nécessaire. → Véronique a pu ....

B1.2
★★

483. Étant donné que (insistance sur le lien logique entre cause et conséquence)

Reformulez les phrases suivantes selon le modèle ci-dessous.

Exemple : Les policiers sont mieux équipés, les criminels leur échappent moins facilement.
→ **Étant donné que les policiers sont mieux équipés**, les criminels leur échappent moins facilement.

1. La pression des groupes écologistes augmente. Les industriels améliorent leurs produits. **2.** Les liaisons par satellite se multiplient. L'information circule plus vite. – **3.** Nous sommes dans un pays démocratique. Les lois doivent être votées par le parlement. – **4.** Les environs du ministère seront surveillés. Les manifestants ne pourront pas arriver jusque-là. – **5.** Le président avait promis de nombreuses améliorations, et il n'a pas tenu ses promesses. Il devrait démissionner. – **6.** Nous aurons peu de temps entre l'arrivée du train et le décollage de l'avion. Il faudra prendre un taxi.

B1.2
★★

484. Sous prétexte que (cause présentée comme fausse)

a Un patron raconte à des amis toutes les excuses imaginaires – en tout cas, que lui ne croit pas vraies – que ses employés utilisent pour manquer le travail. Reformulez les phrases ci-dessous.

Exemple : – Valentin a manqué une semaine **sous prétexte que sa maison avait brûlé**.
C'était la troisième fois qu'elle brûlait en six mois !

1. Ernest a dit que sa femme accouchait d'un troisième enfant, et elle a 58 ans ! – **2.** Bernard a dit que son fils avait eu l'appendicite, mais c'était faux. – **3.** Agnès a prétendu qu'elle faisait une dépression nerveuse. Elle était aux sports d'hiver. – **4.** Augustin a raconté qu'il avait une extinction de voix ; c'était du bluff. – **5.** Victor a prétexté que sa femme était hospitalisée. Il est veuf ! – **6.** Timothée a dit qu'il avait eu un grave accident de voiture. Je l'ai vu au café avec sa copine ! – **7.** Maxime a expliqué que sa voiture ne démarrait pas. La secrétaire l'a croisé sur l'autoroute. – **8.** Nathalie a prétendu qu'un voleur avait cassé une fenêtre pour entrer chez elle. C'était faux.

ⓑ Complétez les phrases suivantes.

1. Ils ont pris la voiture de leur père sous prétexte que .... En réalité .... – **2.** Il a puni durement son fils sous prétexte que .... En réalité .... – **3.** Elles ne sont pas allées au rendez-vous sous prétexte que .... En réalité .... – **4.** L'éditeur a refusé le livre sous prétexte que .... En réalité .... – **5.** Il est venu à l'improviste sous prétexte que .... En réalité .... – **6.** Elle a acheté le pantalon en velours sous prétexte que .... En réalité ....

B2.1
★★★

485. Pour + infinitif passé / + nom

ⓐ Observez les formulations suivantes.

DÉLINQUANTS DIVERS

JEAN A ÉTÉ CONDAMNÉ À CINQ ANS DE PRISON

POUR VOL À MAIN ARMÉE

POUR AVOIR DÉVALISÉ UNE BANQUE

PARCE QU'IL AVAIT DÉVALISÉ UNE BANQUE.

Ces trois formulations ont le même sens.

Ici, la préposition « pour » exprime la cause. La forme « pour » + infinitif passé s'utilise principalement à l'écrit.

ⓑ Voici les méfaits d'autres délinquants. Faites-en des titres de journaux.

Exemple : « Le gang des postiches avait pillé la Banque de France. Ils ont été condamnés à 15 ans de prison ».
→ **Le gang des postiches condamné à 15 ans de prison fermes pour le pillage de (pour avoir pillé) la Banque de France.**

1. Un chauffard avait conduit en état d'ivresse. Il a été condamné à une suspension de permis d'un an.

2. Un *loubard* avait volé le sac à main d'une vieille dame. Il a été puni de six mois de prison avec sursis.

3. Un jeune avait jeté une canette sur un policier pendant une manif interdite. Il a été condamné à huit mois de prison avec sursis.

4. Un meurtrier a été condamné à la prison à perpétuité. Il avait tué un gendarme.

5. Une clinique a été condamnée à indemniser un malade. Les responsables avaient fait une grave erreur médicale.

6. Un homme politique a été légèrement condamné. Il avait utilisé de fausses factures dans le financement de sa campagne électorale.

7. Une entreprise automobile avait manipulé les tests de pollution. Elle a été condamnée à 15 milliards de dollars d'amende.

8. Un détenu s'était filmé en train de fumer un joint dans sa cellule, avec son téléphone interdit. Il a été condamné à six mois fermes supplémentaires

486. Pour + infinitif passé = cause – Félicitations et critiques

Répondez aux questions suivantes, en utilisant « pour » + infinitif passé, comme dans l'exemple ci-dessous.

<u>Exemple</u> : Pour quelle raison les enfants ont-ils été récompensés ?
→ **Les enfants ont été récompensés pour avoir bien travaillé à l'école.**
pour être restés très sages pendant la messe.
pour s'être bien lavé les dents tous les jours.

1. Les comédiens ont été félicités. Pour quelle raison ?

Les comédiens ont été sifflés. Pour quelle raison ?

2. Les politiciens ont été applaudis. Pour quelle raison ?

Les politiciens ont été hués. Pour quelle raison ?

3. Les journalistes ont été remerciés. Pour quelle raison ?

Les journalistes ont été critiqués. Pour quelle raison ?

4. Les élèves ont été félicités. Pour quelle raison ?

Les élèves ont été punis. Pour quelle raison ?

487. Ce n'est pas parce que... c'est parce que... + indicatif (La première cause est contestée, la seconde présentée comme juste.)

Deux amis discutent des motivations des hommes politiques. Ils ne sont pas d'accord : Fabien pense qu'ils sont en général dévoués au bien public.

Victor pense qu'ils cherchent tous des avantages personnels. Écoutez-les :

Fabien : « Je ne te crois pas, Victor. **Ce n'est pas parce qu**'ils veulent avoir des avantages personnels qu'ils sont devenus politiciens, **c'est parce qu**'ils veulent le bien du pays. »

Victor : « Mais non, **ce n'est pas parce qu**'ils veulent le bien du pays qu'ils ont fait de la politique, **c'est parce qu**'ils aiment le pouvoir ! »

Voici les arguments qu'utilisent Fabien et Victor. Faites le dialogue.

améliorer les conditions de vie des concitoyens – vouloir s'en mettre plein les poches

faire avancer la démocratie – faire avancer leurs affaires

conserver au pays un statut de grande puissance – être en contact avec les puissants de ce monde

travailler à la paix – manipuler les gens

favoriser l'Europe — favoriser leurs petits camarades

être désintéressés – être intéressés

s'intéresser à l'évolution du monde – s'intéresser seulement à conserver leurs privilèges

croire au progrès – adorer mentir

vouloir servir le peuple – avoir besoin d'adoration

être dévoués aux autres — être considérés comme des notables

B2.1
★★★

488. À + infinitif

Sur le modèle ci-dessous, reformulez les constatations suivantes pour en faire des remarques.

Exemple : Elle travaille tout le temps. Vous pensez que cela va la tuer.
→ Vous allez vous tuer, **à travailler tout le temps comme ça**.

1. Elle se fait du souci toute la journée. Vous pensez que cela va la rendre malade. – **2.** Il boit beaucoup d'alcool. Vous pensez que cela va le rendre alcoolique. – **3.** Elle ne sort jamais de chez elle. Vous pensez que cela va la rendre folle. – **4.** Ils se battent. Vous pensez que, de cette façon, ils peuvent se blesser. – **5.** Elles restent inactives. Vous pensez que, de cette manière, elles vont mourir d'ennui. – **6.** Ils critiquent tout le temps tout le monde. Vous pensez qu'ainsi ils vont se faire des ennemis.

Cause exprimée par le participe présent

B2.1
★★★

489. Associer les causes et les conséquences

a Relier les causes et les conséquences.

1. Le président étant souffrant,	**a.** le jeune homme se sentait facilement menacé.
2. La voiture s'étant retournée,	**b.** mon fils n'a pu rentrer à Polytechnique.
3. Les élections approchant,	**c.** c'est le Premier ministre qui l'a remplacé.
4. La neige ayant recouvert les routes,	**d.** l'équipe de France était très déçue.
5. S'étant gravement blessé en course,	**e.** ce futur champion a dû arrêter la compétition.
6. Ayant eu des problèmes avec la police,	**f.** le passager a été éjecté.
7. N'étant pas au niveau,	**g.** les candidats deviennent nerveux.
8. Ayant été éliminée en finale,	**h.** la circulation est coupée jusqu'à demain.

b Observez les formes utilisées pour exprimer les causes. Y a-t-il un sujet ou deux sujets dans les phrases et pourquoi ? Quels sont les temps utilisés ?

> « Ce n'est pas parce que j'ai un pied dans la tombe qu'il faut me marcher sur l'autre. »
> François Mauriac, écrivain du xxᵉ siècle

B2.1
★★★

490. **Comme + verbe → participe présent**

Transformez la phrase suivante en utilisant le participe présent.

<u>Exemple :</u> Comme Pierre était grippé, il n'est pas sorti de la journée.
→ Pierre **étant** grippé, il n'est pas sorti de la journée.

1. Comme Adam a mal au dos, il va souvent chez le kinési-thérapeute. – **2.** Comme ils avaient peur de se mouiller, ils ont ouvert leur parapluie. – **3.** Comme nous étions en retard, nous sommes entrés discrètement. – **4.** Comme le bateau était minuscule, les passagers n'avaient aucune intimité. – **5.** Comme la date de leur départ approche, les enfants sont surexcités. – **6.** Comme son mari se lève à 6 heures, elle en fait autant. – **7.** Comme les années passent sans changement, les électeurs ne vont plus voter. – **8.** Comme sa femme est hospitalisée, c'est lui qui s'occupe des enfants.

B2.1
★★★

491. **Comme + verbe → participe présent au passé**

Transformez la phrase suivante en utilisant le participe présent au passé.

<u>Exemple :</u> Comme il a trop mangé, il a eu une crise de foie.
→ **Ayant trop mangé**, il a eu une crise de foie.

1. Comme ses parents lui ont fait des reproches, elle est un peu déprimée. – **2.** Comme son amie n'est pas arrivée à l'heure, le jeune homme ne l'a pas attendue. – **3.** Comme l'avion a eu un problème technique, il a dû atterrir avant sa destination. – **4.** Comme sa sœur ne s'est pas mariée, elle n'a pas d'enfant. – **5.** Comme la marée noire a sali les plages italiennes, les touristes iront ailleurs cette année. – **6.** Comme les mesures de protection n'ont pas été prises, l'avalanche a détruit le village. – **7.** Comme l'administration ne s'est pas assez réformée, il est encore difficile de créer une entreprise. – **8.** Comme les lois n'ont pas été simplifiées ; les citoyens sont souvent perdus.

B2.1
★★★

492. **Participe présent – Synthèse**

Observez l'enchaînement de ces deux phrases.

1. Les enfants, **ayant passé** des heures assis à l'école, **avaient besoin de sortir**.

2. Les enfants, **ayant besoin** de sortir, **ont couru toute la journée de dimanche**.

Le verbe en bleu dans la phrase 1 devient la cause du début de la phrase 2. La cause est exprimée ici par un participe présent (présent ou passé selon les phrases et leur sens.

Et maintenant, continuez l'histoire.

1. Les enfants ...., **ils étaient fatigués**. – **2.** Les enfants ...., la mère les a mis au lit **et a oublié d'allumer la veilleuse.** – **3.** La mère ...., la pièce était obscure. – **4.** La pièce ...., **les enfants avaient peur du noir.** – **5.** Les enfants .... **ils pleuraient.** – **6.** Les enfants ...., la mère (qui dormait déjà) s'est réveillée. – **7.** La mère ...., **elle a allumé la veilleuse.** – **8.** La veilleuse ...., **les ombres ont disparu.** – **9.** Les ombres ...., **les enfants se sont endormis.** – **10.** Les enfants ...., **la mère s'est recouchée.** – **11.** La mère ...., **un silence paisible est revenu.** – **12.** C'est alors que, le silence ...., on a pu entendre un bizarre petit bruit...

Synthèse générale Cause

B2.1
★★★

B1.2
★★

493. Chercher la cause – Pourquoi, oui pourquoi ?

ⓐ Complétez les phrases suivantes en imaginant la cause des situations présentées.

1. .... il a décidé d'émigrer. – **2.** .... elle a tous les hommes à ses pieds. – **3.** La gloire ne l'intéresse pas du tout : .... – **4.** Il est devenu chef d'État .... – **5.** .... il refuse de faire la cuisine. – **6.** On constate désormais une certaine agressivité à l'égard des fumeurs .... – **7.** Ils ont eu de graves problèmes avec l'administration .... – **8.** Elle refuse catégoriquement de faire du camping .... – **9.** Les journaux ont fini par publier l'information .... – **10.** .... les enfants ont pris du retard sur le programme scolaire. – **11.** Veuillez excuser l'absence de mon fils Gilles, retenu à la maison .... – **12.** Tu dis toujours que tu aimes bouger ; .... aide-moi donc à déplacer l'armoire !

B2.1
★★★

ⓑ Écrivez les causes possibles aux situations présentées, en utilisant les expressions suggérées.

1. Mon petit-fils a sauté le cours de gymnastique. Il a invoqué une excuse (vraie ou fausse).
sous prétexte , comme , en effet + participe présent.

2. Son mari a très bien réussi dans la vie. Il y a de nombreuses raisons dont ses efforts, ses qualités, de l'aide.
grâce à , à force de , car , parce que , à cause de .

3. Ce jeune homme a été félicité officiellement pour un acte courageux : protéger, aider, sauver quelqu'un.
pour , à la suite de , en raison de , comme .

4. Tous ses amis ont laissé tomber Prosper ; ils invoquent des comportements pénibles réels ou imaginés.
étant donné que , sous prétexte que , à cause de , à la suite de .

5. Le conducteur a eu une suspension de permis. Il a commis de nombreuses infractions au code de la route (rouler ivre, à contresens, brûler un feu rouge, dépasser dangereusement).
pour , à la suite de , à cause de , parce que , étant donné que + participe présent.

6. Le blessé n'a pas survécu. Plusieurs raisons peuvent l'expliquer : graves blessures, retard des secours, erreur médicale, son âge...
comme , en effet , étant donné que + participe présent

7. L'association ne pourra pas bénéficier de l'aide municipale : les moyens sont en baisse, le dossier est en retard, des documents sont manquants, le projet est mal défini.
étant donné que , faute de , comme , en raison de + participe présent

8. L'aéroport de Roissy a été bloqué. Beaucoup de causes possibles : brouillard, accident, alerte attentat, retards imprévus.
à la suite de , en raison de , du fait de , étant donné que + participe présent.

> « Ayant continuellement changé, je ne me considère pas comme un individu. »
> Montesquieu

BOÎTE À OUTILS

Cause et formes d'intensité

Les formes d'intensité sont utiles pour décrire les modifications (en plus ou en moins) d'un comportement habituel (verbes, adverbes) ou d'un trait de caractère (adjectifs) **sous l'effet d'une cause supplémentaire**.

Exemples :

	Habitude		Cause supplémentaire
Verbe :	Armelle <u>mange</u> beaucoup.	+	Elle est enceinte. → Elle <u>mange</u> <u>encore plus</u>.
	Armelle <u>mange</u> **d'autant plus** qu'<u>elle est enceinte</u>.		
Adverbe :	Jonathan <u>marche rapidement</u>.	+	Il est en retard pour un rendez-vous.
	Jonathan <u>marche</u> **d'autant plus** <u>rapidement</u> **qu'**il est en retard.		
Adjectif :	Les enfants <u>sont agités</u>.	+	Ils n'ont pas fait la sieste.
	Les enfants <u>sont</u> **d'autant plus** <u>agités</u> **qu'**ils n'ont pas fait la sieste.		

Forme d'intensité								
Verbe + (sauf être)	d'autant	plus moins	+	adverbe	+	que	+	indicatif
Verbe être	+ d'autant	plus moins	+	adjectif	+	que	+	indicatif

B2.1 **494. Verbe + d'autant moins que**

★★★

Transformez les phrases suivantes selon l'exemple.

<u>Exemple :</u> D'habitude, il mange peu, mais aujourd'hui il mange **d'autant moins qu'**il est malade.

1. D'habitude, il boit peu. Aujourd'hui, encore moins, parce qu'il conduit. – **2.** D'habitude, il ne parlait pas beaucoup. C'est normal : sa femme parlait pour deux. – **3.** Elle ne dépensait jamais beaucoup. Et à ce moment-là encore moins : son mari était au chômage. – **4.** Hier, ils ont encore moins marché que d'habitude : les enfants étaient fatigués.

B2.1 **495. Verbe + d'autant plus que**

★★★

Transformez les phrases suivantes selon l'exemple.

<u>Exemple :</u> Il mange **d'autant plus qu'**il a fait du ski toute la journée.

1. Il se fâche facilement. Et encore plus quand on l'énerve. – **2.** Il voyage beaucoup. Et en plus, sa femme ne veut plus le voir. – **3.** Il sortait toujours beaucoup. Et encore plus quand il était triste. – **4.** Elles écrivaient toujours beaucoup. Et encore plus quand elles étaient à l'étranger.

B2.1 ★★★

496. D'autant mieux que... – Bon joueur

● Thibaut Forestier est un bon joueur de tennis, un champion, il joue toujours bien mais, dans certains cas, il joue encore mieux que d'habitude.

Aujourd'hui, il joue **d'autant mieux q**u'il s'est beaucoup reposé la semaine dernière,

d'autant mieux qu'il est en pleine forme.

Dites pourquoi il joue d'autant mieux aujourd'hui en utilisant les éléments suivants.

– Il vient de trouver une nouvelle fiancée.

– Son manager lui a annoncé qu'il était milliardaire.

– Il déteste son adversaire.

– Il doit absolument gagner pour payer ses impôts.

– Il gagnera une voiture de sport s'il est vainqueur.

B2.1 ★★★

497. D'autant moins bien que... – Mauvais joueur

Augustin Silvestre est, lui, un très mauvais joueur, mais dans certains cas, il joue encore moins bien que d'habitude.

Hier, il a **d'autant moins bien joué qu**'il n'avait pas dormi de la nuit.

qu'il était fatigué.

Dites pourquoi il a encore moins bien joué que d'habitude avant-hier.

– Ses amis lui avaient dit ce qu'ils pensaient de son jeu.

– Sa mère lui avait fait des reproches.

– Les journaux s'étaient moqués de lui.

– Sa fiancée l'avait critiqué.

B2.1 ★★★

498. D'autant moins + adverbe

Exemple : Le conférencier n'a pas parlé très clairement, et en plus, il était enrhumé et il avait oublié ses papiers.

→ Le conférencier a parlé **d'autant moins clairement qu'il était enrhumé et qu'il avait oublié ses papiers**.

ⓐ Composez des phrases sur ce modèle à l'aide des éléments suivants.

1. Loïc / ne pas parler gentiment : venir d'apprendre une mauvaise nouvelle.

2. La mère de famille / ne pas conduire rapidement : la route être encombrée.

ⓑ Complétez librement les phrases suivantes.

3. L'employé a répondu d'autant moins poliment que ....

4. L'enfant a mis la table d'autant moins habilement que ....

5. .... qu'ils savaient qu'on les écoutait.

6. .... que l'inspecteur le terrorisait.

7. La star du rock a chanté d'autant moins bien que ....

499. D'autant plus + adjectif

Transformez les phrases suivantes selon l'exemple.

Exemple : Alex est nerveux parce qu'il doit passer le permis de conduire. Et, en plus,
il doit le passer avec un examinateur sévère.
→ Alex est **d'autant plus nerveux qu'il doit passer le permis avec
un examinateur sévère**.

1. La catastrophe a été vraiment grande. Et, en plus, le bateau était exceptionnellement plein.
2. L'acteur est plutôt nul d'habitude. Et, en plus, aujourd'hui, le public est particulièrement
difficile. – **3.** Les marcheurs étaient fatigués. Et, en plus, la chaleur était écrasante. – **4.** Il sera
heureux de vous voir. Et, en plus, c'est le jour de son anniversaire. – **5.** La situation devenait
inquiétante. Et, en plus, l'armée menaçait d'intervenir. – **6.** Les malades étaient satisfaits de
leur séjour à l'hôpital. Et, en plus, ils avaient rencontré des médecins particulièrement humains.

500. D'autant plus, d'autant moins, d'autant mieux : synthèse

Complétez librement les phrases suivantes.

1. Il est d'autant plus généreux que .... – **2.** Ils comprennent d'autant plus vite que ....
3. Les ouvriers travaillent d'autant moins que .... – **4.** Je comprends d'autant mieux que
.... – **5.** Il faudra dépenser d'autant plus d'argent que .... – **6.** Ils ont d'autant moins
ri que .... – **7.** Elles ont joué d'autant moins efficacement que .... – **8.** Elles se sont
d'autant moins fatiguées que .... – **9.** Ils ont mangé d'autant mieux que .... – **10.** ....
leur père avait exigé qu'ils soient polis. – **11.** .... que nous savions que c'était la dernière
fois avant un bon moment. – **12.** .... que l'inspecteur était dans la classe. – **13.** ....
qu'il n'avait pas plu depuis trois mois. – **14.** .... que le chanteur est resté sur scène une
heure de plus. – **15.** .... que la compagnie ne les avait pas informés du changement de
destination.

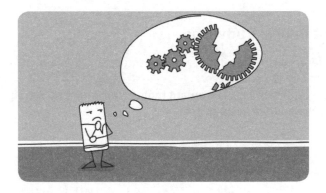

« Si le cœur a ses raisons que la raison ne connaît pas, c'est que celle-ci
est moins raisonnable que le cœur. » Raymond Radiguet

« Une erreur est d'autant plus dangereuse qu'elle contient plus de vérité. »
Henri Frédéric Amie

L'ESSENTIEL SUR...

● La conséquence

Conséquence simple

Expressions	Suivi de...	Place dans la phrase, toujours après la principale		Nuances	
		Dans la même phrase	Après un point		
Alors			✗	À l'oral « alors » est souvent intégré dans une phrase unique. Il est lié au temps.	Ils ne s'entendaient plus depuis longtemps. **Alors** ils se sont séparés.
Aussi			✗	Langage soutenu. Attention à l'inversion	Il était épuisé. **Aussi a-t-il** annulé ses rendez-vous.
C'est pourquoi			✗	Résultat logique Argumentation	Il était fatigué. **C'est pourquoi** il n'est pas venu.
Donc		✗	✗	Résultat logique	Tu n'aimes pas la glace, **donc** tu n'auras pas de dessert.
De sorte que	Indicatif	✗		Conséquence simple Assez rare	Ils ont augmenté la production **de sorte que** les ventes ont augmenté aussi.
Si bien que		✗		Conséquence simple Assez courant	La crise économique s'aggrave, **si bien que** le nombre des chômeurs augmente.
Par conséquent		✗		Langage administratif	Le conducteur n'a pas respecté le stop, **par conséquent** nous avons procédé à un retrait de permis.
Résultat :			✗	Style télégraphique : exprime une conclusion	Il avait trop bu. **Résultat :** il a brûlé un stop.
Du coup			✗	Exprime un résultat inattendu et soudain	Le cinéma était fermé. **Du coup** nous sommes allés au restaurant.
Total :			✗	Oral	Ils se sont battus. **Total :** deux nez cassés et un œil au beurre noir.
D'où	Nom		✗	Exprime un résultat déjà connu.	Il a une hépatite ; **d'où** sa fatigue.
Sans que	Subjonctif	✗		Il y a un sujet différent dans chaque proposition.	Elle ne peut pas sortir **sans que** les journalistes la suivent.
Sans	Infinitif	✗		Les deux propositions ont le même sujet.	Elle ne peut pas sortir **sans** vérifier trois fois qu'elle a fermé la porte.

421

Insistance

Expressions	Suivi de...	Place dans la phrase, toujours après la principale		Nuances	Exemples
		Dans la même phrase	Après un point		
Au point que À tel point que	Indicatif	✘		On arrive à un point limite.	Il était fatigué **au point qu'**il (**à tel point qu'**il) a dû prendre un congé de maladie.
Tant est si bien que				Idée de répétition.	Il a marché des heures **tant et si bien que** ses jambes ne le portaient plus.
Au point de	Infinitif	✘		L'infinitif n'est pas obligatoire lorsque les deux propositions ont le même sujet.	Il était fatigué **au point de** ne pas venir.

Conséquence exprimée par une préposition, une conjonction ou d'autres expressions

© PUG « Toute reproduction non autorisée est un délit

B1.1 ⭐ **501. Alors**

a Transformez les phrases suivantes en utilisant « alors ».

Exemple : Comme la cafétéria était complète, nous sommes allés manger dans une pizzeria.
→ La cafétéria était complète, **alors** nous sommes allés manger dans une pizzeria.

1. Comme Grand-père a bu quelques petits verres de trop, il a le foie un peu fatigué.
2. Comme le temps est vraiment épouvantable, nous emmènerons les enfants au cinéma.
3. Comme sa banque n'a pas voulu lui faire crédit, Jérôme a dû emprunter à ses amis. – **4.** Comme la manifestation bloquait tout le centre-ville, le taxi a pris le périphérique.

b Complétez les phrases suivantes.

1. Le tour de France doit passer ici dans une heure, alors .... – **2.** Il s'est fait voler tous ses papiers, alors .... – **3.** Nous n'avons aucune nouvelle de nos enfants, alors .... **4.** Nous avions oublié d'emporter de l'argent, alors ....

> « Je me révolte, donc nous sommes » Albert Camus

> « Aucun cactus n'est à ce point couvert d'épines qu'il n'ait de place pour une fleur. »
> Proverbe arabe

B1.1
★

502. Donc (conséquence présentée comme logique)

ⓐ Transformez les phrases suivantes en utilisant « donc ».

Exemple : Il ne faut pas boire parce que l'alcool est mauvais pour la santé.
→ L'alcool est mauvais pour la santé, **donc** il ne faut pas boire.

1. Je ne peux pas t'aider à porter le piano parce que j'ai mal au dos. – **2.** C'est lui qui décide parce que c'est lui le chef. – **3.** Il ne faut pas avancer parce que le feu est rouge. – **4.** Je n'ai pas pu aller au cinéma parce que j'avais cassé mes lunettes.

ⓑ Complétez les phrases suivantes.

1. Il déteste la viande, donc .... – **2.** Nous n'avons plus un sou, donc .... – **3.** Ils ont raté le train de 16 h, donc .... – **4.** Le docteur sera absent la semaine prochaine, donc ....

B1.1
★

503. Résultat / Total / Conclusion (langage parlé)

ⓐ Complétez les phrases suivantes.

Exemple : Sophie voulait aller au cinéma, Pierre préférait le théâtre. Ils ont argumenté, se sont disputés. **Résultat / conclusion** : ils ne sont pas sortis.

1. M. Dupont avait mal au foie, mais à la fête il a craqué pour du champagne, un gâteau au chocolat et des crevettes à la mayonnaise... – **2.** On devait partir à 9 h, mais Paul est arrivé en retard. Après, Sophie est restée une heure au téléphone. En plus, on n'avait pas d'essence... – **3.** Il est tombé malade en février. Il a d'abord eu un traitement, qui n'a pas marché, puis un deuxième et un troisième aussi inefficaces... – **4.** Elle avait arrêté de fumer depuis trois ans et elle s'est crue très forte. Elle a fumé un petit cigare un jour, une cigarette le lendemain...

ⓑ Dans les phrases suivantes, imaginez tous les éléments qui ont amené à ce résultat.

1. .... total : elle est restée toute seule. – **2.** .... résultat : ils ont pris un coup de soleil magistral. – **3.** .... total : elle n'avait plus rien. – **4.** .... résultat : ils avaient les pieds en sang.

B1.1
★

504. C'est pourquoi – Us et coutumes

Décrivez des malentendus courants entre cultures, familles, personnes.

Exemple : En France on ne dit pas « tu » aux inconnus, **c'est pourquoi** les Français sont choqués quand un étranger leur dit « tu ».

1. Les Japonais sont choqués quand ils voient de jeunes amoureux s'embrasser dans la rue, parce qu'au Japon les gens ne s'embrassent pas dans la rue. – **2.** Les Américains sont surpris par les bises françaises. En effet, chez eux, on ne se fait pas la bise. – **3.** Les Espagnols n'aiment pas dîner à l'heure française parce que, chez eux, on dîne beaucoup plus tard. – **4.** Les Sud-Américains trouvent les Français sinistres parce qu'ils font moins souvent la fête qu'eux.

505. Du coup (conséquence brusque et inattendue)

a Transformez les phrases suivantes en utilisant « du coup » et les éléments proposés entre parenthèses.

Exemple : Nous avions organisé un pique-nique, mais il s'est mis à pleuvoir. **Du coup**, nous sommes allés au cinéma.

1. Tous les enfants étaient calmes, mais l'un d'entre eux s'est mis à hurler… (concert de hurlement). – **2.** La bande de jeunes était surexcitée, mais son chef s'est calmé… (retour du calme). – **3.** Les professeurs n'étaient pas en grève, mais le gouvernement a accordé une augmentation à d'autres fonctionnaires… (revendications des professeurs). – **4.** Un élève a volé dans le vestiaire et les autres ne l'ont pas dénoncé… (punition générale).

b Complétez les phrases suivantes.

1. Le policier était poli, mais l'automobiliste contrôlé l'a insulté ………… – **2.** Nous devions manger du gigot mais je l'ai laissé brûler ………… – **3.** Il avait presque terminé son tableau, mais il a renversé un pot de peinture dessus ………… – **4.** Elle devait aller en vacances chez son frère, mais celui-ci est en déplacement professionnel …………

506. De sorte que

Transformez les phrases suivantes sur le modèle de l'exemple.

Exemple : Son livre a eu beaucoup de succès, **de sorte que** son visage est connu de tous.

1. Les éboueurs n'ont pas ramassé les ordures : la ville ressemble à une gigantesque poubelle. **2.** J'aurai quelques jours libres fin mai : nous pourrons nous rencontrer à ce moment-là. – **3.** Sa jeunesse avait été formidable : il restait nostalgique de cette époque. – **4.** Un lanceur d'alertes a publié des documents secrets du gouvernement ………… – **5.** Il a fait une grave erreur professionnelle ………… – **6.** Cet écrivain a eu le prix Goncourt des lycéens …………

507. Si bien que

Transformez les phrases suivantes selon le modèle.

Exemple : On ne voit plus rien : en effet le brouillard a envahi la vallée.
→ Le brouillard a envahi la vallée, **si bien qu'**on ne voit plus rien.

1. Les promeneurs ont dû se passer de manger : en effet, ils avaient oublié le panier de pique-nique. – **2.** Le voilier est allé heurter les rochers : en effet, il avait été mal ancré. – **3.** Toutes les fleurs ont gelé : en effet, il a fait moins dix degrés la nuit dernière. – **4.** La baignade est interdite : en effet, la mer est très agitée. – **5.** Les sauveteurs sont partis en pleine nuit : en effet un chalutier avait envoyé un appel de détresse. – **6.** Toute la discothèque le regarde avec fascination : en effet, le jeune homme fait une performance sur la piste.

508. De sorte que / si bien que – Catastrophes naturelles

Trouvez plusieurs conséquences aux éléments suivants.

1. Il n'a pas plu depuis des mois dans le Midi. – **2.** Une tempête extrêmement violente s'est abattue sur la côte atlantique. – **3.** Une pluie torrentielle tombe depuis huit jours dans la région nîmoise. – **4.** Une vague de froid particulièrement intense sévit en ce moment sur la France. **5.** La canicule, qui écrase le pays depuis une semaine, vient encore d'augmenter.

22

B2.1
★★★

509. D'où + nom (rappelle une conséquence déjà connue)

Transformez les phrases selon le modèle suivant.

Exemple : Cet homme politique a trop menti : les électeurs ont perdu confiance.
→ Cet homme politique a trop menti, **d'où la perte de confiance de ses électeurs.**

1. Il y a eu une fuite dans la centrale nucléaire du Tricastin : on a déclenché le plan ORSEC (organisation de la réponse de sécurité civile). – **2.** M. Michoud a rendu de grands services à ses supérieurs : il a été promu au rang de chef de service. – **3.** Cet enfant porte des vêtements démodés : ses petits camarades se moquent de lui. – **4.** Son travail ne l'intéresse plus beaucoup : il a décidé de se reconvertir. – **5.** Cette station est devenue brusquement à la mode : les constructions en bord de mer se multiplient. – **6.** Les trafiquants de drogue ont des appuis politiques : leur trafic s'accélère actuellement.

B2.1
★★★

510. Sans que + subjonctif (deux sujets : on oppose la coexistence de deux faits) Sans + infinitif (un sujet) – Bien malheureuse...

Transformez les phrases suivantes avec « sans que » + subjonctif et « sans » + infinitif.

Exemple : Cette grande star du rock se plaint : « Je ne peux aller tranquillement nulle part, on me reconnaît, je suis suivie. »
→ Je ne peux aller tranquillement nulle part **sans qu'on me reconnaisse**, **sans être suivie.**

1. Je ne peux pas sortir en public : cela déclenche une émeute, je suis agressée. – **2.** Je ne peux pas me promener dans la rue : je suis interpellée par des inconnus, on me demande des autographes. – **3.** Je ne peux pas sortir si je ne suis pas maquillée : je reçois des remarques désagréables, on me dit que j'ai vieilli. – **4.** Je ne peux pas accepter d'interview : on me pose 10 000 questions idiotes, je dois faire des réponses idiotes. – **5.** Je ne peux pas aller au restaurant avec un copain : je suis prise en photo, la presse publie des mensonges en première page. **6.** Je ne peux pas rencontrer une rivale plus jeune : je crains qu'elle prenne ma place, on me fait remarquer sa beauté.

B1.2
★★

511. Par conséquent (administratif) – Facs : vite, on s'améliore !

Transformez en phrases complètes les notes télégraphiques prises par les auteurs de ce rapport sur les universités.

Exemple : Pas assez de salles de cours / horaires bizarres.
→ Les salles de cours ne sont pas assez nombreuses, **par conséquent les horaires de cours sont bizarres**.
→ Le nombre de salles de cours est insuffisant, **par conséquent les horaires de cours sont bizarres**.

1. Pas assez de subventions pour l'entretien / locaux dégradés. – **2.** Trop d'étudiants / amphithéâtres surpeuplés. – **3.** Pas assez de créations de poste / enseignants surchargés et peu disponibles. – **4.** On n'apprend pas suffisamment à apprendre / abandons en masse. **5.** Mauvaise orientation des étudiants / grand taux d'échec. – **6.** Contenus démodés / mauvaise préparation au monde du travail.

512. Aussi + inversion (recherché)

Transformez les phrases suivantes avec « aussi » + inversion.

Exemple : Le gouvernement a renoncé au blocage des salaires parce que les syndicats
s'y sont fermement opposés.
→ Les syndicats se sont opposés fermement au blocage des salaires,
aussi le gouvernement y a-t-il renoncé.

1. Le chirurgien chef ne pourra pas partir en week-end parce qu'une urgence vient d'arriver au bloc opératoire. – **2.** Le président a écourté son voyage officiel en Tunisie parce que la guerre venait d'éclater. – **3.** De nombreux spectateurs n'ont pas pu voir *Starmania*, car le spectacle était complet depuis des mois. – **4.** Le groupe d'hommes d'affaires japonais est parti à pied car aucun taxi n'était en vue. – **5.** Aucun train ne devrait fonctionner le 10 mai, car c'est jour de grève nationale à la SNCF. – **6.** La ville est presque déserte, car la plupart des habitants sont partis en week-end prolongé.

513. Synthèse – Imaginer la conséquence

Complétez les phrases en imaginant la conséquence, en utilisant sans , d'où ,
par conséquent , alors , résultat , c'est pourquoi , du coup , sans que , si bien que ,
de sorte que , aussi .

1. Le Premier ministre a démissionné, d'où .... – **2.** Vous avez cassé les lunettes que vous veniez d'acheter, alors .... – **3.** La pluie n'a cessé de tomber depuis 48 heures si bien que .... – **4.** Le tremblement de terre a détruit le quartier en 1925, c'est pourquoi .... – **5.** Son petit frère voulait une glace au chocolat, du coup .... – **6.** Les enfants ont beaucoup joué avec l'eau du bain, résultat : .... – **7.** Le médecin n'est pas encore arrivé, par conséquent .... – **8.** Il n'y a plus aucune place disponible pour Athènes, du coup .... – **9.** Le soleil avait chauffé la pièce toute la journée, de sorte que .... – **10.** Elle ne peut pas voir un chat sans .... – **11.** L'espion a réussi à sortir sans que .... – **12.** Tous les étudiants étaient d'un excellent niveau, aussi ....

514. Synthèse – Compléter les phrases

Pour chaque phase, imaginez une ou plusieurs conséquences. Utilisez des expressions variées.

1. Il est tombé dans la rivière en plein hiver .... – **2.** Elle lui a dit des mots un peu vifs ....
3. L'absentéisme est très élevé dans cette entreprise ....
4. Le nombre de voitures ne cesse d'augmenter ....
5. Ils sont partis en pleine nuit sans manteau et sans argent .... – **6.** Ses parents le surprotègent .... – **7.** Sa vidéo sur YouTube l'a rendue célèbre en huit jours .... – **8.** La frustration populaire augmente .... – **9.** Les changements technologiques sont très rapides .... – **10.** Le petit Ludovic a été harcelé à l'école ....

Formes d'intensité

BOÎTE À OUTILS

Conséquence et forme d'intensité

Ces formes d'insistance expriment que la cause est si forte qu'on arrive à un point limite dans la conséquence.

Au point que À tel point que } + indicatif	*L'été était très sec **au point que** (**à tel point que**) l'herbe de la pelouse jaunissait.*
Au point de + infinitif	*Il buvait du café **au point de** ne plus pouvoir dormir la nuit.*

B2.1
★★★

515. Intensité avec au point que / à tel point que / au point de

Transformez les phrases suivantes.

a Exemple : Il pleuvait. On n'y voyait plus rien.
→ Il pleuvait **au point qu'on** / **à tel point qu'on** n'y voyait plus rien.

1. Ils s'adorent. Ils ne se quittent jamais. – **2.** Ils ont couru comme des fous. Ils ont eu des courbatures pendant huit jours. – **3.** Nous avons dépensé des fortunes. Nous n'avons plus un sou sur notre compte. – **4.** Le frère et la sœur étaient très fâchés l'un contre l'autre. Ils ne se parlaient plus. – **5.** Il a neigé très fort pendant toute la nuit. Toutes les routes étaient glissantes et très dangereuses.

b Exemple : La situation était compliquée. Elle était incompréhensible.
→ La situation était compliquée **au point d'être** incompréhensible.

1. Le président était furieux contre ses ministres. Il voulait changer le gouvernement. – **2.** Le discours a été réécrit. Il a perdu son sens initial. – **3.** Le candidat détestait ses adversaires. Il était prêt à tout pour les vaincre – **4.** Le Premier ministre s'est montré autoritaire. Il a inquiété son propre parti. – **5.** Les citoyens étaient perturbés. Ils ne savaient plus pour qui voter.

« Trop de précaution nuit. » Proverbe

« La certitude rend fou. » Erasme, auteur latin

« Parce que c'était lui, parce que c'était moi. » Montaigne

L'ESSENTIEL SUR...

Insistance sur l'intensité ou la quantité du fait présenté dans la principale avec réalisation de la conséquence		
Tellement Si	+ nom + que	Ils étaient **tellement** en colère **qu'**ils ne trouvaient plus leurs mots. Ils avaient **si** faim **qu'**ils avaient mal à l'estomac.
Tellement Si	+ adjectif + que + adverbe + que	Elle marchait **tellement** lentement **qu'**il était difficile de l'accompagner. Elle était **si** fatiguée **qu'**elle trébuchait.
Tellement Tant	+ de + nom + que	Il a **tellement** de travail **qu'**on ne le voit plus jamais.
Verbe + tant	+ tellement + que	Il parle **tellement** (**tant**) **qu'**on ne l'écoute plus.
Si peu (insistance sur la petite quantité du fait)		Elle était **si peu** fatiguée **qu'**elle ne pouvait s'endormir.

B2.1
★★★

516. Tellement / Si + locutions verbales

Transformez les phrases suivantes sur le modèle de l'exemple.

Exemple : J'avais **si soif** (**tellement envie de boire**) **que** j'ai bu une bière tiède.

1. Il s'est jeté sur la nourriture parce qu'il avait très faim. – **2.** L'enfant s'est mis à hurler parce qu'il avait très peur du noir. – **3.** Ils ne pouvaient pas garder les yeux ouverts parce qu'ils avaient vraiment trop sommeil. – **4.** Nous accepterons de prendre quelques risques parce que nous avons vraiment envie de visiter le désert. – **5.** Leurs orteils ont gelé parce qu'ils ont eu trop froid à cette altitude.

B2.1
★★★

517. Tellement / Si + adverbe + que

Transformez les phrases suivantes sur le modèle de l'exemple.

Exemple : L'accident s'est produit **tellement** / **si rapidement qu'**on n'a rien pu faire.

1. Evan s'est étouffé parce qu'il a avalé ses spaghettis trop vite. – **2.** Nous nous sommes séparés fâchés parce que nous nous étions disputés très violemment. – **3.** On croit que ma sœur est couturière professionnelle parce qu'elle coud très adroitement. – **4.** On devine qu'il est fou d'elle parce qu'il la regarde très amoureusement. – **5.** On pourrait croire qu'il a vingt ans d'expérience parce qu'il a agi très professionnellement.

> « La parole est **si** puissante qu'un seul mot peut changer une vie ou détruire l'existence de milliers de personnes. » Don Miguel Ruiz

> « **Comme** le rappelle le physicien Étienne Klein, "l'idée de progrès" a pour anagramme "le degré d'espoir". » *Philosophie magazine*

B2.1 ★★★ **518. Verbe + tellement / tant + que**

Transformez les phrases suivantes sur le modèle de l'exemple.

<u>Exemple</u> : Elle l'**aime tant qu'elle ferait** n'importe quoi pour lui.

1. Comme Christian a beaucoup aidé Nasser, celui-ci fera tout pour lui rendre la pareille.
2. Comme Sarah avait beaucoup lu hier, elle avait mal aux yeux. – **3.** Comme Annie a beaucoup attendu Mourad, sa patience est à bout. – **4.** Comme les clients protestaient énormément, la cafétéria est restée ouverte plus tard que d'habitude. – **5.** Comme nous avons beaucoup apprécié votre visite, nous serions heureux que vous reveniez nous voir. – **6.** Comme Charles a beaucoup de dettes, il travaille tous les samedis pour gagner de l'argent.

B2.1 ★★★ **519. Verbe + tellement de / tant de + nom + que**

Transformez les phrases suivantes sur le modèle de l'exemple.

<u>Exemple</u> : Elle est épuisée le soir parce qu'elle dépense énormément d'énergie à son travail.
→ Elle dépense **tellement** (**tant**) **d'énergie** à son travail **qu'**elle est épuisée le soir.

1. Il ne sait toujours pas lire parce qu'il a beaucoup de difficultés dans sa famille. – **2.** On lui a retiré son permis de conduire parce qu'il avait commis beaucoup d'infractions au code de la route. – **3.** Son patron est mécontent parce que Thierry prend trop d'initiatives. – **4.** Sa compagnie d'assurances ne veut plus de lui parce qu'il a eu un très grand nombre d'accidents. **5.** Il n'avait pas le temps de voir tous ses amis parce qu'il en avait trop.

B2.1 ★★★ **520. Si / tellement / tant... que**

Continuez ou complétez les phrases suivantes.

1. Les touristes étaient si fatigués que .... – **2.** Les soldats étaient tellement mal armés que .... – **3.** Il y avait tant de visiteurs .... – **4.** C'est arrivé de façon si imprévue .... – **5.** On nous a dit tant de bien de lui .... – **6.** Ils se comprennent si bien .... – **7.** .... qu'il est impossible de lui faire confiance. – **8.** .... qu'on a laissé tomber. – **9.** .... qu'il vaut mieux les laisser tranquilles. – **10.** .... que personne n'a rien vu. – **11.** .... que je n'en suis pas encore revenue. – **12.** .... que personne n'a pu trouver le sommeil.

B2.2 ★★★★ **521. Trop / pas assez / assez + adjectif + pour + infinitif (même sujet pour les deux verbes)**

Sur le modèle, transformez les éléments suivants.

<u>Exemple</u> : Il est très poli, (donc il ne doit pas être honnête.
→ Il est **trop poli pour** être honnête.

1. Elle est très mignonne. Elle ne restera pas longtemps célibataire. – **2.** Ils sont très âgés. Ils ne pourront pas faire cette excursion. – **3.** Ils ont été très malins. Ils n'ont pas laissé d'indices. – **4.** Il n'est pas assez intelligent. Il ne devinera pas. – **5.** Ils n'ont pas été assez drôles. Ils n'ont pas fait rire le public. – **6.** Ils sont assez malins. Ils se cacheront le temps nécessaire.

522. Trop / pas assez / assez + adjectif + pour que + subjonctif (deux sujets différents)

a Transformez les phrases suivantes selon le modèle de l'exemple.

Exemple : Ils sont intelligents. On n'a pas besoin de leur expliquer dix fois les choses.
→ Ils sont **assez intelligents pour qu'on n'ait pas besoin** de leur expliquer dix fois les choses !

1. Ces touristes sont assez dynamiques. On n'a pas besoin de les encadrer tout le temps. **2.** Cette jeune fille est trop belle. Les hommes n'osent pas lui parler. – **3.** La maison n'était pas assez grande. Ses propriétaires ne pouvaient pas y inviter des amis. – **4.** Ces vêtements ne sont plus assez élégants. Tante Sophie ne veut plus les garder.

b Complétez les phrases suivantes.

1. .... pour qu'on la remarque partout où elle va. – **2.** .... pour que tout le monde veuille l'acheter. – **3.** .... pour que les gens l'apprécient à sa juste valeur. – **4.** .... pour qu'on l'aime.

523. Verbe + trop
               + trop peu + pour   + infinitif
               + assez + pour que   + subjonctif
               + pas assez

a Transformez les éléments suivants.

Exemple : Il gagne **trop peu pour pouvoir** se payer des vacances.

1. Il ne s'est pas assez entraîné. Il ne gagnera pas le match. – **2.** Elle travaille trop. Elle n'a pas le temps de s'occuper de ses enfants. – **3.** Ces commerçants vendaient trop peu. Ils n'étaient pas à l'aise. – **4.** Ces vieilles dames bavardaient trop. Elles ne disaient pas tout le temps des choses intéressantes.

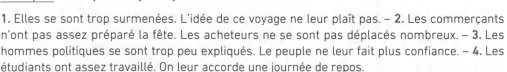

b Transformez les phrases suivantes.

Exemple : Il a **trop menti pour qu'on continue** à le croire.

1. Elles se sont trop surmenées. L'idée de ce voyage ne leur plaît pas. – **2.** Les commerçants n'ont pas assez préparé la fête. Les acheteurs ne se sont pas déplacés nombreux. – **3.** Les hommes politiques se sont trop peu expliqués. Le peuple ne leur fait plus confiance. – **4.** Les étudiants ont assez travaillé. On leur accorde une journée de repos.

> « Le pouvoir rend fou. Le prendre ou le perdre rend fou absolument. »
> *Le Point*, spécial coups d'État

> « Ce qui rend fou, ce n'est pas le doute mais la certitude. » Nietzsche, philosophe

B2.2
★★★★
524. Trop / assez / pas assez / trop peu + de + nom + pour + infinitif
+ pour que + subjonctif

a Transformez les phrases suivantes avec le subjonctif.

> **1.** Ces gens ont trop d'orgueil. Il n'est pas possible de les aider. – **2.** Le patron dispose de peu de temps. Vous ne pourrez pas lui parler. – **3.** Les enfants possèdent assez de jouets. Nous ne ferons pas de gros cadeaux demain. – **4.** Cet homme ne mange pas beaucoup de crustacés. Ce n'est pas la cause de sa maladie.

b Transformez les phrases suivantes avec l'infinitif.

> **1.** Ces gens donnent beaucoup d'argent. Ils ne sont pas avares. – **2.** Pierre a assez d'amis. Il ne reste pas seul le dimanche. – **3.** Marie a trop de robes. Elle ne peut pas les porter toutes. – **4.** Le médecin a trop peu de malades. Il ne gagne pas correctement sa vie.

B2.2
★★★★
525. Verbe + trop / assez / pas assez + adverbe + pour + infinitif
+ pour que + subjonctif

a Transformez les phrases suivantes avec l'infinitif.

1. Il travaille trop lentement. Il ne finira pas à temps. – **2.** Elle ne chantera pas assez bien. Elle n'obtiendra pas le rôle. – **3.** Il reçoit trop peu aimablement. Il n'a pas beaucoup de clients. **4.** Elles l'ont demandé assez gentiment. Elles l'ont obtenu.

b Transformez les phrases suivantes avec le subjonctif.

1. Elle parle trop doucement. On ne la comprend pas. – **2.** Il s'est comporté trop peu gentiment. On ne l'apprécie pas. – **3.** Il n'écrit pas assez soigneusement. La maîtresse ne lui mettra pas une bonne note. – **4.** Elle fait très mal le ménage. Sa patronne ne la gardera pas.

B2.2
★★★★
526. Trop / pas assez / trop peu / assez + adjectif
+ pour que + subjonctif
+ adverbe + pour + infinitif

PORTRAITS

Voici le portrait de monsieur *Pas aimable*:
– Il n'est pas assez aimable pour avoir des amis.
– Il est trop peu gentil pour penser à faire des compliments.
– Il parle trop méchamment pour qu'on ait envie de l'écouter.
– Il n'a pas l'air assez gentil pour qu'on veuille lui parler.
– Il se montre trop agressif pour être aimé.
– etc.

Sur ce modèle, faites-vous aussi les portraits suivants.

– Madame *À qui tout réussit*.
– Monsieur *Qui travaille tout* le temps.

527. Mises en garde

Rédigez des textes qui mettent en garde contre la consommation de tabac, d'alcool ou de drogues, en décrivant bien toutes les conséquences possibles.

BOÎTE À OUTILS

Toutes les phrases qui suivent utilisent une forme d'intensité sur la cause pour porter un jugement. Le locuteur évalue l'intensité de la cause comme suffisante (assez), insuffisante (pas assez, trop peu), ou excessive (trop) pour amener la conséquence attendue.

Structures d'insistance			
verbe +	trop assez pas assez	+ pour + infinitif (1 sujet) ou	Il mange **trop pour** pouvoir maigrir. Il n'est **pas assez** sérieux pour **qu'**on lui confie ce travail.
trop assez pas + adjectif assez trop peu			Il est **trop** radin **pour** nous aider. Il n'est **pas assez** généreux **pour qu'**on lui demande de l'aide.
verbe +	trop assez + adverbe pas assez		Il conduit **trop mal pour que** je lui laisse ma voiture. Il conduit **assez bien** pour participer à ce rallye.
verbe +	trop peu assez + de + nom pas assez	+ pour que + subjonctif (2 sujets)	Elle a **trop peu de** compétences pour savoir répondre. Il a **assez de** connaissances **pour qu'**on puisse l'interroger.

Activité de repérage 30

Observez les exemples de la boîte à outils ci-dessus et, pour chaque phrase, répondez à ces deux questions.

Dans l'esprit du locuteur,

1. l'action de la conséquence est-elle possible ? se réalisera-t-elle ?

2. pourquoi ? Quels mots le montrent ?

Exemple : Il est **assez** *discret* **pour** garder un secret.
                              qu'on lui confie un secret.

1. Oui : **Il peut** *garder* un secret.
On peut lui confier un secret.

2. Parce qu'il est ***assez*** discret.

Cause-Conséquence

B1.1
★

528. Révision – Reconstituer des phrases

Parce que	C'est pourquoi	Puisque	C'est pour cela que	Comme
Si bien que	Alors	À cause de	Donc	Causer

Reconstituez des phrases en rassemblant un élément de la colonne de gauche et un de la colonne de droite. Faites attention au sens des phrases et aux expressions qui les relient.

1. Elle avait donné une gifle à son petit frère…

2. La princesse, sérieusement blessée dans un accident de voiture, …

3. Hier nous avons fait une randonnée de 40 km…

4. Comme le temps s'était brusquement dégradé…

5. Assez discuté ! puisque c'est moi le père et toi l'enfant…

6. Ma voiture est tombée en panne sur l'autoroute…

7. L'aéroport de Roissy est bloqué…

8. Tu as mangé une pizza et bu une bière…

9. L'ouragan Théophile a causé…

10. Nous n'avons pas pu partir en vacances…

11. Mon premier mari me manquait de respect…

12. Mon fils sait que je lui refuserai la permission,

13. Une énorme avalanche s'est produite dans la vallée de Chamonix

a. si bien que les militaires ont été mobilisés pour participer aux secours.

b. c'est moi qui décide, un point c'est tout !

c. si bien que j'ai dû me faire dépanner.

d. à cause d'une tempête de neige exceptionnelle.

e. de nombreux dégâts en Floride.

f. alors j'ai divorcé.

g. parce que nous n'avions pas le budget.

h. ta part s'élève donc à 13,50 €.

i. c'est pour cela qu'il sort sans me le dire.

j. a été transportée à l'hôpital.

k. c'est pour cela que nous avons du mal à marcher aujourd'hui.

l. les randonneurs ont prudemment fait demi-tour.

m. c'est pourquoi elle a été privée de dessert.

529. Révision – Reconstituer des phrases

Grâce à	Sous prétexte que	Sans que
Faute de	Ce n'est pas parce que… …mais parce que	Par conséquent
À force de	D'où	De sorte que
En raison de	Car	En effet

Reconstituez des phrases en rassemblant un élément de la colonne de gauche et un de la colonne de droite. Faites attention au sens des phrases et aux expressions qui les relient.

1. Je suis très reconnaissante à mon amie Annie car…

2. Il n'a pas pu obtenir son crédit …

3. À force de dépenser inconsidérément, …

4. En raison d'un problème technique, …

5. Papa refuse de manger des légumes…

6. L'enfant est sorti de sa chambre…

7. M. Dupont n'a pas pu terminer son travail…

8. Il ne cesse de se gaver de pizzas devant la télé…

9. Ce n'est pas parce qu'il était malade…

10. C'est la troisième fois que vous sautez un cours, …

11. Il a eu un problème familial, …

a. l'usage de l'ascenseur est interdit jusqu'à 18 h.

b. il s'est retrouvé dans le rouge à la banque.

c. c'est grâce à elle que j'ai trouvé mon emploi.

d. faute de garanties suffisantes.

e. sans que ses parents s'en aperçoivent.

f. sous prétexte qu'il ne les digère pas.

g. en effet son ordinateur est tombé en panne.

h. par conséquent je vous envoie chez le directeur.

i. de sorte qu'il a dû écourter ses vacances.

j. mais parce qu'il voulait se promener qu'il a manqué la réunion.

k. d'où ses problèmes de surpoids.

530. Révision – Reconstituer des phrases

Participe présent ou passé	Adjectif ou participe en incise	Être une des conséquences de
Être dû à	Être à l'origine de	Si… ce n'est pas que + subjonctif
À la suite de	Aussi + inversion	

Reconstituez des phrases en rassemblant un élément de la colonne de gauche et un de la colonne de droite. Faites attention au sens des phrases et aux expressions qui les relient.

1. Hugo! Votre travail étant bon, ... • • **a.** du déraillement du train Paris-Tours.

2. En furie contre ses PV, ... • • **b.** serait due à une surdose d'héroïne.

3. Leurs enfants ayant tous quitté la maison... • • **c.** l'ingénieur a attenté à ses jours.

4. Bouleversé par son licenciement, ... • • **d.** ils ont acheté un logement plus modeste.

5. Le criminel se croyait invulnérable, ... • • **e.** la faute à qui?

6. Le conseiller du Premier ministre a été obligé de démissionner... • • **f.** pourrait être une conséquence du réchauffement climatique.

7. La mort suspecte du jeune Boris dans une discothèque... • • **g.** à la suite d'une affaire de mœurs.

8. Une erreur humaine serait à l'origine... • • **h.** il attaque la gendarmerie.

9. La multiplication des tempêtes... • • **i.** aussi a-t-il commis des erreurs.

10. Si l'assistance est nombreuse, ce n'est pas que... • • **j.** je me demande si quelqu'un ne vous a pas aidé.

11. Des milliers de décès pendant la canicule... • • **k.** le spectacle soit génial, mais parce qu'il est gratuit.

B1.2
★★

531. Construction de phrases

Reliez entre elles les causes et les conséquences en utilisant des constructions grammaticales variées.

Cause	Conséquence
1. Les Françaises font plus d'enfants que beaucoup d'autres Européennes.	Le taux de natalité se maintient.
2. Paul Alonso avait volé la voiture d'un juge.	Il a été condamné à être le chauffeur de sa victime pendant trois mois.
3. Raoul Ducasse veut créer une entreprise de 400 emplois.	Tout le monde est décidé à le soutenir.
4. Des skieurs ont déclenché une avalanche.	Deux d'entre eux sont morts et la route des Deux-Alpes est coupée.
5. Multiplication des TGV Paris-Marseille.	Explosion du prix de l'immobilier à proximité de Marseille.
6. Une alerte à la bombe lundi matin en gare de Lyon.	Le trafic des voyageurs a été suspendu pendant quatre heures.
7. Valérie s'ennuyait énormément pendant les vacances familiales.	Elle a préféré retourner au bureau.
8. Grêle à répétition pendant une semaine dans le sud-ouest.	Les cultures sont ravagées.

B1.2 ★★ 532. **Reformulation de phrases**

Formulez le maximum de phrases qui aient le même sens que les phrases suivantes.

1. L'avalanche s'est déclenchée parce que des randonneurs passaient. – **2.** Les syndicats ont protesté parce qu'il y avait de nombreux licenciements. – **3.** Ils ont déménagé parce qu'on construisait une ligne de TGV à côté de chez eux. – **4.** La pollution s'est aggravée parce que la consommation d'énergie a augmenté. – **5.** La guerre a été déclarée parce que des frontières avaient été violées.

B1.1 ★ 533. **Reformulation de phrases**

Reliez les deux propositions de chaque phrase de diverses façons.

1. La rivière avait monté : nous avons dû déplanter la tente. – **2.** Il ne s'était pas rasé : il ressemblait à un évadé de prison. – **3.** Les informaticiens améliorent les ordinateurs : ils deviennent de plus en plus faciles à utiliser. – **4.** Ils se sont dépêchés pour attraper le train : ils sont essoufflés. **5.** Elle n'a pas répondu correctement à l'examinateur : elle a eu une mauvaise note. – **6.** L'orage s'éloigne : les piétons sortent de leurs abris. – **7.** Paul a reçu de mauvaises nouvelles : il est effondré. – **8.** Marc ne s'est pas levé à temps : il va probablement rater l'avion de 10 heures.

Cause-Conséquence – Synthèse

B1.2 ★★ 534. **Phrases à compléter – Dur, dur de faire des bébés !**

Le texte suivant est fractionné en deux parties pour faciliter le travail. Complétez les phrases avec les verbes et expressions proposés pour chaque partie.

a Sous le soleil exactement...

> c'est pourquoi   effets   en effet   entraîner   faire   pour cause   provoquer
> rendre   tant... que

– On aime .... le soleil .... on se précipite en terrasse dès qu'il est là. Et .... : il a de nombreux .... sur notre santé et notre humeur.

– .... il nous rend plus heureux et stimule nos sens ; .... nous développons facilement une addiction à la sieste au soleil car de plus il .... dans le cerveau les mêmes réactions que l'héroïne.

– Mais, mauvaise nouvelle : la chaleur .... chuter les taux d'hormones et de spermatozoïdes, ce qui .... une baisse de fertilité en été.

ⓑ Encore une petite coupe !

> causer   conséquences   créer   être à l'origine de   être dû
>
> y être pour quelque chose   s'expliquer   pousser   prétexte   résultats

– Attention une baisse de libido peut aussi .... à une intoxication aux informations qui .... plus à l'anxiété qu'à la détente sous la couette.

– D'autre part les .... d'une étude australienne montrent clairement qu'une baisse d'activité sexuelle .... une baisse de productivité au travail. Aie !

– Les .... de tout ça : plus assez de bébés pour payer nos retraites ! Mais, ouf ! Rassurons-nous : les fêtes de fin d'année .... un surplus de bébés à l'automne. Ceci .... bien sûr par la fraîcheur de la température, mais la détente .... par la fête .... aussi .... Un bon .... de plus pour abuser du champagne ?

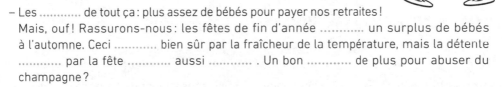

Études universitaires 2016 diverses, Point / Express

B2.1
★★★

535. Phrases à compléter – Les clés de l'innovation

Placez les verbes et expressions ci-dessous dans le texte suivant. Pensez à conjuguer les verbes si nécessaire.

> donc   en effet   étant donné que   d'autant plus que   être dû à   de ce fait
>
> étant   à tel point que   avoir pour résultat   permettre   et que

– Un chercheur est .... créatif .... il peut créer des liens entre des domaines différents.

– Les chercheurs français sont particulièrement créatifs, ... les entreprises de pointe les convoitent et .... on étudie leur cerveau.

– Cette réussite .... probablement .... à une particularité des grandes écoles, celles-ci .... à la fois pointues sur le plan scientifique et plus généralistes qu'ailleurs.

– Il semble .... que l'enseignement des sciences sociales et des pratiques artistiques .... des cerveaux aux connexions plus variées et des personnalités plus curieuses. Et .... , ... plus créatives.

– Cerise sur le gâteau, plus inattendue : même notre côté insatisfait et râleur est apprécié .... il .... de repérer les améliorations à faire.

Source : Capital 2016

> « Le ménage rend les hommes heureux ! En effet, ces messieurs souffrent lorsque leur compagne passe l'aspirateur. Du coup, lorsqu'ils s'en chargent, ils sont plus détendus. » Étude 2017 sur les Européens, Cambridge

> « Vous faites tout un plat d'un petit rien parce que vous avez besoin d'avoir raison et de donner tort à autrui. » Don Miguel Ruiz, *Les quatre accords toltèques*

B1.2
★★

536. Créativité – Jeu surréaliste : le cadavre exquis

Prenez une feuille de papier, dessinez et numérotez cinq cases.

Dans la case 1, écrivez un nom et un adjectif ; pliez la feuille pour cacher vos mots et passez-la à votre voisin de droite. Continuez de la même façon pour les cases 2, 3, 4, 5. Ouvrez les papiers, corrigez les fautes d'accord, d'orthographe, de syntaxe. Lisez les phrases. En groupe, organisez-les pour en faire un poème. Voici un schéma des mots à trouver.

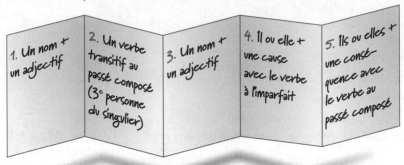

Exemple : 1 un policier vert / 2 a téléphoné à / 3 une souris fatiguée 4 : parce qu'il voulait voir la mer / 5 alors ils ont éclaté de rire

La cause – conséquence exprimée par le lexique

BOÎTE À OUTILS

	Le lexique de la cause	Lexique de la conséquence
Les noms	la cause (apparente, réelle, cachée, profonde) de l'origine, la source de le prétexte de... le motif, la motivation, le mobile	les conséquences, les effets, les suites de l'impact de les réactions, les résultats, les retombées l'aboutissement, la conclusion
Les verbes	faire, rendre être causé, provoqué, produit par être dû à provenir de s'expliquer par avoir pour origine	causer, provoquer engendrer, créer entraîner, amener aboutir à, pousser à déboucher sur

B1.1
★

537. Faire / rendre + infinitif / adjectif

Fabriquez une série de questions sur ces modèles et demandez à vos camarades de répondre.

 Exemple : Qu'est-ce qui **fait tourner** le monde ? L'avidité, l'amour, Dieu, le diable, les lois de l'univers, la vie **font tourner** le monde.

1. Qu'est-ce qui fait tousser, pleurer, rire, dormir, éternuer ?

2. Qui vous fait ou qu'est-ce qui vous fait mourir de peur, pâlir, vous énerver, crier ?

3. Qu'est-ce qui fait rêver les pauvres ? Qui est-ce qui fait rêver les jeunes filles ? Qu'est-ce qui fait pleurer les stars ? Qu'est-ce qui fait monter les prix ?

ⓑ Exemple : Qu'est-ce qui **rend nerveux** ? La peur **rend nerveux**

1. Qu'est-ce qui vous rend gai, optimiste, heureux de vivre ?

2. Qu'est-ce qui vous rend déprimé, malade, pessimiste ?

3. Qu'est-ce qui vous rend aimable, intelligent, séduisant ?

4. Qu'est-ce qui vous rend nerveux, agressif, désagréable ?

B1.2
★★

538. Causer, provoquer, entraîner, être la cause de, être à l'origine de, être le résultat de, être la conséquence de, être dû à

À l'aide des structures ci-dessous, décrivez les nombreux incidents qui se produisent chaque jour dans la vie d'une ville. Vous pouvez choisir des situations présentées dans le tableau des causes et des conséquences.

– Un accident	a causé / provoqué / entraîné est la cause de / est à l'origine de	un embouteillage
– Un camion s'est renversé	ce qui a causé	un embouteillage monstre
– Un embouteillage	est dû à a été causé / provoqué / entraîné par est le résultat / la conséquence de	un accident

CAUSES	CONSÉQUENCES
Deux chiens se sont disputés. Un cortège officiel a traversé le centre-ville. Il y a eu un hold-up. Une bouteille de gaz a explosé. Un défilé de majorettes a fait le tour de la place principale. Un chauffard a remonté une rue en sens interdit. On a commencé des travaux sur le boulevard périphérique. Un motard a traversé la ville à minuit. Un incendie a pris dans un grand magasin. Un orage monstrueux s'est abattu sur la ville.	Les passants se sont attroupés. Le centre-ville a été embouteillé. Les passants ont paniqué. Un immeuble a été détruit. Les badauds ont applaudi. Plusieurs voitures sont accidentées. Les automobilistes sont exaspérés. Des milliers de personnes se sont réveillées. Les pompiers sont intervenus. Les rues ont été inondées, les égouts ont débordé.

539. Synthèse – Repérage

a Notez les moyens d'exprimer les causes et les conséquences contenus dans l'entrefilet ci-dessous.

ÇA FAIT DU BIEN !

30 % de consultations médicales en moins grâce à la compagnie d'un chien.

Les propriétaires de chiens se sentent moins seuls et plus heureux lorsqu'ils pensent à leur animal familier. Mais savent-ils que leur cher compagnon a aussi des effets bénéfiques sur leur santé physique et mentale ? L'American Heart Association a noté que la compagnie des chiens réduit le stress, encourage les relations sociales, promeut l'exercice, réduit les maladies cardiaques et accroît la longévité. Les plus de 65 ans, qui partagent leur vie avec l'espèce canine, rendent 30 % moins fréquemment visite à leur médecin...

L'Obs, 16 avril 2015

---

b Complétez le texte ci-dessous avec les verbes proposés. Conjuguer si nécessaire.

aboutir   amener   avoir des effets positifs   rendre   avoir pour résultat

faire disparaître   impacter   influencer   permettre de   pousser à   provenir

---

PARLER AUX INCONNUS

Parler aux inconnus peut nous .... plus heureux, c'est désormais prouvé. Ces conversations spontanées et éphémères, qui se passent bien en général, ... sur notre bien-être et celui de la société car elles .... notre vision du monde.

Elles nous .... à penser que le monde n'est pas si hostile, ce qui .... d'améliorer notre confiance en nous et notre sentiment de sécurité intérieure.

Elles nous .... à nous aventurer plus souvent dans la relation avec l'autre au lieu d'en avoir peur et .... ainsi .... créer facilement du lien social.

Elles .... même positivement notre productivité en .... notre peur d'être jugés.

Les conflits .... souvent de la peur, alors adressons joyeusement la parole à de nombreux inconnus : cela .... à plus de compréhension mutuelle un jour.

---

c Sur ce modèle, rédigez un petit texte décrivant les effets bénéfiques de la musique, du sport ou du vin rouge.

« Au fond, je ne sais pas pourquoi je t'aime et c'est pourquoi je t'aime.
Je t'aime parce que tu es qui tu es. » Fabrice Midal, philosophe

---

B2.1
★★★

540. Cause – Conséquence / Verbes – La faute à qui ?

Placez les verbes suivants dans les phrases ci-dessous (attention aux formes verbales utilisées).

> aboutir   amener   avoir un impact   avoir pour origine   déboucher
>
> donner   être dû   pousser   provenir   rendre

1. la situation délicate dans laquelle nous nous trouvons ne pas .... uniquement au manque de perspicacité de nos dirigeants, mais .... aussi de l'aveuglement volontaire de nos sociétés.

2. La lutte incessante de l'humanité pour sortir de la crise .... à des améliorations considérables. Ces extraordinaires progrès devraient nous .... optimistes : en 1990, 21 % des humains savaient lire, aujourd'hui 86 % !

3. Le pessimisme actuel .... la rapidité des changements ; ceux-ci .... brutal sur les populations et .... certains au désespoir.

4. L'injustice sociale répétée .... de l'insécurité. Et comme chacun sait, frustration plus insécurité, ça .... de la violence. Qui sait sur quoi tout cela peut .... ?

Cause – conséquence dans la phrases complexes

B2.2
★★★★

541. Phrases complexes

Examinez les exemples suivants.

1. *Les aiguilleurs du ciel sont en grève.*

2. *Les avions sont retardés.*

3. *Les passagers doivent attendre des heures à l'aéroport.*

Les liens de cause conséquence de ces situations peuvent être exprimés de plusieurs façons. Observez.

• **1. → 2. → 3.** Les aiguilleurs du ciel sont en grève, **ce qui provoque** le retard des avions et, **par conséquent**, les passagers doivent attendre des heures à l'aéroport.

• **1.→ 2. → 3.** La grève des aiguilleurs du ciel **provoque** le retard des avions et l'attente des **3.** passagers dans les aéroports.

• **3. → 2. → 1.** La longue attente des passagers dans les aéroports **est causée par** le retard des avions, **qui vient** de la grève des aiguilleurs du ciel.

• **2. → 3. → 1.** Le retard des avions et l'attente des passagers **sont la conséquence directe de** la grève des aiguilleurs.

• **2. → 1. →3.** Le retard des avions, **qui a pour origine la grève** des aiguilleurs du ciel, a **pour conséquence** de longues attentes dans les aéroports.

Rédigez des phrases complexes avec les faits présentés page suivante. Commencez par définir l'enchaînement des faits dans la réalité. Ensuite, faites différentes versions du même paragraphe. L'ordre des éléments dans la phrase et dans la réalité ne sont pas forcément les mêmes.

B1.2
★★

a

1. Les conditions de vie sont difficiles.
2. Les salaires n'ont pas augmenté depuis trois ans.
3. Les prix ont augmenté de 10 %.
4. Les salariés sont mécontents

1. Robert a rencontré un médecin intelligent.
2. Il ne prend plus de somnifères.
3. Il fait du sport.
4. Il est en excellente santé.

1. Son entreprise avait des problèmes économiques.
2. Adrien s'est retrouvé au chômage.
3. Il a fait une formation professionnelle.
4. Il a monté une petite entreprise. Il est plus heureux qu'avant.

B2.1
★★★

b

1. L'usine où travaillait Dominique a fermé.
2. Il avait en plus des problèmes personnels.
3. Son propriétaire a repris l'appartement pour son fils.
4. Dominique fait aujourd'hui partie des sans-abri.

1. De grosses chutes de neige se sont produites en Savoie.
2. Les routes sont coupées.
3. Les trains sont bloqués.
4. Les écoles sont fermées.
5. De nombreuses maisons sont isolées.
6. Le gouvernement a envoyé les militaires aider les populations.

1. Paul Machefer changeait la station de radio dans sa voiture.
2. Il n'a pas vu le carrefour.
3. Une voiture l'a percuté à droite.
4. Les deux voitures sont hors d'état.
5. Paul Machefer est blessé, l'autre conducteur est indemne.

> « J'vais dire des trucs simples [...]
> Basique, simple, simple, basique [...]
> parce que vous êtes trop *cons*,
> vous n'avez pas les bases ! »
> Orelsan, rappeur français

Synthèse générale

B2.1
★★★
542. Écriture de paragraphes –
Un cercle vertueux : le miracle vendéen

Composez des paragraphes au sujet des difficultés et de la réussite de la région vendéenne en vous inspirant des données ci-dessous.

Les idées à développer et les formulations possibles sont nombreuses, donc soulignez clairement les relations de cause-conséquence entre les éléments que vous avez choisis de relier.

La Vendée

CONTEXTE HISTORIQUE

La Vendée, très catholique, s'est opposée énergiquement à la Révolution française. La guerre sans pitié menée par l'État a dévasté la région et causé la mort d'une grande partie de la population. Le bocage vendéen était très pauvre, loin de tout, très tardivement desservi par de bonnes liaisons routières, et il ne possède aucune ressource naturelle. La région aurait pu demeurer éternellement misérable et déshéritée, traumatisée par ses blessures ; ce qui n'est pas le cas.

RÉALITÉ ACTUELLE

Aujourd'hui, la Vendée est un modèle de développement réussi. Le tissu d'entreprises est dense et performant, avec trois fois plus d'industries et moitié moins de chômage et de pauvreté que dans le reste de l'Hexagone.

On observe dans tout le territoire une mentalité combative, un grand esprit d'entreprise, une créativité élevée et un esprit de coopération exceptionnel. Les patrons et les employés se connaissent depuis l'école, les entreprises restent familiales même quand elles grossissent et tout le monde se sent dans le même bateau.

Le turn-over est très faible et la productivité très bonne dans les entreprises vendéennes. Les travailleurs y sont plus autonomes, la hiérarchie est simplifiée et les salaires sont élevés.

Données empruntées à l'article de Philippe Eliakim dans *Capital*, septembre 2016

Exemples : • **La réussite du territoire vendéen s'explique par de nombreux facteurs historiques et humains.**
• **À l'origine de la réussite vendéenne, on trouve paradoxalement de grosses difficultés historiques.**
• **La magnifique réussite des entreprises vendéennes provient de la coopération de tous ses secteurs.**

« Les conflits armés perdurent car l'intérêt, la peur et l'orgueil demeurent des moteurs puissants. » Général Henri Bentegeat, 2017

543. Rédaction d'un texte – Civilisations disparues

B2.1
★★★

a L'entrefilet suivant explique la chute de l'Empire romain par un mini-âge glaciaire. Repérez les causes et les conséquences : qu'est-ce qui entraîne quoi et où ?

> ### COUP DE FROID SUR ROME
>
> Découverte de l'existence d'un mini-âge glaciaire entre l'an 500 et 700 de notre ère, dans l'hémisphère Nord, qui pourrait expliquer l'effondrement de l'Empire romain et le développement de l'empire arabe. Trois éruptions volcaniques obscurcissent le ciel avec leurs cendres, entraînant une chute de température. Plusieurs conséquences : 1) chute de la production agricole en Europe suivie par une pandémie de peste provoquant l'effondrement de l'Empire romain ; 2) davantage de pluie sur la péninsule arabique favorisant les pâturages pour les chameaux des armées d'invasion arabe ; 3) sécheresse en Asie centrale poussant les groupes nomades à envahir les steppes chinoises.
>
> Source : *Nature-Géoscience*

B2.2
★★★★

b Lisez l'interview de Russel Banks (écrivain américain) ci-dessous. La civilisation (industrielle) actuelle peut-elle s'effondrer aussi d'après vous ? Pourquoi et avec quelles conséquences ? Quelle que soit votre opinion (oui, non, qui sait ?) faites une liste de dangers, de points positifs et de leurs conséquences, puis rédigez un texte.

> Vous avez écrit *Continents à la dérive* il y a plus de trente ans. Rien n'a changé depuis ?
>
> **«** Non, c'est assez triste au fond. Au début des années 1980, j'avais sûrement pressenti que certains phénomènes, dont on ne connaissait que les premières manifestations, allaient s'intensifier d'une manière dramatique. Il y avait le réveil religieux, la globalisation, les problèmes écologiques et le réchauffement climatique, les prémices de la crise financière. Tout était là, en germe. Et le roman a, d'une manière assez miraculeuse, saisi à cet instant tout ce qui allait nous poser des problèmes par la suite. Au début des années 1980, on pouvait sans doute percevoir un désenchantement aux États-Unis, mais sans rien de comparable au désastre moral que nous connaissons aujourd'hui, et qui n'est pas seulement américain mais mondial. **»**

> « Pourquoi sommes-nous capables de marcher follement vers l'abîme en niant le danger ? Parce que des filtres cognitifs protègent notre cerveau des informations trop déstabilisantes pour notre vision du monde. »
> Pablo Servigne et Raphaël Stevens, scientifique

L'ESSENTIEL SUR...

Le but est un résultat qu'on veut atteindre ou qu'on cherche à éviter ; ce projet n'est donc pas encore réalisé (contrairement à l'expression de la conséquence) et c'est pourquoi il s'exprime au subjonctif. Le français possède de nombreux moyens pour exprimer le but (recherché ou redouté) : des conjonctions suivies du subjonctif si le sujet du verbe principal est différent de celui de la subordonnée ; sinon la conjonction est remplacée par une préposition suivie de l'infinitif correspondant ou d'un nom.

● L'expression du but

Notions		+ Subjonctif	+ infinitif	+ nom	Exemples
	Conjonctions				
Valeur générale	pour que afin que de sorte que				Elle a acheté des livres **pour que /afin que / de sorte que** les enfants **lisent**.
But à éviter	pour que... ne pas afin que... ne pas de peur que... (ne) de crainte que... (ne)				Je faisais le ménage **pour que / afin que** ma mère ne **soit** pas fatiguée. Mon père faisait souvent réviser la voiture **de peur que / de crainte que** nous **ayons** un accident.
Idée de but + idée de manière	de manière que de façon que				Nous avons choisi un repas **de manière que / de façon que** tous les invités **soient** contents.
Conséquence	de sorte que de manière que de façon que	Attention : + indicatif			Elle a changé sa coiffure **de sorte qu'/ de manière qu' / de façon qu'**on ne la **reconnaît** pas.
	Prépositions				
Valeur générale	dans le but de afin de pour		✗ ✗ ✗	✗	Il travaille beaucoup **afin de/ dans le but de / pour réussir** ses examens. Envoyez ce mail à tous **pour information**.
But présenté comme proche ou lointain dans le temps	en vue de		✗	✗	Marco fait des économies **en vue de s'acheter** une voiture, **en vue d'un séjour** aux États-Unis.
Idée de manière	de façon à de manière à		✗		Il parlait très lentement **de façon à de manière à** être compris.

But à éviter	de crainte de	✗	✗	*Ils marchaient sur la pointe des pieds* **de crainte de / de peur de réveiller** *les enfants.*
	de peur de	✗	✗	*L'enfant se cachait sous les couvertures* **de peur des fantômes**.
	pour ne pas	✗		*Elle relisait toujours trois fois ses lettres* **pour ne pas faire / afin de ne pas** *d'erreurs.*
	afin de ne pas	✗		
But présenté comme sans importance	histoire de	✗		*Je vais aller faire un tour au parc,* **histoire de** *me* **dégourdir** *les jambes.*

Activité de repérage 31 – Tous connectés

Dans les phrases suivantes, repérez tous les moyens utilisés pour exprimer le but. Observez les temps utilisés.

1. Des maisons de retraite utilisent des robots de compagnie afin de calmer l'anxiété de leurs pensionnaires.

2. Il est conseillé d'installer un logiciel spécialisé en vue d'échapper aux messages indésirables de la publicité.

3. Le paiement par reconnaissance vocale ou faciale se généralise dans le but d'éviter les escroqueries.

4. Accepteriez-vous de fournir vos identifiants Internet de façon que les autorités puissent lutter plus efficacement contre la fraude ?

5. Les terroristes changent constamment de téléphone portable de crainte que la police ne les repère.

6. Cette ONG, qui allie altruisme et technologie Internet de pointe, a élaboré un nouveau site de recherche d'emploi en vue de la réduction du chômage.

7. Notre association, qui agit pour la conservation des graines traditionnelles menacées par la culture moderne, lance une souscription Internet.

8. De façon à ne pas marginaliser les plus pauvres, la loi oblige les fournisseurs à ne pas couper leur connexion Internet, même si les factures ne sont pas payées, comme l'eau et l'électricité.

9. L'association Discosoup organise des banquets géants gratuits avec DJ pour que son message anti-gaspillage passe mieux : tout est cuisiné à partir de produits récupérés dans plus de soixante villes et l'information passe par Internet.

10. Les entreprises se sont lancées dans une course à l'innovation frénétique de peur que leurs concurrents les dépassent.

11. Le conseil municipal a créé une page sur son site afin que les habitants qui le souhaitent, puissent s'organiser plus facilement pour l'accueil des réfugiés.

> « Je suis ici **pour** vivre tout haut. » Émile Zola, écrivain

Prépositions et conjonctions de but

B1.1
★

544. Pour / afin de + infinitif

Complétez les phrases suivantes avec **pour** ou **afin de** + infinitif.

---

a Affirmation

<u>Exemple</u> : – Nous devons arriver
à l'heure ?
– Oui, nous partirons
tôt **pour / afin d'arriver
à l'heure**.

1. – Il veut faire plaisir à sa femme,
n'est-ce pas ?

– Oui, il a acheté toutes ces roses ....

2. – Elle a envie d'apprendre la peinture ?

– Elle va prendre un an de congé ....

3. – Il a acheté sa maison ?

– Oui, il a pris des crédits ....

---

b Négation

<u>Exemple</u> : – Elle ne veut vraiment plus
le voir ?
– C'est ça, elle a organisé
son emploi du temps **pour /
afin de ne plus le voir**.

1. – Nous ne devons pas faire de bruit,
c'est ça ?

– Oui, marchons très doucement ....

2. – Nous ne devons plus nous fâcher !

– D'accord, faisons tout ce qu'il faut
....

3. – Il ne faut rien toucher, hein ?

– C'est ça. Fais un effort ....

---

c Affirmation ou négation

1. – Il a été très vexé.

– J'aurais dû être plus diplomate ....

2. – Ce sera difficile de leur plaire.

– Nous devrons faire tous nos efforts
....

3. – Il compte présenter ses excuses ?

– Il viendra tout à l'heure ....

4. – Je crois qu'il ne reviendra jamais.

– Tu as raison, il a pris toutes ses disposi-
tions ....

5. – Tu ne retourneras pas là-bas ?

– Non, je ferai tout ....

6. – Tu ne dois jamais manger de sucre ?

– Hélas ! Je fais tous mes efforts ....

« L'homme n'est pas fait pour travailler. La preuve c'est que ça le fatigue. »
Tristan Bernard

« La vie, c'est comme une bicyclette : il faut avancer pour ne pas perdre l'équilibre. »
Albert Einstein

« Le théâtre est organisé pour que l'éclat de la vie surgisse sur scène.
C'est ce qui le rend imperméable à la technologie ? »
Éric Ruf, metteur en scène Comédie française en 2016

B1.1
★

545. Pour que / afin que + subjonctif (affirmation et négation)

Complétez les dialogues suivants avec pour que ou afin que + subjonctif. Certaines réponses sont des affirmations, d'autres des négations.

Exemple : – Antoine n'est pas venu ?
→ **Non. La secrétaire avait fait ce qu'il faut pour qu'il ne vienne pas.**

1. – Nous allons manger dehors ?

– Oui, j'ai acheté des grillades ....

2. – Les enfants ne doivent jamais aller au grenier ?

– Absolument. Surveillez-les ....

3. – Ils ne se sont pas perdus, j'espère.

– Mais non ! Je leur ai fait un dessin ....

4. – Vous avez eu la chance de rencontrer le Pape !

– Eh oui, mon cousin s'est débrouillé ....

5. – Les jeunes n'ont pas fait d'histoires ?

– Non non, le patron de la discothèque a fait le nécessaire ....

6. – Le temps est si mauvais... Vous croyez que le bateau va revenir ?

– Priez le ciel ....

B1.2
★★

546. Histoire de + infinitif

Complétez les phrases suivantes avec histoire de + infinitif.

Exemple : Il est allé voir un navet, **histoire de passer le temps.**

1. Ils sont allés à la manifestation lycéenne ....

2. J'irai faire un tour en ville ce soir ....

3. Mais non, nous ne l'avons pas agressé, nous l'avons juste bousculé un peu ....

4. Ils volaient quelquefois une voiture ....

5. Ils se sont offert un petit week-end en thalassothérapie ....

6. Après la mort de son mari, elle est partie en voyage ....

7. Nous sommes allés voir une comédie ....

« Que voulez-vous réellement obtenir ? Quel est votre but final ? Un capitaine qui ne sait pas où il veut aller ne trouvera jamais de bateau pour y arriver. »
Sadja Popovic activiste serbe

B2.1
★★★

547. De peur que / de crainte que + subjonctif
De peur de / de crainte de + infinitif

Complétez avec de peur de/que ou de crainte de/que en utilisant soit le subjonctif, soit l'infinitif, selon le modèle suivant.

Subjonctif	Infinitif
Souffrir	
Je lui ai donné beaucoup de calmants de peur (de crainte) qu'il souffre.	*Elle consomme beaucoup de tranquillisants de peur de (de crainte de) souffrir.*
1. Dépenser trop	
Elle donne peu d'argent à la fois à son fils	Elle ne veut plus aller regarder les vitrines ....
2. Avoir des problèmes	
Ils ne veulent pas autoriser leurs enfants à aller à l'étranger	Elle refuse de prendre le métro le soir ....
3. S'ennuyer	
Il s'est occupé activement de ses invités	J'emporte toujours un bon livre à la plage avec moi ....
4. Se noyer	
Il accompagne toujours son chien dans l'eau	Nous ne nous sommes jamais baignés après le repas ....

B1.2
★★

548. En vue de + infinitif (même sujet)

Complétez les phrases suivantes avec en vue de + infinitif.

Exemple : **Anémone répète constamment qu'elle est fatiguée en vue d'obtenir un congé**.

1. Les services secrets ont installé des micros partout .... – **2.** Sylvain Vial est particu-lièrement aimable avec ses chefs .... – **3.** Les prisonniers de la cellule 326 creusent le sol à la petite cuillère .... – **4.** Les cosmonautes s'entraîneront intensivement pendant six mois ....

B1.2
★★

549. En vue de + nominalisation

Transformez les phrases suivantes selon l'exemple.

Exemple : Il partira un jour à la retraite. Il a commencé à économiser.
→ **Il a commencé à économiser en vue de son départ à la retraite**.

1. On va réaménager le centre-ville. Les travaux commenceront en avril. – **2.** On veut protéger le littoral. Le gouvernement a commencé à prendre des mesures. – **3.** Il veut être réélu comme député. Il a commencé sa campagne électorale. – **4.** Elle souhaitait acheter un ordinateur. Elle réduisait ses autres dépenses.

550. En vue de + infinitif

Transformez les phrases suivantes avec en vue de + nom ou infinitif (quelquefois les deux sont possibles).

1. Nous commençons à examiner les catalogues : nous voulons voyager en Asie cette année. – **2.** Il a eu du mal à préparer ses bagages : il va séjourner six mois au pôle Nord. – **3.** Cet employé accumule les heures supplémentaires : il veut acheter une voiture à sa fille. – **4.** Les services municipaux annonçaient des coupures de gaz : ils voulaient tester les canalisations. – **5.** Les Pérez déménageront cet été : ils veulent se rapprocher de la mer. – **6.** Vous avez commencé à discuter avec vos concurrents : vous voulez revendre votre petit commerce.

551. Dans le but de + infinitif

Sur le modèle de l'exemple, répondez aux phrases suivantes.

Exemple : – Tu as fait ça exprès pour m'embêter, ma parole !
– Je t'assure que je ne l'ai pas fait **dans le but de t'embêter**.

1. – Il a pris des contacts chez tous nos clients. Je suis sûr qu'il veut créer sa propre entreprise ! – **2.** Elle économise pour acheter une résidence secondaire, je crois… – **3.** Vous m'avez critiqué en public pour me rendre ridicule ! – **4.** J'ai peur qu'il ait provoqué cet accident pour me tuer. – **5.** Elle s'habille bizarrement pour se rendre intéressante.

552. De façon que / de manière que + subjonctif
De façon à / de manière à + infinitif

Complétez les phrases suivantes.

Exemple : **Ne pas se rencontrer**
J'ai invité Léa dimanche et Stéphane lundi **de façon (de manière) qu'ils ne se rencontrent pas**.
Depuis leur dispute ils agissent **de manière (de façon) à ne pas se rencontrer**.

---

1. Être constamment occupé

Il a organisé le week-end des invités ....

Quand Rémi a le cafard, il s'organise ....

---

2. Pouvoir voir

L'infirmier a approché le fauteuil de la vieille dame de la fenêtre .... le paysage.

Ils ont joué des coudes .... le feu d'artifice.

---

3. S'asseoir

L'ouvrier avait placé un panneau « peinture fraîche » sur le banc ....

Elle ne s'est pas assise par terre .... ne pas se salir.

---

4. S'en aller

Nous serons très désagréables avec lui .... le plus vite possible.

Tu as mis la valise près de la porte .... discrètement tout à l'heure ?

B1.2
★★

553. **De façon que / de manière que + subjonctif (sujets différents)**
De façon à / de manière à + infinitif (mêmes sujets)

Complétez les phrases suivantes de deux façons.

Exemple : Il a placé le parasol au-dessus des enfants **de façon que celui-ci les abrite du soleil**.
de façon à les protéger du soleil.

1. L'écrivain vient de réécrire encore sa conclusion. → ....

→ ....

2. Le torero a agité sa muleta devant le taureau. → ....

→ ....

3. Le docteur parlait toujours à voix basse devant les malades. → ....

→ ....

4. Chez l'infirmière, elle a ôté son pull-over. → ....

→ ....

5. Son mari rentrant samedi, elle a fait les courses vendredi. → ....

→ ....

B2.1
★★★

554. Impératif + que + subjonctif

Imaginez la suite de ces situations en faisant des phrases selon le modèle.

Exemple : **Parlez** plus fort **qu'**on vous **entende**.

1. Ahmed est allé à la préfecture pour régler un problème de carte de travail, mais c'est l'heure de la fermeture. Que lui dit l'employé ?

2. La petite fille est triste, sa mère veut la consoler en l'embrassant, sans doute. Qu'est-ce qu'elle lui dit ?

3. Amandine, qui a quatorze ans, s'est maquillée pour sortir. Sa mère veut la regarder un peu mieux. Qu'est-ce qu'elle lui dit ?

4. Un ami est en train de vous expliquer un problème d'économie, vous ne comprenez pas bien. Qu'est-ce que vous lui dites ?

5. Le soir, au bureau, c'est presque l'heure de partir, mais un travail urgent n'est pas terminé. Que pouvez-vous dire à vos collègues ?

6. Vous voulez entrer dans un magasin pour vous mettre à l'abri parce qu'il pleut, mais beaucoup de gens sont là, qui vous empêchent d'entrer. Que pouvez-vous dire ?

« J'ai réussi à découvrir 1 000 manières différentes de ne pas atteindre mon but,
pour ensuite parvenir à sa réalisation. »
Edison a découvert l'ampoule électrique après mille tentatives

« Il faut des femmes pour ramener les hommes vers le bon sens. »
Hillary Clinton, 2017

B1.2
★★

555. Pour que, afin que + subjonctif – Pour, afin de + infinitif

Complétez les phrases suivantes de plusieurs manières.

Exemple : Il a senti qu'ils avaient besoin de parler tranquillement et il est parti
  – **afin de ne pas les gêner**.
  – **pour qu'ils puissent** le faire.
  – **pour les laisser** tranquilles.

1. J'ai horreur d'aller chez le dentiste, mais j'ai pris un rendez-vous quand même.

2. À la conférence, elle a posé beaucoup de questions au professeur. → ....

3. Elle est partie en vacances avec des bagages énormes. → ....

4. Nous avons six enfants. Aussi ne dépensons-nous jamais d'argent pour nos loisirs. → ....

5. Les enfants ont préféré cacher la bêtise qu'ils avaient faite. → ....

6. Ma mère nous a interdit d'aller à la manifestation pacifiste. → ....

7. Il a entrepris de mettre de l'argent de côté. → ....

8. C'était un sujet assez difficile, mais le problème a été très bien expliqué. → ....

9. Elle est enceinte et elle hésite à dire la vérité à ses parents. → ....

B1.2
★★

556. Synthèse, création de phrases – L'homme qui voulait plaire à tout le monde...

Faites le portrait de monsieur Kiveukonlème, un pauvre homme qui organise tous les actes de sa vie pour plaire aux autres ou ne pas leur déplaire. Utilisez diverses expressions de but et les éléments de lexique ci-dessous.

Exemple : Tous les jours, **monsieur Kiveukonlème se lève à cinq heures afin de faire son petit jogging pour rester en forme. À six heures, il relit ses dossiers pour que son travail soit parfait**...

> **Ses actes :** travailler dur, prier Dieu, s'habiller élégamment, offrir des cadeaux souvent, se lever à cinq heures, demander des nouvelles de tous, raconter des histoires drôles, être très discret, ne pas dire ce qu'il pense, ne pas faire de folies, ne pas punir son fils, ne plus fumer, ne rien faire de trop original, etc.

> **Ce qu'il veut obtenir :** aider les autres, améliorer le monde, être le meilleur, avoir l'air généreux, être apprécié de ses supérieurs, faire un travail impeccable, être occupé tout le temps, ne pas être critiqué, etc.

> **Ce qu'il veut éviter :** se faire remarquer, sembler idiot, rester seul dans son coin, déranger les autres, fâcher sa femme, avoir l'air stupide, ne pas être aimé, ne pas réussir, etc.

> « Nous devons nous forger un art de vivre par temps de catastrophe pour lutter à visage découvert contre l'instinct de mort à l'œuvre dans notre histoire. »
> Albert Camus (discours de réception du prix Nobel)

But ou conséquence

 L'ESSENTIEL SUR...

Distinguer le but de la conséquence

• **Résultat d'origine naturelle ou accidentelle**

Quand le résultat est d'origine naturelle ou accidentelle, quand on ne peut pas soupçonner l'agent d'agir délibérément pour provoquer ce résultat, on utilise l'indicatif.

Exemples :
– Le volcan a explosé, **de sorte que** des millions de personnes **sont menacées par les cendres**.
– Une guêpe l'a piqué **de manière qu'il a fallu** l'emmener à l'hôpital.

• **Résultat provoqué délibérément**

Quand l'agent agit délibérément pour provoquer un résultat, deux solutions sont possibles :
– Exprimer le but de l'agent avec le subjonctif.
– Exprimer la conséquence naturelle de ses actes avec l'indicatif.

Exemples :
Il a donné de l'aspirine à sa mère **de manière qu'elle n'ait plus la migraine**.
                         de sorte que cinq minutes plus tard elle n'avait plus la migraine.

B2.1
★★★

**557. De sorte que / de manière que / de façon que + subjonctif (but)
De sorte que / de manière que / de façon que + indicatif (conséquence)**

Complétez les phrases suivantes. Faites bien attention au sens : c'est ce qui va décider du choix. Quand c'est possible, faites les deux versions.

1. Jacky a donné par erreur un billet de 50 € à son fils de 10 ans .... – **2.** Le médecin a fait une piqûre stimulante au malade .... – **3.** L'orage les a surpris en pleine montagne .... **4.** La police attendait volontairement devant la banque .... – **5.** Hortense a fait exprès de raconter toutes les vieilles histoires d'amour de Thomas à sa nouvelle fiancée .... – **6.** Le patron a découvert par hasard que son comptable le volait .... – **7.** Le bateau a heurté un récif .... – **8.** La voiture de police a foncé dans la foule des manifestants .... – **9.** Pierre m'a fait savoir que les actions de PSA allaient augmenter ....

B2.1
★★★

**558. De sorte que / de manière que / de façon que + subjonctif (but)
De sorte que / de manière que / de façon que + indicatif (conséquence)
De façon à / de manière à + infinitif (but)**

Complétez les phrases suivantes. Faites les trois versions quand c'est possible.

1. Je lui ai donné une paire de claques énergiques .... – **2.** Mon mari a retiré tout l'argent de notre compte-chèques commun .... – **3.** Le petit Paul a fait semblant d'avoir très mal au ventre .... – **4.** J'ai enfermé les alcools dans l'armoire et gardé la clé .... – **5.** Le chien a bondi sur la personne qui attaquait son maître .... – **6.** Promis, je téléphonerai tous les jours à ta mère .... – **7.** Elle fait le ménage à fond tous les jours ....

L'ESSENTIEL SUR...

● Formes conjuguées de « il faut » avec infinitif et subjonctif

Une condition est nécessaire pour réaliser le but ou entraîner la conséquence

But	Il faut Il faudra Il faudrait Il aurait fallu	+	infinitif nom que + subjonctif	+	pour + infinitif pour que + subjonctif

> Exemples : *Il faut passer au bureau pour prendre les documents.*
> *Il faudrait du temps pour faire ce voyage.*
> *Il faudra que tu ailles chez le coiffeur pour qu'il te coiffe.*

Conséquence	Il a fallu Il aura fallu	+	que + subjonctif infinitif nom	+	pour que + subjonctif pour + infinitif

> Exemples : Il a fallu qu'elle se mette à crier pour qu'on l'écoute.
> Il aura fallu des heures de discussion pour éclaircir le problème.
> Il a fallu prendre le train pour revenir.

(!) REMARQUE : Il **me** faut… Il **te** faut… etc.
On trouve aussi en français la même structure « il faut » + infinitif ou nom, précédée du pronom indirect. Avec le nom, cette structure est assez fréquente.
– Il **me** faut **du pain** pour faire les sandwichs.
– Il **te** faudra **travailler** beaucoup pour réussir le bac.

(!) ATTENTION : En français courant, on préfère utiliser :
– Il faudra **que tu travailles** pour réussir.
– Il faudra **qu'on crie** pour se faire entendre.

⊕ Activité de repérage 32

Toutes les phrases ci-dessous utilisent des variantes de la même structure. Après observation, que remarquez-vous ?

> Il faut tout un village
> pour élever un enfant.

> Pour que les autres te respectent, il
> faut que tu te respectes toi-même.

> Pour cultiver de beaux légumes, il faut une
> bonne terre, de l'eau, du soleil et la main verte.

> Il faut donner
> pour recevoir.

> Il faut que nous soyons unis
> pour que nos idées progressent.

> Il faut aimer
> pour être aimé.

B1.1 ★

559. « Il faut » + nom + pour + infinitif

Répondez aux questions suivantes.

Exemple : Qu'est-ce qu'il faut pour faire un gâteau ?
→ **Il faut** du sucre, des œufs et de la farine **pour faire** un gâteau.

Qu'est-ce qu'il faut pour voyager ? – Qu'est-ce qu'il faut pour dessiner ? – Qu'est-ce qu'il faut pour faire du ski ? – Qu'est-ce qu'il faut pour préparer de bonnes crêpes ? – Qu'est-ce qu'il faut pour trouver un mari ? – Qu'est-ce qu'il faut pour avoir de beaux légumes ?

B1.2 ★★

560. « Il me faut » + nom + pour + infinitif

Transformez les phrases suivantes.

Exemple : Je n'ai pas assez d'argent : je ne peux pas envoyer mes enfants en vacances.
→ **Il me faut de l'argent pour envoyer** mes enfants en vacances.

1. Tu n'as pas assez de temps : tu ne pourras pas finir ce dossier. – **2.** Il n'a pas ton accord. Il ne peut pas prendre la décision. – **3.** Nous n'avons pas l'autorisation, nous ne pouvions pas commencer le chantier. – **4.** Vous n'avez pas assez d'amis bien placés, vous ne pouvez pas réussir. – **5.** Je n'ai pas d'aide. Je n'ai pas pu construire ma maison. – **6.** Ils n'ont pas de bateau, ils ne peuvent pas naviguer. – **7.** Tu n'as pas d'associé. Tu ne peux pas monter cette entreprise. **8.** Ils n'ont pas le feu vert de la présidence. Ils ne peuvent pas agir. – **9.** Vous n'avez pas l'avis d'un professionnel, vous ne pouvez pas lancer votre projet. – **10.** Tu n'as pas les vêtements adaptés, tu ne peux pas aller à la réception de la princesse.

B1.2 ★★

561. « Il faut » conjugué à tous les temps + nom + pour + infinitif

Transformez les phrases suivantes selon le modèle.

Exemple : – C'était facile d'aller sur cette plage ? – Nous avions besoin d'une voiture.
→ **Il fallait une voiture pour aller** sur cette plage.

1. – Ce sera facile d'effacer cette tache ?

– Nous aurons besoin d'un produit spécial.

2. – Ce serait facile d'ouvrir notre propre boutique ?

– Nous aurions besoin de crédits et de soutien.

3. – C'était facile de faire la lessive autrefois ?

– On avait besoin de beaucoup de temps.

4. – C'est facile d'aller sur cet îlot ?

– On a besoin d'un bateau à fond plat.

5. – Ça a été facile d'obtenir un rendez-vous avec le ministre ?

– Non, nous avons eu besoin de l'intervention du maire.

6. – C'était facile de trouver une villa à louer pas trop chère ?

– Nous avons eu besoin des conseils d'une agence.

B2.1
★★★

562. « Il faut » conjugué à tous les temps + nom + pour que + subjonctif

Conjuguez il faut au même temps que le verbe de la question.

Exemple : Cet arbre poussera facilement ? – Avec du temps et de la patience.
→ **Il faudra du temps et de la patience pour que** cet arbre pousse.

1. – Le projet pourrait se réaliser facilement ? – **Avec le soutien de l'État.**
2. – Les malades guérissaient facilement ? – **Avec beaucoup de soins.**
3. – Elle s'est décidée facilement à changer de travail ? – **Avec cette maladie.**
4. – Tu dresseras ce lion facilement ? – **Avec de la patience.**
5. – Il a réussi à monter son entreprise ? – **Avec un prêt de sa banque.**
6. – Comment avait-elle pu déménager aussi vite ? – **Avec l'aide de tous ses copains.**

B2.1
★★★

563. « Il faut » conjugué à tous les temps + que + subjonctif + pour que + subjonctif

Transformez les phrases suivantes selon le modèle.

Exemple : Nous devons passer à la maison : comme ça, tu prendras ton costume.
→ **Il faut** que nous passions à la maison **pour que tu prennes** ton costume.

1. Nous devons rassembler de nombreuses signatures : comme ça, notre action sera efficace.
2. Vous devrez apporter plus de nourriture : comme ça, chacun aura une part correcte.
3. On devrait aller voir le responsable : comme ça, il s'expliquera.
4. Son père aurait dû être plus patient : comme ça, elle aurait compris.
5. Les ouvriers ont dû faire grève pendant encore deux semaines : comme ça le directeur a accepté leurs revendications.
6. Tu aurais dû l'écouter un peu : comme ça, elle ne se serait pas fâchée.
7. Vous deviez faire des heures supplémentaires : comme ça, le travail était accompli.

B2.1
★★★

564. « Il faut que » conjugué à l'imparfait ou au passé composé + subjonctif + pour que + subjonctif

Transformez les phrases suivantes selon le modèle.

Exemple : – Il a accepté facilement ? – Non, nous avons discuté des heures d'abord.
→ **Il a fallu que nous discutions** des heures **pour qu'il accepte**.

1. – **Ils s'endormaient facilement ?** – Non, on leur racontait une histoire d'abord.
2. – **Il vous a reçus tout de suite ?** – Non, nous avons fait un scandale d'abord.
3. – **Il a compris vite la gravité du problème de sa fille ?** – Non, elle s'est droguée d'abord.
4. – **Il t'a épousée tout de suite ?** – Non, je suis tombée enceinte d'abord.
5. – **Le train s'est arrêté immédiatement ?** – Non, un voyageur avait d'abord tiré le signal d'alarme.
6. – **Elle reprendra son travail après l'opération ?** – Non le médecin lui prescrira d'abord du repos dans une maison de convalescence.

B2.1
★★★

565. Synthèse des formes avec « il faut » – Cercle vicieux

a Lisez attentivement le texte suivant, repérez la structure répétitive utilisée et comment elle fonctionne.

> Pour que la lutte contre le développement du travail au noir progresse, il faut que les lois soient appliquées. Et pour qu'elles soient appliquées, il faut qu'il y ait plus de contrôles et des sanctions. Pour qu'il y ait plus de contrôles, il faut qu'il y ait plus de contrôleurs, et pour qu'il y ait plus de contrôleurs, il faut qu'il y ait plus de fonds...
>
> Et pour qu'il y ait plus de fonds, que faudrait-il ? Il faudrait évidemment une vraie volonté politique... Alors... que faudrait-il pour qu'il y ait une vraie volonté politique ?

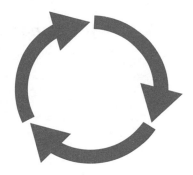

b Cherchez (à plusieurs) les idées pour répondre aux questions qui suivent. Faites des phrases qui respectent bien les temps proposés.

Que faut-il (faire) pour avoir une vie familiale harmonieuse ? pour réduire le chômage ?

Qu'a-t-il fallu (faire) pour que cet homme devienne président de la République ?

Que faudrait-il (faire) pour que les villes soient vivables ?

Pour que chacun puisse vivre dignement ?

Qu'aurait-il fallu faire ou (éviter de faire) pour que cet événement désagréable ne se produise pas ? (par exemple : le divorce ; la faillite de l'entreprise, la défaite au mondial de foot, l'accident entre deux trains, etc.)

c Rédigez (individuellement) un texte utilisant la même structure.

> « Afin d'être plus épanoui au travail, alternez concentration et rêveries. »
> Srini Pillay, neurobusiness, Harvard

> « Pour qu'une chose soit faite, donnez-la à quelqu'un d'occupé. »
> Confucius, sage chinois antique

> « Un bateau au port est en sécurité, mais ce n'est pas pour cela que sont construits les bateaux. » William Shedd, théologien américain

> « Ce dont l'humain a besoin, ce n'est pas de vivre sans tension, mais bien de tendre vers un but valable. » Jean-Paul Sartre

> « Le visible ne suffit pas pour comprendre ce qui est vu. Le visible ne s'interprète qu'en relation avec l'invisible. » Pascal Quignard écrivain contemporain

Formes conjuguées de « il suffit »

L'ESSENTIEL SUR...

● Il y a une condition minimum pour réaliser le but

Il suffit		
Il a suffi	de + infinitif	
Il suffisait	de + nom	pour + infinitif
Il suffira	que + subjonctif	
Il suffirait		pour que + subjonctif
Il aura suffi		
Il aurait suffi		

Exemples :

Il suffit d'un rayon de soleil pour être heureux. Il suffit d'avoir des amis pour être heureux.
→ L'emploi de l'infinitif seul développe une idée de généralité.
Il suffit qu'un garçon fasse un compliment à Sylvia pour qu'elle rougisse. → La présence d'un nom ou d'un pronom limite cette notion de généralité.

B1.2
★★

566. Il suffit de... pour / pour que

Transformez les phrases sur le modèle suivant.

Exemple : Une clé, et on ouvre cette porte. → Il suffit d'une clé **pour ouvrir** la porte.
pour que la porte s'ouvre.

1. Un petit pois dans son lit, et la princesse n'a pas pu dormir. – **2.** Un petit effort de plus, et le trésor était à toi. – **3.** Un geste de votre part, et elle revenait. – **4.** Une bonne nuit de sommeil, et vous serez reposé. – **5.** Quelques séances de gymnastique, et vous seriez en meilleure forme. – **6.** Avec quelques illustrations supplémentaires, son devoir était parfait. – **7.** Un pas de plus et il aurait été écrasé. – **8.** Encore un verre et il ne sera plus capable de conduire. – **9.** Un homme sourit à Mathilde, et son mari lui fait une scène de jalousie. – **10.** Une bonne réponse de plus, et vous êtes le gagnant.

B2.1
★★★

567. Il me suffit de + infinitif + pour que + subjonctif

Transformez les phrases sur le modèle suivant.

Exemple : Il suffit que je caresse ce chat pour qu'il ronronne.
→ **Il me suffit de caresser** ce chat **pour qu'il ronronne**.

1. Il suffit qu'elle apparaisse pour que tous les photographes se précipitent. – **2.** Il a suffi qu'ils ouvrent la petite fenêtre pour que tous les pigeons s'envolent. – **3.** Il suffira que vous preniez un peu d'aspirine pour que votre fièvre disparaisse. – **4.** Il suffirait qu'il apporte un petit cadeau pour que les enfants soient ravis. – **5.** Il a suffi que tu deviennes plus aimable pour qu'on te trouve charmant. – **6.** Il a suffi qu'elle arrose un peu les plantes pour qu'elles reverdissent. – **7.** Il suffisait que tu lui présentes des excuses pour que l'atmosphère se détende. – **8.** Il aurait suffi que nous partions cinq minutes plus tôt pour que nous attrapions le bus.

B1.2
★★

568. Il suffit... pour...

Donnez des conseils à ces personnes, qui manquent totalement de sens pratique.

Exemple : Comment faire pour ouvrir cette bouteille ?
→ Pour ouvrir cette bouteille, **il suffit d'un ouvre-bouteilles**.
il suffit que tu dévisses le bouchon.
il suffit de demander à quelqu'un.

1. Comment faire pour connaître les horaires des trains ? – **2.** Comment faire pour préparer un œuf à la coque ? – **3.** Comment faire pour économiser un peu ? – **4.** Comment faire pour téléphoner à l'étranger ? – **5.** Comment faire pour écrire une lettre ?

B1.2
★★

569. Il ne suffit pas de... pour..., il faut aussi...

Lorsqu'on parle en général, on utilise « Il ne suffit pas de... pour... »
Lorsqu'on donne un conseil à quelqu'un en particulier, on utilise le subjonctif.

Exemples : **Il ne suffit pas d'avoir** de l'argent **pour être heureux**, il faut aussi de l'amour.
Il ne suffit pas que tu donnes de l'argent **pour qu'on t'aime**, il faut aussi que tu donnes du temps.

a Donnez des conseils généraux.

1. Pour se faire plein de bons amis .... – **2.** Pour ne pas s'ennuyer dans la vie .... – **3.** Pour bien connaître la planète .... – **4.** Pour plaire au sexe opposé

b Donnez des conseils à des personnes particulières.

1. Il voudrait être un grand professeur de médecine. – **2.** Elle voudrait être une super mère de famille. – **3.** Il voudrait être un bon auteur de polars. – **4.** Il voudrait être le meilleur vendeur de la ville.

B2.1
★★★

570. Il n'a pas suffi... pour..., il a aussi fallu...

Expliquez comment les personnages suivants sont devenus ce qu'ils sont devenus.

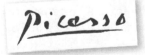

Exemple : **Il n'a pas suffi** à Picasso d'avoir du talent **pour devenir** le plus grand peintre du XXᵉ siècle, **il a aussi fallu** qu'il travaille toute sa vie.

1. Ce groupe punk a fait une belle carrière internationale. – **2.** Cette beauté réunionnaise est devenue Miss France. – **3.** Mon copain d'université est devenu SDF. – **4.** Ce petit malfrat est devenu chef mafieux.

> « Je veux être calife à la place du calife ! »
> René Goscinny et Jean Tabary, *Iznogoud*

571. Il suffit + subjonctif + pour que + subjonctif (deux sujets différents)

Transformez les phrases suivantes selon le modèle.

<u>Exemple :</u> Je caresse ce chat, et il ronronne.
→ **Il suffit que** je caresse ce chat **pour qu'**il ronronne.

1. On achètera un gâteau de plus, et tout le monde aura sa part. – **2.** Elle voyagerait un mois, et ce garçon lui sortirait de la tête. – **3.** Ils gardaient le secret, et l'émeute n'éclatait pas. – **4.** Nous sortons un peu, et les enfants prépareront leur surprise. – **5.** On a crié plus fort que lui, et il a changé d'avis. – **6.** Ils auraient mieux révisé ce chapitre, le jury leur aurait mis une mention. **7.** Encore 20 minutes de cuisson, et ton gigot sera parfait. – **8.** Quelques élèves partiraient de l'école, et elle serait fermée.

572. Synthèse « il faut » / « il suffit » + lexique

a Soulignez tous les moyens grammaticaux et linguistiques utilisés dans ce texte pour exprimer le but.

JE VEUX ÊTRE CHAMPION

Vous voulez devenir aussi musclé et célèbre que ce magnifique athlète olympique ? Et pourquoi pas, si vous en avez l'aspiration ? Sachez toutefois que celle-ci (votre aspiration), même forte, ne suffira pas pour y parvenir. Il vous faudra y mettre le prix, focaliser toute votre volonté et tous vos efforts dans cette direction. Mais cela ne sera peut-être pas suffisant non plus pour que vos rêves deviennent réalité. De nombreux obstacles se dresseront sur votre route, pour vous endurcir. Et puis sur ce chemin rien n'est garanti ; beaucoup le prennent et peu arrivent au but, c'est ainsi. Il vous faudra peut-être abandonner votre objectif initial. Et pourquoi pas ? Vous aurez beaucoup appris et vous trouverez peut-être un but plus enivrant en route ! L'essentiel est d'être sincère avec vous-même à chaque étape.

b Vous avez sûrement une ambition. Écrivez sur ce modèle un texte à votre propre intention. Si c'est trop personnel, faites un texte pour un personnage de l'exercice 569 b.

> « Faites le travail pour lui-même, pour le processus pas pour le résultat final : l'action vous rendra heureux. » Un coach très zen

B2.1
★★★

 ## Activité de repérage 33 – Synthèse et moyens lexicaux d'exprimer le but

a Lisez attentivement ces entrefilets et soulignez tous les mots ou expressions qui expriment le but ou accompagnent cette idée.

b Vous connaissez tous des activités menées par des citoyens dans le but de faire avancer les choses (pour reconstruire un château, protester contre une injustice, financer un projet culturel). Rédigez quelques entrefilets en utilisant le maximum de structures et de lexique de but.

1. Objectif bac

Si vous voulez que votre enfant chéri soit à son maximum le jour de l'épreuve et qu'il arrive à ses fins – réussir son bac – aidez-le à se fixer des objectifs réalistes pour réviser. Veillez à son alimentation de façon que son cerveau soit correctement alimenté, mais n'oubliez pas que, pour ne pas saturer, il a besoin de petites pauses plaisir.

3. SIMULATION

Cette formation de chômeurs pour le retour à l'emploi atteint ses objectifs avec 73 % de réussite. Les simulations de situations réelles, dans une entreprise virtuelle, visent à réapprendre aux chômeurs les réflexes de la vie professionnelle. Et ça marche !

5. Monnaies locales

Ces monnaies, nées du système d'échanges locaux, ne cherchent pas à remplacer la monnaie nationale, mais veulent être un outil de relocalisation de l'économie. Villes, communes et maintenant régions les mettent en place. Elles souhaitent renforcer ainsi le lien entre économie et territoire. Les acteurs locaux ayant l'ambition d'améliorer les performances de leur région, les premiers résultats sont prometteurs.

7. ÉCOLOGIE

L'objectif central, incontournable, c'est la réduction des gaz à effet de serre. Pour l'atteindre, il faut absolument tendre vers une économie verte.

Des mesures d'économie d'énergie ont été prises avec le souci de protéger l'environnement à long terme ; mais elles n'ont aucune chance d'aboutir si les citoyens ne comprennent pas leur finalité. Il faut expliquer, expliquer, expliquer pour que toutes les bonnes volontés se mobilisent. Et pour que les engagements et promesses des politiques soient tenus, il faut que les peuples se fassent entendre énergiquement.

2. TOURISME

Le conseil départemental d'Aquitaine vient de définir ses priorités en matière de développement touristique. Il prévoit de miser sur l'écotourisme de façon à préserver la nature sans sacrifier l'économie.

4. Brigade des mères

18 jeunes de cette petite ville sinistrée économiquement se sont radicalisés ensemble et ont rejoint un groupe terroriste avec le désir de construire un monde meilleur. Hélas, ils n'ont pas atteint leur but et plusieurs sont morts. Leurs mères se sont donné pour mission d'éviter d'autres départs. Elles ont entrepris un travail à long terme de soutien scolaire : l'échec étant souvent la première étape de la dérive, le soutien est une priorité absolue.

6. PRÉVENTION ROUTIÈRE

Des photos des membres du conseil municipal en petite tenue aux deux entrées du village ? Pour quoi faire ? Le moyen est surprenant mais l'intention est bonne : ils tiennent tous un panneau de limitation à trente kilomètres à l'heure comme cache-sexe. Les conseillers misent sur l'effet de surprise pour que les automobilistes ralentissent et ils espèrent une diminution du nombre d'accidents.

8. ÉPICÈNE, VOUS AVEZ DIT ÉPICÈNE ?

Vous avez l'intention de faire progresser l'égalité entre les sexes dans tous les domaines, y compris dans les usages linguistiques ? Le Haut Conseil à l'Égalité nous propose d'utiliser plus souvent les épicènes – ces mots dont la forme ne varie pas entre le masculin et le féminin. Cependant, pour réaliser ce bel objectif, devons-nous les utiliser sans leurs déterminants ? Est-ce que dire « un (une) enfant habile » au lieu de « un garçonnet » ou « une fillette » va vraiment faire avancer le « schmilblick » (= les mentalités) ?

L'opposition, la concession

L'ESSENTIEL SUR...

L'opposition et la concession utilisent parfois les mêmes termes grammaticaux mais diffèrent fondamentalement par leur sens et leur utilisation argumentative.

L'opposition met en rapport deux tournures verbales, deux personnes, deux qualités contraires mais dont l'une n'exclut pas l'autre. Elle souligne donc un contraste. Elle s'exprime à l'indicatif.

La concession relie deux faits différents dont l'un devrait normalement empêcher l'aboutissement de l'autre mais dont la réalisation a tout de même lieu. La cause n'entraîne pas la conséquence logique attendue. Dans ce cas, les conjonctions utilisées sont majoritairement suivies du subjonctif

● L'opposition

Si deux faits de même nature (événements, comportements...) sont rapprochés de façon à mettre en valeur des différences, **il y a opposition**.

Terme grammatical	Construction	Nuances	Exemples
Une conjonction	**alors que** **tandis que** **+ indicatif**	opposition de personnes, de comportements, d'actions, de descriptions	*Mon mari aime la natation **alors que** je préfère le cyclisme.*
	si + indicatif		***Si** elle est travailleuse, elle n'est pas très intelligente.*
	autant ... autant... **+ indicatif**	opposition et comparaison symétriques	***Autant** Pierre travaille, **autant** Sophie s'amuse.*
Un adverbe	**au contraire**	Introduit généralement une proposition affirmative après une proposition négative.	*Je n'avais plus mal, **au contraire** je ressentais un bien-être très agréable.*
	à l'opposé	situations très éloignées	*Certaines personnes téléphonent souvent, **à l'opposé** d'autres préfèrent envoyer des textos.*
	inversement	situations contraires en ordre ou en sens	*Mes deux enfants ont évolué différemment, mon fils est devenu très travailleur; **inversement**, ma fille est plus paresseuse.*
	en revanche **par contre**	(langue soutenue) (langue parlée)	*Au lycée j'aimais bien étudier les langues, **en revanche / par contre** je détestais les mathématiques.*

Terme grammatical	Construction	Nuances	Exemples
Une préposition	contrairement à à l'opposé de à l'inverse de à la place de	+ nom pronom	*Contrairement aux prévisions météorologiques qui annonçaient du beau temps, il pleut depuis deux jours.* *Nathalie s'habille toujours en noir à l'inverse de sa sœur qui ne porte que du blanc.*
	au lieu de plutôt que de	+ nom infinitif	*Elle a été déçue de recevoir un bouquet de fleurs au lieu d'un bijou.* *Plutôt que de faire ses exercices, il regardait la télévision.*
D'autres moyens	Un pronom personnel de reprise Les expressions: quant à + pronom pour ma (ta / notre / leur…) part de mon (votre / son / leur…) côté en ce qui me (te / vous / les…) concerne		*Mon frère aime la natation, **moi**, je préfère la course à pied.* *Mes amis ont presque tous fait des études scientifiques, **quant à moi / pour ma part / en ce qui me concerne**, j'ai fait des études littéraires.*

Moyens grammaticaux

B1.1
★

573. Alors que / tandis que / À l'inverse / au contraire/ à l'opposé – Ils s'aimaient quand même

a En utilisant les informations ci-dessous, faites des phrases qui mettent en évidence les différences entre Stéphane et Jonathan, deux frères.

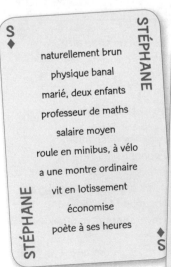

STÉPHANE

S ♦

naturellement brun
physique banal
marié, deux enfants
professeur de maths
salaire moyen
roule en minibus, à vélo
a une montre ordinaire
vit en lotissement
économise
poète à ses heures

STÉPHANE

♦ S

JONATHAN

J ♣

blond décoloré
1 m 90
musculation spectaculaire
célibataire très demandé
basketteur international
gros revenus
a une voiture de sport
possède une Rolex
appartement dans le 16e arrondissement de Paris, grands hôtels
dépense tout
lit rarement

JONATHAN

♣ J

Exemples:
Stéphane mène une vie tranquille **alors que** Jonathan est toujours en mouvement. Jonathan ne cesse de voyager. Stéphane, **à l'inverse**, est très casanier.

b À votre tour, montrez les différences qui existent entre deux personnes de votre famille ou deux de vos amis.

B1.1
★

574. Autant... autant ... – Performances inégales et goûts tranchés

L'expression « autant... autant ... » permet de comparer en soulignant une intensité égale dans des éléments opposés.

– Autant j'adore les glaces, autant je déteste les huîtres.

– Autant mon mari est lève-tôt, autant je suis couche-tard.

– Autant cette robe est originale, autant l'autre est classique.

a Composez des phrases sur ce modèle avec les éléments suivants.

1. Votre frère : parler bien allemand / être mauvais en chinois. – **2.** Vous-même : bon joueur de tennis / danseur médiocre. – **3.** Votre mari : mauvais bricoleur/ excellent cuisinier. – **4.** Ces deux plages : tranquille / bondée. – **5.** Ces deux candidats : compétent / arriviste. – **6.** Ces deux professeurs : passionnant / ennuyeux. – **7.** Ces deux robes : trop classique / trop voyante. **8.** Deux acteurs du même film ; joue très mal / joue très bien. – **9.** Ces deux frigos : fait beaucoup de bruit/ est parfaitement silencieux.

b Faites quelques phrases qui mettent en évidence vos bonnes et mauvaises performances et le contraste entre vos goûts.

B1.1
★

575. Au lieu de / à la place de

a Répondez aux questions suivants en faisant des phrases qui contiennent « à la place de ».

1. Au restaurant, Olivier choisit de prendre le menu. Mais le menu comprend du melon qu'il n'aime pas ; il voudrait autre chose. Pareil pour le plat, la garniture, le dessert, la boisson, le café. Que demande-t-il au serveur ?

2. Avez-vous, vous ou quelqu'un que vous connaissez, déjà fait une action pour remplacer la personne qui devait la faire ?

Exemples : → J'ai fait la vaisselle hier soir **à la place de** mon colocataire.
→ **Mon cousin a passé un examen à la place de son frère.**

b Faites des phrases en utilisant « au lieu de ».

Exemple : Olivier ne prépare pas ses cours, il regarde la télévision.
→ **Il regarde la télévision au lieu de préparer ses cours.**

1. Il ne mange pas au restaurant, il mange un sandwich. – **2.** Il ne fait pas de sport, il va jouer sur son ordinateur. – **3.** Il ne lave pas ses chaussettes, il les jette. – **4.** Il ne garde pas les cadeaux qu'on lui fait, il les donne. – **5.** Il ne traverse pas les rues dans les passages pour piétons, il traverse n'importe où. – **6.** Il ne se gare pas dans les parkings, il se gare sur les trottoirs.

« Il n'y a pas à dire, on est quand même bien en France ! »
(témoignage issu d'un microtroittoir)

« Vous aurez souvent l'impression que les Français
se disputent violemment alors qu'ils ne font que débattre d'une idée abstraite. »
Manuel à l'intention des soldats anglais du débarquement, 1944

c Bertrand s'énerve contre son fils ado qui ne met jamais le nez dehors : il préfère le Net, les jeux vidéo et les séries télé à la vie réelle. Il lui suggère d'autres choses à faire.

Exemple : → Ce n'est plus possible à la fin Samuel ! Sors un peu de ta chambre au lieu de rester enfermé !

Sur ce modèle, mettez-vous à la place de Bertrand et dites à Samuel ce qu'il devrait faire en utilisant « au lieu de » et les idées suivantes.

Ce que fait Samuel : il tchate, reste couché, regarde des films en boucle, vit avec ses écouteurs sur les oreilles, boit de la bière tout seul, fume on ne sait pas trop quoi, etc.

Les suggestions du père : aller voir des amis, sortir danser, aller au bistrot, nager à la piscine, faire du vélo, manger des fruits, etc.

B1.2
★★

B2.1
★★★

576. Diverses expressions – Un homme paradoxal

Lisez ce portrait de l'écrivain et académicien Jean d'Ormesson, écrit peu après son décès en décembre 2017, puis faites les activités proposées.

❝ Jean d'Ormesson était un **homme paradoxal**, un gémeaux pure souche : sérieux **et** ludique ; nomade **et** sédentaire, actif **et** paresseux, bavard **et** silencieux, délicieusement poli **et** férocement caustique, médiatique **et** secret… ❞

L'Express, 08/12/17

⚠ **REMARQUE :** L'opposition est ici exprimée par des antonymes reliés par le « et » qui associe les contraires.

a Reprenez les éléments de ce portrait en remplaçant le « et » par une expression d'opposition.
Exemples : Il était comme ça, sérieux et **pourtant / cependant / toutefois / malgré cela**, ludique…
Il savait être sérieux. **En revanche**, il pouvait quelquefois se montrer ludique. La plupart du temps, il était délicieusement ludique. **Par contre**, il pouvait se montrer très caustique dans certaines circonstances.

b Faites le portrait d'un personnage connu de votre culture en insistant sur ses facettes, ses paradoxes, ses contradictions. Utilisez les divers procédés vus dans les exercices précédents.

> « Si la vie est éphémère, le fait d'avoir vécu une vie éphémère est éternel. »
> V. Jankelevitch

B1.2
★★

577. Au contraire, à l'opposé, inversement, en revanche, par contre – Multifacettes

a Observez.

Comme tout un chacun, vous êtes **plein de contradictions**, et pourquoi pas ? La variété est le sel de la vie :

– Un jour, on envie votre forme olympique et le lendemain, **au contraire,** vous êtes une pauvre petite chose.

– Si vous avez bien dormi, vous êtes agréable à vivre ; **par contre,** si vous manquez de sommeil, aïe, aïe, aïe !

– **Autant** vous vous habillez simplement dans le quotidien, **autant** vous adorez être sophistiqué pour certaines soirées.

– Vous êtes végétarien, mais de temps en temps, **contrairement** à vos principes, vous avalez un steak tartare !

b À vous maintenant ! Décrivez vos facettes opposées et n'oubliez pas que nous sommes tous un peu Dr Jekyll et Mr Hyde, ange ou démon, bien que tout le monde ne bascule pas du côté obscur de la force...

c Votre culture connaît-elle aussi des contradictions internes ? Lesquelles ?

Exemple : La France est très bonne pour définir des grands principes. **Par contre** elle n'est pas toujours la première à les appliquer ! (Pensez à la Charte internationale des Droits de l'homme, écrite à la Révolution, adoptée en 1948 par l'ONU et signée très tardivement en 1981, par François Mitterrand.)

B1.2
★★

578. Adverbes d'opposition – Différences culturelles

À l'aide des expressions ci-dessous, soulignez les différences entre les modes de vie (climat, cuisine, rythme de travail, etc.) de :

– un pays nordique et un pays méridionnal ou votre pays et la France

– deux siècles : le XXIe et un siècle du passé à définir.

Exemple : les Japonais mangent avec des baguettes, **contrairement aux** Français qui mangent avec une fourchette et un couteau.

au contraire   à l'opposé   inversement   en revanche   par contre

contrairement à   à l'opposé de   à l'inverse de

« Qu'est-ce qu'on attend pour être heureux, qu'est-ce qu'on attend pour faire la fête ? »
Ray Ventura, *Qu'est-ce qu'on attend ?*

579. Reformulation, structures diverses

Transformez les phrases suivantes en remplaçant l'expression en gras par les différents moyens qui vous sont proposés pour exprimer l'opposition.

1. Sacha est paresseux **contrairement à Timéo** qui est travailleur. alors que , si , en revanche , quant à

2. Moi, j'aime la natation, mon mari **lui**, fait du tennis. tandis que , alors que , par contre , de... côté

3. Mes deux frères sont footballeurs : Alain est un bon attaquant **tandis que** Philippe est meilleur défenseur. en revanche , quant à , si , pronom de reprise

4. Théo et Lina aiment prendre leurs vacances au mois d'août **alors qu'**Adam et Madeleine préfèrent partir en février pour faire du ski. inversement , en ce qui... concerne , autant... autant , pour... part

5. Avec Florence tout est facile **tandis qu'**avec Anna tout est compliqué. autant... autant , alors que , au contraire , si

6. Nicolas est hyperactif. Son frère Jacob, **lui**, aime prendre son temps. par contre , à l'opposé , pour... part , quant à...

580. Synthèse – « Allume la lumière au lieu de maudire l'obscurité »

Le monde appartient aux optimistes, car ils savent mieux s'adapter que les pessimistes. Décrivez les différences entre eux en utilisant les idées ci-dessous et les structures suggérées.

– Phrases avec un seul sujet (au lieu de, plutôt que de)

Exemple : Les optimistes préfèrent passer à l'action **au lieu de** maudire l'adversité.

***Plutôt que de** passer à l'action, les pessimistes maudissent l'adversité.*

– Phrases avec deux sujets (en revanche, à l'opposé de, à l'inverse de, au contraire, par contre, de leur côté, quant à eux)

Exemple : Les pessimistes maudissent l'obscurité ; les optimistes, **quant à eux**, passent à l'action.

1. désespérer / relativiser – **2.** déprimer / voir les choses du bon côté – **3.** voir seulement des problèmes / rechercher des solutions – **4.** craindre la concurrence / se lancer dans la coopération – **5.** paniquer / se mettre au boulot – **6.** se méfier des autres / se montrer ouvert, généreux – **7.** résister aux évolutions / développer l'innovation – **8.** avoir peur pour l'avenir / construire pour demain

« Ce n'est pas le but qui compte, mais comment tu le fais. »
Pedro Pinho, cinéaste portugais

« Je voudrais mourir au printemps afin que mes obsèques se déroulent au soleil. »
Régis Jauffret, journaliste

B2.1
★★★

 Activité de repérage 34

a Dans le texte qui suit, relevez phrase par phrase les moyens grammaticaux et lexicaux utilisés par Bernard-Henri Lévy pour décrire Alain Finkielkraut. Tous deux sont des philosophes contemporains souvent en désaccord mais pas sur tout.

> « Avec le temps, tels ces jumeaux qui finissent par dissembler l'un de l'autre, nous avons quand même réussi à trouver une divergence, et de taille : Alain est profondément pessimiste sur l'avenir du genre humain, je crois à l'inverse au pouvoir de la liberté de surmonter les problèmes qui se posent à lui. Il semble avoir désespéré de l'homme alors que je ne cesse de m'en émerveiller. Il vit dans la nostalgie du passé quand je suis tout entier l'appétit du présent. Où il voit des catastrophes, je perçois des transformations. Il déteste la technologie, s'afflige d'Internet quand j'en tire bénéfice, dans la mesure de mes compétences limitées. Il paraît si malheureux parfois, si touchant, perdu dans une angoisse abyssale, qu'on a envie de le consoler, de lui dire que le monde nous survivra et n'a pas besoin de nous. Après tout, nous ne sommes que des saltimbanques des idées. Si le bateau coule, autant trinquer joyeusement au naufrage plutôt que sombrer dans la déploration. Au moins avons-nous gardé en commun la passion des controverses, la dévotion aux textes, la haine du fanatisme, l'indifférence aux honneurs. Au-delà des brouilles et des susceptibilités, il est et restera pour toujours mon frère d'encre. »
>
> *L'Express 2015*

Divergences	
Alain Finkielkraut	Bernard-Henri Lévy
Points communs	

b Écrivez un texte utilisant la même structure pour décrire les divergences et les points communs entre deux personnes, deux villes, deux pays, deux cultures, deux philosophies.

> « Quoi que tu rêves d'entreprendre, commence-le.
> L'audace a du génie, du pouvoir, de la magie. » Goethe

> « On aura besoin de toutes les bonnes volontés et de toutes les énergies
> pour contribuer à métamorphoser notre société. »
> Nicolas Hulot, ministre de la Transition écologique et solidaire en 2017

> « La France est toujours en avance d'une révolution car en retard d'une réforme. »
> Edgar Faure, homme politique

B1.2
★★

581. Anti – Anticonstitutionnellement

Le mot le plus long de la langue française comporte le préfixe « anti » (d'origine grecque). Ce préfixe exprime l'opposition.

B1.1
★

a Agnès a mal aux dents, elle craint les piqûres d'insectes et elle voudrait vieillir moins vite. Son mari a une coupure au doigt, il a la grippe, il est déprimé et il a très mal au dos. Enfin, leur chien a des puces.

Agnès va à la pharmacie. Elle achète ces produits : un antidépresseur, un produit antipuces, un antiseptique, une crème antiâge, un anti inflammatoire, un antigrippe, un produit antimoustiques, un antidouleur, un antibiotique.

Retrouvez à qui sont destinés les produits qu'Agnès a achetés.

Pour le chien → ....

Pour Agnès → ....

Pour son mari → ....

b À quoi résistent une montre antichoc, un immeuble antisismique, un antivol pour vélos ? De quoi protègent un mur antibruit, un produit anticalcaire, un abri antiatomique, un antivirus ?

B1.1
★★

c Nommez les différents services de police spécialisés dans la lutte contre un type particulier de délinquance.

La brigade qui lutte contre les gangs → ....

La brigade qui lutte contre le trafic de drogue → ....

La cellule qui lutte contre le terrorisme → ....

Le service de lutte contre le dopage → ....

Le service de lutte contre la corruption → ....

B1.2
★★

d Dites comment on nomme ces personnes.

Les personnes qui sont contre le racisme → ....

Les personnes qui sont contre l'esclavage → ....

Les personnes qui sont contre l'avortement → ....

Les personnes qui sont contre le communisme → ....

Les personnes qui sont contre le fascisme → ....

Les personnes qui sont contre la mondialisation → ....

e Des opposants contestent les choix du gouvernement ; dites comment ils qualifient les lois : antidémocratique , anticonstititionnelle , antisociale

Ils trouvent cette loi ultralibérale .... Ils jugent le mode de décision sans l'avis du Parlement .... Ils jugent la proposition de loi ....

f Quel type de personne est d'après vous un antihéros et un antitout ?

B2.1
★★★

582. Contre

Complétez les phrases avec les mots proposés suivants.

contresens   contre-culture   contre-enquête   contretemps   contre-exemple

contre-attaque   contre-courant   contre-performance   contre-expertise

contre-productif   contrecoeur   contrecoup

1. Il n'avait pas la moindre envie de partir, mais il a fini par le faire à ....

2. Les passagers ont bien réagi tout de suite après l'accident, mais certains ont eu un gros ....

3. Votre note est mauvaise, car vous avez fait de nombreux ....

4. Ce sportif a fait une .... à l'opposé de ses excellents résultats habituels.

5. Nous nous excusons pour notre absence, mais nous avons eu de nombreux ....

6. L'avocat de la défense a demandé l'ouverture d'une .... avec des .... scientifiques.

7. L'opposition a jugé .... la proposition de nouvelle loi sécuritaire. La .... du gouvernement a été foudroyante, qualifiant ses adversaires d'irresponsables.

8. Cet artiste, resté fidèle à lui-même et à .... de son époque, a fini par obtenir le respect de tous.

9. Quand la culture dominante n'écrase pas totalement les marges, il naît quelquefois une .... passionnante.

10. Vous affirmez qu'il s'agit d'une règle vraiment générale. Vraiment ? Alors que ferez-vous du .... que je vais vous exposer ?

L'ESSENTIEL SUR...

● La concession

Si un obstacle reconnu ou envisagé ne produit aucun effet sur la conséquence, **il y a concession.**

Terme grammatical	Construction		Nuances	Exemples
Une conjonction	**bien que** **quoique** **sans que**	**+ Subjonctif**	Valeur générale	*Bien qu'il pleuve nous avons fait une promenade.* *Nous avons pu terminer la réunion **sans que** vous soyez dérangé.*
	encore que		Nuance une affirmation.	*Tous les élèves de la classe devraient réussir l'examen ; **encore que** certains puissent échouer.*
	tout **si** + adj. + **que** **aussi**		Idée d'intensité : il s'agit d'un jugement personnel portant sur une qualité.	*Tout / si / intéressant **qu'**il soit, le film ne m'a pas plu.* ***Aussi** déçues que vous soyez, vous devez recommencer.*
	quelque + n.+ **que** adj.			***Quelques** transformations que vous fassiez, vous devez demander une autorisation.*

Terme grammatical	Construction		Nuances	Exemples
Une conjonction	qui que quoi que où que quel(le)s que	+ Subjonctif	La concession porte sur une personne, une chose, une action, un lieu, une qualité.	*Qui que vous aimiez, vous souffrirez.* *Quoi que je fasse, il n'est pas content.* *Où que je sois, je pense à toi.* *Quels que soient les résultats, je partirai en vacances.*
	même si + indicatif		concession + idée d'hypothèse	*Même si elle s'excuse, je ne lui pardonnerai pas.*
	quand bien même + conditionnel			*Quand bien même je travaillerais jour et nuit, je n'y arriverais pas.*
Un adverbe	pourtant cependant quand même néanmoins toutefois tout de même		+ indicatif Attention à l'ordre.	*Je gagne bien ma vie, **pourtant** j'ai d'énormes difficultés financières.* *Elle le suppliait de rester, il est parti **quand même**.* *Ce jeu est intéressant et très instructif, **toutefois** il coûte cher.*
Une préposition	malgré en dépit de sans		+ nom + pronom	*Il fait toujours des remarques acerbes **malgré** lui.* ***En dépit de** son handicap, il fait beaucoup de sport.* *Il est parti **sans** moi.*
	sans au risque de		+ infinitif	*Il est parti **sans** nous dire au revoir.* *Elle a pris cette décision **au risque de** lui déplaire.*
Un cordonnant	mais		Opposition simple	*Ce film est ennuyeux, **mais** il attire beaucoup de spectateurs.*
	or		Introduit un événement nouveau en opposition avec ce qui précède.	*Les enfants pleurent souvent la nuit. **Or**, cet enfant-là ne dit rien.*
	par ailleurs		Nuance un jugement négatif.	*Ce député, **par ailleurs** très sympathique, n'est pas capable d'assumer ses responsabilités.*
D'autres moyens	il n'en reste pas moins que + indicatif (il) n'empêche que + indicatif		Nuance un point de vue, rend une affirmation plus objective.	*Il n'a pas réussi, **il n'en reste pas moins / n'empêche qu'**il a beaucoup travaillé.*
	avoir beau + infinitif			*Il **a beau** avoir travaillé, il n'a pas réussi.*
	n'importe qui / quoi / où / quand / comment			*Je ne veux pas que tu ailles **n'importe où** et que tu parles à **n'importe qui**.*

« Le peu, le très peu que l'on peut faire, il faut le faire quand même. » Théodore Monod

B1.1
★

583. Cependant, pourtant, toutefois, néanmoins ; malgré cela, en dépit de cela – Cigale ou fourmi ?

a Reliez les éléments des deux colonnes en utilisant une des expressions ci-dessous.

cependant   pourtant   toutefois   néanmoins   malgré cela   en dépit de cela

1. Antoine surveille sévèrement ses dépenses

2. Samir gagne royalement sa vie

3. Mettre de l'argent de côté pour un projet, c'est bien

4. La loi oblige à garder une part d'héritage pour ses enfants

5. Johan est bac +7

6. Romain a un petit salaire

7. Vivre au jour le jour est agréable.

a. ... économiser pour économiser montre une peur de l'avenir.

b. ... il ne trouve que des petits boulots.

c. ... il prête volontiers à ses amis.

d. ... il craint constamment de manquer d'argent.

e. ... vous pouvez donner le reste à qui vous chante.

f. ... c'est mieux d'anticiper ses dépenses.

g. ... il est toujours dans le rouge à la banque.

b Reprenez vos phrases en changeant les expressions que vous utilisez.

B1.2
★★

584. Bien que, quoique – Rien n'est ce qu'il semble être

Reformulez les phrases suivantes en remplaçant « mais » par bien que ou quoique .

1. Nous sommes des créatures intelligentes, mais notre compréhension est limitée par notre perception.

2. Les êtres humains sont d'apparences très variées, mais il y a plus de ressemblances que de différences dans leurs gènes.

3. Les peuples autochtones peuvent sembler peu développés, mais ils ont su survivre en accord avec leur environnement – ce que nous ne ferons peut-être pas.

$E = MC^2$

4. Les animaux n'ont pas de langage aussi élaboré que les humains, mais ils savent communiquer.

5. Les plantes semblent sans cerveau ni sensibilité, mais elles ont une vingtaine de capacités sensorielles.

6. Les scientifiques sont rigoureux dans leurs recherches, mais certaines solutions leur parviennent en rêve.

7. Einstein était un scientifique de très haut niveau, mais il a écrit que la plus grande force de l'univers était l'amour (dans une lettre à sa fille publiée en 2016).

8. La matière semble dense au toucher, mais elle est constituée d'atomes en mouvement.

9. Les performances de la médecine moderne sont formidables, mais il ne faut pas négliger les savoirs traditionnels.

10. La science ne cesse de progresser, mais le mystère de l'Univers reste entier.

B2.1
★★★

585. Encore que...

Transformez les phrases suivantes en utilisant « encore que ».

<u>Exemple</u> : Internet est indispensable. ; pourtant son usage n'est pas sans danger.
→ Internet est indispensable, **encore que son usage ne soit pas sans danger**.

1. Internet est très utile ; pourtant il risque d'être un danger pour les enfants. – **2.** Le crédit est avantageux ; pourtant il peut être dangereux s'il est mal utilisé. – **3.** Les femmes sont, en général, plus tolérantes que les hommes ; pourtant certaines sont pires. – **4.** Son travail lui plaît beaucoup ; pourtant il s'en plaint quelquefois. – **5.** Mon père trouve cette actrice très mauvaise ; pourtant son visage lui plaît. **6.** Toute la famille a bien accueilli son ami ; pourtant son père a fait quelques remarques désobligeantes.

B2.1
★★★

586. Avoir beau + infinitif

Transformez les phrases suivantes en utilisant l'expression avoir beau comme dans les exemples ci-dessous.

GILLES N'A PAS DE CHANCE !

ⓐ <u>Exemples</u> : Gilles travaille beaucoup, pourtant il n'a pas de bonnes notes.
Il a travaillé beaucoup, pourtant il n'a pas de bonnes notes.
→ **Gilles a beau travailler beaucoup**, il n'a pas de bonnes notes.
→ **Il a eu beau travailler beaucoup**, il n'a pas de bonnes notes.

1. Il s'est appliqué énormément pour faire ses exposés, pourtant il n'a pas de bons résultats. – **2.** C'est un bon skieur, il s'entraîne beaucoup, mais il ne gagne jamais de course. – **3.** Il a pris grand soin de sa voiture, pourtant elle est souvent en panne. – **4.** Il gagne bien sa vie, mais il a toujours des problèmes pour payer ses impôts. – **5.** Il est très gentil avec les femmes, mais elles n'acceptent jamais ses rendez-vous. – **6.** Il a 25 ans, mais il paraît plus âgé. – **7.** Il s'est défendu, mais le voleur lui a pris son porte-feuille. – **8.** Il est très instruit, mais il n'a pas pu résoudre le problème.

ⓑ <u>Exemples</u> : Gilles n'avait pas mangé beaucoup de chocolat, pourtant il était malade.
→ **Gilles avait beau ne pas avoir mangé** beaucoup de chocolat, il était malade.

1. Gilles était resté longtemps au soleil, pourtant il n'était pas bronzé comme ses amis. – **2.** Il avait fait souvent des cadeaux à sa mère, pourtant elle n'était jamais contente. – **3.** Il était sorti tôt de la réunion, pourtant il est arrivé en retard à son rendez-vous. – **4.** Il avait mis son plus beau costume, pourtant personne ne l'a remarqué. – **5.** Il avait acheté les meilleurs produits, pourtant sa cuisine n'était pas bonne. – **6.** Il avait pris toutes les précautions pour lui expliquer le problème, pourtant elle a mal réagi. – **7.** Il avait bien lu la notice explicative, pourtant il n'arrivait pas à faire fonctionner son nouvel ampli. – **8.** Il avait toujours été très gentil, pourtant sa femme était partie avec un autre.

B2.1
★★★

587. Avoir beau / bien que, quoique

Dans les phrases ci-dessous, remplacez l'expression « avoir beau » par la conjonction
bien que ou quoique . Faites les modifications de temps nécessaires.

Exemple : Les étudiants **ont beau faire** du bruit, le professeur continue le cours.
→ **Quoique les étudiants fassent** du bruit, le professeur continue son cours.

1. Il a beau avoir fait chaque jour un entraînement intensif, il n'a pas amélioré sa vitesse.
2. L'accusé a eu beau crier son innocence, il a été condamné. – **3.** Il a eu beau affirmer qu'il
rembourserait ce qu'il avait volé, on ne l'a pas cru. – **4.** Elle avait beau savoir bien nager, elle
avait de la difficulté à se sortir des tourbillons. – **5.** Nous avions beau être courageux, nous ne
pouvions pas prendre tout en charge. – **6.** Il avait beau demander régulièrement une augmentation
à son patron, il ne l'obtenait jamais. – **7.** Cet enfant a beau lire beaucoup, il fait encore beaucoup
de fautes d'orthographe. – **8.** Il a beau boire beaucoup, il a toujours des problèmes de reins.

B1.1
★

588. Même si...

Répondez aux questions suivantes en utilisant même si .

Exemple : Vous ne savez pas parler français. Vous vous débrouillez ?
→ **Même si** je ne sais pas parler français, je me débrouille.

1. La boxe est un sport brutal. Ça vous plaît ?	**5.** Vous n'aimez pas beaucoup ce conférencier. Vous irez l'écouter ?
2. Les Rolex sont des montres très chères. Vous en avez une ?	**6.** Vous ne regardez pas beaucoup la télévision. Vous en avez une ?
3. Vous ne savez pas bien danser, vous allez quand même au bal du 14 juillet ?	**7.** Vous n'avez pas beaucoup de temps. Vous viendrez me voir ?
4. Vous prenez vos médicaments. Vous avez encore mal ?	**8.** Vous n'aviez pas beaucoup d'argent quand vous étiez étudiant. Vous achetiez des livres ?

B2.1
★★★

589. Quand bien même...

Transformez les phrases suivantes en utilisant quand bien même .

Exemple : Je peux travailler nuit et jour, mais je ne pense pas pouvoir y arriver.
→ **Quand bien même** je travaillerais nuit et jour, je n'y arriverais pas.

1. Notre voiture sera peut-être encore au garage mais nous irons vous voir.

2. Il est possible que les ouvriers soient en grève mais nous vous verserons votre salaire.

3. Il peut réussir son examen mais je ne pense pas qu'il trouve du travail.

4. Il se peut qu'il gagne la course mais à mon avis il ne sera quand même pas satisfait.

5. Il se peut qu'un jour il ait beaucoup d'argent mais il ne quittera pas son travail.

6. Tu peux me demander mille fois de faire ce travail, je ne le ferai pas parce que c'est toi qui dois le faire.

7. Il peut la couvrir de cadeaux, elle n'acceptera pas sa demande en mariage.

8. Il est possible qu'un jour nous soyons séparés pendant longtemps mais je ne crois pas pouvoir t'oublier.

B1.2
★★

590. Sans que... / sans...

Reliez les deux phrases proposées en utilisant sans que ou sans.

Exemples :
– J'ai mangé ; je n'avais pas faim. → **J'ai mangé sans avoir faim**. (Le sujet est le même dans les deux propositions.)
– Le président a visité la nouvelle centrale. La presse n'a pas été invitée.
(Le sujet est différent dans les deux propositions.) → **Le président a visité la nouvelle centrale sans que la presse ait été invitée**.

1. La décision a été prise ; les délégués syndicaux n'étaient pas là. – **2.** Il a été incarcéré ; les preuves suffisantes n'avaient pas été réunies. – **3.** Elle a travaillé 24 heures ; elle n'a pas dormi. **4.** Les voleurs sont entrés dans la maison. Vous ne vous en êtes par aperçus – **5.** Il a roulé 1 000 kilomètres ; il ne s'est pas arrêté. – **6.** Les jeunes mariés sont partis ; les invités ne s'en sont pas aperçus. – **7.** Le cours a changé d'horaire ; les étudiants n'en ont pas été avertis. – **8.** Il s'est endormi ; il n'a pas pris son médicament. – **9.** Il a atteint la ligne d'arrivée ; les autres coureurs ne l'avaient pas rejoint. – **10.** Il a travaillé un mois ; il n'était pas payé.

B2.1
★★★

591. Tout / si / aussi + adjectif + que + subjonctif

QUI L'AURAIT CRU !

Prenez un élément de la colonne A et un élément de la colonne B et faites des phrases en utilisant une des locutions conjonctives « tout », « si » « aussi » + adjectif + que + subjonctif (attention au sens de vos phrases).

Exemple : A : chétif / B : champion de bóxe
    → **Si chétif qu'il ait été, il est devenu champion de boxe**.

A	B
Adolescent, il était...	**Il est devenu...**
timide	sauveteur en montagne
peureux	député
dépensier	banquier
mauvais élève	homme d'affaires
idéaliste	ingénieur
maladroit de ses doigts	journaliste
peu communicatif	prestidigitateur

« Quelles que soient les circonstances, faites toujours de votre mieux,
ni plus ni moins. Mais rappelez-vous que votre mieux ne sera jamais
le même d'une fois à l'autre ! » Don Miguel Ruiz

B2.1 **592. Qui que / quoi que / où que / quel (les) que**
★★★

Transformez les phrases en utilisant la conjonction proposée ; il vous faudra quelquefois rajouter un verbe.

Exemple : Elle mange du chocolat, des gâteaux, des pizzas… et elle ne grossit pas !
→ **Quoi qu'elle mange**, elle ne grossit pas.

ⓐ Qui que

1. ………… tu décides de devenir, tu peux y arriver si tu y crois et que tu travailles dur. –
2. ………… nous fréquentions, nous restons fidèles à nous-mêmes. – **3.** Elle te snobe ? Et alors ?
………… cette fille, elle ne te mérite pas. – **4.** Je ne sais pas qui est réellement cette femme,
et ça m'est égal ! ………… elle va se conformer aux mêmes règles que les autres ! – **5.** Vous
pouvez consulter tous les avocats de la ville, mais ………… ils vous donneront tous la même
réponse. – **6.** Ce type prétend être un écrivain célèbre, mais ………… il est prodigieusement
antipathique. – **7.** Ces gens sont peut-être riches et puissants, mais ………… ils sont trop
grossiers pour rester dans mon restaurant. – **8.** Vous avez le bras long et vous êtes puissant ?
Ah bon ? ………… ça ne vous donne pas tous les droits. – **9.** Tous ceux qui passent près de la
maison peuvent être dangereux : ………… signalez-les-moi aussitôt.

ⓑ Quoi que

1. Le capitaine peut dire ce qu'il veut, il doit être obéi. – **2.** Je peux faire tout ce qui est possible,
je n'y arriverai pas. – **3.** Pense ce que tu veux, moi je ne changerai pas d'avis. – **4.** Il peut m'offrir des cadeaux, un voyage, une voiture ou autre chose pour s'excuser, je ne lui pardonnerai
pas. – **5.** Elle peut porter n'importe quel vêtement et elle est toujours très séduisante. – **6.** Tu
peux offrir ce que tu veux à Grand-Père, mais, dans tous les cas, fais un joli paquet cadeau.

ⓒ Où que

1. Les Jeux olympiques peuvent avoir lieu à Londres, Tokyo ou Moscou ou ailleurs, j'irai les
voir. – **2.** Je peux aller à Paris, à Pékin, à Mexico ou ailleurs, il y a de la pollution. – **3.** Nous
faisons du ski à Chamrousse, à Chamonix, à l'Alpe-d'Huez ou ailleurs, il y a toujours beaucoup
de monde sur les pistes. – **4.** Tu peux travailler dans une entreprise, dans une administration, dans un atelier ou ailleurs, tu auras toujours les mêmes problèmes. – **5.** Ils voyagent
beaucoup mais, partout, ils mangent la même nourriture internationale.

ⓓ Quel(le)s que

1. Il peut faire beau ou mauvais temps, ça n'a pas d'importance, la course aura lieu. – **2.** Son
envie de partir peut être très grande, peu importe, il est obligé de rester. – **3.** Ses craintes
peuvent être fondées, elle doit accepter ce changement. – **4.** Il peut faire beaucoup d'efforts, je
crois qu'il ne gagnera pas. – **5.** Bien sûr, tu as tes préférences, mais tu devras bien t'adapter. –
6. Il a toutes les compétences pour ce poste, mais il n'a aucune chance de l'obtenir : il est
réservé au fils du patron. – **7.** Il souffre beaucoup, mais il ne se plaint jamais. – **8.** Elle peut
acheter n'importe quelle tenue, elle est toujours très chic.

593. Qui que / quoi que / où que / quel (le)s que – Pauvre footballeur !

Écrivez les plaintes de Tony Pineau en utilisant la conjonction qui convient.

LES PLAINTES DE TONY PINEAU, LE FOOTBALLEUR

Exemple : Tony fait beaucoup d'efforts, l'entraîneur n'est pas content.
→ « **Quels que soient ses efforts, l'entraîneur n'est pas content.** »
→ « **Quoi qu'il fasse, l'entraîneur n'est pas content.** »

1. Tony ne peut pas aller dans un restaurant, au cinéma ou dans un magasin sans que quelqu'un le reconnaisse.

2. Tony ne peut pas faire de ski, de tennis ou autre chose sans qu'un journaliste soit là.

3. Tony peut porter un pantalon sport, un costume, un smoking ou autre chose, on le critique.

4. Tony peut exprimer une opinion ou une autre, on la transforme.

5. Tony peut sortir avec une femme ou une autre, on dit qu'il va l'épouser.

6. Tony peut jouer un match de championnat, un match de coupe d'Europe ou de coupe du monde, la préparation est pénible.

7. Tony peut aller en Italie, en Espagne, au Japon ou ailleurs, il est obligé d'emporter de nombreuses valises.

8. Tony peut rencontrer une personne ou une autre, on ne lui parle que de football.

9. Tony peut habiter dans une maison, un appartement ou à l'hôtel, il n'est jamais tranquille.

10. Les voyages que Tony doit faire peuvent être longs ou courts, il a toujours des difficultés à les supporter.

594. Manipulation des structures

Transformez les phrases en choisissant les différents moyens d'exprimer la concession qui vous sont proposés (attention aux modes et aux temps).

1. Le vieillissement est un drame pour certaines personnes, mais une période d'épanouissement pour de nombreuses autres. `bien que` , `même si` , `pourtant` , `avoir beau`

2. Je vais faire ce voyage, pourtant j'ai de gros problèmes financiers. `bien que` , `encore que` , `avoir beau` , `même si`

3. Malgré une crevaison, il est arrivé à l'heure. `même si` , `pourtant` , `quoique` , `avoir beau`

4. Elle parle couramment le français, mais il lui arrive de mélanger deux langues dans la même phrase. `quand même` , `avoir beau` , `cependant`

5. Bien qu'il soit souvent absent, son travail est à jour. `malgré` , `il n'empêche que` , `si... que` , `quand même`

6. Son comportement n'est pas exemplaire, mais il est le premier à faire la morale à tout le monde ! `encore que` , `même si` , `si... que` , `il n'en reste pas moins que`

7. En dépit des subventions qu'elle reçoit du département, l'association a des difficultés financières. `avoir beau` , `quoique` , `cependant` , `malgré`

8. Elle n'habite pas très loin, cependant elle ne vient pas voir son père à l'hôpital. `il n'empêche que` , `encore que` , `même si` , `avoir beau`

Synthèses opposition – concession

B2.1
★★★
595. Paragraphes à compléter – Stagiaire X versus stagiaire Y

ⓐ Complétez le texte avec les expressions d'opposition et de concession suivantes.

bien que   quoi que   tandis que   alors que   à l'opposé   en revanche   mais   lui

bien au contraire   sans même   même si   il n'empêche que   malgré   au moins

« J'ai eu plusieurs stagiaires.

1. La première pestait tout le temps .... je lui dise de faire, ... elle ait signé un contrat décrivant exactement ses tâches. Pour finir, elle a posé sa démission .... m'en informer.

2. Le deuxième, ... dormait debout le matin devant la photocopieuse. Le soir, ..., il était en pleine forme sur une scène de théâtre ! Je n'ai rien contre les passions de mes employés, ... ils doivent rester efficaces au travail, ... un minimum.

3. Le suivant, un garçon surexcité, se prenait pour un génie. Il allait sauver la boîte à .... tout seul, ... nous les vieux croûtons, nous étions juste bons à couler la boîte !

4. Pour finir, j'ai eu Mathilde dont je suis .... très contente .... elle me surprend parfois par son fort caractère. Elle est très constructive .... son style rentre-dedans. Hélas, ... je lui aie demandé de rester, elle préfère finir sa formation ailleurs. »

ⓑ Analysez l'usage du vocabulaire dans le paragraphe 3, quels mots renforcent l'idée d'opposition ?

« La morale est l'ennemie absolue de l'humour alors que l'humour se contrefiche de la morale. »
Philippe Durant, biographe de Pierre Desproges

« Même si tu es attaqué par un tigre, tu peux survivre si tu gardes ton calme. »
Proverbe coréen

« Tous les êtres virtuels pensent mais chacun à sa façon. »
Eduardo Kohn, anthropologue

596. Textes à analyser, phrases à compléter – Mélissa et Farah

a Lisez le témoignage de Mélissa et notez :

– les oppositions qu'elle exprime à la fin du texte, à partir de « ce qui m'interroge ».

– Les différences entre sa vie et celle de ses ancêtres, de ses parents et de son frère. Remarquez le lexique et les expressions grammaticales qui renforcent son point de vue.

MELISSA, 25 ANS, SALARIÉE, GRENOBLE
« Prolo ou bobo ? Je me sens comme une métisse sociale »

Fille d'une fonctionnaire administrative catégorie C et d'un mécanicien, petite fille d'agriculteurs, d'un côté, et de patrons de bistrot dans un coin perdu, de l'autre. Sœur d'un ouvrier dans une des dernières usines de notre campagne. Quand mes parents m'ont montré mon arbre généalogique : surprise ! Ou pas : il remonte jusqu'à la Révolution française de 1789 et tous mes ancêtres sont… laboureurs ! Voilà mon héritage social : des siècles de femmes au foyer, des fermières, qui se sont occupées de l'habitation, de la ferme et des enfants ; et des hommes serfs qui, au fur et à mesure des générations sont devenus propriétaires des terres qu'ils cultivaient depuis des lustres. Avec la génération de mes grands-parents s'amorce le virage vers une société plus orientée vers le service et le commerce. Et moi là-dedans ? J'ai travaillé comme sous-fifre chez un sous-traitant d'un grand groupe, puis dans la fonction publique, et me voilà maintenant salariée d'une association. Ça détonne dans la famille ! Originaire de la campagne profonde, fille de prolos ayant grandi dans une ferme, j'habite désormais dans une grande ville. Ce n'était pas gagné d'avance, mais maintenant, je me dis que j'y suis bien. J'ai des habitudes de vie complètement urbaines et bobos, je suis une inconditionnelle des transports en commun et passe beaucoup de temps devant des écrans. Pourtant, l'idée d'un retour à la terre reste présente : la vie au grand air. La vie entourée par des animaux. La vie d'autosuffisance alimentaire. Mais aussi : les 12 000 bornes à se farcir en voiture dès que l'on a besoin de quelque chose d'autre, les maladies et les morts d'animaux ; et le travail dehors, qu'il vente, pleuve ou neige. Ce qui m'interroge là-dedans, c'est que je me sens comme une métisse… sociale. Les personnes métisses se trouvent parfois coincées entre deux cultures, appartenant à la fois à l'une et à l'autre, et à la fois à aucune des deux. Et bien moi, c'est souvent pareil ! Urbaine ou rurale ? Prolo ou bobo ? Les deux à la fois ou aucun ?

Extrait de *Libération* du 13/04/2015

Complétez les phrases ci-dessous avec des expressions d'opposition ou de concession selon le sens des phrases. Plusieurs solutions sont possibles.

1. Mélissa est une fille d'ouvriers qui a grandi dans une ferme. .... cela, elle habite désormais dans une grande ville.

2. .... son frère est ouvrier à la campagne, elle est inconditionnelle des charmes de la ville.

3. Aujourd'hui elle est une urbaine bobo au mode de vie très contemporain .... ses ancêtres étaient campagnards.

4. Elle se sent très adaptée en ville .... elle regrette, régulièrement les charmes de la vie à la campagne.

5. .... elle adore être au grand air, elle n'apprécie pas trop l'idée de travailler dehors par tous les temps.

6. Elle aime vivre entourée d'animaux, ... elle déteste les voir mourir.

7. L'autosuffisance alimentaire, c'est bien, ... faire des kilomètres pour aller au supermarché, c'est moins agréable.

b Lisez ensuite le témoignage de Farah : sa vie est aussi contrastée, voire plus que celle de Mélissa, mais elle n'en parle pas du tout de la même façon. Que remarquez-vous ?

FARAH, 15 ANS LYCÉENNE, ÎLE-DE-FRANCE
« *Je me réveille en arabe, je parle en français.* »

Tous les matins, je me réveille en saluant ma famille, principalement en arabe, et je mange des gâteaux orientaux que ma grand-mère nous a envoyés du Maroc. Je me rends au lycée, je parle français toute la journée, on m'enseigne le fonctionnement de la France, sa constitution, ses lois, son histoire, sa langue, le comportement que l'on doit avoir pour être un bon citoyen… C'est normal, après tout. Si on ne nous apprend pas tout ça, à quoi ressemblera la France de demain ? Quand je rentre en bus, il y a des gens de toutes les origines. Je peux entendre toutes les langues. Je suis avec mes amies, certaines sont asiatiques, d'autres européennes, d'autres encore africaines. Certaines ont les mêmes origines que moi, et je m'entends mieux avec elles, peut-être grâce à nos points communs : je sais qu'on a le même mode de vie. Ça nous rapproche. J'ai des amies de différentes origines et religions. Je leur pose souvent des questions. Ça m'intéresse de comparer, de connaître nos différences. Je rentre à la maison, et là, à nouveau retour aux origines : salon marocain, tableaux religieux et tout ce qui va avec. Ma mère regarde à la télé une série turque. Je regarde quelques minutes avec elle, puis je vais faire mes devoirs en français. Ma mère passe un coup de fil au Maroc, je parle un moment avec ma famille marocaine. Elle me pose toujours cette même question en arabe : "Alors ? tu préfères ici ou la France ?" Et moi, je réponds toujours, en arabe bien sûr : "Je les aime tous les deux de la même manière, ce sont mes pays, autant l'un que l'autre." Puis ma mère appelle l'Algérie, et je parle avec ce côté de ma famille, en algérien, cette fois. Après cet appel, je retourne à mes devoirs, je révise l'anglais et l'espagnol. C'est un quotidien banal pour moi, rempli de mixité. Ça ne me déplaît pas, j'apprécie même beaucoup ! Même s'il y a parfois de quoi faire des confusions. »

Extrait de Libération *du 13/04/2015*

Complétez les phrases ci-dessous avec des expressions d'opposition ou de concession selon le sens des phrases. Plusieurs solutions sont possibles.

8. Farah pourrait se sentir divisée, ... elle décrit un quotidien bien intégré.

9. Farah fait ses études en français .... elle parle arabe en famille.

10. Elle jongle déjà entre deux langues principales .... elle apprend aussi l'anglais et l'espagnol.

11. .... sa grand-mère lui demande systématiquement quelle culture elle préfère, elle ne les oppose jamais.

12. Elle trouve normal d'être éduquée pour être une bonne citoyenne française, ... sa culture d'origine est arabe.

13. Farah s'entend bien avec toutes ses amies .... leurs origines.

14. .... leurs différences de langue maternelle et de religion, Farah et ses amies s'entendent bien.

15. Ces différences pourraient les effrayer, mais .... elles suscitent leur intérêt.

c À vous de continuer : faites des phrases pour comparer/opposer les vies et les ressentis de Farah et Mélissa.

Exemple : **Bien que Mélissa soit française de souche, elle se sent métisse sociale alors que Farah se voit en citoyenne française.**

597. Opposition ou concession ? Phrases à compléter

Complétez les phrases avec l'expression marquant l'opposition ou la concession qui convient (observez bien les modes et les temps).

1. Il .... faire froid, la vieille dame faisait une petite promenade.

2. .... l'interdiction du médecin, il est sorti.

3. Elle se présente au concours d'infirmière, ... elle s'évanouit à l'odeur de l'éther.

4. .... les tensions, l'unité du pays reste la priorité de tous.

5. .... costauds .... ils paraissent, ils ne pratiquent aucun sport.

6. .... elle aille, on la reconnaîtra.

7. Je n'admettrai aucune critique de .... ce soit.

8. .... soit le médecin que vous voyez/verrez, n'oubliez pas de lui parler de vos douleurs au bras.

9. Promène-toi un peu, ... rester enfermé dans ta chambre.

10. Il était furieux que ses amis soient partis .... lui.

11. Elle a travaillé toute la journée, ... elle soit malade.

12. Les bateaux sont sortis en mer .... ait annoncé une grosse tempête.

13. Il refuse toujours de payer sa part au café, ... il a beaucoup d'argent.

14. Je ne devrais pas savoir tout ça, ... je t'assure que je n'ai pas écouté aux portes, je l'ai entendu par hasard.

15. C'est une famille très pauvre, mais elle survit ....

16. Je garderai toujours l'espoir .... la situation s'aggrave.

17. .... il serait élu député, il ne démissionnerait pas.

18. J'aime bien manger dans les pizzerias ; mes parents, ..., préfèrent aller dans les grands restaurants.

19. Les chiens suivent toujours leur maître, ... les chats sont plus indépendants.

20. Cet étudiant, ... très intelligent, a complètement raté son examen oral.

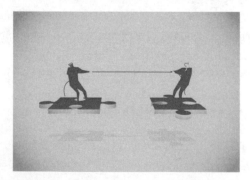

> «Je n'ai plus l'impression d'exister que si je dis le contraire des autres.»
> Pierre Desproges, humoriste

> « Même si j'ai grandi, je reste parfois le petit garçon que j'étais.»
> Un grand-père, 86 ans

B2.1
★★★

598. Opposition ou concession ? Phrases à compléter

Terminez les phrases suivantes. Faites attention aux modes et aux temps et respectez le sens.

1. Elle est très heureuse malgré .... – **2.** Il n'est pas encore guéri bien que .... – **3.** Il a été condamné à cinq ans de prison pourtant .... – **4.** Quoique .... il parle très mal français. **5.** Vous devriez scanner cette lettre au lieu de .... – **6.** Les stations de sport d'hiver affichent complet malgré .... **7.** Nous n'avons pas l'intention d'exploiter votre appareil même si .... – **8.** Je suis ravie de vous annoncer que votre projet a été retenu par la commission en dépit de .... – **9.** Il pleut beaucoup dans cette région tandis que .... – **10.** Cette jeune femme ne correspond pas vraiment au profil souhaité pour ce poste, néanmoins .... – **11.** Ces meubles luxueux se vendent bien, par contre .... – **12.** Si chère que soit cette voiture .... **13.** Cet enfant est très maladroit, en revanche .... – **14.** Des milliers d'euros partent chaque jour dans des jeux télévisés alors que .... – **15.** Je ne sais pas ce que vous en pensez, quant à .... – **16.** Il a un bon diplôme, il trouvera du travail où que .... – **17.** Il est parti faire de l'escalade sans se couvrir au risque de .... – **18.** Il a beau se contrôler .... – **19.** Quand bien même elle réussirait son concours, ... – **20.** Quelles que soient les critiques .... – **21.** Le statut de la femme dans la société a beaucoup évolué, il n'en reste pas moins que .... **22.** Il a réussi son permis de conduire sans .... – **23.** Autant ce devoir de maths est difficile, autant .... – **24.** Il dit avoir un mode de vie très simple, néanmoins ....

B2.1
★★★

599. Synthèse créative – Dans les chaussures d'un autre

Un proverbe sioux dit qu'il faut marcher au moins une journée dans les mocassins d'un autre pour le comprendre.

Étudiante sans bourse, vieux banquier, artiste célèbre, femme de ménage immigrée, dépanneur à domicile, créateur de logiciels, petit patron… Tous ces êtres humains ne vivent pas exactement comme vous. Autres vies, autres rêves…

Alors imaginez que vous passez 24 heures dans les chaussures de l'un d'entre eux et racontez votre expérience en comparant et en opposant vos habitudes aux siennes.

Exemple :

❮❮ Moi, David, graphiste à Paris, j'ai choisi la femme de ménage immigrée, une Africaine. Ses chaussures sont en plastique **alors que** je ne porte que du cuir. J'ai mal aux pieds immédiatement, **mais** je m'obstine. Je veux la comprendre **malgré** mes ampoules.

Avant le boulot, elle boit un café au bistrot… **quant à** moi je ne bois que du thé vert et à la maison. J'avale donc mon expresso **malgré** son goût amer. Je dois reconnaître qu'il me réveille efficacement **en dépit** de mes préjugés. **❯❯**

600. Synthèses argumentative écrite – Thèse, antithèse, synthèse...

Ce titre évoque le plan de la traditionnelle dissertation française, mais on ne le respecte pas toujours à la lettre quand on veut argumenter. Par contre, on utilise massivement les expressions d'opposition et de concession dans tous les débats d'idées.

Présentez dans un texte les pour et les contre à propos d'un débat de société actuel qui vous intéresse. Utilisez au maximum les moyens étudiés dans ce chapitre.

Exemple : **En même temps... / Et en même temps...**

Le président élu en 2017 se propose de réunir dans un dynamisme commun « un pays divisé en oppositions stériles ». C'est pourquoi l'expression « **en même temps** » est sa devise, car dans son sens numéro 1, elle signifie « au même moment », « simultanément », « en parallèle », « de concert ».

Elle synthétise donc le besoin de marier les contraires, de réconcilier liberté et égalité, sans oublier la fraternité, patrons et syndicats, villes et région, riches et pauvres, etc.

Et pourtant, quand ajoute un « et » devant, le sens peut changer ; ce qu'on trouve est amusant : le sens numéro 2 exprime... la contradiction. « **Et en même temps** » est aussi synonyme de « pourtant », « cependant », « cela dit », « d'un autre côté », des expressions fort utiles pour critiquer une idée. Le conflit chassé par la porte revient par la fenêtre ! Le dictionnaire est impitoyable... Alors, tentative de conciliation ou tromperie dialectique ?

D'après *Libération*, 30/12/2017

Quelques suggestions de thèmes :
– Faut-il légaliser le cannabis ?

– Peut-on en finir avec le dopage des sportifs ?

– Le revenu universel est-il possible ?

– Doit-on changer le nom de certaines rues qui évoquent des pages difficiles de l'Histoire ? Par exemple : Napoléon Bonaparte qui a rétabli l'esclavage alors que la Révolution l'avait aboli.

– Peut-on changer certaines règles d'orthographe et de grammaire pour faire avancer l'égalité des sexes ? (En français, le masculin exprime aussi l'universel et, dans les accords, le masculin l'emporte sur le féminin.)

– Faut-il laisser les artistes exprimer des comportements sexistes ?

– Ou tout autre sujet très discuté qui vous intéresse plus ou que vous connaissez mieux.

« Le bonheur n'est pas le contraire du désir, ni l'opposé du deuil ou de la déception, mais les bras ouverts qui accueillent les temps bons ou mauvais, la douleur comme le plaisir. » Jeff Foster, professeur de méditation

Index des exercices

Cet index présente, pour chaque chapitre, le thème et le niveau de chaque exercice.

Crédits

FOTOLIA

p. 9 : pict rider — **p. 24** : almaje — **p. 28** : Jimena — **p. 30** : dream79 — **p. 36 Noël** : LIGHTFIELD STUDIOS — **p. 36 coq** : aliaksei_7799 — **p. 37** : ksena32 — **p. 38** : Viacheslav Iakobchuk — **p. 41** : TAlex — **p. 43** : matsiash — **p. 51** : Olesia Bilkei — **p. 53** : Gstudio Group — **p. 54** : ty — **p. 63** : C. Schüßler — **p. 64, 195, 341 haut, 364, 411, 455 haut** : Jr Casas — **p. 66** : Victoria M — **p. 72** : Monkey Business — **p. 73 juge** : cartoonresource — **p. 77** : Thomas Söllner — **p. 78** : indomercy — **p. 83** : sylv1rob1 — **p. 87 couple** : iceteastock — **p. 90** : hiloi — **p. 94** : berdsigns — **p. 95** : rathchapon — **p. 98** : anaglic — **p. 99** : Voyagerix — **p. 109** : shat88 — **p. 122** : OIF — **p. 123, 124 et 125** : chrupka — **p. 124 Gavarnie** : rochagneux — **p. 145, 178, 294, 295 et 296** : bsd555 — **p. 169** : pandavector — **p. 188** : psychoshadow — **p. 193** : Richard Villalon — **p. 206 haut** : elenabsl — **p. 206 bas** : hurca.com — **p. 212** : Isaxar — **p. 219 main-robot** : Marina Zlochin — **p. 219 caducée** : teracreonte — **p. 227** : littlehandstocks — **p. 228 haut** : sylv1rob1 — **p. 228 bas** : R.Babakin — **p. 241** : Евгений Вдовин — **p. 248** : ylivdesign — **p. 253** : avniunsal — **p. 256** : zenina — **p. 264** : olliethedesigner — **p. 265** : Max Topchii — **p. 286** : spinyant — **p. 288** : studiostoks — **p. 291** : bismillah_bd — **p. 294 haut** : BirgitKorber — **p. 3001** : Maxchered — **p. 311** : cirodelia — **p. 312** : Delphotostock — **p. 315** : Coloures-Pic — **p. 316** : Leigh Prather — **p. 317** : sablin — **p. 318** : philippe Devanne — **p. 319** : Daniel Berkmann — **p. 323** : cocone — **p. 328** : Maridav — **p. 329 Michel** : Firma V — **p. 329 Danièle** : Kim Schneider — **p. 329 Basile** : Eugenio Marongiu — **p. 339** : Dan Race — **p. 340** : fotomek — **p. 341 milieu** : blankstock — **p. 346** : Drobot Dean — **p. 349** : vchalup — **p. 355 Lucille** : Patryssia — **p. 365** : David Spieth — **p. 366** : Atlantis — **p. 370 père** : hanack — **p. 370 vieux monsieur** : Budimir Jevtic — **p. 370 amie** : Mulheres Invisiveis — **p. 370 mère** : digitalskillet1 — **p. 370 enfant** : alice_photo — **p. 370 jeune homme** : Daniel Ernst — **p. 370 professeur** : PROMOOVOIR.COM — **p. 387** : Ralf Geithe — **p. 396** : mumumuyakko — **p. 397** : DezignerSESF — **p. 408** : Tierney — **p. 410 bas** : PL.TH — **p. 420** : DURIS Guillaume — **p. 446** : elenabsl — **p. 448** : ullrich — **p. 450** : Shjmyra —**p. 451** : leo_nik — **p. 458** : Rose Winter — **p. 481** : ajr_images — **p. 484 haut** : azure

ISTOCK

p. 5 Arbre : megamix — **p. 5 livre** : hatman12 — **p. 19** : asiseeit — **p. 40** : andresr — **p. 48** : Maxiphoto — **p. 57** : AF-studio — **p. 61** : Juanmonino — **p. 67** : skynesher — **p. 73 secrétaire** : yuoak — **p. 85** : paci77 — **p. 87** : DKart — **p. 88** : pawopa3336 — **p. 96** : stephanie phillips — **p. 100** : kenkuza — **p. 121** : ilyaliren — **p. 129** : Polar_lights — **p. 134** : AVIcons — **p. 143** : tacktack — **p. 166** : lilly3 — **p. 182** : jpmediainc — **p. 195** : grandeduc — **p. 204** : Eike Leppert — **p. 208** : VladSt — **p. 209** : Askold Romanov — **p. 210** : ilyast — **p. 213** : Suat Gürsözlü — **p. 222** : runeer — **p. 230** : TAPshooter — **p. 266** : Magnilion — **p. 267 bas** : Suat Gürsözlü — **p. 270** : alashi — **p. 271** : OnBlast — **p. 282** : kali9 — **p. 300** : siraanamwong — **p. 308** : daz2d — **p. 321 haut** : Ratsanai — **p. 321 bas** : sorbetto — **p. 324** : pe-art — **p. 337 bas** : dane_mark — **p. 341 bas** : jgareri — **p. 345** : Gryva — **p. 347** : Fertnig — **p. 352** : akindo — **p. 355 Mamadou** : MachineHeadz — **p. 347 Fabien** : SensorSpot — **p. 359** : Enis Aksoy — **p. 372** : twinsterphoto — **p. 374** : 4x6 — **p. 375 aspirateur** : Ksenica — **p. 375 sucette** : Anastasiia_New — **p. 375 verre** : jemastock — **p. 375 diplôme** : bubaone — **p. 375 urne et livres** : FrankRamspott — **p. 402** : vasabii — **p. 403** : Creative-Touch — **p. 409** : Dmitrii Guzhanin — **p. 410 haut** : rtguest — **p. 412** : erhui1979 — **p. 413** : OnBlast — **p. 416, 433** : erhui1979 — **p. 419** : VasjaKoman — **p. 423** : clu — **p. 424** : enjoynz — **p. 426** : Yulia Ogneva —

Table des matières